KU-111-618

普通话水平测试国家指导用书
国家语言文字工作委员会语言文字应用研究
“十五”科研规划重点项目(ZDI 105-18-34)

普通话水平测试实施纲要

国家语言文字工作委员会普通话培训测试中心编制
中华人民共和国教育部语言文字应用管理司组织审定

商務印書館
2006年·北京

图书在版编目(CIP)数据

普通话水平测试实施纲要/国家语言文字工作委员会普通话培训测试中心编制. —北京:商务印书馆,2004
(普通话水平测试丛书)
ISBN 7-100-03996-7

I. 普... II. 国... III. 普通话—水平考试—自学参考资料 IV. H102

中国版本图书馆CIP数据核字(2003)第106425号

PǓTŌNGHUÀ SHUǏPÍNG CÈSHÌ SHÍSHĪ GĀNGYÀO
普通话水平测试实施纲要
国家语言文字工作委员会普通话培训测试中心编制

商务印书馆出版
(北京王府井大街36号 邮政编码 100710)
商务印书馆发行
北京瑞古冠中印刷厂印刷
ISBN 7-100-03996-7/H·995

2004年1月第1版 开本787×1092 1/16
2006年12月北京第8次印刷 印张31
印数30 000册

定价:44.00元

《普通话水平测试大纲》学术委员会

顾　问

杨　光　教育部语言文字应用管理司司长

李宇明　教育部语言文字信息管理司司长、语言文字应用研究所所长（兼）、教授

学术委员会召集人

刘照雄　国家语委普通话培训测试中心原主任、研究员

姚喜双　教育部语言文字应用研究所副所长、国家语委普通话培训测试中心主任、教授

委　员（按音序排列）

陈章太　国家语委研究员

方　明　中央人民广播电台播音指导

傅永和　国家语委研究员

侯精一　中国社会科学院语言研究所研究员

李如龙　厦门大学教授

厉　兵　教育部语言文字应用研究所研究员

林　焘　北京大学教授

陆俭明　北京大学教授

毛世桢　华东师范大学教授

宋欣桥　国家语委普通话培训测试中心副教授

佟乐泉　教育部语言文字应用研究所研

王　均　国家语委研究员

邢福义　华中师范大学教授
于根元　北京广播学院研究员
詹伯慧　暨南大学教授
张　颂　北京广播学院教授
仲哲明　国家语委教授

学术委员会秘书

刘新珍　国家语委普通话培训测试中心培训处处长
王　晖　国家语委普通话培训测试中心测试处副处长

《普通话水平测试实施纲要》课题参与人员及分工

顾　问　杨光、李宇明

负责人　姚喜双、刘照雄

统　筹　韩其洲、王晖（执行）、刘新珍、侯玉茹

总　论

执　笔　刘照雄

审　定　王均、仲哲明、姚喜双

第一部分——普通话语音分析

执　笔　宋欣桥

审　定　王均、刘照雄、姚喜双

第二部分——普通话水平测试用普通话词语表

主　持　刘照雄、王晖

主要参加人员　宋欣桥、侯玉茹、孙海娜

审　定　仲哲明、姚喜双、晁继周、史定国

第三部分——普通话水平测试用普通话与方言词语对照表

主　持　王晖、孙海娜

主要参加人员　陶寰（吴方言）、李如龙（闽方言）、詹伯慧（粤方言）、

谢留文(赣方言)、赖江基(客家方言)、鲍厚星(湘方言)

审　定　刘照雄、姚喜双

第四部分——普通话水平测试用普通话与方言常见语法差异对照表

主　持　王晖、齐影

执　笔　于根元、仲哲明

审　定　陆俭明、刘照雄、姚喜双

第五部分——普通话水平测试用朗读作品

主　持　韩其洲、刘新珍

主要参加人员　侯玉茹、齐影、孙海娜、刘彦

湖南、湖北、江西、广西、上海、天津、重庆七个省、自治区、直辖市培训测试中心组织有关人员参与了前期的选编工作

审　定　刘照雄、姚喜双、宋欣桥

第六部分——普通话水平测试用话题

主　持　侯玉茹

审　定　刘照雄、韩其洲

课题其他参与人员

技术统计　肖航

汉语拼音注音　王新民

计算机操作　刘国辉

后期参与　陈茜、韩玉华

目　录

普通话水平测试大纲

（教育部　国家语委发教语用〔2003〕2号文件）

根据教育部、国家语言文字工作委员会发布的《普通话水平测试管理规定》《普通话水平测试等级标准》，制定本大纲。

一、测试的名称、性质、方式

本测试定名为“普通话水平测试”(PUTONGHUA SHUIPING CESHI，缩写为PSC)。

普通话水平测试测查应试人的普通话规范程度、熟练程度，认定其普通话水平等级，属于标准参照性考试。本大纲规定测试的内容、范围、题型及评分系统。

普通话水平测试以口试方式进行。

二、测试内容和范围

普通话水平测试的内容包括普通话语音、词汇和语法。

普通话水平测试的范围是国家测试机构编制的《普通话水平测试用普通话词语表》《普通话水平测试用普通话与方言词语对照表》《普通话水平测试用普通话与方言常见语法差异对照表》《普通话水平测试用朗读作品》《普通话水平测试用话题》。

三、试卷构成和评分

试卷包括5个组成部分，满分为100分。

（一）读单音节字词(100个音节，不含轻声、儿化音节)，限时3.5分钟，共10分。

1. 目的：测查应试人声母、韵母、声调读音的标准程度。

2. 要求：

(1) 100个音节中,70%选自《普通话水平测试用普通话词语表》"表一",30%选自"表二"。

(2) 100个音节中,每个声母出现次数一般不少于3次,每个韵母出现次数一般不少于2次,4个声调出现次数大致均衡。

(3) 音节的排列要避免同一测试要素连续出现。

3. 评分:

(1) 语音错误,每个音节扣0.1分。

(2) 语音缺陷,每个音节扣0.05分。

(3) 超时1分钟以内,扣0.5分;超时1分钟以上(含1分钟),扣1分。

(二) 读多音节词语(100个音节),限时2.5分钟,共20分。

1. 目的:测查应试人声母、韵母、声调和变调、轻声、儿化读音的标准程度。

2. 要求:

(1) 词语的70%选自《普通话水平测试用普通话词语表》"表一",30%选自"表二"。

(2) 声母、韵母、声调出现的次数与读单音节字词的要求相同。

(3) 上声与上声相连的词语不少于3个,上声与非上声相连的词语不少于4个,轻声不少于3个,儿化不少于4个(应为不同的儿化韵母)。

(4) 词语的排列要避免同一测试要素连续出现。

3. 评分:

(1) 语音错误,每个音节扣0.2分。

(2) 语音缺陷,每个音节扣0.1分。

(3) 超时1分钟以内,扣0.5分;超时1分钟以上(含1分钟),扣1分。

(三) 选择判断*,限时3分钟,共10分。

1. 词语判断(10组)

(1) 目的:测查应试人掌握普通话词语的规范程度。

(2) 要求:根据《普通话水平测试用普通话与方言词语对照表》,列举10组普通话与方言意义相对应但说法不同的词语,由应试人判断并读出普通话的词语。

(3) 评分:判断错误,每组扣0.25分。

2. 量词、名词搭配(10组)

(1) 目的:测查应试人掌握普通话量词和名词搭配的规范程度。

(2) 要求:根据《普通话水平测试用普通话与方言常见语法差异对照表》,列举10个名词和若干量词,由应试人搭配并读出符合普通话规范的10组名量短语。

(3) 评分:搭配错误,每组扣0.5分。

3. 语序或表达形式判断(5组)

(1) 目的:测查应试人掌握普通话语法的规范程度。

(2) 要求:根据《普通话水平测试用普通话与方言常见语法差异对照表》,列举5组普通话和方言意义相对应,但语序或表达习惯不同的短语或短句,由应试人判断并读出符合普通话语法规范的表达形式。

(3) 评分:判断错误,每组扣0.5分。

选择判断合计超时1分钟以内,扣0.5分;超时1分钟以上(含1分钟),扣1分。答题时语音错误,每个错误音节扣0.1分;如判断错误已经扣分,不重复扣分。

(四) 朗读短文(1篇,400个音节),限时4分钟,共30分。

1. 目的:测查应试人使用普通话朗读书面作品的水平。在测查声母、韵母、声调读音标准程度的同时,重点测查连读音变、停连、语调以及流畅程度。

2. 要求:

(1) 短文从《普通话水平测试用朗读作品》中选取。

(2) 评分以朗读作品的前400个音节(不含标点符号和括注的音节)为限。

3. 评分:

(1) 每错1个音节,扣0.1分;漏读或增读1个音节,扣0.1分。

(2) 声母或韵母的系统性语音缺陷,视程度扣0.5分、1分。

(3) 语调偏误,视程度扣0.5分、1分、2分。

(4) 停连不当,视程度扣0.5分、1分、2分。

(5) 朗读不流畅(包括回读),视程度扣0.5分、1分、2分。

(6) 超时扣1分。

(五) 命题说话,限时3分钟,共30分。

1. 目的:测查应试人在无文字凭借的情况下说普通话的水平,重点测查语音标准程度、词汇语法规范程度和自然流畅程度。

2. 要求:

(1) 说话话题从《普通话水平测试用话题》中选取,由应试人从给定的两个话题中选定1个话题,连续说一段话。

(2) 应试人单向说话。如发现应试人有明显背稿、离题、说话难以继续等表现时,主试人应及时提示或引导。

3. 评分:

(1) 语音标准程度,共20分。分六档:

一档:语音标准,或极少有失误。扣0分、0.5分、1分。

二档:语音错误在10次以下,有方音但不明显。扣1.5分、2分。

三档:语音错误在10次以下,但方音比较明显;或语音错误在10次—15次之间,有方音但不明显。扣3分、4分。

四档:语音错误在10次—15次之间,方音比较明显。扣5分、6分。

五档:语音错误超过15次,方音明显。扣7分、8分、9分。

六档:语音错误多,方音重。扣10分、11分、12分。

(2) 词汇语法规范程度,共5分。分三档:

一档:词汇、语法规范。扣0分。

二档:词汇、语法偶有不规范的情况。扣0.5分、1分。

三档:词汇、语法屡有不规范的情况。扣2分、3分。

(3) 自然流畅程度,共5分。分三档:

一档:语言自然流畅。扣0分。

二档:语言基本流畅,口语化较差,有背稿子的表现。扣0.5分、1分。

三档:语言不连贯,语调生硬。扣2分、3分。

说话不足3分钟,酌情扣分:缺时1分钟以内(含1分钟),扣1分、2分、3分;缺时1分钟以上,扣4分、5分、6分;说话不满30秒(含30秒),本测试项成绩计为0分。

四、应试人普通话水平等级的确定

国家语言文字工作部门发布的《普通话水平测试等级标准》是确定应试人普通话水平等级的依据。测试机构根据应试人的测试成绩确定其普通话水平等级，由省、自治区、直辖市以上语言文字工作部门颁发相应的普通话水平测试等级证书。

普通话水平划分为三个级别，每个级别内划分两个等次。其中：

97 分及其以上，为一级甲等；

92 分及其以上但不足 97 分，为一级乙等；

87 分及其以上但不足 92 分，为二级甲等；

80 分及其以上但不足 87 分，为二级乙等；

70 分及其以上但不足 80 分，为三级甲等；

60 分及其以上但不足 70 分，为三级乙等。

*说明：各省、自治区、直辖市语言文字工作部门可以根据测试对象或本地区的实际情况，决定是否免测“选择判断”测试项。如免测此项，“命题说话”测试项的分值由 30 分调整为 40 分。评分档次不变，具体分值调整如下：

(1) 语音标准程度的分值，由 20 分调整为 25 分。

一档：扣 0 分、1 分、2 分。

二档：扣 3 分、4 分。

三档：扣 5 分、6 分。

四档：扣 7 分、8 分。

五档：扣 9 分、10 分、11 分。

六档：扣 12 分、13 分、14 分。

(2) 词汇语法规范程度的分值，由 5 分调整为 10 分。

一档：扣 0 分。

二档：扣 1 分、2 分。

三档：扣 3 分、4 分。

(3) 自然流畅程度，仍为 5 分，各档分值不变。

xué

岙(嶨)~地名
在浙江省的文成县

屿(嶼)

岗(岡,崗)山脊

皋(臯)gāo 高地

汉皋

設備

(槹)桔槔~一種汲水的設备

jiégāo

汲引~旧時喻提拔人才

bò ji

簸箕~不成圆形的指纹

嵇 jī

稽

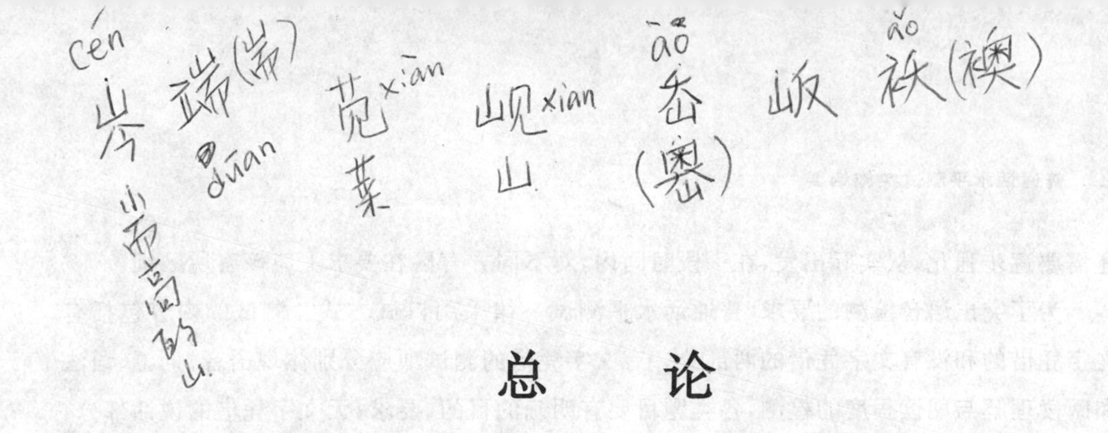

总 论

一、导 语

国家推广全国通用的普通话。普通话是以汉语文授课的各级各类学校的教学用语；是以汉语传送的各级广播电台、电视台和汉语电影、电视剧、话剧必须使用的规范用语；是我国党政机关、团体、企事业单位干部在工作中必须使用的公务用语；是不同方言区以及国内不同民族之间人们的交际用语。

2000 年 10 月 31 日，第九届全国人民代表大会常务委员会第十八次会议通过的《中华人民共和国国家通用语言文字法》第十九条规定："凡以普通话作为工作语言的岗位，其工作人员应当具备说普通话的能力。

以普通话作为工作语言的播音员、节目主持人和影视话剧演员、教师、国家机关工作人员的普通话水平，应当分别达到国家规定的等级标准；对尚未达到国家规定的普通话等级标准的，分别情况进行培训。"

第二十四条规定："国务院语言文字工作部门颁布普通话水平测试等级标准。"

掌握和使用一定水平的普通话，是进行现代化建设的各行各业人员，特别是播音员、节目主持人、教师、影视话剧演员以及国家机关工作人员必备的职业素质。因此，有必要对上述岗位的从业人员进行普通话水平测试，并逐步实行持等级证书上岗制度。

普通话是汉民族的共同语，是规范化的现代汉语；是全国通用的语言。共同的语言和规范化的语言是不可分割的，没有一定的规范就不可能做到真正的共同。普通话的规范指的是现代汉语在语音、词汇、语法各方面的标准。普通话水平测试是推广普通话工作的重要组成部分，是使推广普通话工作逐步走向制度化、科学化、规范化的重要举措。推广普通话促进语言规范化，是汉语发展的总趋势。普通话水平测试工作的健康开展必将对社会的语言生活产生深远的影响。

汉语方言复杂，语音乃至词汇、语法因时因地而异。毋庸讳言，有的地方话较为接近普通话，有的地方话则与普通话存在较大的差异。进行普通话水平测试必须坚持统一的标准，坚持测试工作的科学性和严肃性。鉴于普通话在一些方言区还不够普及，提高工作还需要逐步强化，从实际出发，在一段时间内，对不同方言区在要求上应该有所区别。

为了突出语音检测的要求，普通话水平测试一律采用口试方式。测试的内容包括有文字凭借的和没有文字凭借的两部分。有文字凭借的测试项应分别体现语音、词汇、语法和阅读理解与朗读程度的检测，各类题目要有明确的目的、要求；无文字凭借的说话部分，全面（语音、词汇、语法）检测和评估应试人使用普通话时所达到的规范程度。测试题目必须尽可能兼顾信度和效度的统一。按照《普通话水平测试大纲》的规定和《普通话水平测试实施纲要》的要求，建立普通话水平测试国家题库，在计算机生成试卷的基础上，进行必要的专业人员的干预，确实保证试卷的质量。

二、试卷构成、测试时间和评分

试卷包括 5 个组成部分，满分为 100 分。

（一）读单音节字词（100 个音节，不含轻声、儿化音节），限时 3.5 分钟，共 10 分。

1. 目的：测查应试人声母、韵母、声调读音的标准程度。

2. 要求：

(1) 字词的 70%选自《普通话水平测试用普通话词语表》“表一”（带 * 的字词占 40%，不带 * 的字词占 30%）；另外 30%选自“表二”。

(2) 100 个音节中，每个声母出现次数一般不少于 3 次，不超过 6 次；每个韵母出现次数一般不少于 2 次（个别韵母另有提示），不超过 4 次。4 个声调出现次数大致均衡。

根据《普通话水平测试实施纲要》词表累计出现的 3.1 万多个音节（以此项资料为主）和 60 篇朗读作品里声母、韵母出现的统计资料，声母、韵母的选定数应该有相对的幅度。

声母选定的幅度（按在词表中出现的比例和培训、测试的需要分档排序）：

6～3 次—ø 声母 d l j q x zh ch sh

5～3 次— b m f t g h z

3～2 次— p n k r c s

韵母选定的幅度：

4～3 次 — i, u, ian, ing, an, -i（后）, ong, ao, ang, e, eng, uei, ai（以上共 13 个韵母）；

3～2 次 — en, iao, uan, in, ou, a, ü, uo, -i（前）, uen, iou, ie, iang, ei, uang, ia, üe（以上共 17 个韵母）；

2～1 次 — ua, o, üan, uai, iong, ün（以上共 6 个韵母）；

1～0 次 — er，ueng(以上共 2 个韵母)。

计算机拟卷程序应符合上述要求。在对计算机拟制的试卷进行必要的人工干预时，允许个别(一定是个别的)变动声母、韵母的出现次数。

(3)音节的排列要避免同一测试要素连续出现。

3. 评分：

(1) 语音错误，每个音节扣 0.1 分。

(2) 读音缺陷，每个音节扣 0.05 分。

(3) 超时 1 分钟以内，扣 0.5 分；超时 1 分钟以上(含 1 分钟)，扣 1 分。

语音缺陷在此项里主要是指声母的发音部位不够准确，但还不是把普通话里的某一类声母读成另一类声母，比如舌面前音 j、q、x，读得接近 z、c、s；或者把普通话里的某一类声母的正确发音部位用较接近的部位代替，比如把舌面前音读得接近舌叶音；或者读翘舌音声母时舌尖接触或接近上腭的位置过于靠后或靠前等。韵母读音的缺陷多表现为合口呼、撮口呼的韵母圆唇度明显不够，语感差；或者开口呼的韵母开口度明显不够，听感性质明显不符；或者复韵母舌位动程不够等。声调调形、调势基本正确，但调值明显偏低或偏高，特别是四声的相对高点或低点明显不一致。

(二)读多音节词语(100 个音节；其中含双音节词语 45～47 个，三音节词语 2 个，4 音节词语 1～0 个)，限时 2.5 分钟，共 20 分。

1. 目的：测查应试人声母、韵母、声调和变调、轻声、儿化读音的标准程度。

2. 要求：

(1) 词语的 70%选自《普通话水平测试用普通话词语表》“表一”；30%选自“表二”。

(2) 声母、韵母、声调出现的次数与单音节字词的要求相同。

(3) 上声和上声连读的词语不少于 3 个，上声(在前)和其他声调(阴平、阳平、去声、轻声)连读的词语不少于 4 个，轻声词语不少于 3 个；儿化词语不少于 4 个(应为不同的儿化韵母)。

(4) 词语的排列避免同一测试要素的集中出现。

3. 评分：

(1) 语音错误，每个音节扣 0.2 分。

(2) 语音缺陷，每个音节扣 0.1 分。

(3) 超时 1 分钟以内，扣 0.5 分；超时 1 分钟以上(含 1 分钟)，扣 1 分。

语音缺陷除跟(一)项内相同的以外，还包括变调、轻声、儿化韵读音不完全合要求的情况。

(一)和(二)两项都有同样语音缺陷的,两项分别都扣分。

(三)选择判断*,限时3分钟,共10分。

1. 词语判断(10组)

(1)目的:测查应试人掌握普通话词语的规范程度。

(2)要求:根据《普通话水平测试用普通话与方言词语对照表》列举10组普通话与方言意义相对应但说法不同的词语,由应试人判断并读出普通话的词语。

(3)评分:判断错误,每组扣0.25分。

2. 量词、名词搭配(10组)

(1)目的:测查应试人掌握普通话量词和名词搭配的规范程度。

(2)要求:根据《普通话水平测试用普通话常见量词、名词搭配表》列举10个名词和若干个量词,由应试人搭配并读出符合普通话规范的10组名量短语。

(3)评分:搭配错误,每组扣0.5分。

3. 语序或表达形式判断(5组)

(1)目的:测查应试人掌握普通话语法的规范程度。

(2)要求:根据《普通话水平测试用普通话与方言常见语法差异对照表》,列举5组普通话和方言意义相对应,但语序或表达习惯不同的短语或短句,由应试人判断并读出符合普通话语法规范的表达形式。

(3)评分:判断错误,每组扣0.5分。

选择判断合计超时1分钟以内,扣0.5分;超时1分钟以上(含1分钟),扣1分。

答题时语音错误,每个错误音节扣0.1分,如判断错误已经扣分,不重复扣分。

(四)朗读短文(1篇,400个音节),限时4分钟,共30分。

1. 目的:测查应试人使用普通话朗读书面作品的水平。在测查声母、韵母、声调读音标准程度的同时,重点测查连读音变、停连、语调以及流畅程度。

2. 要求:

(1)短文从《普通话水平测试用朗读作品》中选取。

(2)评分以朗读作品的前400个音节(不含标点符号和括注的音节)为限,但应试人应将第400个音节所在的句子读完整。

3. 评分:

(1)每错1个音节,扣0.1分;漏读或增读1个音节,扣0.1分。

(2)声母或韵母系统性缺陷,视程度扣0.5分、1分。

(3)语调偏误,视程度扣0.5分、1分、2分。

(4)停连不当,视程度扣0.5分、1分、2分。

(5)朗读不流畅(包括回读),视程度扣0.5分、1分、2分。

(6)超时扣1分。

应该把规定的60篇朗读作品作为训练的总体要求,做到选读任何一篇都能基本反映应试人的朗读水平。

(五)命题说话,限时3分钟,共30分。

1.目的:测查应试人在无文字凭借的情况下说普通话的水平,重点测查语音标准程度,词汇、语法规范程度和自然流畅程度。

2.要求:

(1)说话话题从《普通话水平测试用话题》中选取。由应试人从给定的两个话题中选定1个话题,连续说一段话。

(2)应试人单向说话。如发现应试人有背稿、离题或说话难以继续等表现时,主试人应及时提示或引导。

3.评分:

(1)语音标准程度,共20分。分六档:

一档:语音标准,或极少有失误。扣0分、0.5分、1分。

二档:语音错误在10次以下,有方音但不明显。扣1.5分、2分。

三档:语音错误在10次以下,但方音比较明显;或语音错误在10次~15次之间,有方音但不明显。扣3分、4分。

四档:语音错误在10次~15次之间,方音比较明显。扣5分、6分。

五档:语音错误超过15次,方音明显。扣7分、8分、9分。

六档:语音错误多,方音重。扣10分、11分、12分。

(2)词汇、语法规范程度,共5分。分三档:

一档:词汇、语法规范。扣0分。

二档:词汇、语法偶有不规范的情况。扣0.5分、1分。

三档:词汇、语法屡有不规范的情况。扣2分、3分。

(3)自然流畅程度,共5分。分三档:

一档:语言自然流畅,扣0分。

二档:语言基本流畅,口语化较差,有类似背稿子的表现。扣0.5分、1分。

三档:语言不连贯,语调生硬。扣2分、3分。

说话不足3分钟,酌情扣分:缺时1分钟以内(含1分钟),扣1分、2分、3分;缺时1分钟以上,扣4分、5分、6分;说话不满30秒(含30秒),本测试项成绩计为0分。

三、样卷(人工拟卷)

(一)读100个单音节字词

昼 *八 迷 *先 毡 *皮 幕 *美 彻 *飞

鸣 *破 捶 *风 豆 *蹲 霞 *掉 桃 *定

官 *铁 翁 *念 劳 *天 旬 *沟 狼 *口

靴 *娘 嫩 *机 蕊 *家 跪 *绝 趣 *全

瓜 *穷 屡 *知 狂 *正 裘 *中 恒 *社

槐 *事 轰 *竹 掠 *茶 肩 *常 概 *虫

皇 *水 君 *人 伙 *自 滑 *早 绢 *足

炒 *次 渴 *酸 勤 *鱼 筛 *院 腔 *爱

鳖 袖 滨 竖 搏 刷 瞟 帆 彩 愤

司 滕 寸 峦 岸 勒 歪 尔 熊 妥

(标 * 的是"表一"里按频率排在第1—4000条之间的字词。正式试卷不必标出。)

覆盖声母情况:

b:4,p:3,m:4,f:4,d:4,t:5,n:3,l:6,g:5,k:3,h:6,j:6,q:6,x:6,zh:6,ch:6,sh:6,r:2,z:3,c:3,s:2,零声母:7。

总计:100次。未出现声母:0。

覆盖韵母情况:

a:2,e:4,-i(前):3,-i(后):2,ai:4,ei:2,ao:4,ou:4,an:3,en:3,ang:3,eng:4,i:3,ia:2,ie:2,iao:2,iou:2,ian:4,in:2,iang:2,ing:2,u:4,ua:3,uo/o:4,uai:2,uei:4,uan:2,uen:2,uang:2,ong:4,ueng:1,ü:3,üe:3,üan:2,ün:2,iong:2,er:1。

总计:100次。未出现韵母:0。

覆盖声调情况:

阴平:28；阳平:31；上声:14；去声:27。

总计:100。

（二）读多音节词语(100个音节;其中含双音节词语45个,三音节词语2个,4音节词语1个)

*取得　阳台　*儿童　夹缝儿　混淆　衰落　*分析　防御
沙丘　*管理　*此外　便宜　光环　*塑料　扭转　加油
*队伍　挖潜　女士　*科学　*手指　策略　抢劫　*森林
侨眷　模特儿　港口　没准儿　*干净　日用　*紧张　炽热
*群众　名牌儿　沉醉　*快乐　窗户　*财富　*应当　生字
奔跑　*晚上　卑劣　包装　洒脱　*现代化　*委员会
轻描淡写

覆盖声母情况:

b:3, p:3, m:4, f:4, d:5, t:4, n:2, l:7, g:4, k:3, h:5, j:6, q:7, x:5, zh:6, ch:3, sh:6, r:2, z:2, c:3, s:3, 零声母:13。

总计:100次。未出现声母:0。

覆盖韵母情况:

ɑ:2, e:6, -i(前):2, -i(后):4, ai:4, ei:2, ao:2, ou:2, an:2, en:4, ang:5, eng:2, i:3, ia:2, ie:3, iao:4, iou:3, ian:3, in:2, iang:2, ing:4, u:4, ua:2, uo/o:3, uai:3, uei:4, uan:4, uen:2, uang:3, ong:2, ü:3, üe:2, üan:2, ün:1, iong:1, er:1。

总计:100次。未出现韵母:ueng。

其中儿化韵母4个:-engr(夹缝儿),-uenr(没准儿),-er(模特儿),-air(名牌儿)。

覆盖声调情况:

阴平:23；阳平:24；上声:19；去声:30；轻声:4。

其中上声和上声相连的词语4条:管理,扭转,手指,港口。

总计:100。

（三）选择判断*(为便于了解题意,样题显示答案)

1. 词语判断:请判断并读出下列10组词语中的普通话词语。

(1) 如䢧　**现在**　而家　今下　目下

(2) 瞒人　边个　**谁**　啥侬　啥人

(3) 为么子　做脉个　**为什么**　为什里　为啥　为怎样

(4) **细小**　细粒　幼细　异细

(5) 后生子　后生崽里　后生家　后生仔　**小伙子**

(6) 日里向　日里　**白天**　日上　日头　日时　日辰头

(7) **婴儿**　毛它　冒牙子　苏虾仔　婴仔　啊伢㱠

(8) 蚂蚁子　蚂蝇里　狗蚁　蚁公　**蚂蚁**

(9)**这里**　个搭　咯里　个里　呢处　即搭

(10)早上向　**早晨**　早间里　朝早　朝辰头

2. 量词、名词搭配：请按照普通话规范搭配并读出下列数量名短语。

(例如：一 → 个 只 粒
↓
人)

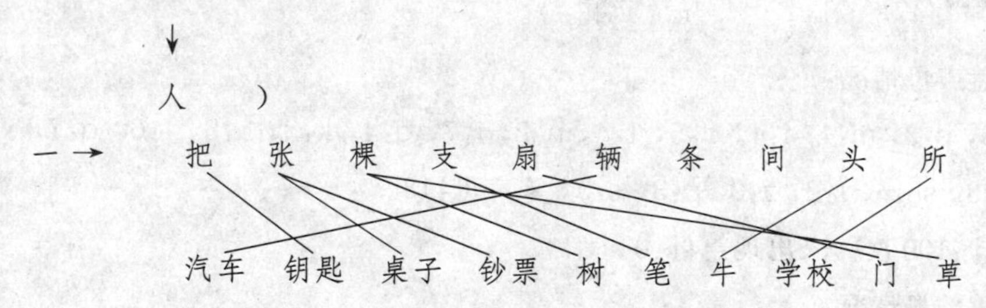

3. 语序或表达形式判断：请判断并读出下列5组句子里的普通话句子。

(1)**他大约要两三个月才能回来。**

他大约要二三个月才能回来。

(2)他好好可爱。

他非常可爱。

他上可爱。

(3)你去去逛街?

你去不去逛街?

(4) 你矮我。

你比我过矮。

你比我矮。

你比较矮我。

你比我较矮。

(5)**那部电影我看过。**

那部电影我有看。

(四) 朗读短文:请朗读第12号短文。

(五) 命题说话:请按照话题“我的业余生活”或“我熟悉的地方”说一段话(3分钟)。

*说明:各省(自治区、直辖市)语言文字工作部门可以根据测试对象或本地区的实际情况,决定是否免测“选择判断”测试项。如免测此项,“命题说话”测试项的分值由30分调整为40分。评分档次不变,具体分值调整如下:

(1)语音标准程度的分值,由20分调整为25分。

一档:扣0分、1分、2分。

二档:扣3分、4分。

三档:扣5分、6分。

四档:扣7分、8分。

五档:扣9分、10分、11分。

六档:扣12分、13分、14分。

(2)词汇、语法规范程度的分值,由5分调整为10分。

一档:扣0分。

二档:扣1分、2分。

三档:扣3分、4分。

(3)自然流畅程度,各档分值不变。

第一部分

普通话语音分析

普通话以北京语音为标准音。普通话语音系统主要包括声母、韵母、声调、音节，以及变调、轻声、儿化、语调等。

分述如下：

一、声　母

普通话的声母包括零声母在内共22个。（拼音后为例字，下同）

b 巴步别　p 怕盘扑　m 门谋木　f 飞付浮

d 低大夺　t 太同突　n 南牛怒　l 来吕路

g 哥甘共　k 枯开狂　h 海寒很

j 即结净　q 齐求轻　x 西袖形

zh 知照铡　ch 茶产唇　sh 诗手生　r 日锐荣

z 资走坐　c 慈蚕存　s 丝散颂

零声母　安言忘云

普通话22个声母中有21个由辅音充当，我们可以根据辅音的发音部位和发音方法给声母分类。

1. 按发音部位分类

普通话的辅音声母可以按发音部位分为三大类，细分为七个部位。

(1) 唇音　以下唇为主动器官，普通话又细分为两个发音部位：

双唇音：上唇和下唇闭合构成阻碍。普通话有3个：b、p、m。

唇齿音（也叫“齿唇音”）：下唇和上齿靠拢构成阻碍。普通话只有1个：f。

(2) 舌尖音　以舌尖为主动器官，普通话又细分为三个发音部位：

舌尖前音(也叫平舌音)：舌尖向上门齿背接触或接近构成阻碍。普通话有 3 个：z、c、s。

舌尖中音：舌尖和上齿龈(即上牙床)接触构成阻碍。普通话有 4 个：d、t、n、l。

舌尖后音(也叫翘舌音)：舌尖向硬腭的最前端接触或接近构成阻碍。普通话有 4 个：zh、ch、sh、r。

(3) 舌面音　以舌面为主动器官，普通话又细分为两个发音部位：

舌面前音：舌面前部向硬腭前部接触或接近构成阻碍。普通话有 3 个：j、q、x。

舌面后音(也叫"舌根音")：舌面后部向硬腭和软腭的交界处接触或接近构成阻碍。普通话声母有 3 个：g、k、h。

声母由辅音构成。辅音是气流呼出时，在口腔某个部位遇到程度不同的阻碍构成的。我们把起始阶段叫"成阻"，持续阶段叫"持阻"，阻碍解除的阶段叫"除阻"。

2. 按发音方法分类

普通话辅音声母的发音方法有以下五种：

(1) 塞音　成阻时发音部位完全形成闭塞；持阻时气流积蓄在阻碍的部位之后；除阻时受阻部位突然解除阻塞，使积蓄的气流透出，爆发破裂成声。普通话有 6 个塞音：b、p、d、t、g、k。

(2) 鼻音　成阻时发音部位完全闭塞，封闭口腔通路；持阻时，软腭下垂，打开鼻腔通路，声带振动，气流到达口腔和鼻腔，气流在口腔受到阻碍，由鼻腔透出成声；除阻时口腔阻碍解除。鼻音是鼻腔和口腔的双重共鸣形成的。鼻腔是不可调节的发音器官。不同音质的鼻音是由于发音时在口腔的不同部位阻塞，造成不同的口腔共鸣状态而形成的。普通话有 2 个鼻音声母：m、n。

(3) 擦音　成阻时发音部位之间接近，形成适度的间隙；持阻时，气流从窄缝中间摩擦成声；除阻时发音结束。普通话有 6 个擦音：f、h、x、sh、s、r。

(4) 边音　普通话只有一个舌尖中的边音：l。舌尖和上齿龈(上牙床)稍后的部位接触，使口腔中间的通道阻塞；持阻时声带振动，气流从舌头两边与两颊内侧形成的空隙通过，透出成声；除阻时发音结束。

(5) 塞擦音　是以"塞音"开始，以"擦音"结束。由于塞擦音的"塞"和"擦"是同部位的，"塞音"的除阻阶段和"擦音"的成阻阶段融为一体，两者结合得很紧密。普通话有 6 个塞擦音：j、q、zh、ch、z、c。

普通话的辅音声母还有"送气音"与"不送气音"、"清音"与"浊音"的区别。

普通话只有塞音和塞擦音区分送气音和不送气音。

送气音 这类辅音发音时气流送出比较快和明显，由于除阻后声门大开，流速较快，在声门以及声门以上的某个狭窄部位造成摩擦，形成送气音。普通话有6个送气音：p、t、k、q、ch、c。

不送气音 指发音时，没有送气音特征，又同送气音形成对立的音。普通话有6个不送气音：b、d、g、j、zh、z。

普通话有4个浊辅音声母：m、n、l、r。普通话除了4个浊辅音声母外，其余辅音声母都是清音，它们是：b、p、f、d、t、g、k、h、j、q、x、zh、ch、sh、z、c、s。

普通话声母的发音分析：

b [p] 双唇不送气清塞音

双唇闭合，同时软腭上升，关闭鼻腔通路；气流到达双唇后蓄气；凭借积蓄在口腔中的气流突然打开双唇成声。

发音例词：

颁布 bānbù　　板报 bǎnbào　　褒贬 bāobiǎn

步兵 bùbīng　　标本 biāoběn　　辨别 biànbié

p [p‘] 双唇送气清塞音

成阻和持阻阶段与b相同。不同的是除阻时，声门(声带开合处)开启，从肺部呼出一股较强气流成声。

发音例词：

批评 pīpíng　　偏旁 piānpáng　　乒乓 pīngpāng

匹配 pǐpèi　　瓢泼 piáopō　　偏僻 piānpì

m [m] 双唇鼻音

双唇闭合，软腭下垂，打开鼻腔通路；声带振动，气流同时到达口腔和鼻腔，在口腔的双唇后受到阻碍，气流从鼻腔透出成声。

发音例词：

麦苗 màimiáo　　眉目 méimù　　门面 ménmiàn

磨灭 mómiè　　命名 mìngmíng　　迷茫 mímáng

f [f] 唇齿清擦音

下唇向上门齿靠拢，形成间隙；软腭上升，关闭鼻腔通路；使气流从齿唇形成的间隙摩擦通过而成声。

发音例词：

发奋 fāfèn　　反复 fǎnfù　　方法 fāngfǎ

仿佛 fǎngfú　　肺腑 fèifǔ　　丰富 fēngfù

d [t] 舌尖中不送气清塞音

舌尖抵住上齿龈，形成阻塞；软腭上升，关闭鼻腔通路；气流到达口腔后蓄气，突然解除阻塞成声。

发音例词：

达到 dádào　　带动 dàidòng　　单调 dāndiào

当初 dāngchū　　道德 dàodé　　等待 děngdài

t [t'] 舌尖中送气清塞音

成阻、持阻阶段与 d 相同。不同的是除阻阶段声门开启，从肺部呼出一股较强的气流成声。

发音例词：

谈吐 tántǔ　　探讨 tàntǎo　　淘汰 táotài

体贴 tǐtiē　　团体 tuántǐ　　妥帖 tuǒtiē

n [n] 舌尖中鼻音

舌尖抵住上齿龈，形成阻塞；软腭下垂，打开鼻腔通路；声带振动，气流同时到达口腔和鼻腔，在口腔受到阻碍，气流从鼻腔透出成声。

发音例词：

奶牛 nǎiniú　　男女 nánnǚ　　恼怒 nǎonù

能耐 néngnai　　泥泞 nínìng　　农奴 nóngnú

l [l] 舌尖中边音

舌尖抵住上齿龈的后部，阻塞气流从口腔中路通过的通道；软腭上升，关闭鼻腔通路，声带振动；气流到达口腔后从舌头跟两颊内侧形成的空隙通过而成声。

发音例词：

拉力 lālì　　利落 lìluo　　流利 liúlì

履历 lǚlì　　罗列 luóliè　　轮流 lúnliú

g [k] 舌面后不送气清塞音

舌面后部隆起抵住硬腭和软腭交界处，形成阻塞；软腭上升，关闭鼻腔通路；气流在形成阻塞的部位后积蓄；突然解除阻塞而成声。

发音例词：

杠杆 gànggǎn　　高贵 gāoguì　　更改 gēnggǎi

观光 guānguāng　　灌溉 guàngài　　光顾 guānggù

k [k'] 舌面后送气清塞音

成阻、持阻阶段与 g 相同。不同的是除阻阶段声门开启，从肺部呼出一股较强的气流成声。

发音例词：

开垦 kāikěn　　苛刻 kēkè　　刻苦 kèkǔ

空旷 kōngkuàng　　宽阔 kuānkuò　　困苦 kùnkǔ

h [x] 舌面后清擦音

舌面后部隆起接近硬腭和软腭的交界处，形成间隙；软腭上升，关闭鼻腔通路；使气流从形成的间隙摩擦通过而成声。

发音例词：

航海 hánghǎi　　呼唤 hūhuàn　　花卉 huāhuì

谎话 huǎnghuà　　挥霍 huīhuò　　悔恨 huǐhèn

j [tɕ] 舌面前不送气清塞擦音

舌尖抵住下门齿背，使舌面前贴紧硬腭前部，软腭上升，关闭鼻腔通路。在阻塞的部位后面积蓄气流，突然解除阻塞时，在原形成闭塞的部位之间保持适度的间隙，使气流从间隙透出而成声。

发音例词：

积极 jījí　　家具 jiājù　　坚决 jiānjué

讲解 jiǎngjiě　　捷径 jiéjìng　　军舰 jūnjiàn

q [tɕʻ] 舌面前送气清塞擦音

成阻阶段与 j 相同。不同的是当舌面前与硬腭前部分离并形成适度间隙的时候，声门开启，从肺部呼出一股较强的气流成声。

发音例词：

齐全 qíquán　　恰巧 qiàqiǎo　　亲切 qīnqiè

情趣 qíngqù　　请求 qǐngqiú　　缺勤 quēqín

x [ɕ] 舌面前清擦音

舌尖抵住下齿背，使舌面前接近硬腭前部，形成适度的间隙，气流从空隙摩擦通过而成声。

发音例词：

喜讯 xǐxùn　　现象 xiànxiàng　　学习 xuéxí

心胸 xīnxiōng　　行星 xíngxīng　　选修 xuǎnxiū

zh [tʂ] 舌尖后不送气清塞擦音

舌头前部上举，抵住硬腭前端，同时软腭上升，关闭鼻腔通路。在形成阻塞的部位后积蓄气流，突然解除阻塞时，在原形成闭塞的部位之间保持适度的间隙，使气流从间隙透出而成声。

发音例词：

战争 zhànzhēng　　真正 zhēnzhèng　　政治 zhèngzhì

支柱 zhīzhù　　制止 zhìzhǐ　　周转 zhōuzhuǎn

ch [tʂʻ] 舌尖后送气清塞擦音

成阻阶段与 zh 相同。不同的是在突然解除阻塞时，声门开启，从肺部呼出一股较强的气流成声。

发音例词：

超产 chāochǎn　　抽查 chōuchá　　橱窗 chúchuāng

戳穿 chuōchuān　　驰骋 chíchěng　　充斥 chōngchì

sh [ʂ] 舌尖后清擦音

舌头前部上举，接近硬腭前端，形成适度的间隙；同时软腭上升，关闭鼻腔通路；使气流从间隙摩擦通过而成声。

发音例词：

赏识 shǎngshí　　少数 shǎoshù　　设施 shèshī

神圣 shénshèng　　事实 shìshí　　舒适 shūshì

r [ʐ] 舌尖后浊擦音

发音部位与 sh 相同。不同的是声带振动，摩擦轻微。

发音例词：

忍让 rěnràng　　仍然 réngrán　　荣辱 róngrǔ

如若 rúruò　　软弱 ruǎnruò　　闰日 rùnrì

z [ts] 舌尖前不送气清塞擦音

舌尖抵住上门齿背形成阻塞，在阻塞的部位后积蓄气流；同时软腭上升，关闭鼻腔通路；突然解除阻塞时，在原形成阻塞的部位之间保持适度的间隙，使气流从间隙透出而成声。

发音例词：

在座 zàizuò　　造作 zàozuò　　自尊 zìzūn

总则 zǒngzé　　祖宗 zǔzong　　罪责 zuìzé

c [tsʻ] 舌尖前送气清塞擦音

成阻阶段与 z 相同。不同的是在突然解除阻塞时，声门开启，从肺部呼出一股较强的气流成声。

发音例词：

猜测 cāicè	残存 cáncún	仓促 cāngcù
从此 cóngcǐ	催促 cuīcù	措辞 cuòcí

s [s] 舌尖前清擦音

舌尖接近上门齿背，形成间隙；同时软腭上升，关闭鼻腔通路；使气流从间隙摩擦通过成声。

发音例词：

洒扫 sǎsǎo	松散 sōngsǎn	诉讼 sùsòng
琐碎 suǒsuì	思索 sīsuǒ	速算 sùsuàn

零声母

零声母也是一种声母。实验语音学证明，零声母往往也有特定的、具有某些辅音特性的起始方式。普通话零声母可以分为两类，一类是开口呼零声母，一类是非开口呼零声母。

非开口呼零声母，即除开口呼以外的齐齿呼、合口呼、撮口呼三种零声母的起始方式：

齐齿呼零声母音节汉语拼音用隔音字母 y 开头，由于起始部分没有辅音声母，实际发音带有轻微摩擦，是半元音 [j]，半元音仍属辅音类。合口呼零声母音节汉语拼音用隔音字母 w 开头，实际发音带有轻微摩擦，是半元音 [w] 或齿唇通音 [ʋ]。撮口呼零声母音节汉语拼音用隔音字母 y(yu)开头，实际发音带有轻微的摩擦，是半元音 [ɥ]。

开口呼零声母汉语拼音字母不表示。不经过专门的语音训练，人们一般感觉不到以 ɑ、o、e 开头的音节还有微弱的辅音(喉塞音 [ʔ] 或舌面后浊擦音 [ɣ])存在，因为这些音节开头的辅音成分没有辨义作用，我们可以忽略不计。

发音例词：

恩爱 ēn'ài	偶尔 ǒu'ěr	额外 éwài	洋溢 yángyì
谣言 yáoyán	医药 yīyào	万物 wànwù	忘我 wàngwǒ
威望 wēiwàng	永远 yǒngyuǎn	踊跃 yǒngyuè	孕育 yùnyù

二、韵　母

普通话的韵母共有 39 个。

		i	闭地七益	u	布亩竹出	ü	女律局域
ɑ	巴打铡法	iɑ	加佳瞎压	uɑ	瓜抓刷画		

e 哥社得合	ie 爹界别叶		üe 靴月略确
o （波魄抹佛）		uo 多果若握	
ai 该太白麦		uai 怪坏帅外	
ei 杯飞黑贼		uei 对穗惠卫	
ao 包高茂勺	iao 标条交药		
ou 头周口肉	iou 牛秋九六		
an 半担甘暗	ian 边点减烟	uan 短川关碗	üan 捐全远
en 本分枕根	in 林巾心因	uen 吞寸昏问	ün 军训孕
ang 当方港航	iang 良江向祥	uang 壮窗荒王	
eng 蓬灯能庚	ing 冰丁京杏	ueng 翁	
		ong 东龙冲公	iong 兄永穷
ê 欸			
-i(前) 资此思			
-i(后) 支赤湿日			
er 耳二			

普通话 39 个韵母中 23 个由元音(单元音或复合元音)充当,16 个由元音附带鼻辅音韵尾构成。普通话韵母的韵头有 i-、u-、ü-三个。韵尾有四个,其中两个元音韵尾-i、-u(包括汉语拼音的拼写形式-o,如 ao、iao 中的-o)和两个辅音韵尾-n、-ng。

普通话的韵母可以分成单韵母、复韵母、鼻韵母三大类:普通话有 10 个单韵母,即:a、o、e、ê、i、u、ü、-i(前)、-i(后)、er。有 13 个复韵母,即:ai、ei、ao、ou、ia、ie、ua、uo、üe、iao、iou、uai、uei。有 16 个鼻韵母,即:an、en、in、ün、ang、eng、ing、ong、ian、uan、üan、uen、iang、uang、ueng、iong。

汉语音韵学还根据韵母开头的实际发音把韵母分为“开口呼”“齐齿呼”“合口呼”“撮口呼”四类。普通话有 15 个开口呼韵母:a、o、e、ai、ei、ao、ou、an、en、ang、eng、ê、-i(前)、-i(后)、er。有 9 个齐齿呼韵母:i、ia、ie、iao、iou、ian、in、iang、ing。有 10 个合口呼韵母:u、ua、uo、uai、uei、uan、uen、uang、ueng、ong。有 5 个撮口呼韵母:ü、üe、üan、ün、iong。

普通话韵母的发音分析

1. 单韵母(单元音)的发音:

a [A] 央低不圆唇元音

口大开，舌尖微离下齿背，舌面中部微微隆起和硬腭后部相对。发音时，声带振动，软腭上升，关闭鼻腔通路。

发音例词：

打靶 dǎbǎ　　大厦 dàshà　　发达 fādá

马达 mǎdá　　喇叭 lǎba　　哪怕 nǎpà

o [o̞] 后中圆唇元音

上下唇自然拢圆，舌体后缩，舌面后部隆起和软腭相对，舌位介于半高半低之间。发音时，声带振动，软腭上升，关闭鼻腔通路。

发音例词：

伯伯 bóbo　　婆婆 pópo　　默默 mòmò　　泼墨 pōmò

e [ɤ] 后半高不圆唇元音

口半闭，展唇，舌体后缩，舌面后部隆起和软腭相对，比元音 o 略高而偏前。发音时，声带振动，软腭上升，关闭鼻腔通路。

发音例词：

隔阂 géhé　　合格 hégé　　客车 kèchē

特色 tèsè　　折射 zhéshè　　这个 zhège

ê [E] 前中不圆唇元音

口自然打开，展唇，舌尖抵住下齿背，使舌面前部隆起和硬腭相对。发音时，声带振动，软腭上升，关闭鼻腔通路。

（韵母 ê 除语气词"欸"外单用的机会不多，只出现在复韵母 ie、üe 中。）

i [i] 前高不圆唇元音

口微开，两唇呈扁平形，上下齿相对（齐齿），舌尖接触下齿背，使舌面前部隆起和硬腭前部相对。发音时，声带振动，软腭上升，关闭鼻腔通路。

发音例词：

笔记 bǐjì　　激励 jīlì　　基地 jīdì

记忆 jìyì　　霹雳 pīlì　　习题 xítí

u [u] 后高圆唇元音

两唇收拢成圆形，略向前突出；舌体后缩，舌面后部隆起和软腭相对。发音时，声带振动，软腭上升，关闭鼻腔通路。

发音例词：

补助 bǔzhù　　读物 dúwù　　辜负 gūfù

瀑布 pùbù　　入伍 rùwǔ　　疏忽 shūhu

ü [y] 前高圆唇元音

两唇拢圆，略向前突；舌尖抵住下齿背，使舌面前部隆起和硬腭前部相对。发音时，声带振动，软腭上升，关闭鼻腔通路。

发音例词：

聚居 jùjū　　区域 qūyù　　屈居 qūjū

须臾 xūyú　　序曲 xùqǔ　　语序 yǔxù

er [ər] 卷舌元音

口自然开启，舌位不前不后不高不低，舌前、中部上抬，舌尖向后卷，和硬腭前端相对。发音时，声带振动，软腭上升，关闭鼻腔通路。

发音例词：

而且 érqiě　　儿歌 érgē　　耳朵 ěrduo　　二胡 èrhú

-i（前）[ɿ] 舌尖前不圆唇元音

口略开，展唇，舌尖和上齿背相对，保持适当距离。发音时，声带振动，软腭上升，关闭鼻腔通路。这个韵母在普通话里只出现在 z、c、s 声母的后面。

发音例词：

私自 sīzì　　此次 cǐcì　　次子 cìzǐ

-i（后）[ʅ] 舌尖后不圆唇元音

口略开，展唇，舌前端抬起和前硬腭相对。发音时，声带振动，软腭上升，关闭鼻腔通路。这个韵母在普通话里只出现在 zh、ch、sh、r 声母的后面。

发音例词：

实施 shíshī　　支持 zhīchí　　知识 zhīshi

制止 zhìzhǐ　　值日 zhírì　　试制 shìzhì

2. 复韵母(复合元音)的发音：

普通话前响复合元音共有 4 个：ai、ei、ao、ou。发音的共同点是元音舌位都是由低向高滑动，开头的元音音素响亮清晰，收尾的元音音素轻短模糊，因此收尾的字母只表示舌位移动的方向。

ai [aɪ]

是前元音音素的复合，动程大。起点元音是比单元音 a [A] 的舌位靠前的前低不圆唇元音 [a]，可以简称它为“前 a”。发音时，舌尖抵住下齿背，使舌面前部隆起与硬腭相对。从“前 a”开始，舌位向 i 的方向滑动升高，大体停在次高元音 [ɪ]。

发音例词：

爱戴 àidài　　采摘 cǎizhāi　　海带 hǎidài

开采 kāicǎi　　拍卖 pāimài　　灾害 zāihài

ei [eɪ]

是前元音音素的复合，动程较短。起点元音是前半高不圆唇元音 e [e]。发音时，舌尖抵住下齿背，使舌面前部（略后）隆起对着硬腭中部。从 e 开始，舌位升高，向 i 的方向往前往高滑动，大体停在次高元音 [ɪ]。

发音例词：

肥美 féiměi　　妹妹 mèimei　　配备 pèibèi

ɑo [ɑʊ]

是后元音音素的复合。起点元音比单元音 ɑ [A] 的舌位靠后，是个后低不圆唇元音 [ɑ]，可简称为"后 ɑ"。发音时，舌体后缩，使舌面后部隆起。从"后 ɑ"开始，舌位向 u（汉语拼音写作-o，实际发音接近 u）的方向滑动升高。收尾的-u 舌位略低，为 [ʊ]。

发音例词：

懊恼 àonǎo　　操劳 cāoláo　　高潮 gāocháo

骚扰 sāorǎo　　逃跑 táopǎo　　早操 zǎocāo

ou [əʊ]

起点元音比单元音 o 的舌位略高、略前，接近央元音 [ə] 或 [θ]，唇形略圆。发音时，从略带圆唇的央元音 [ə] 开始，舌位向 u 的方向滑动。收尾的-u 接近 [ʊ]。这个复韵母动程很小。

发音例词：

丑陋 chǒulòu　　兜售 dōushòu　　口头 kǒutóu

漏斗 lòudǒu　　收购 shōugòu　　喉头 hóutóu

普通话后响复合元音有 5 个：iɑ、ie、uɑ、uo、üe。它们发音的共同点是舌位由高向低滑动，收尾的元音音素响亮清晰，在韵母中处在韵腹地位，因此舌位移动的终点是确定的。而开头的元音音素都是高元音 i-、u-、ü-，由于它处于韵母的韵头位置，发音不太响亮，比较短促。这些韵头在音节里特别是零声母音节里常伴有轻微摩擦。

iɑ [iA]

起点元音是前高元音 i，由它开始，舌位滑向央低元音 ɑ [A] 止。i 的发音较短，ɑ 的发音响而长。止点元音 ɑ 位置确定。

发音例词：

假牙 jiǎyá　　恰恰 qiàqià　　压价 yājià

ie [iE]

起点元音是前高元音 i，由它开始，舌位滑向前中元音 ê [E] 止。i 较短，ê 响而长。止点元音 ê 位置确定。

发音例词：

结业 jiéyè　　贴切 tiēqiè　　铁屑 tiěxiè

ua [uA]

起点元音是后高圆唇元音 u，由它开始，舌位滑向央低元音 ɑ [A] 止，唇形由最圆逐步展开到不圆。u 较短，ɑ 响而长。

发音例词：

挂花 guàhuā　　耍滑 shuǎhuá　　娃娃 wáwa

uo [uọ]

由后圆唇元音音素复合而成。起点元音是后高元音 u，由它开始，舌位向下滑到后中元音 o [ọ] 止。u 较短，o 响而长。发音过程中，保持圆唇，开头最圆，结尾圆唇度略减。

发音例词：

错落 cuòluò　　硕果 shuòguǒ　　脱落 tuōluò

üe [yE]

由前元音音素复合而成。起点元音是圆唇的前高元音 ü，由它开始，舌位下滑到前中元音 ê [E]，唇形由圆到不圆。ü 较短，ê 响而长。

发音例词：

雀跃 quèyuè　　约略 yuēlüè

普通话里的三合元音都是中响复合元音，共有 4 个：iao、iou、uai、uei。这些韵母发音的共同点是舌位由高向低滑动，再从低向高滑动。开头的元音音素不响亮，较短促，在音节里特别是在零声母音节里常伴有轻微的摩擦。中间的元音音素响亮清晰。收尾的元音音素轻短模糊。

iao [iɑʊ]

由前高元音 i 开始，舌位降至后低元音 ɑ [ɑ]。然后再向后次高圆唇元音 u [ʊ] 的方向滑升。发音过程中，舌位先降后升，由前到后，曲折幅度大。唇形从中间的元音 ɑ 逐渐圆唇。

发音例词：

吊销 diàoxiāo　　疗效 liáoxiào　　巧妙 qiǎomiào

调料 tiáoliào　　逍遥 xiāoyáo　　苗条 miáotiao

iou [iəʊ]

由前高元音 i 开始，舌位降至央（略后）元音 [ə]（或 [θ]），然后再向后次高圆唇元音 u [ʊ] 的方向滑升。发音过程中，舌位先降后升，由前到后，曲折幅度较大。唇形从央（略后）元音 [ə] 逐渐圆唇。

复合元音 iou 在阴平（第一声）和阳平（第二声）的音节里，中间的元音（韵腹）弱化，甚至接近消失，舌位动程主要表现为前后的滑动，成为 [iʊ]。如：优 [iʊ]、流 [liʊ]、究 [tɕiʊ]、求 [tɕʻiʊ]。这是汉语拼音 iou 省写为 iu 的依据。这种音变是随着声调自然变化的，在语音训练中不必过于强调。

发音例词：

久留 jiǔliú　　求救 qiújiù　　绣球 xiùqiú

优秀 yōuxiù　　悠久 yōujiǔ　　牛油 niúyóu

uai [uaɪ]

由圆唇的后高元音 u 开始，舌位向前滑降到前低不圆唇元音 ɑ（即"前 ɑ"），然后再向前高不圆唇元音的方向滑升。舌位动程先降后升，由后到前，曲折幅度大。唇形从前元音 ɑ 逐渐展唇。

发音例词：

外快 wàikuài　　怀揣 huáichuāi　　乖乖 guāiguāi

uei [ueɪ]

由后高圆唇元音 u 开始，舌位向前向下滑到前半高不圆唇元音偏后靠下的位置（相当于央元音 [ə] 偏前的位置），然后再向前高不圆唇元音 i 的方向滑升。发音过程中，舌位先降后升，由后到前，曲折幅度较大。唇形从 e 逐渐展唇。

在音节中，韵母 uei 受声母和声调的影响，中间的元音弱化。大致有四种情况：1) 在阴平（第一声）或阳平（第二声）的零声母音节里，韵母 uei 中间的元音音素弱化接近消失。例如："微""围"的韵母弱化为 [uɪ]。2) 在声母为舌尖音 z、c、s、d、t、zh、ch、sh、r 的阴平（第一声）和阳平（第二声）的音节里，韵母 uei 中间的元音音素弱化接近消失。例如："催""推""垂"的韵母弱化为 [uɪ]。3) 在舌尖音声母的上声（第三声）或去声（第四声）的音节里，韵母 uei 中间的元音音素只是弱化，但不会消失。例如："嘴""腿""最""退"的韵母都弱化成 [uᵉɪ]。4) 在舌面后（舌根）音声母 g、k、h 的阴平或阳平音节里，韵母 uei 中间的元音 e 也只是弱化而不消失。例如："规""葵"的韵母弱化成 [ʊᵉɪ]。这种音变是随着声母和声调的条件变化的，语音训练中不必过于强调。

发音例词：

垂危 chuíwēi　　归队 guīduì　　悔罪 huǐzuì

追悔 zhuīhuǐ　　荟萃 huìcuì　　推诿 tuīwěi

普通话里三合元音构成的韵母，可以看成是在前响二合元音前面加上了 i-、u-、ü-的韵头。因此，韵腹舌位的前后，可以根据前响二合元音的情况确定。

3. 鼻韵母（复合鼻尾音）的发音：

鼻韵母是复合鼻尾音充当韵母。复合鼻尾音是在元音音素之后附带一个鼻辅音作为尾音（韵尾）。

普通话韵母有两个辅音韵尾-n、-ng [ŋ]，都是鼻音。韵尾-n 的发音同声母 n-基本相同，只是-n 的部位比 n-靠后，一般是舌面前部接触硬腭（参见《普通话发音图谱》），教学上仍把它看成是舌尖中鼻音。

普通话区分以-n 和-ng 为韵尾的两组韵母。普通话有鼻韵母 16 个，其中以-n 为韵尾的韵母 8 个：an、en、in、ün、ian、uan、uen、üan，以-ng 为韵尾的韵母 8 个：ang、eng、ing、ong、iang、uang、ueng、iong。

-n、-ng 两组韵母的区分，在普通话韵母的教学中占有重要的地位。前、后鼻尾音的韵母区分的主要特点是：1) 韵腹元音舌位的前后不同是两者区分的主要标志。例如：an 与 ang 的区分主要表现在 an 中的元音是前低元音 [a]，而 ang 中的元音是后低元音 [ɑ]。2) -n、-ng 是韵尾，只有与韵腹构成一个整体时才参与前、后鼻韵母对比区分。为了确切体会鼻尾音的发音和听感性质，必须要求尽量发音完整。3) 它们之间的对比关系是：an—ang、en—eng、in—ing、ian—iang、uan—uang、uen—ueng (ong)、ün—iong。(传统语音学认为 ong、ueng 是一个韵母，注音字母拼写成ㄨㄥ。汉语拼音方案按照实际发音设计为两个韵母。)基本上是一对一的对比关系，不是一对多或多对一的关系。

an [an]

起点元音是前低不圆唇元音 a [a]，舌尖抵住下齿背，舌面前部隆起，舌位降到最低，软腭上升，关闭鼻腔通路。发“前 a”之后，软腭下降，打开鼻腔通路，同时舌面前部与硬腭前部闭合，使在口腔受到阻碍的气流从鼻腔里透出。口形开合度由大渐小，舌位动程较大。

发音例词：

参战 cānzhàn　　反感 fǎngǎn　　烂漫 lànmàn

谈判 tánpàn　　坦然 tǎnrán　　赞叹 zàntàn

en [ən]

起点元音是央元音 e [ə]，舌位居中（不高不低不前不后），舌尖接触下齿背，舌面隆起部位受韵尾影响略靠前，软腭上升，关闭鼻腔通路。发央元音 e 之后，软腭下降，打开鼻腔通路，同时舌面前部与硬腭前部闭合，使在口腔受到阻碍的气流从鼻腔里透出。口形开合度由大渐小，舌位动程较小。

发音例词：

根本 gēnběn　　门诊 ménzhěn　　人参 rénshēn

认真 rènzhēn　　深沉 shēnchén　　振奋 zhènfèn

in [in]

起点元音是前高不圆唇元音 i，舌尖抵住下齿背，软腭上升，关闭鼻腔通路。发舌位最高的前元音 i 之后，软腭下降，打开鼻腔通路，同时舌面前部与硬腭前部闭合，使在口腔受到阻碍的气流，从鼻腔透出。开口度始终很小，几乎没有变化，舌位动程很小。

发音例词：

近邻 jìnlín　　拼音 pīnyīn　　信心 xìnxīn

辛勤 xīnqín　　引进 yǐnjìn　　濒临 bīnlín

ün [yn]

起点元音是前高圆唇元音 ü。与 in 的发音状况只是唇形变化不同。唇形从 ü 开始逐步展开，而 in 始终展唇。

发音例词：

军训 jūnxùn　　均匀 jūnyún　　芸芸 yúnyún

群众 qúnzhòng　　循环 xúnhuán　　允许 yǔnxǔ

ang [ɑŋ]

起点元音是后低不圆唇元音 ɑ [ɑ]，口最开，舌尖离开下齿背，舌体后缩，软腭上升，关闭鼻腔通路。发“后 ɑ”之后，软腭下降，打开鼻腔通路，同时舌面后部与软腭闭合，使在口腔受到阻碍的气流从鼻腔里透出。开口度由大渐小，舌位动程较大。

发音例词：

帮忙 bāngmáng　　苍茫 cāngmáng　　当场 dāngchǎng

刚刚 gānggāng　　商场 shāngchǎng　　上当 shàngdàng

eng [ɤŋ]

起点元音是后半高不圆唇元音 e [ɤ]，口半闭，展唇，舌尖离开下齿背，舌体后缩，舌面后部隆起，比发单元音 e [ɤ] 的舌位略低，软腭上升，关闭鼻腔通路。发 e 之后，软腭下降，打开鼻腔通路，同时舌面后部与软腭闭合，使在口腔受到阻碍的气流从鼻腔里透出。

发音例词：

承蒙 chéngméng　　丰盛 fēngshèng　　更正 gēngzhèng

萌生 méngshēng　　声称 shēngchēng　　升腾 shēngténg

ing [iŋ]

起点元音是前高不圆唇元音 i，舌尖接触下齿背，舌面前部隆起，软腭上升，关闭鼻腔通路。发 i 之后，软腭下降，打开鼻腔通路，同时舌面后部与软腭闭合，使在口腔受到阻碍的气流从鼻腔透出。口形没有明显变化。

发音例词：

叮咛 dīngníng　　经营 jīngyíng　　命令 mìnglìng

评定 píngdìng　　清静 qīngjìng　　姓名 xìngmíng

ong [ʊŋ]

起点元音是比后高圆唇元音 u 舌位略低的后次高圆唇元音 [ʊ]，舌尖离开下齿背，舌体后缩，舌面后部隆起，软腭上升，关闭鼻腔通路。发后次高圆唇元音 [ʊ] 之后，软腭下降，打开鼻腔通路，同时舌面后部与软腭闭合，使在口腔受到阻碍的气流从鼻腔里透出。唇形始终拢圆。

发音例词：

共同 gòngtóng　　轰动 hōngdòng　　空洞 kōngdòng

隆重 lóngzhòng　　通融 tōngróng　　恐龙 kǒnglóng

ian [iæn]

发音时，从前高元音 i 开始，舌位向前低元音 ɑ(前 ɑ)的方向滑降。舌位只降到前次低元音 [æ] 的位置就开始升高，直到舌面前部抵住硬腭前部形成鼻音-n。

发音例词：

艰险 jiānxiǎn　　简便 jiǎnbiàn　　连篇 liánpiān

前天 qiántiān　　浅显 qiǎnxiǎn　　田间 tiánjiān

uan [uan]

发音时，从圆唇的后高元音 u 开始，口形迅速由合口变为开口，舌位向前迅速滑降到不圆唇的前低元音(前 ɑ)；然后舌位升高，直到舌面前部抵住硬腭前部形成鼻音-n。

发音例词：

贯穿 guànchuān　　软缎 ruǎnduàn　　酸软 suānruǎn

婉转 wǎnzhuǎn　　专款 zhuānkuǎn　　转换 zhuǎnhuàn

üan [yæn]

发音时，从圆唇的前高元音 ü 开始，向前低元音 ɑ 的方向滑降。舌位只降到前次低元音 [æ] 略后就开始升高，直到舌面前部抵住硬腭前部形成鼻音-n。唇形由圆唇在向折点元音的滑动过程中逐渐展唇。

发音例词：

源泉 yuánquán 轩辕 xuānyuán 涓涓 juānjuān

uen [uən]

发音时，从圆唇的后高元音 u 开始，向央元音 e [ə] 滑降，然后舌位升高，直到舌面前部抵住硬腭前部形成鼻音-n。唇形由圆唇在向折点元音的滑动过程中逐渐展唇。

鼻韵母 uen 受声母和声调的影响，中间的元音（韵腹）弱化。它的音变条件与 uei 相同。

发音例词：

昆仑 kūnlún 温存 wēncún 温顺 wēnshùn

论文 lùnwén 馄饨 húntun 谆谆 zhūnzhūn

iang [iɑŋ]

发音时，从前高元音 i 开始，舌位向后滑降到后低元音 ɑ [ɑ]，然后舌位升高，接续鼻音-ng。

发音例词：

两样 liǎngyàng 洋相 yángxiàng 响亮 xiǎngliàng

uang [uɑŋ]

发音时，从圆唇的后高元音 u 开始，舌位滑降至后低元音 ɑ [ɑ]，然后舌位升高，接续鼻音-ng。唇形从圆唇在向折点元音的滑动中逐渐展唇。

发音例词：

狂妄 kuángwàng 双簧 shuānghuáng 状况 zhuàngkuàng

ueng [uɤŋ]

发音时，从圆唇的后高元音 u 开始，舌位滑降到后半高元音 e [ɤ]（稍稍靠前略低）的位置，然后舌位升高，接续鼻音-ng。唇形从圆唇在向折点元音滑动过程中逐渐展唇。在普通话里，韵母 ueng 只有一种零声母的音节形式 weng。

发音例词：

蕹菜 wèngcài 水瓮 shuǐwèng 主人翁 zhǔrénwēng

iong [iʊŋ]

发音时，从前高元音 i 开始，舌位向后略向下滑动到后次高圆唇元音 [ʊ] 的位置，然后舌位升高，接续鼻音-ng。由于受后面圆唇元音的影响，开始的前高元音 i 也带上了圆唇色彩而近似 ü [y]，可以描写为 [yuŋ] 甚或为 [yŋ]。传统汉语语音学把 iong 归属撮口呼。

发音例词：

炯炯 jiǒngjiǒng 汹涌 xiōngyǒng

三、声　调

普通话共有 4 个声调。

阴平　　ˉ　　高 天 方 出

阳平　　ˊ　　时 门 国 白

上声　　ˇ　　短 米 有 北

去声　　ˋ　　对 稻 必 叶

阴平——高平调，调形为[˥^{55}]。发音时，声带绷到最紧（“最紧”是相对的，下同），始终没有明显变化，保持高音。

发音例字：方 fāng　编 biān　端 duān　亏 kuī

宣 xuān　装 zhuāng　酸 suān　挑 tiāo

阳平——高升调，调形为[˧˥^{35}]。发音时，声带从不松不紧开始，逐渐绷紧，到最紧为止，声音由不低不高升到最高。

发音例字：然 rán　人 rén　棉 mián　连 lián

年 nián　全 quán　怀 huái　情 qíng

上声——降升调，调形为[˨˩˦^{214}]。发音时，声带从略微有些紧张开始，立刻松弛下来，稍稍延长，然后迅速绷紧，但没有绷到最紧。发音过程中，声音主要表现在低音段 1—2 度之间，这成为上声的基本特征。上声的音长在普通话 4 个声调中是最长的。

发音例字：惹 rě　秒 miǎo　碾 niǎn　脸 liǎn

广 guǎng　九 jiǔ　闯 chuǎng　扁 biǎn

去声——全降调，调形为[˥˩^{51}]。发音时，声带从紧开始，到完全松弛为止。声音由高到低。去声的音长在普通话 4 个声调中是最短的。

发音例字：辣 là　热 rè　卖 mài　浪 làng

面 miàn　片 piàn　掉 diào　换 huàn

四、普通话音节表

普通话常用音节有 400 个。（1987 年重排本《新华字典》音节索引列出 418 个音节，本书所列的音节表未收其中18个音节，包括某些语气词，特别是只以辅音充当音节的，方言色彩浓重、比较土俗的词，或仅限于书面语又不常用的音节：chua（欻）den（扽）dia（嗲）nia（嚖）nou（耨）eng（鞥）shei（“谁”又音）kei（尅）lo（咯）yo（唷）o（噢）ê、ei（欸）hm（噷）hng（哼）m（呣）n（嗯）ng（嗯）。）

下列音节表按开口呼、齐齿呼、合口呼、撮口呼四类排列：

1. 开口呼音节（179个）

	a	e	-i	er	ai	ei	ao	ou	an	en	ang	eng
零	a	e		er	ai	ei	ao	ou	an	en	ang	eng
b	ba				bai	bei	bao		ban	ben	bang	beng
p	pa				pai	pei	pao	pou	pan	pen	pang	peng
m	ma	(me)			mai	mei	mao	mou	man	men	mang	meng
f	fa					fei		fou	fan	fen	fang	feng
d	da	de			dai	dei	dao	dou	dan		dang	deng
t	ta	te			tai		tao	tou	tan		tang	teng
n	na	ne			nai	nei	nao		nan	nen	nang	neng
l	la	le			lai	lei	lao	lou	lan		lang	leng
g	ga	ge			gai	gei	gao	gou	gan	gen	gang	geng
k	ka	ke			kai		kao	kou	kan	ken	kang	keng
h	ha	he			hai	hei	hao	hou	han	hen	hang	heng
zh	zha	zhe	zhi		zhai	zhei	zhao	zhou	zhan	zhen	zhang	zheng
ch	cha	che	chi		chai		chao	chou	chan	chen	chang	zheng
sh	sha	she	shi		shai	(shei)	shao	shou	shan	shen	shang	sheng
r		re	ri				rao	rou	ran	ren	rang	reng
z	za	ze	zi		zai	zei	zao	zou	zan	zen	zang	zeng
c	ca	ce	ci		cai		cao	cou	can	cen	cang	ceng
s	sa	se	si		sai		sao	sou	san	sen	sang	seng

注：① 横行按不同韵母排列，竖行按不同的声母排列。表中“零”表示“零声母”(下同)。
② me（么）本是 mo，轻声音节弱化为 me。不计数，加括号列入表格备用。
③ shei 是“谁”口语又音，已常被 shui 代替。不计数，加括号列入表格备用。
④ o、ê、ei 等音节只在语气词中出现，不列入。因此，未列出单韵母 o、ê。

从开口呼音节表可以看出：

(1) 开口呼音节包含音节数目最多，几乎占400音节的一半。

(2) 声母 j、q、x 不同开口呼韵母相拼。

(3) 舌尖元音属于开口呼音节，只同舌尖前音声母 z、c、s 和舌尖后音声母 zh、ch、sh、r 相拼。

(4) er 独立自成音节，不同任何声母相拼。

(5) 舌尖中音声母 d、t、n、l 不同韵母 en 相拼（nen“嫩”视为例外，den“扽”除外）。

(6) 韵母 eng 除代表一个极不常用的“鞥”外，不独立成音节。o、ê 一般出现在韵母 uo、ie、ue 中。独立成音节只用于语气词。

2. 齐齿呼音节（83 个）

	i	ia	ie	iao	iou	ian	in	iang	ing
零	yi	ya	ye	yao	you	yan	yin	yang	ying
b	bi		bie	biao		bian	bin		bing
p	pi		pie	piao		pian	pin		ping
m	mi		mie	miao	miu	mian	min		ming
d	di		die	diao	diu	dian			ding
t	ti		tie	tiao		tian			ting
n	ni		nie	niao	niu	nian	nin	niang	ning
l	li	lia	lie	liao	liu	lian	lin	liang	ling
j	ji	jia	jie	jiao	jiu	jian	jin	jiang	jing
q	qi	qia	qie	qiao	qiu	qian	qin	qiang	qing
x	xi	xia	xie	xiao	xiu	xian	xin	xiang	xing

从齐齿呼音节表可以看出：

(1) 齐齿呼韵母不同声母舌尖前音 z、c、s，舌尖后音 zh、ch、sh、r，舌面后音 g、k、h 和唇齿音 f 相拼。

(2) 韵母 ia、iang 不同声母双唇音 b、p、m 和舌尖中音 d、t 相拼。

(3) 声母 d、t 不同韵母 in 相拼。

3. 合口呼音节（114 个）

	u	ua	uo (o)	uai	uei	uan	uen	uang	ueng (ong)
零	wu	wa	wo	wai	wei	wan	wen	wang	weng
b	bu		bo						
p	pu		po						
m	mu		mo						
f	fu		fo						
d	du		duo		dui	duan	dun		dong
t	tu		tuo		tui	tuan	tun		tong
n	nu		nuo			nuan			nong

l	lu		luo			luan	lun		long
g	gu	gua	guo	guai	gui	guan	gun	guang	gong
k	ku	kua	kuo	kuai	kui	kuan	kun	kuang	kong
h	hu	hua	huo	huai	hui	huan	hun	huang	hong
zh	zhu	zhua	zhuo	zhuai	zhui	zhuan	zhun	zhuang	zhong
ch	chu		chuo	chuai	chui	chuan	chun	chuang	chong
sh	shu	shua	shuo	shuai	shui	shuan	shun	shuang	
r	ru		ruo		rui	ruan	run		rong
z	zu		zuo		zui	zuan	zun		zong
c	cu		cuo		cui	cuan	cun		cong
s	su		suo		sui	suan	sun		song

注：① bo、po、mo、fo 按照实际发音列入此表，排列在 uo 韵母下。
② ong 按照实际发音列入此表，同 ueng 排列在一行。

从合口呼音节表可以看出：

(1) 合口呼韵母不同舌面前音声母 j、q、x 相拼。

(2) 双唇音声母只同韵母 u、uo (o) 相拼。

(3) 舌尖中音声母 d、t、n、l 不同韵母 ua、uai、uang 相拼。

(4) 声母 n、l 只同韵母 ei 相拼，不同韵母 uei 相拼。而声母 d、t 只同韵母 ui 相拼，不同韵母 ei 相拼 (dei 只有一个“得”字)。

(5) 舌尖前音声母 z、c、s 不同韵母 ua、uai、uang 相拼。

(6) ong 属于合口呼，一定前拼辅音声母，不独立成音节。ueng 则只独立成音节，不同任何辅音声母相拼。

4. 撮口呼音节 (24 个)

	ü	üe	üan	ün	iong
零	yu	yue	yuan	yun	yong
n	nü	nüe			
l	lü	lüe			
j	ju	jue	juan	jun	jiong
q	qu	que	quan	qun	qiong
x	xu	xue	xuan	xun	xiong

注：iong 按实际发音列入此表。

从撮口呼音节表可以看出：

(1) 撮口呼音节包含音节最少。

(2) 辅音声母同撮口呼韵母相拼的只有 j、q、x、n、l。

(3) 声母 n、l 只同韵母 ü、üe 相拼,不同韵母 üan、ün、iong 相拼。

(4) iong 属于撮口呼韵母。

普通话里有多少带调音节呢?根据《现代汉语词典》所列的音节表统计共有 1332 个。其中只在方言中出现的或方言色彩很浓的音节、某些语气词(特别是以辅音充当音节的)、现代不常用的音节,共约 70 多个,这些音节不应该或不适合归入普通话的带调音节中。普通话带调音节(不包括儿化音节)约 1250 多个。

五、变 调

1. 上声变调

上声在阴平、阳平、上声、去声前都会产生变调,只有在单念或处在词语、句子的末尾才有可能读原调。

(1) 上声在阴平、阳平、去声、轻声前,即在非上声前,丢掉后半段"14"上升的尾巴,调值由 214 变为半上声 211,变调调值描写为 214-211。例如:

上声 + 阴平

百般 bǎibān　　摆脱 bǎituō　　保温 bǎowēn

省心 shěngxīn　　警钟 jǐngzhōng　　火车 huǒchē

上声 + 阳平

祖国 zǔguó　　旅行 lǚxíng　　导游 dǎoyóu

改革 gǎigé　　朗读 lǎngdú　　考察 kǎochá

上声 + 去声

广大 guǎngdà　　讨论 tǎolùn　　挑战 tiǎozhàn

土地 tǔdì　　感谢 gǎnxiè　　稿件 gǎojiàn

上声在轻声前调值也变成半上声 211。例如:矮子、斧子、奶奶、姐姐、尾巴、老婆、耳朵、马虎、口袋、伙计。

(2) 两个上声相连,前一个上声的调值变为 35。实验语音学从语图和听辨实验证明,前字上声、后字上声构成的组合与前字阳平、后字上声构成的组合在声调模式上是相同的。说明两个上声相连,前字上声的调值变得跟阳平的调值一样。变调调值描写为 214-

35。例如：

上声＋上声

懒散 lǎnsǎn　　手指 shǒuzhǐ　　母语 mǔyǔ

海岛 hǎidǎo　　旅馆 lǚguǎn　　广场 guǎngchǎng

首长 shǒuzhǎng　　简短 jiǎnduǎn　　古典 gǔdiǎn

粉笔 fěnbǐ　　小组 xiǎozǔ　　减少 jiǎnshǎo

(3) 三个上声相连的变调：

三个上声音节相连，如果后面没有其他音节，也不带什么语气，末尾音节一般不变调。开头、当中的上声音节有两种变调：

1) 当词语的结构是双音节＋单音节（“双单格”）时，开头、当中的上声音节调值变为35，跟阳平的调值一样。例如：

手写体 shǒuxiětǐ　　展览馆 zhǎnlǎnguǎn

管理组 guǎnlǐzǔ　　选举法 xuǎnjǔfǎ

洗脸水 xǐliǎnshuǐ　　水彩笔 shuǐcǎibǐ

打靶场 dǎbǎchǎng　　勇敢者 yǒnggǎnzhě

2) 当词语的结构是单音节＋双音节（“单双格”），开头音节处在被强调的逻辑重音时，读作“半上”，调值变为211，当中音节则按两字组变调规律变为35。例如：

党小组 dǎngxiǎozǔ　　撒火种 sǎhuǒzhǒng

冷处理 lěngchǔlǐ　　耍笔杆 shuǎbǐgǎn

小两口 xiǎoliǎngkǒu　　纸老虎 zhǐlǎohǔ

老保守 lǎobǎoshǒu　　小拇指 xiǎomǔzhǐ

2.“一”“不”的变调

普通话还有“一”“七”“八”“不”的变调。由于普通话中“七”“八”已经趋向于不变调，学习普通话只要求掌握“一”“不”的变调。“一”的单字调是阴平55，“不”的单字调是去声51，在单念或处在词句末尾的时候，不变调。

“一”有两种变调：

(1) 在去声音节前调值变为35，跟阳平的调值一样。例如（以下“一”字标变调）：

一半 yíbàn　　一旦 yídàn　　一定 yídìng

一度 yídù　　一概 yígài　　一共 yígòng

(2) 在阴平、阳平、上声前，即在非去声前，调值变为51，跟去声的调值一样。例如（以下“一”字标变调）：

阴平前

一般 yìbān	一边 yìbiān	一端 yìduān
一经 yìjīng	一瞥 yìpiē	一身 yìshēn
一生 yìshēng	一天 yìtiān	一些 yìxiē

阳平前

一连 yìlián	一齐 yìqí	一如 yìrú
一时 yìshí	一同 yìtóng	一头 yìtóu
一行 yìxíng	一直 yìzhí	一群 yìqún

上声前

一举 yìjǔ	一口 yìkǒu	一览 yìlǎn
一起 yìqǐ	一手 yìshǒu	一体 yìtǐ
一统 yìtǒng	一早 yìzǎo	一准 yìzhǔn

当“一”作为序数表示“第一”时不变调,例如:“一楼”的“一”不变调,表示“第一楼”或“第一层楼”;而变调表示“全楼”。“一连”的“一”不变调表示“第一连”,而变调则表示“全连”,副词“一连”中的“一”也变调,如“一连五天”。

“不”字只有一种变调。当“不”在去声音节前调值变为35,跟阳平的调值一样。例如(以下“不”字标变调):

不必 búbì	不变 búbiàn	不便 búbiàn
不测 búcè	不错 búcuò	不待 búdài
不要 búyào	不但 búdàn	不定 búdìng

“一”嵌在重叠式的动词之间,“不”夹在动词或形容词之间,夹在动词和补语之间,都轻读,属于“次轻音”。例如:听一听、学一学、写一写、看一看、穿不穿、谈不谈、买不买、去不去、会不会、缺不缺、红不红、好不好、大不大、看不清、起不来、拿不动、打不开。由于“次轻音”的声调仍依稀可见,当“一”和“不”夹在两个音节中间时,不是依前一个音节变为轻声的调值,而是当音量稍有加强,就依后一个音节产生变调,变调规律如前。例如:听一听、看一看、会不会。

六、轻　声

轻声是一种特殊的变调现象。由于它长期处于口语轻读音节的地位,失去了原有声调的调值,又重新构成自身特有的音高形式,听感上显得轻短模糊。普通话的轻声都是从阴平、阳平、上声、去声四个声调变化而来，例如：哥哥、婆婆、姐姐、弟弟。说它“特殊”，是因为这种变调总是根据前一个音节声调的调值决定后一个轻声音节的调值，而不论后一个音节原调调值的具体形式。

轻声作为一种变调的语音现象，一定体现在词语和句子中，因此轻声音节的读音不能独立存在。固定读轻声的单音节助词、语气词也不例外，它们的实际轻声调值也要依靠前一个音节的声调来确定。绝大多数的轻声现象表现在一部分老资格的口语双音节词中，长期读作“重·最轻”的轻重音格式，使后一个音节的原调调值变化，构成轻声调值。

轻声的语音特性：

从声学上分析，轻声音节的能量较弱，是音高、音长、音色、音强综合变化的效应，但这些语音的要素在轻声音节的辨别中所起作用的大小是不同的。语音实验证明，轻声音节特性是由音高和音长这两个比较重要的因素构成的。从音高上看，轻声音节失去原有的声调调值，变为轻声音节特有的音高形式，构成轻声调值。从音长上看，轻声音节一般短于正常重读音节的长度，甚至大大缩短，可见音长短是构成轻声特性的另一重要因素。尽管轻声音节音长短，但它的调形仍然可以分辨，并在辨别轻声时起着不可忽视的作用。

普通话轻声音节的调值有两种形式：

(1) 当前面一个音节的声调是阴平、阳平、去声的时候，后面一个轻声音节的调形是短促的低降调，调值为(调值下加短横线表示音长短，下同)31。例如：

阴平·轻声　他的 tāde　桌子 zhuōzi　说了 shuōle　哥哥 gēge
　先生 xiānsheng　休息 xiūxi　哆嗦 duōsuo　姑娘 gūniang
　清楚 qīngchu　家伙 jiāhuo　庄稼 zhuāngjia

阳平·轻声　红的 hóngde　房子 fángzi　晴了 qíngle　婆婆 pópo
　活泼 huópo　泥鳅 níqiu　粮食 liángshi　胡琴 húqin
　萝卜 luóbo　行李 xíngli　头发 tóufa

去声·轻声　坏的 huàide　扇子 shànzi　睡了 shuìle　弟弟 dìdi
　丈夫 zhàngfu　意思 yìsi　困难 kùnnan　骆驼 luòtuo
　豆腐 dòufu　吓唬 xiàhu　漂亮 piàoliang

(2)当前面一个音节的声调是上声的时候，后面一个轻声音节的调形是短促的半高平调，调值为44（实际发音受前面上声的影响，往往开头略低于4度，形成一个微升调形，由于轻声音节音长短，这种细微之处不易察觉）。例如：

上声·轻声　我的 wǒde　斧子 fǔzi　起了 qǐle　姐姐 jiějie
　喇叭 lǎba　老实 lǎoshi　脊梁 jǐliang　马虎 mǎhu
　耳朵 ěrduo　使唤 shǐhuan　嘱咐 zhǔfu　口袋 kǒudai

轻声音节的音色也或多或少发生变化。最明显的是韵母发生弱化，例如元音（指主要元音）舌位趋向中央等。声母也可能产生变化，例如不送气的清塞音、清塞擦音声母变为浊塞音、浊塞擦音声母等。

轻声音节的音色变化是不稳定的。语音训练只要求掌握已经固定下来的轻声现象（字典、词典已收入的）。例如：助词"的"读 de，"了"读 le，词缀"子"读 zi，"钥匙"读 shi，"衣裳"读 shang。

实验语音学认为，音强在辨别轻重音方面起的作用很小。在普通话轻声音节中音强不起明显作用。轻声音节听感上轻短模糊，是心理感知作用。由于轻声音节音长短，读音时所需能量明显减少，但音强并不一定比正常重读音节弱。

七、儿 化

普通话的儿化现象主要由词尾"儿"变化而来。词尾"儿"本是一个独立的音节，由于口语中处于轻读的地位，长期与前面的音节流利地连读而产生音变，"儿"（er）失去了独立性，"化"到前一个音节上，只保持一个卷舌动作，使两个音节融合成为一个音节，前面音节里的韵母或多或少地发生变化。这种语音现象就是"儿化"。我们把这种带有卷舌色彩的韵母称作"儿化韵"。

儿化韵音变规则是：

儿化音变的基本性质是使一个音节的主要元音带上卷舌色彩。（-r 是儿化韵的形容性符号，不把它作为一个音素看待。）儿化韵的音变条件取决于韵腹元音是否便于发生卷舌动作。

(1) 儿化音变是使韵腹（主要元音）、韵尾（尾音）发生变化，对声母和韵头 i-、ü-没有影响。

(2) 丢掉韵尾 -i、-n、-ng。

(3) 在主要元音（i、ü 除外）上加卷舌动作。这些主要元音大多数变为带有卷舌色彩的央元音 ar 和 er。

(4) 在主要元音 i、ü 后面加上 er [ər]。包括原形韵母 5 个：i、in、ing、ü、ün。另外，儿化时舌尖元音 -i [ɿ] 和 [ʅ] 后加上一个 er，实际读音是用 [ər] 替换了原来的韵母。

(5) 后鼻尾音韵母儿化时，除丢掉韵尾 -ng 外，往往使主要元音鼻化。

普通话 39 个韵母，除本身已是卷舌韵母的 er 外，理论上都可以儿化，但口语中韵母 ê、o（bo、po、mo、fo 后的 o 实际是 uo 拼写上的省略，可与 uo 合并）未见儿化词，实际只是36个韵母可以儿化。

儿化韵和儿化词的发音举例：

（下面列出每个原形韵母和所对应的儿化韵，用符号>表示由哪个原形韵母变为儿化韵。描写儿化韵中的"："表示"："之前的是主要元音（韵腹），不是介音（韵头）。注意：此处是借助汉语拼音描写儿化音节的实际发音。拼写时儿化音节要符合拼写规则。）

a>ar	那儿 nàr	哪儿 nǎr	把儿 bàr	碴儿 chár
	刀把儿 dāobàr	话把儿 huàbàr	号码儿 hàomǎr	价码儿 jiàmǎr
	在哪儿 zàinǎr	找茬儿 zhǎochár	打杂儿 dǎzár	板擦儿 bǎncār
ai>ar	带儿 dàir	盖儿 gàir	名牌儿 míngpáir	鞋带儿 xiédàir
	窗台儿 chuāngtáir	壶盖儿 húgàir	小孩儿 xiǎoháir	女孩儿 nǚháir
	男孩儿 nánháir	加塞儿 jiāsāir		
an>ar	坎儿 kǎnr	快板儿 kuàibǎnr	腰板儿 yāobǎnr	老伴儿 lǎobànr
	蒜瓣儿 suànbànr	脸盘儿 liǎnpánr	脸蛋儿 liǎndànr	收摊儿 shōutānr
	栅栏儿 zhàlanr	包干儿 bāogānr	白干儿（白酒）báigānr	
	笔杆儿 bǐgǎnr	光杆儿 guānggǎnr	门槛儿 ménkǎnr	
ang>ar	帮忙儿 bāngmángr	药方儿 yàofāngr	赶趟儿 gǎntàngr	
	香肠儿 xiāngchángr	瓜瓤儿 guārángr		
ia>iar	掉价儿 diàojiàr	一下儿 yīxiàr	豆芽儿 dòuyár	纸匣儿 zhǐxiár
ian>iar	片儿 piànr	沿儿 yánr	燕儿 yànr	小辫儿 xiǎobiànr
	照片儿 zhàopiānr	扇面儿 shànmiànr	差点儿 chàdiǎnr	一点儿 yīdiǎnr
	雨点儿 yǔdiǎnr	有点儿 yǒudiǎnr	聊天儿 liáotiānr	拉链儿 lāliànr
	冒尖儿 màojiānr	坎肩儿 kǎnjiānr	牛角尖儿 niújiǎojiānr	
	牙签儿 yáqiānr	露馅儿 lòuxiànr	心眼儿 xīnyǎnr	
iang>iar	鼻梁儿 bíliángr	娘儿（俩）niángr(liǎ)	透亮儿 tòuliàngr	
	花样儿 huāyàngr	看样儿 kànyàngr	像样儿 xiàngyàngr	
	好样儿（的）hǎoyàngr(de)			
ua>uar	画儿 huàr	脑瓜儿 nǎoguār	大褂儿 dàguàr	
	麻花儿 máhuār	笑话儿 xiàohuar	牙刷儿 yáshuār	
uai>uar	一块儿 yīkuàir			
uan>uar	茶馆儿 cháguǎnr	饭馆儿 fànguǎnr	火罐儿 huǒguànr	
	猪倌儿 zhūguānr	落款儿 luòkuǎnr	打转儿 dǎzhuànr	
	拐弯儿 guǎiwānr	好玩儿 hǎowánr	撒欢儿 sāhuānr	

	大碗儿 dàwǎnr			
uang>uar	相框儿 xiàngkuàngr	蛋黄儿 dànhuángr	打晃儿 dǎhuàngr	
	天窗儿 tiānchuāngr			
üan>üar	烟卷儿 yānjuǎnr	手绢儿 shǒujuànr	出圈儿 chūquānr	
	包圆儿 bāoyuánr	人缘儿 rényuánr	绕远儿 ràoyuǎnr	
	杂院儿 záyuànr			
ei>er	刀背儿 dāobèir	椅子背儿 yǐzibèir	摸黑儿 mōhēir	
	倍儿(棒) bèir(bàng)			
en>er	老本儿 lǎoběnr	花盆儿 huāpénr	嗓门儿 sǎngménr	把门儿 bǎménr
	调门儿 diàoménr	串门儿 chuànménr	哥们儿 gēmenr	纳闷儿 nàmènr
	后跟儿 hòugēnr	高跟儿 gāogēnr	压根儿 yàgēnr	别针儿 biézhēnr
	一阵儿 yīzhènr	走神儿 zǒushénr	大婶儿 dàshěnr	杏仁儿 xìngrénr
	刀刃儿 dāorènr	小人儿(书) xiǎorénr(shū)		
eng>er	钢镚儿 gāngbèngr	夹缝儿 jiāfèngr	板凳儿 bǎndèngr	脖颈儿 bógěngr
	八成儿 bāchéngr	提成儿 tíchéngr	麻绳儿 máshéngr	
ie>ier	锅贴儿 guōtiēr	半截儿 bànjiér	小街儿 xiǎojiēr	一些儿 yīxiēr
	小鞋儿 xiǎoxiér			
üe>üer	旦角儿 dànjuér	主角儿 zhǔjuér	木橛儿 mùjuér	
uei>uer	会儿 huìr	跑腿儿 pǎotuǐr	一会儿 yīhuìr	这会儿 zhèhuìr
	那会儿 nàhuìr	多会儿 duōhuìr	耳垂儿 ěrchuír	墨水儿 mòshuǐr
	围嘴儿 wéizuǐr	烟嘴儿 yānzuǐr	走味儿 zǒuwèir	洋味儿 yángwèir
uen>uer	准儿 zhǔnr	打盹儿 dǎdǔnr	胖墩儿 pàngdūnr	屁股墩儿 pìgu dūnr
	砂轮儿 shālúnr	三轮儿 sānlúnr	冰棍儿 bīnggùnr	光棍儿 guānggùnr
	没准儿 méizhǔnr	开春儿 kāichūnr		
i>i:er	针鼻儿 zhēnbír	垫底儿 diàndǐr	肚脐儿 dùqír	玩意儿 wányìr
	没好气儿 méi hǎoqìr			
in>i:er	有劲儿 yǒujìnr	卖劲儿 màijìnr	一个劲儿 yīgejìnr	
	一股劲儿 yīgǔjìnr	胡琴儿 húqinr	送信儿 sòngxìnr	脚印儿 jiǎoyìnr
ing>i:er	零儿 língr	花瓶儿 huāpíngr	打鸣儿 dǎmíngr	图钉儿 túdīngr
	门铃儿 ménlíngr	眼镜儿 yǎnjìngr	蛋清儿 dànqīngr	火星儿 huǒxīngr
	人影儿 rényǐngr			
ü>ü:er	毛驴儿 máolǘr	蛐蛐儿 qūqur	小曲儿 xiǎoqǔr	金鱼儿 jīnyúr

	痰盂儿 tányúr			
ün>ü:er	合群儿 héqúnr	花裙儿 huāqúnr		
-i(前)>er	瓜子儿 guāzǐr	花子儿 huāzǐr	铜子儿 tóngzǐr	石头子儿 shítouzǐr
	没词儿 méicír	毛刺儿 máocìr	挑刺儿 tiāocìr	
-i(后)>er	侄儿 zhír	墨汁儿 mòzhīr	锯齿儿 jùchǐr	记事儿 jìshìr
	没事儿 méishìr	年三十儿 niánsānshír		
e>er	这儿 zhèr	个儿 gèr	嗝儿 gér	模特儿 mótèr
	逗乐儿 dòulèr	唱歌儿 chànggēr	挨个儿 āigèr	打嗝儿 dǎgér
	饭盒儿 fànhér	在这儿 zàizhèr	下巴颏儿 xiàbakēr	
u>ur	主儿 zhǔr	碎步儿 suìbùr	没谱儿 méipǔr	媳妇儿 xífur
	纹路儿 wénlùr	手鼓儿 shǒugǔr	泪珠儿 lèizhūr	有数儿 yǒushùr
	梨核儿 líhúr	煤核儿 méihúr	身子骨儿 shēnzigǔr	
	指头肚儿 zhǐtoudùr			
ong>or	空儿 kòngr	果冻儿 guǒdòngr	门洞儿 méndòngr	胡同儿 hútòngr
	抽空儿 chōukòngr	酒盅儿 jiǔzhōngr	小葱儿 xiǎocōngr	
	萤火虫儿 yínghuǒchóngr			
iong>ior	小熊儿 xiǎoxióngr			
ao>aor	着儿(招儿) zhāor	红包儿 hóngbāor	灯泡儿 dēngpàor	半道儿 bàndàor
	小道儿 xiǎodàor	走道儿 zǒudàor	手套儿 shǒutàor	跳高儿 tiàogāor
	叫好儿 jiàohǎor	符号儿 fúhàor	口罩儿 kǒuzhàor	绝招儿 juézhāor
	口哨儿 kǒushàor	早早儿 zǎozǎor	蜜枣儿 mìzǎor	一股脑儿 yīgǔnǎor
iao>iaor	鱼漂儿 yúpiāor	火苗儿 huǒmiáor	跑调儿 pǎodiàor	面条儿 miàntiáor
	小鸟儿 xiǎoniǎor	豆角儿 dòujiǎor	开窍儿 kāiqiàor	
ou>our	兜儿 dōur	猴儿 hóur	衣兜儿 yīdōur	年头儿 niántóur
	老头儿 lǎotóur	两头儿 liǎngtóur	小偷儿 xiǎotōur	炕头儿 kàngtóur
	个头儿 gètóur	头头儿 tóutour	两口儿 liǎngkǒur	门口儿 ménkǒur
	纽扣儿 niǔkòur	线轴儿 xiànzhóur	小丑儿 xiǎochǒur	高手儿 gāoshǒur
iou>iour	顶牛儿 dǐngniúr	蜗牛儿 wōniúr	一溜儿 yīliùr	抓阄儿 zhuājiūr
	打球儿 dǎqiúr	棉球儿 miánqiúr	加油儿 jiāyóur	
uo(o)>uor	朵儿 duǒr	座儿 zuòr	蝈蝈儿 guōguor	火锅儿 huǒguōr
	做活儿 zuòhuór	大伙儿 dàhuǒr	饭桌儿 fànzhuōr	邮戳儿 yóuchuōr

小说儿 xiǎoshuōr 被窝儿 bèiwōr 酒窝儿 jiǔwōr 心窝儿 xīnwōr
大家伙儿 dàjiāhuǒr
末儿 mòr 土坡儿 tǔpōr 粉末儿 fěnmòr 耳膜儿 ěrmór

儿化韵在普通话里有一定的语用功能。主要功能在构词和修辞两方面:区别不同的词性或派生同类的词;在修辞上能够体现人物的言语风格,以及附有指小、表爱的色彩。普通话有相当多的词在需要附加上述功能时,都可以儿化。当然,在不需要负载上述功能时,就不会儿化。所以,除极少数经常读为儿化的词语,如:“一会儿”“一点儿”“这儿”“那儿”以外,一般不提“必读儿化词”。本表按声韵配合关系,比较多地列举了可以儿化的词,这个表不是测试要求的范围。测试范围以“普通话水平测试用儿化词语表”为准。

八、语　调

语调是人们在语流中用抑扬顿挫来表情达意的所有语音形式的总和。语调构成的语音形式主要表现在音高、音长、音强等非音质成分上。在普通话的语调训练中,首先应注重音高,其次是在音长的变化上,当然也不要忽略节奏、语速等方面。

学习普通话的语调要注意以下几个方面:

1. 注意语句总体音高的变化

普通话的语调首先表现在语句音高的高低升降曲折等变化上。

降调——表现为句子开头高、句尾明显降低。如一般陈述句、祈使句、感叹句,以及近距离对话等情况。在普通话语句中降调出现频率高。

升调——表现为句子开头低、句尾明显升高。如一般疑问句、反问句,以及出现在长句中前半句。但是,疑问代词处于句首的特殊疑问句,应为降调。

平调——表现为语句音高变化不明显。如思考问题、宣读名单、公布成绩等情况。另外,远距离问话,以及在人群前呼喊、喊口令时,可能出现总体高平的调形,但一般句子里各个字的字调和连读变调依然存在。

曲折调——表现为语句音高曲折变化,多在表达特殊感情时出现。如表示嘲讽的语气,以及重音出现在句子开头,或疑问代词出现在句中的疑问句等情况。

2. 声调(字调)对语调产生影响

普通话的四个声调(字调)调形为平、升、曲、降,区别十分明显。普通话语句的音高模式不会完全改变这四个声调,同时又对声调产生某种制约。因此,声调的准确直接影响语调的正确。学习普通话出现的方言语调,学习汉语出现的洋腔洋调、怪腔怪调,都同没有掌握普通话声调有直接关系。

普通话上声调是学习普通话的难点。我们注意了上声本调是个低调的特点,以及上声变调的规律,上声调就容易掌握了。读阴平调注意保持调值高,读阳平调注意中间不要拖长出现明显曲折,而普通话读去声的字最多,要注意去声调开头的调值高度。声调读得准确,就会有效地克服语调当中出现的"方言味儿""洋味儿"。

3. 掌握词语的轻重音格式

普通话也存在词重音和句重音。由于声调负担起较重的辨义作用,普通话词重音和句重音的作用有所淡化,不过我们在学习普通话时会常常感知到它的存在。像我们把每个字声韵调原原本本不折不扣地读出来,语感上并不自然,甚至感到很生硬,不像纯正的普通话。其中,词语的轻重音格式是不可忽视的一个主要原因。

普通话词的轻重音格式的基本形式是:双音节、三音节、四音节词语大多数最后一个音节读为重音;三音节词语大多数读为"中·次轻·重"的格式;四音节词语大多数读为"中·次轻·中·重"的格式;双音节词语占普通话词语总数的绝对优势,绝大多数读为"中·重"的格式。

双音节词语读后轻的词语可以分为两类。一类为"重·最轻"(或描述为"重·轻")的格式,即轻声词语,用汉语拼音注音时,不标声调符号。例如:东西、麻烦、规矩、客气。另一类为"重·次轻"的格式,一部分词语在《现代汉语词典》中轻读音节标注声调符号,但在轻读音节前加圆点。例如:新鲜、客人、风水、匀称。另一部分词语,则未作明确标注。例如:分析、臭虫、老虎、制度。这类词语一般轻读,偶尔(间或)重读,读音不太稳定。我们可以称为"可轻读词语"。

掌握轻声词语是学习普通话的基本要求。所谓操"港台腔",主要原因之一是没有掌握轻声词语的读音。另外,我们将大多数"重·次轻"格式词语,后一个音节轻读,则语感自然,是普通话水平较高的表现之一。

4. 掌握普通话的正常语速

普通话的正常语速为中速,大约每分钟 240 个音节左右,大致在 150～300 个音节之间浮动。一些少数民族语言、外国语正常语速为快速,即每分钟超过 300 个音节。有的汉语方言也有偏快的倾向。当学习普通话处在起步阶段时，会出现语速过慢或忽快忽慢的情况。学习普通话要掌握好普通话的正常语速。

普通话语调还包括：停连、节拍群、语气词运用的诸多方面。这些都要注意学习掌握。

第二部分

普通话水平测试用普通话词语表

说　明

1. 本表参照国家语言文字工作委员会现代汉语语料库和中国社会科学院语言研究所编辑的《现代汉语词典》(1996 年 7 月修订第三版)编制。

2. 本表供普通话水平测试第一项——读单音节字词(100 个音节)和第二项——读多音节词语(100 个音节)测试使用。

3. 本表共收词语 17041 条,由"表一"(6593 条)和"表二"(10448 条)两部分组成,条目按汉语拼音字母顺序排列。"表一"里带 * 的是按频率在第 4000 条以前的最常用词。

4. 本表条目除必读轻声音节外,一律只标本调,不标变调。

5. 条目中的必读轻声音节,注音不标调号,如:"明白 míngbai";一般轻读、间或重读的音节,注音上标调号,注音前再加圆点提示,如:"玻璃 bō•lí"。

6. 条目中儿化音节的注音,只在基本形式后面加 r,如:"一会儿 yīhuìr",不标语音上的实际变化。

190 必然性 bìránxìng
191 *必须 bìxū
192 必需 bìxū
193 *必要 bìyào
194 *毕竟 bìjìng
195 *毕业 bìyè
196 闭 bì
197 闭合 bìhé
198 *壁 bì
199 壁画 bìhuà
200 避 bì
201 *避免 bìmiǎn
202 臂 bì
203 *边 biān
204 边疆 biānjiāng
205 边界 biānjiè
206 边境 biānjìng
207 边区 biānqū
208 边缘 biānyuán
209 *编 biān
210 编辑 biānjí
211 编写 biānxiě
212 *编制 biānzhì
213 鞭 biān
214 鞭子 biānzi
215 扁 biǎn
216 *变 biàn
217 *变动 biàndòng
218 变法 biànfǎ
219 *变革 biàngé
220 变更 biàngēng
221 *变化 biànhuà
222 变换 biànhuàn
223 变量 biànliàng
224 变迁 biànqiān
225 变态 biàntài
226 变形 biànxíng
227 变异 biànyì
228 *便 biàn
229 便利 biànlì
230 *便于 biànyú
231 *遍 biàn
232 辨 biàn
233 辨别 biànbié
234 辨认 biànrèn
235 辩护 biànhù
236 *辩证 biànzhèng
237 *辩证法 biànzhèngfǎ
238 标 biāo
239 标本 biāoběn
240 标题 biāotí
241 标语 biāoyǔ
242 *标志 biāozhì
243 *标准 biāozhǔn
244 标准化 biāozhǔnhuà
245 *表 biǎo
246 表层 biǎocéng
247 *表达 biǎodá
248 *表面 biǎomiàn
249 *表明 biǎomíng
250 表皮 biǎopí
251 *表情 biǎoqíng
252 *表示 biǎoshì
253 表述 biǎoshù
254 *表现 biǎoxiàn
255 表象 biǎoxiàng
256 *表演 biǎoyǎn
257 表扬 biǎoyáng
258 表彰 biǎozhāng
259 *别 bié
260 *别人 bié•rén
261 *别 biè
262 宾 bīn
263 *冰 bīng
264 冰川 bīngchuān
265 *兵 bīng
266 兵力 bīnglì
267 丙 bǐng
268 柄 bǐng
269 饼 bǐng
270 屏 bǐng
271 *并 bìng
272 *并且 bìngqiě
273 并用 bìngyòng
274 *病 bìng
275 病变 bìngbiàn
276 病毒 bìngdú
277 病理 bìnglǐ
278 病情 bìngqíng
279 *病人 bìngrén
280 拨 bō
281 *波 bō
282 *波长 bōcháng
283 *波动 bōdòng
284 波浪 bōlàng
285 *玻璃 bō•li
286 剥夺 bōduó
287 *剥削 bōxuē
288 播种 bōzhǒng
289 播种 bōzhòng
290 伯 bó
291 *脖子 bózi
292 *博士 bóshì

293 搏斗 bódòu
294 *薄 bó
295 薄弱 bóruò
296 *薄 bò
297 *补 bǔ
298 补偿 bǔcháng
299 *补充 bǔchōng
300 补贴 bǔtiē
301 捕 bǔ
302 捕捞 bǔlāo
303 捕食 bǔshí
304 捕捉 bǔzhuō
305 *不 bù
306 *不安 bù'ān
307 *不必 bùbì
308 不便 bùbiàn
309 不曾 bùcéng
310 *不错 bùcuò
311 *不但 bùdàn
312 不当 bùdàng
313 不等 bùděng
314 不定 bùdìng
315 *不断 bùduàn
316 *不对 bùduì
317 不妨 bùfáng
318 不服 bùfú
319 *不够 bùgòu
320 *不顾 bùgù
321 *不管 bùguǎn
322 不光 bùguāng
323 *不过 bùguò
324 不合 bùhé
325 不及 bùjí
326 *不禁 bùjīn
327 *不仅 bùjǐn
328 *不久 bùjiǔ
329 不堪 bùkān
330 *不可 bùkě
331 不快 bùkuài
332 *不利 bùlì
333 *不良 bùliáng
334 不料 bùliào
335 *不论 bùlùn
336 *不满 bùmǎn
337 不免 bùmiǎn
338 *不怕 bùpà
339 不平 bùpíng
340 *不然 bùrán
341 不容 bùróng
342 *不如 bùrú
343 不时 bùshí
344 不惜 bùxī
345 *不想 bùxiǎng
346 *不行 bùxíng
347 *不幸 bùxìng
348 *不许 bùxǔ
349 *不要 bùyào
350 不宜 bùyí
351 不已 bùyǐ
352 *不用 bùyòng
353 不止 bùzhǐ
354 *不足 bùzú
355 *布 bù
356 布局 bùjú
357 *布置 bùzhì
358 *步 bù
359 步伐 bùfá
360 *步骤 bùzhòu
361 步子 bùzi
362 *部 bù
363 *部队 bùduì
364 *部分 bùfen
365 *部落 bùluò
366 *部门 bùmén
367 部署 bùshǔ
368 *部位 bùwèi
369 *擦 cā
370 猜 cāi
371 *才 cái
372 *才能 cáinéng
373 材 cái
374 *材料 cáiliào
375 财 cái
376 *财产 cáichǎn
377 *财富 cáifù
378 财力 cáilì
379 财务 cáiwù
380 *财政 cáizhèng
381 *采 cǎi
382 *采访 cǎifǎng
383 采购 cǎigòu
384 采集 cǎijí
385 *采取 cǎiqǔ
386 *采用 cǎiyòng
387 彩 cǎi
388 彩色 cǎisè
389 踩 cǎi
390 *菜 cài
391 蔡 cài
392 参 cān
393 *参观 cānguān

394	*参加	cānjiā
395	*参考	cānkǎo
396	参谋	cānmóu
397	参数	cānshù
398	*参与	cānyù
399	参照	cānzhào
400	残	cán
401	残酷	cánkù
402	残余	cányú
403	蚕	cán
404	灿烂	cànlàn
405	仓	cāng
406	仓库	cāngkù
407	苍白	cāngbái
408	苍蝇	cāngying
409	舱	cāng
410	*藏	cáng
411	操	cāo
412	操纵	cāozòng
413	*操作	cāozuò
414	曹	cáo
415	槽	cáo
416	*草	cǎo
417	草案	cǎo'àn
418	草地	cǎodì
419	*草原	cǎoyuán
420	册	cè
421	*侧	cè
422	侧面	cèmiàn
423	侧重	cèzhòng
424	*测	cè
425	*测定	cèdìng
426	*测量	cèliáng
427	测验	cèyàn
428	策略	cèlüè
429	*层	céng
430	*层次	céngcì
431	*曾	céng
432	*曾经	céngjīng
433	叉	chā
434	*差	chā
435	*差别	chābié
436	差价	chājià
437	差距	chājù
438	*差异	chāyì
439	*插	chā
440	*茶	chá
441	茶馆儿	cháguǎnr
442	茶叶	cháyè
443	*查	chá
444	察	chá
445	叉	chǎ
446	*差	chà
447	*差不多	chà·bùduō
448	差点儿	chàdiǎnr
449	拆	chāi
450	*差	chāi
451	柴	chái
452	缠	chán
453	*产	chǎn
454	产地	chǎndì
455	*产量	chǎnliàng
456	*产品	chǎnpǐn
457	*产生	chǎnshēng
458	*产物	chǎnwù
459	*产业	chǎnyè
460	产值	chǎnzhí
461	阐明	chǎnmíng
462	阐述	chǎnshù
463	颤抖	chàndǒu
464	*长	cháng
465	长城	Chángchéng
466	长处	cháng·chù
467	*长度	chángdù
468	长短	chángduǎn
469	长久	chángjiǔ
470	*长期	chángqī
471	长远	chángyuǎn
472	长征	chángzhēng
473	*场	cháng
474	肠	cháng
475	尝	cháng
476	尝试	chángshì
477	*常	cháng
478	常规	chángguī
479	常年	chángnián
480	常识	chángshí
481	常数	chángshù
482	*厂	chǎng
483	厂房	chǎngfáng
484	*场	chǎng
485	场地	chǎngdì
486	场合	chǎnghé
487	*场面	chǎngmiàn
488	*场所	chǎngsuǒ
489	*唱	chàng
490	抄	chāo
491	*超	chāo
492	超出	chāochū
493	超额	chāo'é
494	*超过	chāoguò
495	超越	chāoyuè
496	巢	cháo
497	*朝	cháo

498 朝廷 cháotíng
499 潮 cháo
500 潮流 cháoliú
501 潮湿 cháoshī
502 吵 chǎo
503 炒 chǎo
504 *车 chē
505 *车间 chējiān
506 车辆 chēliàng
507 车厢 chēxiāng
508 车站 chēzhàn
509 车子 chēzi
510 扯 chě
511 *彻底 chèdǐ
512 撤 chè
513 撤销 chèxiāo
514 臣 chén
515 尘 chén
516 沉 chén
517 *沉淀 chéndiàn
518 沉积 chénjī
519 *沉默 chénmò
520 沉思 chénsī
521 *沉重 chénzhòng
522 沉着 chénzhuó
523 *陈 chén
524 陈旧 chénjiù
525 陈述 chénshù
526 *称 chèn
527 趁 chèn
528 *称 chēng
529 称号 chēnghào
530 称呼 chēnghu
531 称赞 chēngzàn
532 撑 chēng
533 *成 chéng
534 *成本 chéngběn
535 成虫 chéngchóng
536 *成分 chéng•fèn
537 *成功 chénggōng
538 *成果 chéngguǒ
539 *成绩 chéngjì
540 *成就 chéngjiù
541 *成立 chénglì
542 成年 chéngnián
543 *成人 chéngrén
544 *成熟 chéngshú
545 *成为 chéngwéi
546 成效 chéngxiào
547 成语 chéngyǔ
548 *成员 chéngyuán
549 *成长 chéngzhǎng
550 *呈 chéng
551 *呈现 chéngxiàn
552 诚 chéng
553 诚恳 chéngkěn
554 诚实 chéng•shí
555 承 chéng
556 承包 chéngbāo
557 *承担 chéngdān
558 *承认 chéngrèn
559 承受 chéngshòu
560 *城 chéng
561 *城市 chéngshì
562 城镇 chéngzhèn
563 *乘 chéng
564 乘机 chéngjī
565 乘客 chéngkè
566 *盛 chéng
567 程 chéng
568 *程度 chéngdù
569 程式 chéngshì
570 *程序 chéngxù
571 惩罚 chéngfá
572 秤 chèng
573 *吃 chī
574 *吃饭 chīfàn
575 吃惊 chījīng
576 吃力 chīlì
577 *池 chí
578 池塘 chítáng
579 *迟 chí
580 *持 chí
581 持久 chíjiǔ
582 *持续 chíxù
583 *尺 chǐ
584 *尺度 chǐdù
585 齿 chǐ
586 赤 chì
587 赤道 chìdào
588 翅 chì
589 *翅膀 chìbǎng
590 *冲 chōng
591 冲动 chōngdòng
592 冲击 chōngjī
593 冲破 chōngpò
594 *冲突 chōngtū
595 充 chōng
596 充当 chōngdāng
597 *充分 chōngfèn
598 *充满 chōngmǎn
599 充实 chōngshí

600 充足 chōngzú
601 *虫 chóng
602 *重 chóng
603 *重复 chóngfù
604 重合 chónghé
605 *重新 chóngxīn
606 *崇拜 chóngbài
607 崇高 chónggāo
608 *冲 chòng
609 *抽 chōu
610 *抽象 chōuxiàng
611 仇恨 chóuhèn
612 愁 chóu
613 丑 chǒu
614 臭 chòu
615 *出 chū
616 *出版 chūbǎn
617 出产 chūchǎn
618 *出发 chūfā
619 出发点 chūfādiǎn
620 出国 chūguó
621 *出口 chūkǒu
622 *出来 chū•lái
623 出路 chūlù
624 出卖 chūmài
625 出门 chūmén
626 *出去 chū•qù
627 出色 chūsè
628 出身 chūshēn
629 *出生 chūshēng
630 出售 chūshòu
631 出土 chūtǔ
632 出席 chūxí
633 *出现 chūxiàn
634 出血 chūxiě
635 *初 chū
636 *初步 chūbù
637 初级 chūjí
638 *初期 chūqī
639 初中 chūzhōng
640 *除 chú
641 除非 chúfēi
642 *除了 chúle
643 厨房 chúfáng
644 *处 chǔ
645 处罚 chǔfá
646 处分 chǔfèn
647 处境 chǔjìng
648 *处理 chǔlǐ
649 *处于 chǔyú
650 储备 chǔbèi
651 *储存 chǔcún
652 储量 chǔliàng
653 储蓄 chǔxù
654 楚 chǔ
655 *处 chù
656 *畜 chù
657 触 chù
658 川 chuān
659 *穿 chuān
660 *穿着 chuānzhuó
661 *传 chuán
662 *传播 chuánbō
663 传达 chuándá
664 传导 chuándǎo
665 *传递 chuándì
666 传教士 chuánjiàoshì
667 传染病 chuánrǎnbìng
668 传授 chuánshòu
669 *传说 chuánshuō
670 *传统 chuántǒng
671 *船 chuán
672 船舶 chuánbó
673 船长 chuánzhǎng
674 船只 chuánzhī
675 喘 chuǎn
676 *串 chuàn
677 串联 chuànlián
678 创 chuāng
679 创伤 chuāngshāng
680 窗 chuāng
681 窗户 chuānghu
682 窗口 chuāngkǒu
683 窗子 chuāngzi
684 *床 chuáng
685 幢 chuáng
686 闯 chuǎng
687 创 chuàng
688 创办 chuàngbàn
689 *创立 chuànglì
690 创新 chuàngxīn
691 *创造 chuàngzào
692 *创造性 chuàngzàoxìng
693 *创作 chuàngzuò
694 *吹 chuī
695 垂 chuí
696 *垂直 chuízhí
697 锤 chuí
698 *春 chūn
699 春季 chūnjì
700 春节 Chūn Jié
701 春秋 chūnqiū
702 *春天 chūntiān

703 *纯 chún
704 纯粹 chúncuì
705 纯洁 chúnjié
706 唇 chún
707 *词 cí
708 词典 cídiǎn
709 *词汇 cíhuì
710 词义 cíyì
711 词语 cíyǔ
712 词组 cízǔ
713 辞 cí
714 辞职 cízhí
715 *磁 cí
716 *磁场 cíchǎng
717 磁力 cílì
718 磁铁 cítiě
719 雌 cí
720 *此 cǐ
721 此地 cǐdì
722 此后 cǐhòu
723 此刻 cǐkè
724 *此外 cǐwài
725 *次 cì
726 次数 cìshù
727 次序 cìxù
728 次要 cìyào
729 *刺 cì
730 *刺激 cì•jī
731 赐 cì
732 *聪明 cōng•míng
733 *从 cóng
734 *从此 cóngcǐ
735 *从而 cóng'ér
736 *从来 cónglái
737 *从前 cóngqián
738 *从事 cóngshì
739 从小 cóngxiǎo
740 从中 cóngzhōng
741 丛 cóng
742 凑 còu
743 *粗 cū
744 粗糙 cūcāo
745 促 cù
746 促成 cùchéng
747 *促进 cùjìn
748 *促使 cùshǐ
749 簇 cù
750 窜 cuàn
751 催 cuī
752 摧残 cuīcán
753 摧毁 cuīhuǐ
754 *村 cūn
755 村庄 cūnzhuāng
756 村子 cūnzi
757 *存 cún
758 存款 cúnkuǎn
759 *存在 cúnzài
760 寸 cùn
761 挫折 cuòzhé
762 *措施 cuòshī
763 *错 cuò
764 *错误 cuò•wù
765 *搭 dā
766 *答应 dāying
767 *打 dá
768 *达 dá
769 *达到 dádào
770 *答 dá
771 答案 dá'àn
772 答复 dá•fù
773 *打 dǎ
774 打败 dǎbài
775 打扮 dǎban
776 打倒 dǎdǎo
777 *打击 dǎjī
778 打架 dǎjià
779 *打开 dǎkāi
780 打量 dǎliang
781 *打破 dǎpò
782 *打算 dǎsuan
783 打听 dǎting
784 打下 dǎxià
785 打仗 dǎzhàng
786 *大 dà
787 大伯 dàbó
788 大臣 dàchén
789 *大胆 dàdǎn
790 *大地 dàdì
791 大豆 dàdòu
792 *大队 dàduì
793 *大多 dàduō
794 *大多数 dàduōshù
795 大风 dàfēng
796 *大概 dàgài
797 大纲 dàgāng
798 大哥 dàgē
799 *大会 dàhuì
800 *大伙儿 dàhuǒr
801 *大家 dàjiā
802 大街 dàjiē
803 大姐 dàjiě
804 *大量 dàliàng

编号	词语	拼音
1211	发觉	fājué
1212	发掘	fājué
1213	*发明	fāmíng
1214	发起	fāqǐ
1215	发热	fārè
1216	*发射	fāshè
1217	*发生	fāshēng
1218	*发现	fāxiàn
1219	*发行	fāxíng
1220	发芽	fāyá
1221	发言	fāyán
1222	*发扬	fāyáng
1223	发音	fāyīn
1224	*发育	fāyù
1225	*发展	fāzhǎn
1226	发作	fāzuò
1227	罚	fá
1228	罚款	fákuǎn
1229	*法	fǎ
1230	法定	fǎdìng
1231	法官	fǎguān
1232	*法规	fǎguī
1233	法令	fǎlìng
1234	*法律	fǎlǜ
1235	法人	fǎrén
1236	法庭	fǎtíng
1237	法西斯	fǎxīsī
1238	法学	fǎxué
1239	*法院	fǎyuàn
1240	*法则	fǎzé
1241	*法制	fǎzhì
1242	*发	fà
1243	番	fān
1244	*翻	fān
1245	翻身	fānshēn
1246	*翻译	fānyì
1247	*凡	fán
1248	*凡是	fánshì
1249	烦恼	fánnǎo
1250	繁	fán
1251	繁多	fánduō
1252	*繁荣	fánróng
1253	*繁殖	fánzhí
1254	繁重	fánzhòng
1255	*反	fǎn
1256	*反动	fǎndòng
1257	*反对	fǎnduì
1258	*反而	fǎn’ér
1259	*反复	fǎnfù
1260	*反抗	fǎnkàng
1261	反馈	fǎnkuì
1262	反面	fǎnmiàn
1263	*反射	fǎnshè
1264	*反应	fǎnyìng
1265	*反映	fǎnyìng
1266	*反正	fǎn·zhèng
1267	*反之	fǎnzhī
1268	返	fǎn
1269	返回	fǎnhuí
1270	*犯	fàn
1271	*犯罪	fànzuì
1272	*饭	fàn
1273	饭店	fàndiàn
1274	泛	fàn
1275	范	fàn
1276	*范畴	fànchóu
1277	*范围	fànwéi
1278	*方	fāng
1279	*方案	fāng’àn
1280	*方便	fāngbiàn
1281	方才	fāngcái
1282	*方程	fāngchéng
1283	*方法	fāngfǎ
1284	方法论	fāngfǎlùn
1285	*方面	fāngmiàn
1286	*方式	fāngshì
1287	*方向	fāngxiàng
1288	*方言	fāngyán
1289	*方针	fāngzhēn
1290	防	fáng
1291	防御	fángyù
1292	*防止	fángzhǐ
1293	*防治	fángzhì
1294	妨碍	fáng’ài
1295	*房	fáng
1296	*房间	fángjiān
1297	*房屋	fángwū
1298	*房子	fángzi
1299	*仿佛	fǎngfú
1300	访	fǎng
1301	*访问	fǎngwèn
1302	纺织	fǎngzhī
1303	*放	fàng
1304	放大	fàngdà
1305	*放弃	fàngqì
1306	放射	fàngshè
1307	放射性	fàngshèxìng
1308	放松	fàngsōng
1309	*放心	fàngxīn
1310	*飞	fēi

1311 飞船 fēichuán
1312 *飞机 fēijī
1313 飞快 fēikuài
1314 飞翔 fēixiáng
1315 *飞行 fēixíng
1316 飞跃 fēiyuè
1317 *非 fēi
1318 *非常 fēicháng
1319 非法 fēifǎ
1320 *肥 féi
1321 肥料 féiliào
1322 匪 fěi
1323 *肺 fèi
1324 废 fèi
1325 废除 fèichú
1326 沸腾 fèiténg
1327 *费 fèi
1328 *费用 fèi•yòng
1329 *分 fēn
1330 分辨 fēnbiàn
1331 *分别 fēnbié
1332 *分布 fēnbù
1333 *分成 fēnchéng
1334 分割 fēngē
1335 *分工 fēngōng
1336 *分化 fēnhuà
1337 *分解 fēnjiě
1338 *分开 fēnkāi
1339 *分类 fēnlèi
1340 *分离 fēnlí
1341 *分裂 fēnliè
1342 *分泌 fēnmì
1343 分明 fēnmíng
1344 *分配 fēnpèi
1345 分歧 fēnqí
1346 *分散 fēnsàn
1347 *分析 fēnxī
1348 分支 fēnzhī
1349 *分子 fēnzǐ
1350 *粉 fěn
1351 粉末 fěnmò
1352 粉碎 fěnsuì
1353 *分 fèn
1354 分量 fèn•liàng
1355 *分子 fènzǐ
1356 *份 fèn
1357 *奋斗 fèndòu
1358 粪 fèn
1359 愤怒 fènnù
1360 丰 fēng
1361 *丰富 fēngfù
1362 丰收 fēngshōu
1363 *风 fēng
1364 风暴 fēngbào
1365 *风格 fēnggé
1366 风光 fēngguāng
1367 风景 fēngjǐng
1368 风力 fēnglì
1369 风气 fēngqì
1370 风俗 fēngsú
1371 风速 fēngsù
1372 风险 fēngxiǎn
1373 风雨 fēngyǔ
1374 *封 fēng
1375 封闭 fēngbì
1376 *封建 fēngjiàn
1377 封锁 fēngsuǒ
1378 疯狂 fēngkuáng
1379 峰 fēng
1380 锋 fēng
1381 蜂 fēng
1382 冯 Féng
1383 缝 féng
1384 讽刺 fěngcì
1385 奉 fèng
1386 奉献 fèngxiàn
1387 *缝 fèng
1388 *佛 fó
1389 *佛教 Fójiào
1390 否 fǒu
1391 *否定 fǒudìng
1392 *否认 fǒurèn
1393 *否则 fǒuzé
1394 *夫 fū
1395 夫妇 fūfù
1396 *夫妻 fūqī
1397 *夫人 fū•rén
1398 孵化 fūhuà
1399 *伏 fú
1400 伏特 fútè
1401 *扶 fú
1402 *服 fú
1403 *服从 fúcóng
1404 *服务 fúwù
1405 服务员 fúwùyuán
1406 *服装 fúzhuāng
1407 俘虏 fúlǔ
1408 浮 fú
1409 浮动 fúdòng
1410 浮游 fúyóu
1411 *符号 fúhào

1412 *符合 fúhé
1413 *幅 fú
1414 幅度 fúdù
1415 *辐射 fúshè
1416 福 fú
1417 福利 fúlì
1418 抚摸 fǔmō
1419 府 fǔ
1420 辅助 fǔzhù
1421 腐 fǔ
1422 腐败 fǔbài
1423 腐蚀 fǔshí
1424 腐朽 fǔxiǔ
1425 *父母 fùmǔ
1426 *父亲 fù·qīn
1427 付 fù
1428 付出 fùchū
1429 *负 fù
1430 *负担 fùdān
1431 *负责 fùzé
1432 妇 fù
1433 *妇女 fùnǚ
1434 附 fù
1435 附加 fùjiā
1436 *附近 fùjìn
1437 附着 fùzhuó
1438 *服 fù
1439 赴 fù
1440 *复 fù
1441 复辟 fùbì
1442 复合 fùhé
1443 *复杂 fùzá
1444 复制 fùzhì
1445 *副 fù
1446 副业 fùyè
1447 赋 fù
1448 赋予 fùyǔ
1449 *富 fù
1450 *富有 fùyǒu
1451 富裕 fùyù
1452 *腹 fù
1453 覆盖 fùgài
1454 *该 gāi
1455 *改 gǎi
1456 改编 gǎibiān
1457 *改变 gǎibiàn
1458 *改革 gǎigé
1459 *改进 gǎijìn
1460 改良 gǎiliáng
1461 *改善 gǎishàn
1462 *改造 gǎizào
1463 改正 gǎizhèng
1464 改组 gǎizǔ
1465 钙 gài
1466 *盖 gài
1467 *概括 gàikuò
1468 概率 gàilǜ
1469 *概念 gàiniàn
1470 *干 gān
1471 干脆 gāncuì
1472 干旱 gānhàn
1473 *干净 gān·jìng
1474 *干扰 gānrǎo
1475 *干涉 gānshè
1476 干预 gānyù
1477 *干燥 gānzào
1478 甘心 gānxīn
1479 杆 gān
1480 *肝 gān
1481 肝脏 gānzàng
1482 杆 gǎn
1483 *赶 gǎn
1484 *赶紧 gǎnjǐn
1485 *赶快 gǎnkuài
1486 赶忙 gǎnmáng
1487 *敢 gǎn
1488 敢于 gǎnyú
1489 *感 gǎn
1490 *感到 gǎndào
1491 *感动 gǎndòng
1492 感官 gǎnguān
1493 感激 gǎn·jī
1494 *感觉 gǎnjué
1495 感慨 gǎnkǎi
1496 *感情 gǎnqíng
1497 *感染 gǎnrǎn
1498 *感受 gǎnshòu
1499 感谢 gǎnxiè
1500 感性 gǎnxìng
1501 感应 gǎnyìng
1502 感知 gǎnzhī
1503 *干 gàn
1504 *干部 gànbù
1505 *刚 gāng
1506 *刚才 gāngcái
1507 *纲 gāng
1508 纲领 gānglǐng
1509 *钢 gāng
1510 钢琴 gāngqín
1511 *钢铁 gāngtiě
1512 *岗位 gǎngwèi

1513	港	gǎng
1514	港口	gǎngkǒu
1515	*高	gāo
1516	高产	gāochǎn
1517	高潮	gāocháo
1518	*高大	gāodà
1519	高等	gāoděng
1520	*高低	gāodī
1521	高地	gāodì
1522	*高度	gāodù
1523	*高级	gāojí
1524	高空	gāokōng
1525	高尚	gāoshàng
1526	高速	gāosù
1527	*高温	gāowēn
1528	高校	gāoxiào
1529	*高兴	gāoxìng
1530	高压	gāoyā
1531	*高原	gāoyuán
1532	高涨	gāozhǎng
1533	高中	gāozhōng
1534	*搞	gǎo
1535	稿	gǎo
1536	告	gào
1537	告别	gàobié
1538	*告诉	gàosu
1539	疙瘩	gēda
1540	*哥哥	gēge
1541	胳膊	gēbo
1542	鸽子	gēzi
1543	搁	gē
1544	割	gē
1545	*歌	gē
1546	歌唱	gēchàng
1547	歌剧	gējù
1548	*歌曲	gēqǔ
1549	歌声	gēshēng
1550	歌颂	gēsòng
1551	歌舞	gēwǔ
1552	*革命	gémìng
1553	*革新	géxīn
1554	*格	gé
1555	格外	géwài
1556	*隔	gé
1557	隔壁	gébì
1558	隔离	gélí
1559	*个	gè
1560	*个别	gèbié
1561	*个人	gèrén
1562	*个体	gètǐ
1563	*个性	gèxìng
1564	*各	gè
1565	*各自	gèzì
1566	*给	gěi
1567	给以	gěiyǐ
1568	*根	gēn
1569	*根本	gēnběn
1570	*根据	gēnjù
1571	*根据地	gēnjùdì
1572	根系	gēnxì
1573	根源	gēnyuán
1574	*跟	gēn
1575	跟前	gēn•qián
1576	跟随	gēnsuí
1577	*更	gēng
1578	*更新	gēngxīn
1579	耕	gēng
1580	*耕地	gēngdì
1581	耕作	gēngzuò
1582	*更	gèng
1583	*更加	gèngjiā
1584	*工	gōng
1585	*工厂	gongchǎng
1586	工场	gōngchǎng
1587	*工程	gōngchéng
1588	*工程师	gōngchéngshī
1589	工地	gōngdì
1590	工夫	gōngfu
1591	工会	gōnghuì
1592	*工具	gōngjù
1593	*工人	gōng•rén
1594	工商业	gōngshāngyè
1595	*工业	gōngyè
1596	工业化	gōngyèhuà
1597	*工艺	gōngyì
1598	*工资	gōngzī
1599	*工作	gōngzuò
1600	弓	gōng
1601	*公	gōng
1602	公安	gōng'ān
1603	公布	gōngbù
1604	公公	gōnggong
1605	*公共	gōnggòng
1606	*公开	gōngkāi
1607	*公理	gōnglǐ
1608	*公路	gōnglù
1609	*公民	gōngmín
1610	公平	gōng•píng
1611	公认	gōngrèn
1612	*公社	gōngshè
1613	*公式	gōngshì

1614 *公司 gōngsī
1615 公有 gōngyǒu
1616 *公有制 gōngyǒuzhì
1617 *公元 gōngyuán
1618 公园 gōngyuán
1619 公正 gōngzhèng
1620 公主 gōngzhǔ
1621 *功 gōng
1622 功夫 gōngfu
1623 功课 gōngkè
1624 功率 gōnglǜ
1625 *功能 gōngnéng
1626 攻 gōng
1627 *攻击 gōngjī
1628 *供 gōng
1629 *供给 gōngjǐ
1630 供求 gōngqiú
1631 *供应 gōngyìng
1632 宫 gōng
1633 宫廷 gōngtíng
1634 *巩固 gǒnggù
1635 汞 gǒng
1636 拱 gǒng
1637 *共 gòng
1638 *共产党 gòngchǎndǎng
1639 共和国 gònghéguó
1640 共鸣 gòngmíng
1641 *共同 gòngtóng
1642 *贡献 gòngxiàn
1643 *供 gòng
1644 勾结 gōujié
1645 *沟 gōu
1646 沟通 gōutōng
1647 钩 gōu
1648 *狗 gǒu
1649 构 gòu
1650 *构成 gòuchéng
1651 构思 gòusī
1652 *构造 gòuzào
1653 购 gòu
1654 *购买 gòumǎi
1655 购销 gòuxiāo
1656 *够 gòu
1657 *估计 gūjì
1658 *姑娘 gūniang
1659 孤独 gūdú
1660 *孤立 gūlì
1661 *古 gǔ
1662 *古代 gǔdài
1663 古典 gǔdiǎn
1664 *古老 gǔlǎo
1665 古人 gǔrén
1666 *谷 gǔ
1667 *股 gǔ
1668 股票 gǔpiào
1669 *骨 gǔ
1670 骨干 gǔgàn
1671 骨骼 gǔgé
1672 骨头 gǔtou
1673 *鼓 gǔ
1674 鼓吹 gǔchuī
1675 *鼓励 gǔlì
1676 鼓舞 gǔwǔ
1677 *固 gù
1678 *固定 gùdìng
1679 *固然 gùrán
1680 *固体 gùtǐ
1681 固有 gùyǒu
1682 固执 gù・zhí
1683 *故 gù
1684 *故事 gùshi
1685 故乡 gùxiāng
1686 *故意 gùyì
1687 顾 gù
1688 *顾客 gùkè
1689 顾虑 gùlǜ
1690 顾问 gùwèn
1691 雇 gù
1692 瓜 guā
1693 刮 guā
1694 寡妇 guǎfu
1695 *挂 guà
1696 拐 guǎi
1697 *怪 guài
1698 怪物 guàiwu
1699 *关 guān
1700 关闭 guānbì
1701 关怀 guānhuái
1702 *关键 guānjiàn
1703 关节 guānjié
1704 关联 guānlián
1705 *关系 guānxi
1706 *关心 guānxīn
1707 *关于 guānyú
1708 关注 guānzhù
1709 *观 guān
1710 *观测 guāncè
1711 *观察 guānchá
1712 *观点 guāndiǎn
1713 观看 guānkàn
1714 *观念 guānniàn

1715 *观众 guānzhòng
1716 *官 guān
1717 官兵 guānbīng
1718 官吏 guānlì
1719 官僚 guānliáo
1720 官员 guānyuán
1721 冠 guān
1722 馆 guǎn
1723 *管 guǎn
1724 管道 guǎndào
1725 *管理 guǎnlǐ
1726 管辖 guǎnxiá
1727 *观 guàn
1728 *贯彻 guànchè
1729 贯穿 guànchuān
1730 冠 guàn
1731 *冠军 guànjūn
1732 惯 guàn
1733 惯性 guànxìng
1734 灌 guàn
1735 *灌溉 guàngài
1736 *光 guāng
1737 光彩 guāngcǎi
1738 光滑 guānghuá
1739 *光辉 guānghuī
1740 光景 guāngjǐng
1741 光亮 guāngliàng
1742 光芒 guāngmáng
1743 光明 guāngmíng
1744 光谱 guāngpǔ
1745 *光荣 guāngróng
1746 *光线 guāngxiàn
1747 光学 guāngxué
1748 光源 guāngyuán
1749 光泽 guāngzé
1750 光照 guāngzhào
1751 *广 guǎng
1752 *广播 guǎngbō
1753 广场 guǎngchǎng
1754 *广大 guǎngdà
1755 *广泛 guǎngfàn
1756 *广告 guǎnggào
1757 *广阔 guǎngkuò
1758 广义 guǎngyì
1759 逛 guàng
1760 *归 guī
1761 归结 guījié
1762 归来 guīlái
1763 归纳 guīnà
1764 *规定 guīdìng
1765 *规范 guīfàn
1766 规格 guīgé
1767 *规划 guīhuà
1768 规矩 guīju
1769 *规律 guīlǜ
1770 *规模 guīmó
1771 *规则 guīzé
1772 闺女 guīnü
1773 *硅 guī
1774 *轨道 guǐdào
1775 *鬼 guǐ
1776 *鬼子 guǐzi
1777 *贵 guì
1778 *贵族 guìzú
1779 桂 guì
1780 跪 guì
1781 *滚 gǔn
1782 郭 guō
1783 锅 guō
1784 *国 guó
1785 国防 guófáng
1786 国会 guóhuì
1787 *国际 guójì
1788 *国家 guójiā
1789 *国民 guómín
1790 国情 guóqíng
1791 国土 guótǔ
1792 *国王 guówáng
1793 *国务院 guówùyuàn
1794 *国营 guóyíng
1795 国有 guóyǒu
1796 *果 guǒ
1797 果断 guǒduàn
1798 *果然 guǒrán
1799 *果实 guǒshí
1800 果树 guǒshù
1801 裹 guǒ
1802 *过 guò
1803 *过程 guòchéng
1804 过度 guòdù
1805 *过渡 guòdù
1806 *过分 guòfèn
1807 过后 guòhòu
1808 *过来 guò•lái
1809 过年 guònián
1810 *过去 guòqù
1811 *过去 guò•qù
1812 过于 guòyú
1813 哈 hā
1814 *还 hái
1815 *孩子 háizi
1816 *海 hǎi

1817 海岸 hǎi'àn
1818 海拔 hǎibá
1819 海带 hǎidài
1820 海关 hǎiguān
1821 *海军 hǎijūn
1822 *海面 hǎimiàn
1823 海区 hǎiqū
1824 海外 hǎiwài
1825 海湾 hǎiwān
1826 *海洋 hǎiyáng
1827 海域 hǎiyù
1828 *害 hài
1829 害虫 hàichóng
1830 *害怕 hàipà
1831 *含 hán
1832 *含量 hánliàng
1833 含义 hányì
1834 *函数 hánshù
1835 *寒 hán
1836 寒冷 hánlěng
1837 罕见 hǎnjiàn
1838 *喊 hǎn
1839 *汉 hàn
1840 汉奸 hànjiān
1841 *汉语 hànyǔ
1842 汉子 hànzi
1843 汉字 hànzì
1844 *汗 hàn
1845 汗水 hànshuǐ
1846 旱 hàn
1847 *行 háng
1848 行列 hángliè
1849 *行业 hángyè
1850 航海 hánghǎi
1851 航空 hángkōng
1852 航行 hángxíng
1853 *号 háo
1854 *好 hǎo
1855 好比 hǎobǐ
1856 *好处 hǎo•chù
1857 好多 hǎoduō
1858 好看 hǎokàn
1859 好人 hǎorén
1860 好事 hǎoshì
1861 好听 hǎotīng
1862 *好像 hǎoxiàng
1863 好转 hǎozhuǎn
1864 *号 hào
1865 *号召 hàozhào
1866 *好 hào
1867 好奇 hàoqí
1868 好事 hàoshì
1869 耗 hào
1870 耗费 hàofèi
1871 *呵 hē
1872 *喝 hē
1873 *合 hé
1874 合并 hébìng
1875 *合成 héchéng
1876 合法 héfǎ
1877 合格 hégé
1878 合乎 héhū
1879 合金 héjīn
1880 *合理 hélǐ
1881 合力 hélì
1882 *合适 héshì
1883 *合同 hétong
1884 *合作 hézuò
1885 *合作社 hézuòshè
1886 *何 hé
1887 何必 hébì
1888 何等 héděng
1889 何况 hékuàng
1890 何以 héyǐ
1891 *和 hé
1892 *和平 hépíng
1893 和尚 héshang
1894 *和谐 héxié
1895 *河 hé
1896 *河流 héliú
1897 荷 hé
1898 *核 hé
1899 核算 hésuàn
1900 *核心 héxīn
1901 盒 hé
1902 颌 hé
1903 *和 hè
1904 荷 hè
1905 *喝 hè
1906 *黑 hēi
1907 *黑暗 hēi'àn
1908 黑人 hēirén
1909 黑夜 hēiyè
1910 痕迹 hénjì
1911 *很 hěn
1912 *恨 hèn
1913 恒 héng
1914 *恒星 héngxīng
1915 *横 héng
1916 横向 héngxiàng
1917 衡量 héngliáng
1918 *横 hèng

1919 轰 hōng
1920 哄 hōng
1921 *红 hóng
1922 *红军 hóngjūn
1923 红旗 hóngqí
1924 *红色 hóngsè
1925 *宏观 hóngguān
1926 宏伟 hóngwěi
1927 洪 hóng
1928 洪水 hóngshuǐ
1929 哄 hǒng
1930 哄 hòng
1931 喉咙 hóu•lóng
1932 猴子 hóuzi
1933 *后 hòu
1934 后边 hòu•biān
1935 后代 hòudài
1936 后方 hòufāng
1937 *后果 hòuguǒ
1938 后悔 hòuhuǐ
1939 *后来 hòulái
1940 *后面 hòu•miàn
1941 *后期 hòuqī
1942 后人 hòurén
1943 后世 hòushì
1944 后天 hòutiān
1945 *厚 hòu
1946 厚度 hòudù
1947 候 hòu
1948 *乎 hū
1949 呼喊 hūhǎn
1950 呼唤 hūhuàn
1951 *呼吸 hūxī
1952 呼吁 hūyù
1953 忽略 hūlüè
1954 *忽然 hūrán
1955 *忽视 hūshì
1956 *和 hú
1957 弧 hú
1958 *胡 hú
1959 壶 hú
1960 *核儿 húr
1961 *湖 hú
1962 湖泊 húpō
1963 蝴蝶 húdié
1964 糊涂 hútu
1965 *虎 hǔ
1966 *互 hù
1967 互补 hùbǔ
1968 *互相 hùxiāng
1969 互助 hùzhù
1970 *户 hù
1971 户口 hùkǒu
1972 护 hù
1973 护士 hùshi
1974 沪 hù
1975 *花 huā
1976 花朵 huāduǒ
1977 花费 huā•fèi
1978 花粉 huāfěn
1979 花色 huāsè
1980 花生 huāshēng
1981 花纹 huāwén
1982 花园 huāyuán
1983 划 huá
1984 *华 huá
1985 华北 huáběi
1986 华侨 huáqiáo
1987 滑 huá
1988 滑动 huádòng
1989 *化 huà
1990 化肥 huàféi
1991 化工 huàgōng
1992 化合 huàhé
1993 *化合物 huàhéwù
1994 化石 huàshí
1995 *化学 huàxué
1996 划 huà
1997 *划分 huàfēn
1998 *华 Huà
1999 *画 huà
2000 *画家 huàjiā
2001 *画面 huàmiàn
2002 *话 huà
2003 话剧 huàjù
2004 话题 huàtí
2005 话筒 huàtǒng
2006 话语 huàyǔ
2007 *怀 huái
2008 怀抱 huáibào
2009 怀念 huáiniàn
2010 *怀疑 huáiyí
2011 *坏 huài
2012 坏人 huàirén
2013 欢乐 huānlè
2014 欢喜 huānxǐ
2015 *欢迎 huānyíng
2016 *还 huán
2017 还原 huányuán
2018 *环 huán
2019 *环节 huánjié
2020 *环境 huánjìng
2021 环流 huánliú
2022 缓 huǎn

2023 缓和 huǎnhé
2024 *缓慢 huǎnmàn
2025 幻觉 huànjué
2026 *幻想 huànxiǎng
2027 *换 huàn
2028 唤 huàn
2029 唤起 huànqǐ
2030 *患 huàn
2031 *患者 huànzhě
2032 荒 huāng
2033 慌 huāng
2034 *皇帝 huángdì
2035 *黄 huáng
2036 黄昏 huánghūn
2037 *黄金 huángjīn
2038 *黄色 huángsè
2039 黄土 huángtǔ
2040 晃 huǎng
2041 晃 huàng
2042 *灰 huī
2043 灰尘 huīchén
2044 灰色 huīsè
2045 挥 huī
2046 *恢复 huīfù
2047 辉煌 huīhuáng
2048 *回 huí
2049 回避 huíbì
2050 *回答 huídá
2051 回顾 huígù
2052 回归 huíguī
2053 *回来 huí·lái
2054 *回去 huí·qù
2055 *回头 huítóu
2056 *回忆 huíyì
2057 毁 huǐ
2058 毁灭 huǐmiè
2059 *汇报 huìbào
2060 *会 huì
2061 会场 huìchǎng
2062 会见 huìjiàn
2063 *会议 huìyì
2064 会员 huìyuán
2065 绘 huì
2066 *绘画 huìhuà
2067 婚 hūn
2068 婚礼 hūnlǐ
2069 *婚姻 hūnyīn
2070 *浑身 húnshēn
2071 *混 hún
2072 魂 hún
2073 *混 hùn
2074 *混合 hùnhé
2075 *混乱 hùnluàn
2076 混淆 hùnxiáo
2077 *和 huó
2078 *活 huó
2079 *活动 huó·dòng
2080 *活力 huólì
2081 *活泼 huópo
2082 *活跃 huóyuè
2083 *火 huǒ
2084 火柴 huǒchái
2085 *火车 huǒchē
2086 火光 huǒguāng
2087 *火箭 huǒjiàn
2088 火山 huǒshān
2089 火星 huǒxīng
2090 火焰 huǒyàn
2091 伙伴 huǒbàn
2092 *或 huò
2093 或许 huòxǔ
2094 *或者 huòzhě
2095 *和 huò
2096 *货 huò
2097 *货币 huòbì
2098 货物 huòwù
2099 *获 huò
2100 *获得 huòdé
2101 获取 huòqǔ
2102 *几乎 jīhū
2103 击 jī
2104 饥饿 jī'è
2105 *机 jī
2106 机场 jīchǎng
2107 机车 jīchē
2108 *机构 jīgòu
2109 *机关 jīguān
2110 *机会 jī·huì
2111 *机能 jīnéng
2112 *机器 jī·qì
2113 机器人 jī·qirén
2114 机体 jītǐ
2115 *机械 jīxiè
2116 机械化 jīxièhuà
2117 *机制 jīzhì
2118 肌 jī
2119 *肌肉 jīròu
2120 *鸡 jī
2121 *积 jī
2122 *积极 jījí
2123 *积极性 jījíxìng

2124 *积累 jīlěi
2125 积压 jīyā
2126 *基 jī
2127 *基本 jīběn
2128 *基层 jīcéng
2129 *基础 jīchǔ
2130 *基地 jīdì
2131 *基督教 Jīdūjiào
2132 基建 jījiàn
2133 *基金 jījīn
2134 *基因 jīyīn
2135 基于 jīyú
2136 畸形 jīxíng
2137 激 jī
2138 *激动 jīdòng
2139 *激发 jīfā
2140 激光 jīguāng
2141 激励 jīlì
2142 *激烈 jīliè
2143 激情 jīqíng
2144 激素 jīsù
2145 *及 jí
2146 *及时 jíshí
2147 *级 jí
2148 *极 jí
2149 极端 jíduān
2150 极力 jílì
2151 *极其 jíqí
2152 *极为 jíwéi
2153 *即 jí
2154 即将 jíjiāng
2155 *即使 jíshǐ
2156 *急 jí
2157 急剧 jíjù
2158 *急忙 jímáng
2159 急性 jíxìng
2160 急需 jíxū
2161 急于 jíyú
2162 *疾病 jíbìng
2163 *集 jí
2164 集合 jíhé
2165 集会 jíhuì
2166 *集体 jítǐ
2167 *集团 jítuán
2168 *集中 jízhōng
2169 集资 jízī
2170 *几 jǐ
2171 几何 jǐhé
2172 己 jǐ
2173 *挤 jǐ
2174 济济 jǐjǐ
2175 *给予 jǐyǔ
2176 脊 jǐ
2177 *计 jì
2178 *计划 jìhuà
2179 *计算 jìsuàn
2180 *计算机 jìsuànjī
2181 *记 jì
2182 *记得 jì•dé
2183 *记录 jìlù
2184 *记忆 jìyì
2185 *记载 jìzǎi
2186 *记者 jìzhě
2187 纪录 jìlù
2188 *纪律 jìlǜ
2189 纪念 jìniàn
2190 *技能 jìnéng
2191 *技巧 jìqiǎo
2192 *技术 jìshù
2193 技术员 jìshùyuán
2194 技艺 jìyì
2195 *系 jì
2196 季 jì
2197 季风 jìfēng
2198 *季节 jìjié
2199 *剂 jì
2200 济 jì
2201 *既 jì
2202 *既然 jìrán
2203 *既是 jìshì
2204 继 jì
2205 *继承 jìchéng
2206 继承人 jìchéngrén
2207 *继续 jìxù
2208 祭 jì
2209 祭祀 jìsì
2210 寄 jì
2211 寄生 jìshēng
2212 寄生虫 jìshēngchóng
2213 寄托 jìtuō
2214 寄主 jìzhǔ
2215 寂静 jìjìng
2216 寂寞 jìmò
2217 *加 jiā
2218 *加工 jiāgōng
2219 加紧 jiājǐn
2220 加剧 jiājù
2221 *加快 jiākuài
2222 *加强 jiāqiáng
2223 *加热 jiārè

2224 *加入 jiārù
2225 加深 jiāshēn
2226 *加速 jiāsù
2227 加速度 jiāsùdù
2228 *加以 jiāyǐ
2229 加重 jiāzhòng
2230 *夹 jiā
2231 *家 jiā
2232 家畜 jiāchù
2233 *家伙 jiāhuo
2234 家具 jiā•jù
2235 家人 jiārén
2236 家属 jiāshǔ
2237 *家庭 jiātíng
2238 家务 jiāwù
2239 *家乡 jiāxiāng
2240 *家长 jiāzhǎng
2241 家族 jiāzú
2242 *夹 jiá
2243 *甲 jiǎ
2244 甲板 jiǎbǎn
2245 钾 jiǎ
2246 *假 jiǎ
2247 假定 jiǎdìng
2248 *假如 jiǎrú
2249 *假设 jiǎshè
2250 假使 jiǎshǐ
2251 *假说 jiǎshuō
2252 *价 jià
2253 *价格 jiàgé
2254 价钱 jià•qián
2255 *价值 jiàzhí
2256 驾驶 jiàshǐ
2257 *架 jià
2258 架子 jiàzi
2259 *假 jià
2260 嫁 jià
2261 嫁接 jiàjiē
2262 *尖 jiān
2263 *尖锐 jiānruì
2264 歼灭 jiānmiè
2265 *坚持 jiānchí
2266 *坚定 jiāndìng
2267 坚固 jiāngù
2268 *坚决 jiānjué
2269 坚强 jiānqiáng
2270 坚实 jiānshí
2271 坚硬 jiānyìng
2272 *间 jiān
2273 肩 jiān
2274 肩膀 jiānbǎng
2275 艰巨 jiānjù
2276 *艰苦 jiānkǔ
2277 艰难 jiānnán
2278 *监督 jiāndū
2279 监视 jiānshì
2280 监狱 jiānyù
2281 *兼 jiān
2282 拣 jiǎn
2283 茧 jiǎn
2284 捡 jiǎn
2285 检 jiǎn
2286 *检查 jiǎnchá
2287 *检验 jiǎnyàn
2288 减 jiǎn
2289 *减轻 jiǎnqīng
2290 减弱 jiǎnruò
2291 *减少 jiǎnshǎo
2292 剪 jiǎn
2293 简 jiǎn
2294 简称 jiǎnchēng
2295 *简单 jiǎndān
2296 简化 jiǎnhuà
2297 *简直 jiǎnzhí
2298 *碱 jiǎn
2299 *见 jiàn
2300 *见解 jiànjiě
2301 *见面 jiànmiàn
2302 *件 jiàn
2303 *间 jiàn
2304 间隔 jiàngé
2305 *间接 jiànjiē
2306 *建 jiàn
2307 *建国 jiànguó
2308 *建立 jiànlì
2309 *建设 jiànshè
2310 *建议 jiànyì
2311 建造 jiànzào
2312 *建筑 jiànzhù
2313 剑 jiàn
2314 *健康 jiànkāng
2315 *健全 jiànquán
2316 健壮 jiànzhuàng
2317 *渐渐 jiànjiàn
2318 鉴别 jiànbié
2319 *鉴定 jiàndìng
2320 *键 jiàn
2321 箭 jiàn
2322 *江 jiāng
2323 江南 jiāngnán
2324 *将 jiāng

编号	词语	拼音
2325	将近	jiāngjìn
2326	*将军	jiāngjūn
2327	*将来	jiānglái
2328	将要	jiāngyào
2329	浆	jiāng
2330	*讲	jiǎng
2331	*讲话	jiǎnghuà
2332	讲究	jiǎng•jiū
2333	讲述	jiǎngshù
2334	奖	jiǎng
2335	奖金	jiǎngjīn
2336	奖励	jiǎnglì
2337	*蒋	Jiǎng
2338	降	jiàng
2339	*降低	jiàngdī
2340	降落	jiàngluò
2341	降水	jiàngshuǐ
2342	*将	jiàng
2343	*强	jiàng
2344	*交	jiāo
2345	交叉	jiāochā
2346	交错	jiāocuò
2347	交代	jiāodài
2348	*交换	jiāohuàn
2349	*交际	jiāojì
2350	*交流	jiāoliú
2351	交谈	jiāotán
2352	交替	jiāotì
2353	*交通	jiāotōng
2354	*交往	jiāowǎng
2355	*交易	jiāoyì
2356	交织	jiāozhī
2357	郊区	jiāoqū
2358	浇	jiāo
2359	骄傲	jiāo'ào
2360	胶	jiāo
2361	*教	jiāo
2362	*教学	jiāoxué
2363	焦	jiāo
2364	焦点	jiāodiǎn
2365	焦急	jiāojí
2366	嚼	jiáo
2367	*角	jiǎo
2368	*角度	jiǎodù
2369	角落	jiǎoluò
2370	*脚	jiǎo
2371	脚步	jiǎobù
2372	脚下	jiǎoxià
2373	脚印	jiǎoyìn
2374	搅	jiǎo
2375	*叫	jiào
2376	*叫做	jiàozuò
2377	*觉	jiào
2378	*校	jiào
2379	*较	jiào
2380	*较为	jiàowéi
2381	*教	jiào
2382	*教材	jiàocái
2383	教导	jiàodǎo
2384	*教会	jiàohuì
2385	教练	jiàoliàn
2386	*教师	jiàoshī
2387	教室	jiàoshì
2388	*教授	jiàoshòu
2389	教堂	jiàotáng
2390	*教学	jiàoxué
2391	*教训	jiàoxùn
2392	教养	jiàoyǎng
2393	教义	jiàoyì
2394	*教育	jiàoyù
2395	教员	jiàoyuán
2396	阶层	jiēcéng
2397	*阶段	jiēduàn
2398	*阶级	jiējí
2399	*皆	jiē
2400	*结	jiē
2401	*结果	jiēguǒ
2402	结实	jiēshi
2403	*接	jiē
2404	*接触	jiēchù
2405	接待	jiēdài
2406	*接近	jiējìn
2407	接连	jiēlián
2408	接收	jiēshōu
2409	*接受	jiēshòu
2410	*揭露	jiēlù
2411	*揭示	jiēshì
2412	街	jiē
2413	*街道	jiedào
2414	街头	jiētóu
2415	*节	jié
2416	*节目	jiémù
2417	*节日	jiérì
2418	节省	jiéshěng
2419	*节约	jiéyuē
2420	*节奏	jiézòu
2421	杰出	jiéchū
2422	洁白	jiébái
2423	*结	jié
2424	*结构	jiégòu
2425	*结果	jiéguǒ

编号	词语	拼音
2426	*结合	jiéhé
2427	*结婚	jiéhūn
2428	*结晶	jiéjīng
2429	结局	jiéjú
2430	*结论	jiélùn
2431	*结束	jiéshù
2432	结算	jiésuàn
2433	截	jié
2434	竭力	jiélì
2435	*姐姐	jiějie
2436	姐妹	jiěmèi
2437	*解	jiě
2438	解除	jiěchú
2439	解答	jiědá
2440	*解放	jiěfàng
2441	解放军	jiěfàngjūn
2442	*解决	jiějué
2443	解剖	jiěpōu
2444	解散	jiěsàn
2445	*解释	jiěshì
2446	解脱	jiětuō
2447	*介绍	jièshào
2448	介质	jièzhì
2449	戒	jiè
2450	*届	jiè
2451	*界	jiè
2452	*界限	jièxiàn
2453	*借	jiè
2454	借鉴	jièjiàn
2455	借口	jièkǒu
2456	借款	jièkuǎn
2457	借用	jièyòng
2458	借助	jièzhù
2459	*解	jiè
2460	*斤	jīn
2461	*今	jīn
2462	*今后	jīnhòu
2463	*今年	jīnnián
2464	*今日	jīnrì
2465	*今天	jīntiān
2466	*金	jīn
2467	金额	jīn'é
2468	金刚石	jīngāngshí
2469	金牌	jīnpái
2470	金钱	jīnqián
2471	金融	jīnróng
2472	*金属	jīnshǔ
2473	津	jīn
2474	*仅	jǐn
2475	*尽	jǐn
2476	*尽管	jǐnguǎn
2477	尽快	jǐnkuài
2478	*尽量	jǐnliàng
2479	*紧	jǐn
2480	*紧急	jǐnjí
2481	*紧密	jǐnmì
2482	*紧张	jǐnzhāng
2483	锦标赛	jǐnbiāosài
2484	谨慎	jǐnshèn
2485	*尽	jìn
2486	尽力	jìnlì
2487	*尽量	jìnliàng
2488	*进	jìn
2489	*进步	jìnbù
2490	*进程	jìnchéng
2491	进而	jìn'ér
2492	*进攻	jìngōng
2493	*进化	jìnhuà
2494	进化论	jìnhuàlùn
2495	进军	jìnjūn
2496	*进口	jìnkǒu
2497	*进来	jìn•lái
2498	进取	jìnqǔ
2499	*进去	jìn•qù
2500	*进入	jìnrù
2501	*进行	jìnxíng
2502	*进展	jìnzhǎn
2503	*近	jìn
2504	*近代	jìndài
2505	近来	jìnlái
2506	近似	jìnsì
2507	*劲	jìn
2508	晋	jìn
2509	浸	jìn
2510	*禁止	jìnzhǐ
2511	*茎	jīng
2512	*京	jīng
2513	京剧	jīngjù
2514	*经	jīng
2515	*经常	jīngcháng
2516	经典	jīngdiǎn
2517	经费	jīngfèi
2518	*经过	jīngguò
2519	*经济	jīngjì
2520	*经理	jīnglǐ
2521	*经历	jīnglì
2522	经受	jīngshòu
2523	*经验	jīngyàn
2524	*经营	jīngyíng
2525	惊	jīng

2526	惊奇	jīngqí
2527	惊人	jīngrén
2528	惊喜	jīngxǐ
2529	惊醒	jīngxǐng
2530	惊讶	jīngyà
2531	惊异	jīngyì
2532	*晶	jīng
2533	*晶体	jīngtǐ
2534	*精	jīng
2535	*精力	jīnglì
2536	精密	jīngmì
2537	*精确	jīngquè
2538	*精神	jīngshén
2539	*精神	jīngshen
2540	精细	jīngxì
2541	精心	jīngxīn
2542	精子	jīngzǐ
2543	鲸	jīng
2544	井	jǐng
2545	颈	jǐng
2546	景	jǐng
2547	景色	jǐngsè
2548	景物	jǐngwù
2549	景象	jǐngxiàng
2550	*警察	jǐngchá
2551	警告	jǐnggào
2552	警惕	jǐngtì
2553	*劲	jìng
2554	径	jìng
2555	径流	jìngliú
2556	*净	jìng
2557	净化	jìnghuà
2558	竞赛	jìngsài
2559	*竞争	jìngzhēng
2560	*竟	jìng
2561	竟然	jìngrán
2562	敬	jìng
2563	*静	jìng
2564	静脉	jìngmài
2565	静止	jìngzhǐ
2566	境	jìng
2567	境地	jìngdì
2568	*境界	jìngjiè
2569	*镜	jìng
2570	镜头	jìngtóu
2571	镜子	jìngzi
2572	纠纷	jiūfēn
2573	*纠正	jiūzhèng
2574	究	jiū
2575	*究竟	jiūjìng
2576	*九	jiǔ
2577	*久	jiǔ
2578	*酒	jiǔ
2579	酒精	jiǔjīng
2580	*旧	jiù
2581	*救	jiù
2582	救国	jiùguó
2583	救济	jiùjì
2584	*就	jiù
2585	*就是	jiùshì
2586	就算	jiùsuàn
2587	*就业	jiùyè
2588	舅舅	jiùjiu
2589	*车	jū
2590	*居	jū
2591	*居民	jūmín
2592	*居然	jūrán
2593	居于	jūyú
2594	*居住	jūzhù
2595	*局	jú
2596	*局部	júbù
2597	*局面	júmiàn
2598	局势	júshì
2599	局限	júxiàn
2600	菊花	júhuā
2601	咀嚼	jǔjué
2602	*举	jǔ
2603	*举办	jǔbàn
2604	举动	jǔdòng
2605	*举行	jǔxíng
2606	巨	jù
2607	*巨大	jùdà
2608	*句	jù
2609	*句子	jùzi
2610	*拒绝	jùjué
2611	*具	jù
2612	*具备	jùbèi
2613	*具体	jùtǐ
2614	*具有	jùyǒu
2615	俱	jù
2616	剧	jù
2617	*剧本	jùběn
2618	剧场	jùchǎng
2619	剧烈	jùliè
2620	剧团	jùtuán
2621	剧种	jùzhǒng
2622	*据	jù
2623	据点	jùdiǎn
2624	*据说	jùshuō
2625	距	jù
2626	*距离	jùlí
2627	聚	jù
2628	聚集	jùjí

2629 捐 juān
2630 *圈 juān
2631 *卷 juǎn
2632 *卷 juàn
2633 *圈 juàn
2634 *决 jué
2635 *决策 juécè
2636 *决定 juédìng
2637 决定性 juédìngxìng
2638 *决心 juéxīn
2639 *决议 juéyì
2640 *角 jué
2641 *角色 juésè
2642 *觉 jué
2643 觉察 juéchá
2644 *觉得 jué•dé
2645 *觉悟 juéwù
2646 *绝 jué
2647 *绝对 juéduì
2648 绝望 juéwàng
2649 嚼 jué
2650 *军 jūn
2651 *军队 jūnduì
2652 *军阀 jūnfá
2653 军官 jūnguān
2654 军舰 jūnjiàn
2655 军民 jūnmín
2656 军区 jūnqū
2657 *军人 jūnrén
2658 *军事 jūnshì
2659 *均 jūn
2660 均衡 jūnhéng
2661 *均匀 jūnyún
2662 君 jūn
2663 君主 jūnzhǔ
2664 *菌 jūn
2665 咖啡 kāfēi
2666 卡 kǎ
2667 *开 kāi
2668 开办 kāibàn
2669 开采 kāicǎi
2670 开除 kāichú
2671 开创 kāichuàng
2672 *开发 kāifā
2673 *开放 kāifàng
2674 开关 kāiguān
2675 开花 kāihuā
2676 *开会 kāihuì
2677 开垦 kāikěn
2678 *开口 kāikǒu
2679 开阔 kāikuò
2680 开门 kāimén
2681 开幕 kāimù
2682 *开辟 kāipì
2683 开设 kāishè
2684 *开始 kāishǐ
2685 开水 kāishuǐ
2686 开头 kāitóu
2687 开拓 kāituò
2688 开玩笑 kāi wánxiào
2689 *开展 kāizhǎn
2690 开支 kāizhī
2691 刊登 kāndēng
2692 刊物 kānwù
2693 *看 kān
2694 勘探 kāntàn
2695 砍 kǎn
2696 *看 kàn
2697 看待 kàndài
2698 *看法 kànfǎ
2699 *看见 kàn•jiàn
2700 看望 kànwàng
2701 扛 káng
2702 *抗 kàng
2703 抗议 kàngyì
2704 *抗战 kàngzhàn
2705 炕 kàng
2706 *考 kǎo
2707 *考察 kǎochá
2708 考古 kǎogǔ
2709 考核 kǎohé
2710 *考虑 kǎolǜ
2711 *考试 kǎoshì
2712 考验 kǎoyàn
2713 *靠 kào
2714 靠近 kàojìn
2715 *科 kē
2716 *科技 kējì
2717 *科学 kēxué
2718 *科学家 kēxuéjiā
2719 科学院 kēxuéyuàn
2720 *科研 kēyán
2721 *棵 kē
2722 *颗 kē
2723 颗粒 kēlì
2724 壳 ké
2725 咳 ké
2726 咳嗽 késou
2727 *可 kě
2728 *可爱 kě'ài
2729 *可见 kějiàn

编号	词语	拼音
2730	*可靠	kěkào
2731	*可怜	kělián
2732	*可能	kěnéng
2733	*可是	kěshì
2734	可谓	kěwèi
2735	*可惜	kěxī
2736	可笑	kěxiào
2737	*可以	kěyǐ
2738	渴望	kěwàng
2739	*克	kè
2740	*克服	kèfú
2741	*刻	kè
2742	刻度	kèdù
2743	刻画	kèhuà
2744	刻苦	kèkǔ
2745	客	kè
2746	*客观	kèguān
2747	客气	kèqi
2748	*客人	kè•rén
2749	*客体	kètǐ
2750	客厅	kètīng
2751	*课	kè
2752	课本	kèběn
2753	*课程	kèchéng
2754	课堂	kètáng
2755	*课题	kètí
2756	肯	kěn
2757	*肯定	kěndìng
2758	啃	kěn
2759	坑	kēng
2760	*空	kōng
2761	*空间	kōngjiān
2762	空军	kōngjūn
2763	*空气	kōngqì
2764	空前	kōngqián
2765	空虚	kōngxū
2766	*空中	kōngzhōng
2767	*孔	kǒng
2768	孔雀	kǒngquè
2769	恐怖	kǒngbù
2770	恐慌	kǒnghuāng
2771	恐惧	kǒngjù
2772	*恐怕	kǒngpà
2773	*空	kòng
2774	空白	kòngbái
2775	*控制	kòngzhì
2776	*口	kǒu
2777	口袋	kǒudai
2778	*口号	kǒuhào
2779	口腔	kǒuqiāng
2780	口头	kǒutóu
2781	口语	kǒuyǔ
2782	扣	kòu
2783	*哭	kū
2784	*苦	kǔ
2785	苦难	kǔnàn
2786	苦恼	kǔnǎo
2787	库	kù
2788	库存	kùcún
2789	裤子	kùzi
2790	夸张	kuāzhāng
2791	跨	kuà
2792	*会计	kuài•jì
2793	*块	kuài
2794	*快	kuài
2795	快活	kuàihuo
2796	*快乐	kuàilè
2797	快速	kuàisù
2798	快要	kuàiyào
2799	筷子	kuàizi
2800	*宽	kuān
2801	宽大	kuāndà
2802	宽阔	kuānkuò
2803	款	kuǎn
2804	筐	kuāng
2805	狂	kuáng
2806	况且	kuàngqiě
2807	*矿	kuàng
2808	矿产	kuàngchǎn
2809	矿物	kuàngwù
2810	亏	kuī
2811	亏损	kuīsǔn
2812	*昆虫	kūnchóng
2813	捆	kǔn
2814	困	kùn
2815	困境	kùnjìng
2816	*困难	kùn•nán
2817	*扩大	kuòdà
2818	扩散	kuòsàn
2819	扩展	kuòzhǎn
2820	*扩张	kuòzhāng
2821	阔	kuò
2822	*拉	lā
2823	*拉	lá
2824	喇叭	lǎba
2825	*落	là
2826	蜡	là
2827	蜡烛	làzhú
2828	辣椒	làjiāo
2829	*来	lái
2830	来不及	lái•bùjí
2831	来回	láihuí
2832	来临	láilín
2833	来往	láiwǎng

2834 *来信 láixìn
2835 *来源 láiyuán
2836 赖 lài
2837 兰 lán
2838 栏 lán
2839 *蓝 lán
2840 烂 làn
2841 狼 láng
2842 浪 làng
2843 *浪费 làngfèi
2844 浪花 lànghuā
2845 捞 lāo
2846 劳 láo
2847 *劳动 láodòng
2848 *劳动力 láodònglì
2849 劳动日 láodòngrì
2850 *劳动者 láodòngzhě
2851 劳力 láolì
2852 牢 láo
2853 牢固 láogù
2854 *老 lǎo
2855 老百姓 lǎobǎixìng
2856 老板 lǎobǎn
2857 老伴儿 lǎobànr
2858 老大 lǎodà
2859 老汉 lǎohàn
2860 老虎 lǎohǔ
2861 老年 lǎonián
2862 *老婆 lǎopo
2863 *老人 lǎorén
2864 老人家 lǎo•rén•jiā
2865 *老师 lǎoshī
2866 老实 lǎoshi
2867 老鼠 lǎo•shǔ
2868 老太太 lǎotàitai
2869 老头子 lǎotóuzi
2870 老乡 lǎoxiāng
2871 *老爷 lǎoye
2872 老子 lǎozi
2873 *落 lào
2874 *乐 lè
2875 乐观 lèguān
2876 *累 léi
2877 雷 léi
2878 雷达 léidá
2879 *累 lěi
2880 *泪 lèi
2881 泪水 lèishuǐ
2882 *类 lèi
2883 *类似 lèisì
2884 *类型 lèixíng
2885 *累 lèi
2886 *冷 lěng
2887 冷静 lěngjìng
2888 冷却 lěngquè
2889 冷水 lěngshuǐ
2890 冷笑 lěngxiào
2891 愣 lèng
2892 *离 lí
2893 *离婚 líhūn
2894 *离开 líkāi
2895 *离子 lízǐ
2896 梨 lí
2897 犁 lí
2898 *礼 lǐ
2899 礼貌 lǐmào
2900 礼物 lǐwù
2901 *李 lǐ
2902 *里 lǐ
2903 里边 lǐ•biān
2904 *里面 lǐ•miàn
2905 里头 lǐtou
2906 *理 lǐ
2907 *理解 lǐjiě
2908 *理论 lǐlùn
2909 *理想 lǐxiǎng
2910 *理性 lǐxìng
2911 *理由 lǐyóu
2912 理智 lǐzhì
2913 *力 lì
2914 *力量 lì•liàng
2915 力气 lìqi
2916 力求 lìqiú
2917 力图 lìtú
2918 *力学 lìxué
2919 历 lì
2920 历代 lìdài
2921 历来 lìlái
2922 *历史 lìshǐ
2923 *厉害 lìhai
2924 *立 lì
2925 *立场 lìchǎng
2926 *立法 lìfǎ
2927 *立即 lìjí
2928 *立刻 lìkè
2929 立体 lìtǐ
2930 *利 lì
2931 利害 lìhài
2932 利率 lìlǜ
2933 *利润 lìrùn
2934 利息 lìxī
2935 *利益 lìyì

编号	词语	拼音
2936	*利用	lìyòng
2937	*利于	lìyú
2938	*例	lì
2939	*例如	lìrú
2940	例外	lìwài
2941	*例子	lìzi
2942	*粒	lì
2943	*粒子	lìzǐ
2944	俩	liǎ
2945	*连	lián
2946	连队	liánduì
2947	*连接	liánjiē
2948	*连忙	liánmáng
2949	连同	liántóng
2950	*连续	liánxù
2951	莲子	liánzǐ
2952	联	lián
2953	联邦	liánbāng
2954	*联合	liánhé
2955	联合国	Liánhéguó
2956	联结	liánjié
2957	联络	liánluò
2958	联盟	liánméng
2959	*联系	liánxì
2960	*联想	liánxiǎng
2961	联营	liányíng
2962	廉价	liánjià
2963	*脸	liǎn
2964	*脸色	liǎnsè
2965	*练	liàn
2966	*练习	liànxí
2967	炼	liàn
2968	恋爱	liàn'ài
2969	链	liàn
2970	良	liáng
2971	*良好	liánghǎo
2972	良心	liángxīn
2973	良种	liángzhǒng
2974	凉	liáng
2975	梁	liáng
2976	*量	liáng
2977	*粮	liáng
2978	*粮食	liángshi
2979	*两	liǎng
2980	两岸	liǎng'àn
2981	*两边	liǎngbiān
2982	两极	liǎngjí
2983	两旁	liǎngpáng
2984	*亮	liàng
2985	凉	liàng
2986	*辆	liàng
2987	*量	liàng
2988	量子	liàngzǐ
2989	辽阔	liáokuò
2990	*了	liǎo
2991	了不起	liǎo•bùqǐ
2992	*了解	liǎojiě
2993	*料	liào
2994	咧	liě
2995	*列	liè
2996	列车	lièchē
2997	列举	lièjǔ
2998	烈士	lièshì
2999	猎	liè
3000	裂	liè
3001	邻	lín
3002	邻近	línjìn
3003	邻居	lín•jū
3004	*林	lín
3005	林木	línmù
3006	林业	línyè
3007	临	lín
3008	*临床	línchuáng
3009	*临时	línshí
3010	淋	lín
3011	淋巴	línbā
3012	*磷	lín
3013	*灵	líng
3014	灵感	línggǎn
3015	*灵魂	línghún
3016	*灵活	línghuó
3017	灵敏	língmǐn
3018	铃	líng
3019	*零	líng
3020	零件	língjiàn
3021	零售	língshòu
3022	龄	líng
3023	*令	lǐng
3024	岭	lǐng
3025	*领	lǐng
3026	*领导	lǐngdǎo
3027	领会	lǐnghuì
3028	领事	lǐngshì
3029	*领土	lǐngtǔ
3030	*领袖	lǐngxiù
3031	*领域	lǐngyù
3032	*另	lìng
3033	*另外	lìngwài
3034	*令	lìng
3035	溜	liū
3036	*刘	Liú
3037	*留	liú
3038	留学	liúxué

3039 *流 liú
3040 流传 liúchuán
3041 *流动 liúdòng
3042 流露 liúlù
3043 流氓 liúmáng
3044 流派 liúpài
3045 流水 liúshuǐ
3046 流体 liútǐ
3047 *流通 liútōng
3048 流向 liúxiàng
3049 *流行 liúxíng
3050 流血 liúxuè
3051 流域 liúyù
3052 硫 liú
3053 *硫酸 liúsuān
3054 瘤 liú
3055 柳 liǔ
3056 *六 liù
3057 陆 liù
3058 溜 liù
3059 *龙 lóng
3060 笼 lóng
3061 *垄断 lǒngduàn
3062 拢 lǒng
3063 笼 lǒng
3064 笼罩 lǒngzhào
3065 搂 lōu
3066 *楼 lóu
3067 楼房 lóufáng
3068 搂 lǒu
3069 漏 lòu
3070 *露 lòu
3071 炉 lú
3072 炉子 lúzi
3073 卤 lǔ
3074 鲁 lǔ
3075 陆 lù
3076 *陆地 lùdì
3077 陆军 lùjūn
3078 陆续 lùxù
3079 录 lù
3080 鹿 lù
3081 *路 lù
3082 路程 lùchéng
3083 路过 lùguò
3084 *路线 lùxiàn
3085 路子 lùzi
3086 *露 lù
3087 驴 lǘ
3088 旅 lǚ
3089 旅馆 lǚguǎn
3090 旅客 lǚkè
3091 旅行 lǚxíng
3092 旅游 lǚyóu
3093 *铝 lǚ
3094 缕 lǚ
3095 *履行 lǚxíng
3096 *律 lǜ
3097 律师 lǜshī
3098 *率 lǜ
3099 *绿 lǜ
3100 绿化 lǜhuà
3101 氯 lǜ
3102 氯气 lǜqì
3103 滤 lǜ
3104 *卵 luǎn
3105 卵巢 luǎncháo
3106 *乱 luàn
3107 掠夺 lüèduó
3108 *略 lüè
3109 伦理 lúnlǐ
3110 *轮 lún
3111 轮船 lúnchuán
3112 轮廓 lúnkuò
3113 轮流 lúnliú
3114 *论 lùn
3115 论点 lùndiǎn
3116 *论述 lùnshù
3117 *论文 lùnwén
3118 论证 lùnzhèng
3119 *罗 luó
3120 *逻辑 luó·jí
3121 螺旋 luóxuán
3122 骆驼 luòtuo
3123 络 luò
3124 *落 luò
3125 落地 luòdì
3126 *落后 luòhòu
3127 *落实 luòshí
3128 *妈妈 māma
3129 *抹 mā
3130 麻 má
3131 麻烦 máfan
3132 麻醉 mázuì
3133 *马 mǎ
3134 马车 mǎchē
3135 *马路 mǎlù
3136 *马上 mǎshàng
3137 码 mǎ
3138 码头 mǎtou
3139 *蚂蚁 mǎyǐ
3140 *骂 mà
3141 埋 mái
3142 *买 mǎi

序号	词语	拼音
3143	*买卖	mǎimai
3144	迈	mài
3145	麦	mài
3146	*卖	mài
3147	脉	mài
3148	蛮	mán
3149	馒头	mántou
3150	瞒	mán
3151	*满	mǎn
3152	*满意	mǎnyì
3153	*满足	mǎnzú
3154	漫长	màncháng
3155	*慢	màn
3156	慢性	mànxìng
3157	*忙	máng
3158	忙碌	mánglù
3159	*盲目	mángmù
3160	茫然	mángrán
3161	*猫	māo
3162	*毛	máo
3163	毛病	máo·bìng
3164	毛巾	máojīn
3165	*矛盾	máodùn
3166	*冒	mào
3167	冒险	màoxiǎn
3168	*贸易	màoyì
3169	帽	mào
3170	*帽子	màozi
3171	*没	méi
3172	没事	méishì
3173	*没有	méi·yǒu
3174	*枚	méi
3175	眉	méi
3176	眉毛	méimao
3177	眉头	méitóu
3178	梅	méi
3179	媒介	méijiè
3180	*煤	méi
3181	煤炭	méitàn
3182	酶	méi
3183	*每	měi
3184	*每年	měinián
3185	*美	měi
3186	美感	měigǎn
3187	*美好	měihǎo
3188	美化	měihuà
3189	*美丽	měilì
3190	美妙	měimiào
3191	*美术	měishù
3192	*美学	měixué
3193	*美元	měiyuán
3194	镁	měi
3195	*妹妹	mèimei
3196	魅力	mèilì
3197	闷	mēn
3198	*门	mén
3199	*门口	ménkǒu
3200	闷	mèn
3201	蒙	mēng
3202	萌发	méngfā
3203	萌芽	méngyá
3204	蒙	méng
3205	*猛	měng
3206	猛烈	měngliè
3207	蒙	Měng
3208	孟	mèng
3209	*梦	mèng
3210	弥补	míbǔ
3211	弥漫	mímàn
3212	迷	mí
3213	迷人	mírén
3214	迷信	míxìn
3215	谜	mí
3216	*米	mǐ
3217	*秘密	mìmì
3218	秘书	mìshū
3219	*密	mì
3220	*密度	mìdù
3221	密集	mìjí
3222	*密切	mìqiè
3223	蜜	mì
3224	蜜蜂	mìfēng
3225	*棉	mián
3226	*棉花	mián·huā
3227	免	miǎn
3228	免疫	miǎnyì
3229	勉强	miǎnqiǎng
3230	*面	miàn
3231	*面积	miànjī
3232	面孔	miànkǒng
3233	*面临	miànlín
3234	*面貌	miànmào
3235	面目	miànmù
3236	*面前	miànqián
3237	*苗	miáo
3238	*描绘	miáohuì
3239	*描述	miáoshù
3240	*描写	miáoxiě
3241	*秒	miǎo
3242	妙	miào
3243	庙	miào
3244	*灭	miè

3245 灭亡 mièwáng
3246 *民 mín
3247 *民兵 mínbīng
3248 民歌 míngē
3249 民国 Mínguó
3250 *民间 mínjiān
3251 民事 mínshì
3252 民俗 mínsú
3253 民众 mínzhòng
3254 *民主 mínzhǔ
3255 *民族 mínzú
3256 敏感 mǐngǎn
3257 敏捷 mǐnjié
3258 敏锐 mǐnruì
3259 *名 míng
3260 *名称 míngchēng
3261 *名词 míngcí
3262 名义 míngyì
3263 *名字 míngzi
3264 *明 míng
3265 *明白 míngbai
3266 明亮 míngliàng
3267 明年 míngnián
3268 *明确 míngquè
3269 *明天 míngtiān
3270 *明显 míngxiǎn
3271 鸣 míng
3272 *命 mìng
3273 *命令 mìnglìng
3274 命名 mìngmíng
3275 *命题 mìngtí
3276 *命运 mìngyùn
3277 *摸 mō
3278 摸索 mō•suǒ
3279 模 mó
3280 模范 mófàn
3281 *模仿 mófǎng
3282 *模糊 móhu
3283 模拟 mónǐ
3284 *模式 móshì
3285 *模型 móxíng
3286 *膜 mó
3287 摩 mó
3288 摩擦 mócā
3289 *磨 mó
3290 *抹 mǒ
3291 *末 mò
3292 末期 mòqī
3293 *没 mò
3294 没落 mòluò
3295 没收 mòshōu
3296 *抹 mò
3297 陌生 mòshēng
3298 *莫 mò
3299 墨 mò
3300 *默默 mòmò
3301 *磨 mò
3302 谋 móu
3303 *某 mǒu
3304 模样 múyàng
3305 *母 mǔ
3306 *母亲 mǔ•qīn
3307 母体 mǔtǐ
3308 *亩 mǔ
3309 *木 mù
3310 木材 mùcái
3311 木头 mùtou
3312 *目 mù
3313 *目标 mùbiāo
3314 *目的 mùdì
3315 *目光 mùguāng
3316 *目前 mùqián
3317 墓 mù
3318 幕 mù
3319 *拿 ná
3320 *哪 nǎ
3321 *哪里 nǎ•lǐ
3322 *哪儿 nǎr
3323 *哪些 nǎxiē
3324 *那 nà
3325 *那里 nà•lǐ
3326 *那么 nàme
3327 *那儿 nàr
3328 *那些 nàxiē
3329 *那样 nàyàng
3330 纳 nà
3331 纳入 nàrù
3332 纳税 nàshuì
3333 *钠 nà
3334 *乃 nǎi
3335 乃至 nǎizhì
3336 奶 nǎi
3337 *奶奶 nǎinai
3338 耐 nài
3339 耐心 nàixīn
3340 *男 nán
3341 *男女 nánnǚ
3342 *男人 nánrén
3343 男性 nánxìng
3344 *男子 nánzǐ
3345 *南 nán

编号	词语	拼音
3346	*南北	nánběi
3347	*南方	nánfāng
3348	南极	nánjí
3349	*难	nán
3350	*难道	nándào
3351	难得	nándé
3352	难怪	nánguài
3353	难过	nánguò
3354	难免	nánmiǎn
3355	难受	nánshòu
3356	难题	nántí
3357	*难以	nányǐ
3358	难于	nányú
3359	*难	nàn
3360	囊	náng
3361	*脑	nǎo
3362	*脑袋	nǎodai
3363	*脑子	nǎozi
3364	*闹	nào
3365	*内	nèi
3366	*内部	nèibù
3367	内地	nèidì
3368	内涵	nèihán
3369	*内容	nèiróng
3370	内外	nèiwài
3371	*内心	nèixīn
3372	*内在	nèizài
3373	内脏	nèizàng
3374	嫩	nèn
3375	*能	néng
3376	能动	néngdòng
3377	*能够	nénggòu
3378	*能力	nénglì
3379	*能量	néngliàng
3380	*能源	néngyuán
3381	*泥	ní
3382	泥土	nítǔ
3383	拟	nǐ
3384	*你	nǐ
3385	*你们	nǐmen
3386	逆	nì
3387	*年	nián
3388	年初	niánchū
3389	*年代	niándài
3390	年底	niándǐ
3391	年度	niándù
3392	年级	niánjí
3393	*年纪	niánjì
3394	*年间	niánjiān
3395	*年龄	niánlíng
3396	年青	niánqīng
3397	*年轻	niánqīng
3398	年头儿	niántóur
3399	*念	niàn
3400	念头	niàntou
3401	*娘	niáng
3402	*鸟	niǎo
3403	尿	niào
3404	捏	niē
3405	*您	nín
3406	宁	níng
3407	宁静	níngjìng
3408	拧	níng
3409	凝	níng
3410	凝固	nínggù
3411	凝结	níngjié
3412	凝聚	níngjù
3413	凝视	níngshì
3414	拧	nǐng
3415	宁	nìng
3416	拧	nìng
3417	*牛	niú
3418	*牛顿	niúdùn
3419	扭	niǔ
3420	扭转	niǔzhuǎn
3421	*农	nóng
3422	*农产品	nóngchǎnpǐn
3423	农场	nóngchǎng
3424	*农村	nóngcūn
3425	农户	nónghù
3426	农具	nóngjù
3427	*农民	nóngmín
3428	农田	nóngtián
3429	农药	nóngyào
3430	*农业	nóngyè
3431	农作物	nóngzuòwù
3432	*浓	nóng
3433	*浓度	nóngdù
3434	浓厚	nónghòu
3435	脓	nóng
3436	*弄	nòng
3437	*奴隶	núlì
3438	奴役	núyì
3439	*努力	nǔlì
3440	怒	nù
3441	*女	nǚ
3442	*女儿	nǚ'ér
3443	女工	nǚgōng
3444	*女人	nǚrén
3445	女士	nǚshì
3446	*女性	nǚxìng
3447	女婿	nǚxu

3448 *女子 nǚzǐ
3449 *暖 nuǎn
3450 欧 Ōu
3451 偶 ǒu
3452 偶尔 ǒu'ěr
3453 *偶然 ǒurán
3454 偶然性 ǒuránxìng
3455 扒 pá
3456 *爬 pá
3457 *怕 pà
3458 *拍 pāi
3459 拍摄 pāishè
3460 *排 pái
3461 *排斥 páichì
3462 排除 páichú
3463 排放 páifàng
3464 *排列 páiliè
3465 *牌 pái
3466 牌子 páizi
3467 *派 pài
3468 派出所 pàichūsuǒ
3469 派遣 pàiqiǎn
3470 潘 Pān
3471 攀 pān
3472 *盘 pán
3473 判 pàn
3474 判处 pànchǔ
3475 判定 pàndìng
3476 *判断 pànduàn
3477 判决 pànjué
3478 盼 pàn
3479 盼望 pànwàng
3480 庞大 pángdà
3481 *旁 páng
3482 *旁边 pángbiān
3483 *胖 pàng
3484 抛 pāo
3485 抛弃 pāoqì
3486 *泡 pāo
3487 炮 páo
3488 *跑 pǎo
3489 *泡 pào
3490 炮 pào
3491 炮弹 pàodàn
3492 胚 pēi
3493 胚胎 pēitāi
3494 陪 péi
3495 培训 péixùn
3496 *培养 péiyǎng
3497 培育 péiyù
3498 赔偿 péicháng
3499 佩服 pèi•fú
3500 *配 pèi
3501 *配合 pèihé
3502 配套 pèitào
3503 配置 pèizhì
3504 喷 pēn
3505 *盆 pén
3506 盆地 péndì
3507 *朋友 péngyou
3508 彭 Péng
3509 棚 péng
3510 蓬勃 péngbó
3511 *膨胀 péngzhàng
3512 捧 pěng
3513 *碰 pèng
3514 *批 pī
3515 *批发 pīfā
3516 *批判 pīpàn
3517 *批评 pīpíng
3518 *批准 pīzhǔn
3519 披 pī
3520 *皮 pí
3521 *皮肤 pífū
3522 疲倦 píjuàn
3523 疲劳 píláo
3524 脾 pí
3525 脾气 píqi
3526 *匹 pǐ
3527 屁股 pìgu
3528 *譬如 pìrú
3529 *偏 piān
3530 偏见 piānjiàn
3531 偏偏 piānpiān
3532 偏向 piānxiàng
3533 *篇 piān
3534 便宜 piányi
3535 *片 piàn
3536 片刻 piànkè
3537 片面 piànmiàn
3538 骗 piàn
3539 飘 piāo
3540 票 piào
3541 *漂亮 piàoliang
3542 拼命 pīnmìng
3543 贫 pín
3544 贫困 pínkùn
3545 贫穷 pínqióng
3546 频繁 pínfán
3547 *频率 pínlǜ
3548 *品 pǐn
3549 品德 pǐndé
3550 *品质 pǐnzhì

3551 *品种 pǐnzhǒng
3552 乒乓球 pīngpāngqiú
3553 *平 píng
3554 *平常 píngcháng
3555 *平等 píngděng
3556 平凡 píngfán
3557 平分 píngfēn
3558 *平衡 pínghéng
3559 *平静 píngjìng
3560 *平均 píngjūn
3561 *平面 píngmiàn
3562 平民 píngmín
3563 平日 píngrì
3564 *平时 píngshí
3565 平坦 píngtǎn
3566 *平行 píngxíng
3567 *平原 píngyuán
3568 评 píng
3569 *评价 píngjià
3570 *评论 pínglùn
3571 评选 píngxuǎn
3572 苹果 píngguǒ
3573 *凭 píng
3574 凭借 píngjiè
3575 屏 píng
3576 屏幕 píngmù
3577 *瓶 píng
3578 坡 pō
3579 *颇 pō
3580 婆婆 pópo
3581 迫 pò
3582 迫害 pòhài
3583 迫切 pòqiè
3584 迫使 pòshǐ
3585 *破 pò
3586 破产 pòchǎn
3587 *破坏 pòhuài
3588 破裂 pòliè
3589 剖面 pōumiàn
3590 扑 pū
3591 *铺 pū
3592 菩萨 pú•sà
3593 葡萄 pú•táo
3594 葡萄糖 pú•táotáng
3595 朴素 pǔsù
3596 *普遍 pǔbiàn
3597 普及 pǔjí
3598 *普通 pǔtōng
3599 普通话 Pǔtōnghuà
3600 谱 pǔ
3601 *铺 pù
3602 *七 qī
3603 *妻子 qī•zǐ
3604 凄凉 qīliáng
3605 *期 qī
3606 期待 qīdài
3607 期货 qīhuò
3608 *期间 qījiān
3609 期望 qīwàng
3610 期限 qīxiàn
3611 欺骗 qīpiàn
3612 漆 qī
3613 *齐 qí
3614 *其 qí
3615 *其次 qícì
3616 其间 qíjiān
3617 *其实 qíshí
3618 *其他 qítā
3619 *其余 qíyú
3620 *其中 qízhōng
3621 奇 qí
3622 *奇怪 qíguài
3623 奇迹 qíjì
3624 奇特 qítè
3625 奇异 qíyì
3626 *骑 qí
3627 旗 qí
3628 旗帜 qízhì
3629 *企图 qǐtú
3630 *企业 qǐyè
3631 *启发 qǐfā
3632 启示 qǐshì
3633 *起 qǐ
3634 起初 qǐchū
3635 起点 qǐdiǎn
3636 起伏 qǐfú
3637 *起来 qǐ•lái
3638 起码 qǐmǎ
3639 起身 qǐshēn
3640 *起义 qǐyì
3641 *起源 qǐyuán
3642 *气 qì
3643 *气氛 qì•fēn
3644 气愤 qìfèn
3645 *气候 qìhòu
3646 气流 qìliú
3647 *气体 qìtǐ
3648 气团 qìtuán
3649 气味 qìwèi
3650 *气温 qìwēn
3651 气息 qìxī
3652 *气象 qìxiàng

3653 气压 qìyā
3654 气质 qìzhì
3655 弃 qì
3656 *汽车 qìchē
3657 汽油 qìyóu
3658 契约 qìyuē
3659 砌 qì
3660 *器 qì
3661 器材 qìcái
3662 *器官 qìguān
3663 卡 qiǎ
3664 恰当 qiàdàng
3665 恰好 qiàhǎo
3666 *千 qiān
3667 千方百计 qiānfāng-bǎijì
3668 千克 qiānkè
3669 迁 qiān
3670 迁移 qiānyí
3671 牵 qiān
3672 铅 qiān
3673 铅笔 qiānbǐ
3674 *签订 qiāndìng
3675 *前 qián
3676 前边 qián•biān
3677 前方 qiánfāng
3678 *前后 qiánhòu
3679 *前进 qiánjìn
3680 前景 qiánjǐng
3681 *前面 qián•miàn
3682 前期 qiánqī
3683 前人 qiánrén
3684 *前提 qiántí
3685 前头 qiántou
3686 *前途 qiántú
3687 前往 qiánwǎng
3688 前夕 qiánxī
3689 前线 qiánxiàn
3690 *钱 qián
3691 潜 qián
3692 潜力 qiánlì
3693 潜在 qiánzài
3694 *浅 qiǎn
3695 遣 qiǎn
3696 欠 qiàn
3697 嵌 qiàn
3698 *枪 qiāng
3699 腔 qiāng
3700 *强 qiáng
3701 *强大 qiángdà
3702 强盗 qiángdào
3703 *强调 qiángdiào
3704 *强度 qiángdù
3705 强化 qiánghuà
3706 *强烈 qiángliè
3707 强制 qiángzhì
3708 *墙 qiáng
3709 墙壁 qiángbì
3710 *抢 qiǎng
3711 抢救 qiǎngjiù
3712 *强 qiǎng
3713 *悄悄 qiāoqiāo
3714 *敲 qiāo
3715 *桥 qiáo
3716 桥梁 qiáoliáng
3717 *瞧 qiáo
3718 巧 qiǎo
3719 巧妙 qiǎomiào
3720 壳 qiào
3721 *切 qiē
3722 *且 qiě
3723 *切 qiè
3724 切实 qièshí
3725 侵 qīn
3726 侵犯 qīnfàn
3727 *侵略 qīnlüè
3728 侵权 qīnquán
3729 侵入 qīnrù
3730 侵蚀 qīnshí
3731 侵占 qīnzhàn
3732 *亲 qīn
3733 亲密 qīnmì
3734 亲戚 qīnqi
3735 *亲切 qīnqiè
3736 亲热 qīnrè
3737 亲人 qīnrén
3738 亲属 qīnshǔ
3739 亲眼 qīnyǎn
3740 亲友 qīnyǒu
3741 *亲自 qīnzì
3742 *秦 Qín
3743 琴 qín
3744 勤 qín
3745 勤劳 qínláo
3746 *青 qīng
3747 青春 qīngchūn
3748 *青年 qīngnián
3749 青蛙 qīngwā
3750 *轻 qīng
3751 轻工业 qīnggōngyè
3752 轻声 qīngshēng
3753 轻视 qīngshì
3754 轻松 qīngsōng
3755 轻微 qīngwēi

3756　轻易　qīngyì
3757　轻重　qīngzhòng
3758 *氢　qīng
3759 *氢气　qīngqì
3760　倾　qīng
3761　倾听　qīngtīng
3762 *倾向　qīngxiàng
3763　倾斜　qīngxié
3764 *清　qīng
3765　清晨　qīngchén
3766　清除　qīngchú
3767 *清楚　qīngchu
3768　清洁　qīngjié
3769　清理　qīnglǐ
3770 *清晰　qīngxī
3771　清醒　qīngxǐng
3772 *情　qíng
3773 *情报　qíngbào
3774　情操　qíngcāo
3775 *情感　qínggǎn
3776 *情节　qíngjié
3777 *情景　qíngjǐng
3778　情境　qíngjìng
3779 *情况　qíngkuàng
3780　情趣　qíngqù
3781 *情形　qíng•xíng
3782 *情绪　qíng•xù
3783 *请　qǐng
3784 *请求　qǐngqiú
3785　请示　qǐngshì
3786　庆祝　qìngzhù
3787 *穷　qióng
3788　穷人　qióngrén
3789 *秋　qiū
3790　秋季　qiūjì
3791　秋天　qiūtiān
3792 *求　qiú
3793　求证　qiúzhèng
3794　酋长　qiúzhǎng
3795 *球　qiú
3796 *区　qū
3797 *区别　qūbié
3798 *区分　qūfēn
3799 *区域　qūyù
3800 *曲　qū
3801 *曲线　qūxiàn
3802　曲折　qūzhé
3803　驱　qū
3804　驱逐　qūzhú
3805　屈服　qūfú
3806　趋　qū
3807 *趋势　qūshì
3808　趋向　qūxiàng
3809　渠　qú
3810　渠道　qúdào
3811 *曲　qǔ
3812 *取　qǔ
3813　取代　qǔdài
3814 *取得　qǔdé
3815 *取消　qǔxiāo
3816　娶　qǔ
3817 *去　qù
3818 *去年　qùnián
3819　去世　qùshì
3820　趣味　qùwèi
3821 *圈　quān
3822 *权　quán
3823 *权力　quánlì
3824 *权利　quánlì
3825　权威　quánwēi
3826　权益　quányì
3827 *全　quán
3828 *全部　quánbù
3829　全局　quánjú
3830 *全面　quánmiàn
3831　全民　quánmín
3832　全球　quánqiú
3833 *全身　quánshēn
3834 *全体　quántǐ
3835　泉　quán
3836　拳　quán
3837　拳头　quántou
3838 *劝　quàn
3839 *缺　quē
3840 *缺点　quēdiǎn
3841 *缺乏　quēfá
3842 *缺少　quēshǎo
3843　缺陷　quēxiàn
3844 *却　què
3845　确　què
3846　确保　quèbǎo
3847 *确定　quèdìng
3848 *确立　quèlì
3849　确切　quèqiè
3850　确认　quèrèn
3851 *确实　quèshí
3852 *群　qún
3853　群落　qúnluò
3854 *群体　qúntǐ
3855 *群众　qúnzhòng
3856 *然　rán
3857 *然而　rán'ér

3858 *然后 ránhòu
3859 燃 rán
3860 *燃料 ránliào
3861 *燃烧 ránshāo
3862 染 rǎn
3863 染色 rǎnsè
3864 *染色体 rǎnsètǐ
3865 嚷 rǎng
3866 *让 ràng
3867 扰动 rǎodòng
3868 扰乱 rǎoluàn
3869 *绕 rào
3870 惹 rě
3871 *热 rè
3872 *热爱 rè'ài
3873 *热带 rèdài
3874 *热量 rèliàng
3875 *热烈 rèliè
3876 *热闹 rènao
3877 热能 rènéng
3878 *热情 rèqíng
3879 热心 rèxīn
3880 *人 rén
3881 *人才 réncái
3882 *人格 réngé
3883 *人工 réngōng
3884 *人家 rénjiā
3885 *人家 rénjia
3886 *人间 rénjiān
3887 人均 rénjūn
3888 *人口 rénkǒu
3889 *人类 rénlèi
3890 *人力 rénlì
3891 *人们 rénmen
3892 *人民 rénmín
3893 人民币 rénmínbì
3894 *人群 rénqún
3895 人身 rénshēn
3896 *人生 rénshēng
3897 人士 rénshì
3898 人事 rénshì
3899 *人体 réntǐ
3900 人为 rénwéi
3901 *人物 rénwù
3902 人心 rénxīn
3903 人性 rénxìng
3904 人影儿 rényǐngr
3905 *人员 rényuán
3906 人造 rénzào
3907 仁 rén
3908 *任 Rén
3909 忍 rěn
3910 忍耐 rěnnài
3911 忍受 rěnshòu
3912 认 rèn
3913 认定 rèndìng
3914 *认识 rènshi
3915 认识论 rènshílùn
3916 *认为 rènwéi
3917 *认真 rènzhēn
3918 *任 rèn
3919 *任何 rènhé
3920 任命 rènmìng
3921 *任务 rèn•wù
3922 *任意 rènyì
3923 扔 rēng
3924 *仍 réng
3925 仍旧 réngjiù
3926 *仍然 réngrán
3927 *日 rì
3928 日报 rìbào
3929 日常 rìcháng
3930 日记 rìjì
3931 日期 rìqī
3932 日前 rìqián
3933 日趋 rìqū
3934 日夜 rìyè
3935 *日益 rìyì
3936 *日子 rìzi
3937 荣誉 róngyù
3938 容 róng
3939 容量 róngliàng
3940 容纳 róngnà
3941 容器 róngqì
3942 *容易 róng•yì
3943 *溶 róng
3944 溶剂 róngjì
3945 *溶解 róngjiě
3946 *溶液 róngyè
3947 熔 róng
3948 熔点 róngdiǎn
3949 融合 rónghé
3950 柔和 róuhé
3951 柔软 róuruǎn
3952 揉 róu
3953 *肉 ròu
3954 肉体 ròutǐ
3955 *如 rú
3956 *如此 rúcǐ
3957 *如果 rúguǒ
3958 *如何 rúhé
3959 *如今 rújīn

3960 *如同 rútóng
3961 *如下 rúxià
3962 儒家 Rújiā
3963 *乳 rǔ
3964 *入 rù
3965 入侵 rùqīn
3966 入手 rùshǒu
3967 入学 rùxué
3968 *软 ruǎn
3969 *若 ruò
3970 *若干 ruògān
3971 若是 ruòshì
3972 *弱 ruò
3973 弱点 ruòdiǎn
3974 撒 sā
3975 洒 sǎ
3976 撒 sǎ
3977 鳃 sāi
3978 塞 sāi
3979 塞 sài
3980 赛 sài
3981 *三 sān
3982 三角 sānjiǎo
3983 *三角形 sānjiǎoxíng
3984 伞 sǎn
3985 *散 sǎn
3986 散射 sǎnshè
3987 散文 sǎnwén
3988 *散 sàn
3989 散布 sànbù
3990 散步 sànbù
3991 散发 sànfā
3992 嗓子 sǎngzi
3993 *丧失 sàngshī
3994 扫 sǎo
3995 扫荡 sǎodàng
3996 嫂子 sǎozi
3997 *色 sè
3998 *色彩 sècǎi
3999 塞 sè
4000 *森林 sēnlín
4001 僧 sēng
4002 僧侣 sēnglǚ
4003 *杀 shā
4004 杀害 shāhài
4005 *沙 shā
4006 沙发 shāfā
4007 *沙漠 shāmò
4008 沙滩 shātān
4009 纱 shā
4010 砂 shā
4011 傻 shǎ
4012 *色 shǎi
4013 晒 shài
4014 *山 shān
4015 山地 shāndì
4016 山峰 shānfēng
4017 山谷 shāngǔ
4018 山林 shānlín
4019 山路 shānlù
4020 山脉 shānmài
4021 *山区 shānqū
4022 山水 shānshuǐ
4023 山头 shāntóu
4024 *扇 shān
4025 *闪 shǎn
4026 闪电 shǎndiàn
4027 闪光 shǎnguāng
4028 闪烁 shǎnshuò
4029 *单 Shàn
4030 *扇 shàn
4031 *善 shàn
4032 善良 shànliáng
4033 *善于 shànyú
4034 *伤 shāng
4035 伤害 shānghài
4036 伤口 shāngkǒu
4037 伤心 shāngxīn
4038 伤员 shāngyuán
4039 *商 shāng
4040 商标 shāngbiāo
4041 *商店 shāngdiàn
4042 *商量 shāngliang
4043 *商品 shāngpǐn
4044 *商人 shāngrén
4045 *商业 shāngyè
4046 *上 shǎng
4047 赏 shǎng
4048 *上 shàng
4049 上班 shàngbān
4050 上边 shàng•biān
4051 上层 shàngcéng
4052 *上帝 Shàngdì
4053 *上级 shàngjí
4054 上课 shàngkè
4055 上空 shàngkōng
4056 *上来 shàng•lái
4057 *上面 shàng•miàn
4058 *上去 shàng•qù
4059 上山 shàngshān
4060 *上升 shàngshēng
4061 上市 shàngshì
4062 *上述 shàngshù
4063 上诉 shàngsù

4064 *上午 shàngwǔ
4065 *上下 shàngxià
4066 上学 shàngxué
4067 上衣 shàngyī
4068 上游 shàngyóu
4069 上涨 shàngzhǎng
4070 *尚 shàng
4071 *烧 shāo
4072 *梢 shāo
4073 *稍 shāo
4074 稍稍 shāoshāo
4075 稍微 shāowēi
4076 *少 shǎo
4077 *少量 shǎoliàng
4078 *少数 shǎoshù
4079 *少 shào
4080 *少年 shàonián
4081 少女 shàonǚ
4082 少爷 shàoye
4083 *舌 shé
4084 舌头 shétou
4085 *折 shé
4086 *蛇 shé
4087 舍 shě
4088 舍不得 shě ·bù ·dé
4089 *设 shè
4090 *设备 shèbèi
4091 设法 shèfǎ
4092 *设计 shèjì
4093 *设立 shèlì
4094 *设施 shèshī
4095 *设想 shèxiǎng
4096 *设置 shèzhì
4097 *社 shè
4098 *社会 shèhuì
4099 *社会学 shèhuìxué
4100 舍 shè
4101 *射 shè
4102 射击 shèjī
4103 *射线 shèxiàn
4104 *涉及 shèjí
4105 摄 shè
4106 摄影 shèyǐng
4107 *谁 shéi
4108 申请 shēnqǐng
4109 *伸 shēn
4110 伸手 shēnshǒu
4111 *身 shēn
4112 *身边 shēnbiān
4113 身材 shēncái
4114 *身份 shēn•fèn
4115 身后 shēnhòu
4116 身躯 shēnqū
4117 *身体 shēntǐ
4118 身心 shēnxīn
4119 身影 shēnyǐng
4120 *身子 shēnzi
4121 参 shēn
4122 *深 shēn
4123 深沉 shēnchén
4124 *深度 shēndù
4125 深厚 shēnhòu
4126 深化 shēnhuà
4127 *深刻 shēnkè
4128 深情 shēnqíng
4129 *深入 shēnrù
4130 深夜 shēnyè
4131 深远 shēnyuǎn
4132 *什么 shénme
4133 *神 shén
4134 *神话 shénhuà
4135 *神经 shénjīng
4136 *神秘 shénmì
4137 神奇 shénqí
4138 神气 shén•qì
4139 神情 shénqíng
4140 神色 shénsè
4141 神圣 shénshèng
4142 神态 shéntài
4143 神学 shénxué
4144 沈 Shěn
4145 审查 shěnchá
4146 *审美 shěnměi
4147 *审判 shěnpàn
4148 婶 shěn
4149 *肾 shèn
4150 *甚 shèn
4151 *甚至 shènzhì
4152 *渗透 shèntòu
4153 慎重 shènzhòng
4154 *升 shēng
4155 *生 shēng
4156 *生产 shēngchǎn
4157 *生产力 shēngchǎnlì
4158 *生成 shēngchéng
4159 *生存 shēngcún
4160 *生动 shēngdòng
4161 *生活 shēnghuó
4162 *生理 shēnglǐ
4163 *生命 shēngmìng

4164 生命力 shēngmìnglì
4165 *生气 shēngqì
4166 生前 shēngqián
4167 生态 shēngtài
4168 *生物 shēngwù
4169 生意 shēngyì
4170 生意 shēngyi
4171 生育 shēngyù
4172 *生长 shēngzhǎng
4173 *生殖 shēngzhí
4174 *声 shēng
4175 声调 shēngdiào
4176 声明 shēngmíng
4177 声响 shēngxiǎng
4178 *声音 shēngyīn
4179 牲畜 shēngchù
4180 牲口 shēngkou
4181 绳 shéng
4182 绳子 shéngzi
4183 *省 shěng
4184 圣 shèng
4185 圣经 Shèngjīng
4186 *胜 shèng
4187 *胜利 shènglì
4188 *盛 shèng
4189 盛行 shèngxíng
4190 剩 shèng
4191 剩余 shèngyú
4192 尸体 shītǐ
4193 *失 shī
4194 *失败 shībài
4195 失掉 shīdiào
4196 *失去 shīqù
4197 失调 shītiáo
4198 *失望 shīwàng
4199 失误 shīwù
4200 失业 shīyè
4201 *师 shī
4202 师范 shīfàn
4203 *师傅 shīfu
4204 师长 shīzhǎng
4205 *诗 shī
4206 诗歌 shīgē
4207 *诗人 shīrén
4208 诗意 shīyì
4209 *施 shī
4210 施肥 shīféi
4211 施工 shīgōng
4212 施行 shīxíng
4213 *湿 shī
4214 湿度 shīdù
4215 湿润 shīrùn
4216 *十 shí
4217 *石 shí
4218 石灰 shíhuī
4219 *石头 shítou
4220 *石油 shíyóu
4221 *时 shí
4222 时常 shícháng
4223 *时代 shídài
4224 时而 shí'ér
4225 *时候 shíhou
4226 时机 shíjī
4227 *时间 shíjiān
4228 时节 shíjié
4229 *时刻 shíkè
4230 时空 shíkōng
4231 时髦 shímáo
4232 *时期 shíqī
4233 识 shí
4234 识别 shíbié
4235 识字 shízì
4236 *实 shí
4237 *实际 shíjì
4238 *实践 shíjiàn
4239 实力 shílì
4240 实例 shílì
4241 *实施 shíshī
4242 实体 shítǐ
4243 *实物 shíwù
4244 *实现 shíxiàn
4245 *实行 shíxíng
4246 *实验 shíyàn
4247 实用 shíyòng
4248 *实在 shízài
4249 *实在 shízai
4250 *实质 shízhì
4251 拾 shí
4252 *食 shí
4253 *食品 shípǐn
4254 食堂 shítáng
4255 *食物 shíwù
4256 食盐 shíyán
4257 食用 shíyòng
4258 *史 shǐ
4259 史学 shǐxué
4260 *使 shǐ
4261 *使得 shǐ·dé
4262 使劲 shǐjìn
4263 使命 shǐmìng
4264 *使用 shǐyòng
4265 *始 shǐ
4266 *始终 shǐzhōng

4267 士 shì
4268 士兵 shìbīng
4269 *氏 shì
4270 *氏族 shìzú
4271 *示 shì
4272 示范 shìfàn
4273 示威 shìwēi
4274 *世 shì
4275 世代 shìdài
4276 *世纪 shìjì
4277 *世界 shìjiè
4278 *世界观 shìjièguān
4279 *市 shì
4280 *市场 shìchǎng
4281 市民 shìmín
4282 *式 shì
4283 *似的 shìde
4284 *事 shì
4285 事变 shìbiàn
4286 *事故 shìgù
4287 事后 shìhòu
4288 事迹 shìjì
4289 *事件 shìjiàn
4290 事例 shìlì
4291 *事情 shìqing
4292 *事实 shìshí
4293 事务 shìwù
4294 *事物 shìwù
4295 事先 shìxiān
4296 *事业 shìyè
4297 *势 shì
4298 势必 shìbì
4299 *势力 shì·lì
4300 势能 shìnéng
4301 *试 shì
4302 *试管 shìguǎn
4303 试图 shìtú
4304 *试验 shìyàn
4305 试制 shìzhì
4306 *视 shì
4307 视觉 shìjué
4308 视线 shìxiàn
4309 视野 shìyě
4310 *是 shì
4311 是非 shìfēi
4312 *是否 shìfǒu
4313 适 shì
4314 *适当 shìdàng
4315 *适合 shìhé
4316 *适宜 shìyí
4317 *适应 shìyìng
4318 *适用 shìyòng
4319 *室 shì
4320 逝世 shìshì
4321 *释放 shìfàng
4322 *收 shōu
4323 *收购 shōugòu
4324 收回 shōuhuí
4325 收获 shōuhuò
4326 *收集 shōují
4327 *收入 shōurù
4328 收拾 shōushi
4329 *收缩 shōusuō
4330 收益 shōuyì
4331 收音机 shōuyīnjī
4332 *熟 shóu
4333 *手 shǒu
4334 手臂 shǒubì
4335 手表 shǒubiǎo
4336 *手段 shǒuduàn
4337 *手法 shǒufǎ
4338 手工 shǒugōng
4339 *手工业 shǒugōngyè
4340 手脚 shǒujiǎo
4341 手榴弹 shǒuliúdàn
4342 手枪 shǒuqiāng
4343 手势 shǒushì
4344 *手术 shǒushù
4345 手续 shǒuxù
4346 手掌 shǒuzhǎng
4347 *手指 shǒuzhǐ
4348 *守 shǒu
4349 守恒 shǒuhéng
4350 *首 shǒu
4351 *首都 shǒudū
4352 首领 shǒulǐng
4353 *首先 shǒuxiān
4354 首要 shǒuyào
4355 首长 shǒuzhǎng
4356 寿命 shòumìng
4357 *受 shòu
4358 受精 shòujīng
4359 受伤 shòushāng
4360 狩猎 shòuliè
4361 授 shòu
4362 兽 shòu
4363 *瘦 shòu
4364 *书 shū
4365 书包 shūbāo
4366 书本 shūběn
4367 书籍 shūjí
4368 *书记 shū·jì

4369　书面　shūmiàn
4370　书写　shūxiě
4371　抒情　shūqíng
4372 *叔叔　shūshu
4373　梳　shū
4374　舒服　shūfu
4375　舒适　shūshì
4376　疏　shū
4377　输　shū
4378　输出　shūchū
4379　输入　shūrù
4380　输送　shūsòng
4381 *蔬菜　shūcài
4382 *熟　shú
4383　熟练　shúliàn
4384 *熟悉　shú•xī
4385 *属　shǔ
4386 *属性　shǔxìng
4387 *属于　shǔyú
4388　鼠　shǔ
4389 *数　shǔ
4390　术　shù
4391　术语　shùyǔ
4392 *束　shù
4393 *束缚　shùfù
4394　述　shù
4395 *树　shù
4396　树干　shùgàn
4397 *树立　shùlì
4398　树林　shùlín
4399 *树木　shùmù
4400　树种　shùzhǒng
4401　竖　shù
4402 *数　shù
4403 *数据　shùjù
4404 *数量　shùliàng
4405 *数目　shùmù
4406 *数学　shùxué
4407　数值　shùzhí
4408 *数字　shùzì
4409　刷　shuā
4410　耍　shuǎ
4411　衰变　shuāibiàn
4412　衰老　shuāilǎo
4413　摔　shuāi
4414　甩　shuǎi
4415 *率　shuài
4416 *率领　shuàilǐng
4417　拴　shuān
4418 *双　shuāng
4419 *双方　shuāngfāng
4420　霜　shuāng
4421 *谁　shuí
4422 *水　shuǐ
4423　水稻　shuǐdào
4424 *水分　shuǐfèn
4425　水果　shuǐguǒ
4426　水库　shuǐkù
4427　水利　shuǐlì
4428　水流　shuǐliú
4429 *水面　shuǐmiàn
4430　水泥　shuǐní
4431 *水平　shuǐpíng
4432　水汽　shuǐqì
4433　水手　shuǐshǒu
4434　水位　shuǐwèi
4435　水文　shuǐwén
4436　水银　shuǐyín
4437　水源　shuǐyuán
4438　水蒸气　shuǐzhēngqì
4439 *税　shuì
4440　税收　shuìshōu
4441 *睡　shuì
4442 *睡觉　shuìjiào
4443　睡眠　shuìmián
4444　顺　shùn
4445 *顺利　shùnlì
4446　顺手　shùnshǒu
4447 *顺序　shùnxù
4448　瞬间　shùnjiān
4449 *说　shuō
4450 *说法　shuō•fǎ
4451　说服　shuōfú
4452 *说话　shuōhuà
4453 *说明　shuōmíng
4454　司　sī
4455　司法　sīfǎ
4456　司机　sījī
4457　司令　sīlìng
4458 *丝　sī
4459　丝毫　sīháo
4460　私　sī
4461 *私人　sīrén
4462　私营　sīyíng
4463　私有　sīyǒu
4464　私有制　sīyǒuzhì
4465　思　sī
4466　思潮　sīcháo
4467 *思考　sīkǎo
4468　思路　sīlù
4469 *思索　sīsuǒ
4470 *思维　sīwéi

4471 *思想 sīxiǎng
4472 思想家 sīxiǎngjiā
4473 斯 sī
4474 *死 sǐ
4475 *死亡 sǐwáng
4476 死刑 sǐxíng
4477 *四 sì
4478 四边形 sìbiānxíng
4479 四处 sìchù
4480 四面 sìmiàn
4481 四肢 sìzhī
4482 *四周 sìzhōu
4483 寺 sì
4484 寺院 sìyuàn
4485 *似 sì
4486 *似乎 sìhū
4487 *饲料 sìliào
4488 饲养 sìyǎng
4489 *松 sōng
4490 *宋 Sòng
4491 *送 sòng
4492 搜集 sōují
4493 艘 sōu
4494 *苏 sū
4495 俗 sú
4496 俗称 súchēng
4497 诉讼 sùsòng
4498 *素 sù
4499 素材 sùcái
4500 *素质 sùzhì
4501 速 sù
4502 *速度 sùdù
4503 速率 sùlǜ
4504 宿 sù
4505 宿舍 sùshè
4506 *塑料 sùliào
4507 *塑造 sùzào
4508 *酸 suān
4509 *算 suàn
4510 *虽 suī
4511 *虽然 suīrán
4512 虽说 suīshuō
4513 隋 Suí
4514 *随 suí
4515 *随便 suíbiàn
4516 *随后 suíhòu
4517 随即 suíjí
4518 *随时 suíshí
4519 随意 suíyì
4520 *遂 suí
4521 髓 suǐ
4522 *岁 suì
4523 岁月 suìyuè
4524 *遂 suì
4525 碎 suì
4526 穗 suì
4527 *孙 sūn
4528 孙子 sūnzi
4529 *损害 sǔnhài
4530 损耗 sǔnhào
4531 损伤 sǔnshāng
4532 *损失 sǔnshī
4533 缩 suō
4534 缩短 suōduǎn
4535 *缩小 suōxiǎo
4536 *所 suǒ
4537 所属 suǒshǔ
4538 *所谓 suǒwèi
4539 *所以 suǒyǐ
4540 *所有 suǒyǒu
4541 *所有制 suǒyǒuzhì
4542 *所在 suǒzài
4543 索 suǒ
4544 锁 suǒ
4545 *他 tā
4546 *他们 tāmen
4547 *他人 tārén
4548 *它 tā
4549 *它们 tāmen
4550 *她 tā
4551 *她们 tāmen
4552 塔 tǎ
4553 踏 tà
4554 胎 tāi
4555 胎儿 tāi'ér
4556 *台 tái
4557 台风 táifēng
4558 *抬 tái
4559 抬头 táitóu
4560 *太 tài
4561 太空 tàikōng
4562 太平 tàipíng
4563 *太太 tàitai
4564 *太阳 tài•yáng
4565 太阳能 tàiyángnéng
4566 太阳系 tàiyángxì
4567 *态 tài
4568 *态度 tài•dù
4569 摊 tān
4570 滩 tān
4571 *谈 tán
4572 *谈话 tánhuà

4573 谈论 tánlùn
4574 谈判 tánpàn
4575 *弹 tán
4576 弹簧 tánhuáng
4577 弹性 tánxìng
4578 痰 tán
4579 坦克 tǎnkè
4580 *叹 tàn
4581 叹息 tànxī
4582 探 tàn
4583 探测 tàncè
4584 *探索 tànsuǒ
4585 *探讨 tàntǎo
4586 *碳 tàn
4587 *汤 tāng
4588 *唐 táng
4589 堂 táng
4590 塘 táng
4591 *糖 táng
4592 倘若 tǎngruò
4593 *躺 tǎng
4594 烫 tàng
4595 *趟 tàng
4596 掏 tāo
4597 逃 táo
4598 逃避 táobì
4599 逃跑 táopǎo
4600 逃走 táozǒu
4601 桃 táo
4602 陶 táo
4603 陶冶 táoyě
4604 淘汰 táotài
4605 讨 tǎo
4606 *讨论 tǎolùn
4607 讨厌 tǎoyàn
4608 *套 tào
4609 *特 tè
4610 *特别 tèbié
4611 特地 tèdì
4612 *特点 tèdiǎn
4613 *特定 tèdìng
4614 特权 tèquán
4615 *特色 tèsè
4616 *特殊 tèshū
4617 特务 tèwu
4618 *特性 tèxìng
4619 特意 tèyì
4620 *特征 tèzhēng
4621 疼 téng
4622 疼痛 téngtòng
4623 藤 téng
4624 踢 tī
4625 *提 tí
4626 *提倡 tíchàng
4627 *提高 tígāo
4628 *提供 tígōng
4629 提炼 tíliàn
4630 *提起 tíqǐ
4631 提前 tíqián
4632 提取 tíqǔ
4633 提醒 tíxǐng
4634 提议 tíyì
4635 *题 tí
4636 *题材 tícái
4637 题目 tímù
4638 *体 tǐ
4639 体裁 tǐcái
4640 体操 tǐcāo
4641 *体会 tǐhuì
4642 *体积 tǐjī
4643 体力 tǐlì
4644 体温 tǐwēn
4645 *体系 tǐxì
4646 *体现 tǐxiàn
4647 *体验 tǐyàn
4648 *体育 tǐyù
4649 *体制 tǐzhì
4650 体质 tǐzhì
4651 体重 tǐzhòng
4652 *替 tì
4653 替代 tìdài
4654 *天 tiān
4655 天才 tiāncái
4656 *天地 tiāndì
4657 天鹅 tiān'é
4658 *天空 tiānkōng
4659 *天气 tiānqì
4660 *天然 tiānrán
4661 天然气 tiānránqì
4662 天生 tiānshēng
4663 *天体 tiāntǐ
4664 天文 tiānwén
4665 *天下 tiānxià
4666 天真 tiānzhēn
4667 天主教 Tiānzhǔjiào
4668 添 tiān
4669 *田 tián
4670 田地 tiándì
4671 田野 tiányě
4672 *甜 tián
4673 *填 tián
4674 *挑 tiāo
4675 挑选 tiāoxuǎn

4676 *条 tiáo
4677 *条件 tiáojiàn
4678 条款 tiáokuǎn
4679 *条例 tiáolì
4680 *条约 tiáoyuē
4681 *调 tiáo
4682 调和 tiáohé
4683 *调节 tiáojié
4684 调解 tiáojiě
4685 *调整 tiáozhěng
4686 *挑 tiǎo
4687 挑战 tiǎozhàn
4688 *跳 tiào
4689 跳动 tiàodòng
4690 跳舞 tiàowǔ
4691 跳跃 tiàoyuè
4692 *贴 tiē
4693 *铁 tiě
4694 *铁路 tiělù
4695 厅 tīng
4696 *听 tīng
4697 听话 tīnghuà
4698 *听见 tīng•jiàn
4699 听觉 tīngjué
4700 听取 tīngqǔ
4701 听众 tīngzhòng
4702 *停 tíng
4703 停顿 tíngdùn
4704 停留 tíngliú
4705 *停止 tíngzhǐ
4706 *挺 tǐng
4707 *通 tōng
4708 *通常 tōngcháng
4709 通道 tōngdào
4710 通电 tōngdiàn
4711 *通过 tōngguò
4712 通红 tōnghóng
4713 通信 tōngxìn
4714 *通讯 tōngxùn
4715 通用 tōngyòng
4716 *通知 tōngzhī
4717 *同 tóng
4718 同伴 tóngbàn
4719 同胞 tóngbāo
4720 同等 tóngděng
4721 同行 tóngháng
4722 同化 tónghuà
4723 同类 tónglèi
4724 同年 tóngnián
4725 同期 tóngqī
4726 *同情 tóngqíng
4727 *同时 tóngshí
4728 同事 tóngshì
4729 同行 tóngxíng
4730 *同学 tóngxué
4731 *同样 tóngyàng
4732 *同意 tóngyì
4733 *同志 tóngzhì
4734 *铜 tóng
4735 童话 tónghuà
4736 童年 tóngnián
4737 统 tǒng
4738 *统计 tǒngjì
4739 *统一 tǒngyī
4740 *统治 tǒngzhì
4741 桶 tǒng
4742 筒 tǒng
4743 *通 tòng
4744 *痛 tòng
4745 *痛苦 tòngkǔ
4746 痛快 tòng•kuài
4747 *偷 tōu
4748 偷偷 tōutōu
4749 *头 tóu
4750 头顶 tóudǐng
4751 *头发 tóufa
4752 *头脑 tóunǎo
4753 投 tóu
4754 投产 tóuchǎn
4755 投机 tóujī
4756 *投入 tóurù
4757 投降 tóuxiáng
4758 *投资 tóuzī
4759 *透 tòu
4760 透镜 tòujìng
4761 透露 tòulù
4762 *透明 tòumíng
4763 凸 tū
4764 突 tū
4765 突变 tūbiàn
4766 *突出 tūchū
4767 突击 tūjī
4768 *突破 tūpò
4769 *突然 tūrán
4770 *图 tú
4771 图案 tú'àn
4772 图画 túhuà
4773 图书 túshū
4774 *图书馆 túshūguǎn
4775 图形 túxíng
4776 图纸 túzhǐ
4777 徒 tú

4778 *途径 tújìng
4779 涂 tú
4780 屠杀 túshā
4781 *土 tǔ
4782 *土地 tǔdì
4783 土匪 tǔfěi
4784 *土壤 tǔrǎng
4785 *吐 tǔ
4786 *吐 tù
4787 兔子 tùzi
4788 湍流 tuānliú
4789 *团 tuán
4790 *团结 tuánjié
4791 *团体 tuántǐ
4792 团员 tuányuán
4793 *推 tuī
4794 推测 tuīcè
4795 *推动 tuīdòng
4796 *推翻 tuīfān
4797 *推广 tuīguǎng
4798 推荐 tuījiàn
4799 推进 tuījìn
4800 推理 tuīlǐ
4801 推论 tuīlùn
4802 推销 tuīxiāo
4803 *推行 tuīxíng
4804 *腿 tuǐ
4805 *退 tuì
4806 退出 tuìchū
4807 退化 tuìhuà
4808 退休 tuìxiū
4809 *托 tuō
4810 *拖 tuō
4811 *拖拉机 tuōlājī
4812 *脱 tuō
4813 *脱离 tuōlí
4814 脱落 tuōluò
4815 妥协 tuǒxié
4816 *挖 wā
4817 挖掘 wājué
4818 娃娃 wáwa
4819 瓦 wǎ
4820 歪 wāi
4821 歪曲 wāiqū
4822 *外 wài
4823 外边 wài•biān
4824 外表 wàibiǎo
4825 *外部 wàibù
4826 外地 wàidì
4827 *外国 wàiguó
4828 外汇 wàihuì
4829 外交 wàijiāo
4830 *外界 wàijiè
4831 外科 wàikē
4832 外来 wàilái
4833 外力 wàilì
4834 外贸 wàimào
4835 *外面 wài•miàn
4836 外商 wàishāng
4837 外形 wàixíng
4838 外语 wàiyǔ
4839 外在 wàizài
4840 外资 wàizī
4841 *弯 wān
4842 弯曲 wānqū
4843 *完 wán
4844 完备 wánbèi
4845 完毕 wánbì
4846 *完成 wánchéng
4847 完美 wánměi
4848 *完全 wánquán
4849 *完善 wánshàn
4850 *完整 wánzhěng
4851 *玩 wán
4852 玩具 wánjù
4853 玩笑 wánxiào
4854 顽强 wánqiáng
4855 挽 wǎn
4856 *晚 wǎn
4857 晚饭 wǎnfàn
4858 晚期 wǎnqī
4859 *晚上 wǎnshang
4860 *碗 wǎn
4861 *万 wàn
4862 万物 wànwù
4863 万一 wànyī
4864 汪 wāng
4865 亡 wáng
4866 *王 wáng
4867 王朝 wángcháo
4868 王国 wángguó
4869 *网 wǎng
4870 网络 wǎngluò
4871 *往 wǎng
4872 往来 wǎnglái
4873 *往往 wǎngwǎng
4874 *忘 wàng
4875 *忘记 wàngjì
4876 旺 wàng
4877 旺盛 wàngshèng
4878 *望 wàng
4879 望远镜 wàngyuǎnjìng

4880 *危害 wēihài
4881 *危机 wēijī
4882 *危险 wēixiǎn
4883 威力 wēilì
4884 *威胁 wēixié
4885 威信 wēixìn
4886 *微 wēi
4887 微观 wēiguān
4888 微粒 wēilì
4889 微弱 wēiruò
4890 微生物wēishēngwù
4891 *微微 wēiwēi
4892 微小 wēixiǎo
4893 *微笑 wēixiào
4894 *为 wéi
4895 为难 wéinán
4896 为人 wéirén
4897 为首 wéishǒu
4898 *为止 wéizhǐ
4899 违背 wéibèi
4900 违法 wéifǎ
4901 *违反 wéifǎn
4902 *围 wéi
4903 围剿 wéijiǎo
4904 *围绕 wéirào
4905 唯 wéi
4906 惟 wéi
4907 *维持 wéichí
4908 *维护 wéihù
4909 维生素wéishēngsù
4910 维新 wéixīn
4911 维修 wéixiū
4912 *伟大 wěidà
4913 伪 wěi
4914 *尾 wěi
4915 *尾巴 wěiba
4916 纬 wěi
4917 纬度 wěidù
4918 委屈 wěiqu
4919 委托 wěituō
4920 *委员 wěiyuán
4921 *委员会wěiyuánhuì
4922 卫 wèi
4923 *卫生 wèishēng
4924 *卫星 wèixīng
4925 *为 wèi
4926 为何 wèihé
4927 *为了 wèile
4928 *未 wèi
4929 未必 wèibì
4930 未曾 wèicéng
4931 *未来 wèilái
4932 *位 wèi
4933 位移 wèiyí
4934 *位置 wèizhi
4935 *味 wèi
4936 味道 wèi·dào
4937 *胃 wèi
4938 *谓 wèi
4939 *喂 wèi
4940 魏 Wèi
4941 *温 wēn
4942 温带 wēndài
4943 *温度 wēndù
4944 温度计wēndùjì
4945 温和 wēnhé
4946 *温暖 wēnnuǎn
4947 温柔 wēnróu
4948 *文 wén
4949 *文化 wénhuà
4950 *文件 wénjiàn
4951 *文明 wénmíng
4952 文人 wénrén
4953 文物 wénwù
4954 *文献 wénxiàn
4955 *文学 wénxué
4956 *文艺 wényì
4957 *文章 wénzhāng
4958 *文字 wénzì
4959 纹 wén
4960 *闻 wén
4961 蚊子 wénzi
4962 吻 wěn
4963 稳 wěn
4964 *稳定 wěndìng
4965 *问 wèn
4966 问世 wènshì
4967 *问题 wèntí
4968 窝 wō
4969 *我 wǒ
4970 *我们 wǒmen
4971 卧 wò
4972 卧室 wòshì
4973 握 wò
4974 握手 wòshǒu
4975 乌龟 wūguī
4976 *污染 wūrǎn
4977 *屋 wū
4978 *屋子 wūzi
4979 *无 wú
4980 无比 wúbǐ
4981 无从 wúcóng

4982 *无法 wúfǎ
4983 无非 wúfēi
4984 无关 wúguān
4985 无机 wújī
4986 无可奈何 wúkě-nàihé
4987 无力 wúlì
4988 *无论 wúlùn
4989 无情 wúqíng
4990 无穷 wúqióng
4991 无声 wúshēng
4992 *无数 wúshù
4993 *无限 wúxiàn
4994 无线电 wúxiàndiàn
4995 无效 wúxiào
4996 无形 wúxíng
4997 *无疑 wúyí
4998 无意 wúyì
4999 无知 wúzhī
5000 吾 wú
5001 *吴 Wú
5002 *五 wǔ
5003 武 wǔ
5004 武力 wǔlì
5005 *武器 wǔqì
5006 *武装 wǔzhuāng
5007 侮辱 wǔrǔ
5008 *舞 wǔ
5009 *舞蹈 wǔdǎo
5010 舞剧 wǔjù
5011 *舞台 wǔtái
5012 勿 wù
5013 务 wù
5014 *物 wù
5015 物化 wùhuà
5016 *物价 wùjià
5017 *物理 wùlǐ
5018 物力 wùlì
5019 物品 wùpǐn
5020 *物体 wùtǐ
5021 *物质 wùzhì
5022 物种 wùzhǒng
5023 *物资 wùzī
5024 误 wù
5025 误差 wùchā
5026 误会 wùhuì
5027 误解 wùjiě
5028 *恶 wù
5029 *雾 wù
5030 *西 xī
5031 *西北 xīběi
5032 *西方 xīfāng
5033 西风 xīfēng
5034 西瓜 xī•guā
5035 *西南 xīnán
5036 *西欧 Xī Ōu
5037 *吸 xī
5038 吸附 xīfù
5039 吸取 xīqǔ
5040 *吸收 xīshōu
5041 *吸引 xīyǐn
5042 *希望 xīwàng
5043 *牺牲 xīshēng
5044 息 xī
5045 *稀 xī
5046 稀少 xīshǎo
5047 锡 xī
5048 熄灭 xīmiè
5049 习 xí
5050 *习惯 xíguàn
5051 习俗 xísú
5052 习性 xíxìng
5053 席 xí
5054 袭击 xíjī
5055 *媳妇 xífu
5056 *洗 xǐ
5057 洗澡 xǐzǎo
5058 *喜 xǐ
5059 *喜爱 xǐ'ài
5060 *喜欢 xǐhuan
5061 喜剧 xǐjù
5062 喜悦 xǐyuè
5063 *戏 xì
5064 *戏剧 xìjù
5065 *戏曲 xìqǔ
5066 *系 xì
5067 系列 xìliè
5068 系数 xìshù
5069 *系统 xìtǒng
5070 *细 xì
5071 *细胞 xìbāo
5072 细节 xìjié
5073 *细菌 xìjūn
5074 细小 xìxiǎo
5075 细心 xìxīn
5076 细致 xìzhì
5077 虾 xiā
5078 瞎 xiā
5079 狭 xiá
5080 狭隘 xiá'ài
5081 狭义 xiáyì
5082 狭窄 xiázhǎi
5083 *下 xià

5084 下班 xiàbān
5085 下边 xià•biān
5086 下层 xiàcéng
5087 下达 xiàdá
5088 下颌 xiàhé
5089 下级 xiàjí
5090 *下降 xiàjiàng
5091 *下来 xià•lái
5092 *下列 xiàliè
5093 下令 xiàlìng
5094 下落 xiàluò
5095 *下面 xià•miàn
5096 *下去 xià•qù
5097 下属 xiàshǔ
5098 *下午 xiàwǔ
5099 下旬 xiàxún
5100 下游 xiàyóu
5101 *吓 xià
5102 *夏 xià
5103 *夏季 xiàjì
5104 *夏天 xiàtiān
5105 仙 xiān
5106 *先 xiān
5107 *先后 xiānhòu
5108 *先进 xiānjìn
5109 先前 xiānqián
5110 *先生 xiānsheng
5111 先天 xiāntiān
5112 *纤维 xiānwéi
5113 掀起 xiānqǐ
5114 鲜 xiān
5115 鲜花 xiānhuā
5116 *鲜明 xiānmíng
5117 鲜血 xiānxuè
5118 鲜艳 xiānyàn
5119 闲 xián
5120 *弦 xián
5121 咸 xián
5122 衔 xián
5123 嫌 xián
5124 显 xiǎn
5125 *显得 xiǎn•dé
5126 显露 xiǎnlù
5127 *显然 xiǎnrán
5128 *显示 xiǎnshì
5129 显微镜 xiǎnwēijìng
5130 显现 xiǎnxiàn
5131 *显著 xiǎnzhù
5132 险 xiǎn
5133 鲜 xiǎn
5134 *县 xiàn
5135 县城 xiànchéng
5136 *现 xiàn
5137 现场 xiànchǎng
5138 现存 xiàncún
5139 *现代 xiàndài
5140 *现代化 xiàndàihuà
5141 现今 xiànjīn
5142 现金 xiànjīn
5143 *现实 xiànshí
5144 *现象 xiànxiàng
5145 现行 xiànxíng
5146 *现在 xiànzài
5147 现状 xiànzhuàng
5148 限 xiàn
5149 *限度 xiàndù
5150 限于 xiànyú
5151 *限制 xiànzhì
5152 *线 xiàn
5153 *线段 xiànduàn
5154 线路 xiànlù
5155 *线圈 xiànquān
5156 线索 xiànsuǒ
5157 线条 xiàntiáo
5158 *宪法 xiànfǎ
5159 陷 xiàn
5160 *陷入 xiànrù
5161 陷于 xiànyú
5162 羡慕 xiànmù
5163 献 xiàn
5164 献身 xiànshēn
5165 腺 xiàn
5166 *乡 xiāng
5167 *乡村 xiāngcūn
5168 乡下 xiāngxia
5169 *相 xiāng
5170 *相当 xiāngdāng
5171 *相等 xiāngděng
5172 *相对 xiāngduì
5173 *相反 xiāngfǎn
5174 *相关 xiāngguān
5175 *相互 xiānghù
5176 相继 xiāngjì
5177 相交 xiāngjiāo
5178 相近 xiāngjìn
5179 相连 xiānglián
5180 *相似 xiāngsì
5181 相通 xiāngtōng
5182 *相同 xiāngtóng
5183 *相信 xiāngxìn
5184 *相应 xiāngyìng
5185 *香 xiāng

5186 香烟 xiāngyān
5187 箱 xiāng
5188 箱子 xiāngzi
5189 *详细 xiángxì
5190 降 xiáng
5191 享 xiǎng
5192 *享受 xiǎngshòu
5193 *享有 xiǎngyǒu
5194 *响 xiǎng
5195 响声 xiǎngshēng
5196 响应 xiǎngyìng
5197 *想 xiǎng
5198 *想法 xiǎng•fǎ
5199 想像 xiǎngxiàng
5200 想像力 xiǎngxiànglì
5201 *向 xiàng
5202 向来 xiànglái
5203 *向上 xiàngshàng
5204 向往 xiàngwǎng
5205 *项 xiàng
5206 *项目 xiàngmù
5207 *相 xiàng
5208 *象 xiàng
5209 *象征 xiàngzhēng
5210 *像 xiàng
5211 橡胶 xiàngjiāo
5212 橡皮 xiàngpí
5213 削 xiāo
5214 消 xiāo
5215 *消除 xiāochú
5216 消毒 xiāodú
5217 *消费 xiāofèi
5218 消费品 xiāofèipǐn
5219 *消耗 xiāohào
5220 *消化 xiāohuà
5221 *消极 xiāojí
5222 *消灭 xiāomiè
5223 *消失 xiāoshī
5224 消亡 xiāowáng
5225 *消息 xiāoxi
5226 硝酸 xiāosuān
5227 销 xiāo
5228 *销售 xiāoshòu
5229 *小 xiǎo
5230 小儿 xiǎo'ér
5231 *小伙子 xiǎohuǒzi
5232 *小姐 xiǎo•jiě
5233 *小麦 xiǎomài
5234 小朋友 xiǎopéngyǒu
5235 *小时 xiǎoshí
5236 *小说儿 xiǎoshuōr
5237 小心 xiǎo•xīn
5238 小型 xiǎoxíng
5239 *小学 xiǎoxué
5240 小学生 xiǎoxuéshēng
5241 小子 xiǎozi
5242 *小组 xiǎozǔ
5243 *晓得 xiǎo•dé
5244 *校 xiào
5245 *校长 xiàozhǎng
5246 *笑 xiào
5247 笑话 xiàohua
5248 笑话儿 xiàohuar
5249 笑容 xiàoróng
5250 效 xiào
5251 *效果 xiàoguǒ
5252 效力 xiàolì
5253 *效率 xiàolǜ
5254 *效益 xiàoyì
5255 *效应 xiàoyìng
5256 *些 xiē
5257 歇 xiē
5258 协定 xiédìng
5259 协会 xiéhuì
5260 协商 xiéshāng
5261 *协调 xiétiáo
5262 协同 xiétóng
5263 协议 xiéyì
5264 协助 xiézhù
5265 *协作 xiézuò
5266 邪 xié
5267 *斜 xié
5268 携带 xiédài
5269 *鞋 xié
5270 *写 xiě
5271 *写作 xiězuò
5272 *血 xiě
5273 泄 xiè
5274 谢 xiè
5275 *谢谢 xièxie
5276 *解 xiè
5277 蟹 xiè
5278 *心 xīn
5279 心底 xīndǐ
5280 *心里 xīn•lǐ
5281 *心理 xīnlǐ
5282 *心灵 xīnlíng
5283 *心情 xīnqíng
5284 心事 xīnshì

5285 心思 xīnsi
5286 心头 xīntóu
5287 心血 xīnxuè
5288 *心脏 xīnzàng
5289 辛苦 xīnkǔ
5290 辛勤 xīnqín
5291 *欣赏 xīnshǎng
5292 锌 xīn
5293 *新 xīn
5294 新陈代谢 xīnchén-dàixiè
5295 新娘 xīnniáng
5296 新奇 xīnqí
5297 新人 xīnrén
5298 新式 xīnshì
5299 *新闻 xīnwén
5300 *新鲜 xīn•xiān
5301 *新兴 xīnxīng
5302 新型 xīnxíng
5303 新颖 xīnyǐng
5304 *信 xìn
5305 信贷 xìndài
5306 *信号 xìnhào
5307 信念 xìnniàn
5308 信任 xìnrèn
5309 信徒 xìntú
5310 *信息 xìnxī
5311 *信心 xìnxīn
5312 *信仰 xìnyǎng
5313 信用 xìnyòng
5314 兴 xīng
5315 *兴奋 xīngfèn
5316 兴建 xīngjiàn
5317 兴起 xīngqǐ
5318 *星 xīng
5319 星际 xīngjì
5320 *星期 xīngqī
5321 星球 xīngqiú
5322 星系 xīngxì
5323 星星 xīngxing
5324 星云 xīngyún
5325 刑 xíng
5326 刑罚 xíngfá
5327 刑法 xíngfǎ
5328 刑事 xíngshì
5329 *行 xíng
5330 *行动 xíngdòng
5331 行军 xíngjūn
5332 行李 xíngli
5333 行人 xíngrén
5334 *行使 xíngshǐ
5335 行驶 xíngshǐ
5336 *行为 xíngwéi
5337 *行星 xíngxīng
5338 *行政 xíngzhèng
5339 行走 xíngzǒu
5340 *形 xíng
5341 *形成 xíngchéng
5342 形容 xíngróng
5343 *形式 xíngshì
5344 *形势 xíngshì
5345 *形态 xíngtài
5346 形体 xíngtǐ
5347 *形象 xíngxiàng
5348 *形状 xíngzhuàng
5349 *型 xíng
5350 *省 xǐng
5351 *醒 xǐng
5352 兴 xìng
5353 *兴趣 xìngqù
5354 *幸福 xìngfú
5355 *性 xìng
5356 性别 xìngbié
5357 *性格 xìnggé
5358 *性能 xìngnéng
5359 性情 xìngqíng
5360 *性质 xìngzhì
5361 性状 xìngzhuàng
5362 *姓 xìng
5363 姓名 xìngmíng
5364 凶 xiōng
5365 兄 xiōng
5366 *兄弟 xiōngdì
5367 *兄弟 xiōngdi
5368 *胸 xiōng
5369 胸脯 xiōngpú
5370 *雄 xióng
5371 雄伟 xióngwěi
5372 熊 xióng
5373 休眠 xiūmián
5374 *休息 xiūxi
5375 *修 xiū
5376 修辞 xiūcí
5377 修复 xiūfù
5378 *修改 xiūgǎi
5379 修建 xiūjiàn
5380 修理 xiūlǐ
5381 *修养 xiūyǎng
5382 修正 xiūzhèng
5383 宿 xiǔ
5384 臭 xiù
5385 袖 xiù
5386 绣 xiù

5387 宿 xiù
5388 嗅 xiù
5389 *须 xū
5390 *虚 xū
5391 *需 xū
5392 *需求 xūqiú
5393 *需要 xūyào
5394 *徐 xú
5395 许 xǔ
5396 *许多 xǔduō
5397 许可 xǔkě
5398 序 xù
5399 *叙述 xùshù
5400 *畜 xù
5401 *宣布 xuānbù
5402 *宣传 xuānchuán
5403 宣告 xuāngào
5404 宣言 xuānyán
5405 宣扬 xuānyáng
5406 悬 xuán
5407 悬挂 xuánguà
5408 旋 xuán
5409 旋律 xuánlǜ
5410 *旋转 xuánzhuǎn
5411 *选 xuǎn
5412 选拔 xuǎnbá
5413 *选举 xuǎnjǔ
5414 选手 xuǎnshǒu
5415 选用 xuǎnyòng
5416 *选择 xuǎnzé
5417 旋 xuàn
5418 削 xuē
5419 削弱 xuēruò
5420 穴 xué
5421 *学 xué
5422 *学会 xuéhuì
5423 *学科 xuékē
5424 学派 xuépài
5425 *学生 xuésheng
5426 *学术 xuéshù
5427 *学说 xuéshuō
5428 学堂 xuétáng
5429 学徒 xuétú
5430 学问 xuéwen
5431 *学习 xuéxí
5432 *学校 xuéxiào
5433 学员 xuéyuán
5434 学院 xuéyuàn
5435 *学者 xuézhě
5436 *雪 xuě
5437 雪白 xuěbái
5438 雪花 xuěhuā
5439 *血 xuè
5440 *血管 xuèguǎn
5441 *血液 xuèyè
5442 寻 xún
5443 寻求 xúnqiú
5444 *寻找 xúnzhǎo
5445 询问 xúnwèn
5446 *循环 xúnhuán
5447 训 xùn
5448 *训练 xùnliàn
5449 *迅速 xùnsù
5450 *压 yā
5451 *压力 yālì
5452 *压迫 yāpò
5453 压强 yāqiáng
5454 压缩 yāsuō
5455 压抑 yāyì
5456 压制 yāzhì
5457 押 yā
5458 鸦片 yāpiàn
5459 鸭 yā
5460 *牙 yá
5461 牙齿 yáchǐ
5462 *芽 yá
5463 亚 yà
5464 咽 yān
5465 *烟 yān
5466 烟囱 yān•cōng
5467 *延长 yáncháng
5468 延伸 yánshēn
5469 延续 yánxù
5470 严 yán
5471 *严格 yángé
5472 严寒 yánhán
5473 严峻 yánjùn
5474 严厉 yánlì
5475 严密 yánmì
5476 *严肃 yánsù
5477 *严重 yánzhòng
5478 *言 yán
5479 言论 yánlùn
5480 *言语 yányǔ
5481 岩 yán
5482 *岩石 yánshí
5483 炎 yán
5484 *沿 yán
5485 沿岸 yán'àn
5486 *沿海 yánhǎi
5487 *研究 yánjiū
5488 研究生 yánjiūshēng

5489 *研制 yánzhì
5490 *盐 yán
5491 盐酸 yánsuān
5492 *颜色 yánsè
5493 掩盖 yǎngài
5494 掩护 yǎnhù
5495 *眼 yǎn
5496 *眼光 yǎnguāng
5497 *眼睛 yǎnjing
5498 眼镜 yǎnjìng
5499 眼看 yǎnkàn
5500 *眼泪 yǎnlèi
5501 *眼前 yǎnqián
5502 眼神 yǎnshén
5503 *演 yǎn
5504 演变 yǎnbiàn
5505 演唱 yǎnchàng
5506 *演出 yǎnchū
5507 演化 yǎnhuà
5508 演讲 yǎnjiǎng
5509 演说 yǎnshuō
5510 演绎 yǎnyì
5511 *演员 yǎnyuán
5512 *演奏 yǎnzòu
5513 厌 yàn
5514 厌恶 yànwù
5515 咽 yàn
5516 宴会 yànhuì
5517 验 yàn
5518 验证 yànzhèng
5519 秧 yāng
5520 扬 yáng
5521 *羊 yáng
5522 羊毛 yángmáo
5523 *阳 yáng
5524 *阳光 yángguāng
5525 *杨 yáng
5526 洋 yáng
5527 仰 yǎng
5528 *养 yǎng
5529 养分 yǎngfèn
5530 养料 yǎngliào
5531 养殖 yǎngzhí
5532 *氧 yǎng
5533 *氧化 yǎnghuà
5534 *氧气 yǎngqì
5535 *样 yàng
5536 样本 yàngběn
5537 样品 yàngpǐn
5538 样式 yàngshì
5539 *样子 yàngzi
5540 *约 yāo
5541 *要 yāo
5542 *要求 yāoqiú
5543 *腰 yāo
5544 邀请 yāoqǐng
5545 *摇 yáo
5546 摇晃 yáo•huàng
5547 摇头 yáotóu
5548 遥感 yáogǎn
5549 遥远 yáoyuǎn
5550 *咬 yǎo
5551 *药 yào
5552 药品 yàopǐn
5553 *药物 yàowù
5554 *要 yào
5555 要紧 yàojǐn
5556 *要素 yàosù
5557 钥匙 yàoshi
5558 耶稣 Yēsū
5559 *爷爷 yéye
5560 *也 yě
5561 *也许 yěxǔ
5562 冶金 yějīn
5563 冶炼 yěliàn
5564 野 yě
5565 野蛮 yěmán
5566 野生 yěshēng
5567 野兽 yěshòu
5568 野外 yěwài
5569 *业 yè
5570 *业务 yèwù
5571 业余 yèyú
5572 *叶 yè
5573 叶片 yèpiàn
5574 *叶子 yèzi
5575 *页 yè
5576 *夜 yè
5577 夜间 yèjiān
5578 *夜里 yè•lǐ
5579 *夜晚 yèwǎn
5580 *液 yè
5581 液态 yètài
5582 *液体 yètǐ
5583 *一 yī
5584 *一般 yībān
5585 *一半 yībàn
5586 一辈子 yībèizi
5587 *一边 yībiān
5588 *一带 yīdài
5589 *一旦 yīdàn
5590 *一定 yīdìng

5591　一度　yīdù
5592　一端　yīduān
5593　一共　yīgòng
5594　一贯　yīguàn
5595 *一会儿 yīhuìr
5596　一块儿 yīkuàir
5597　一连　yīlián
5598 *一律　yīlǜ
5599 *一面　yīmiàn
5600　一旁　yīpáng
5601　一齐　yīqí
5602 *一起　yīqǐ
5603 *一切　yīqiè
5604 *一时　yīshí
5605　一体　yītǐ
5606　一同　yītóng
5607　一线　yīxiàn
5608　一向　yīxiàng
5609　一心　yīxīn
5610　一再　yīzài
5611　一早　yīzǎo
5612 *一直　yīzhí
5613 *一致　yīzhì
5614 *衣　yī
5615 *衣服　yīfu
5616　衣裳　yīshang
5617　医　yī
5618　医疗　yīliáo
5619 *医生　yīshēng
5620 *医学　yīxué
5621　医药　yīyào
5622 *医院　yīyuàn
5623 *依　yī
5624　依次　yīcì
5625　依法　yīfǎ
5626　依附　yīfù
5627　依旧　yījiù
5628 *依据　yījù
5629 *依靠　yīkào
5630 *依赖　yīlài
5631 *依然　yīrán
5632　依照　yīzhào
5633　仪　yí
5634 *仪器　yíqì
5635 *仪式　yíshì
5636　宜　yí
5637 *移　yí
5638 *移动　yídòng
5639　移民　yímín
5640　移植　yízhí
5641　遗　yí
5642　遗产　yíchǎn
5643 *遗传　yíchuán
5644　遗憾　yíhàn
5645　遗留　yíliú
5646　遗址　yízhǐ
5647　遗嘱　yízhǔ
5648　疑　yí
5649　疑惑　yíhuò
5650　疑问　yíwèn
5651 *乙　yǐ
5652 *已　yǐ
5653 *已经　yǐ·jīng
5654 *以　yǐ
5655 *以便　yǐbiàn
5656 *以后　yǐhòu
5657 *以及　yǐjí
5658 *以来　yǐlái
5659　以免　yǐmiǎn
5660　以内　yǐnèi
5661 *以前　yǐqián
5662 *以外　yǐwài
5663 *以往　yǐwǎng
5664 *以为　yǐwéi
5665 *以下　yǐxià
5666 *以至　yǐzhì
5667 *以致　yǐzhì
5668 *矣　yǐ
5669　蚁　yǐ
5670　倚　yǐ
5671　椅子　yǐzi
5672 *亿　yì
5673 *义　yì
5674 *义务　yìwù
5675　艺　yì
5676 *艺术　yìshù
5677 *艺术家　yìshùjiā
5678　议　yì
5679 *议会　yìhuì
5680 *议论　yìlùn
5681　议员　yìyuán
5682 *亦　yì
5683 *异　yì
5684 *异常　yìcháng
5685 *抑制　yìzhì
5686　役　yì
5687　译　yì
5688 *易　yì
5689　易于　yìyú
5690　益　yì
5691 *意　yì

5692 *意见 yì•jiàn
5693 意境 yìjìng
5694 *意识 yì•shí
5695 *意思 yìsi
5696 意图 yìtú
5697 *意外 yìwài
5698 *意味 yìwèi
5699 意象 yìxiàng
5700 *意义 yìyì
5701 *意志 yìzhì
5702 毅然 yìrán
5703 翼 yì
5704 *因 yīn
5705 *因此 yīncǐ
5706 因地制宜 yīndì-zhìyí
5707 *因而 yīn'ér
5708 因果 yīnguǒ
5709 *因素 yīnsù
5710 *因为 yīn•wèi
5711 因子 yīnzǐ
5712 *阴 yīn
5713 阴谋 yīnmóu
5714 阴阳 yīnyáng
5715 阴影 yīnyǐng
5716 *音 yīn
5717 音调 yīndiào
5718 音阶 yīnjiē
5719 音节 yīnjié
5720 音响 yīnxiǎng
5721 *音乐 yīnyuè
5722 *银 yín
5723 *银行 yínháng
5724 *引 yǐn
5725 *引导 yǐndǎo
5726 *引进 yǐnjìn
5727 引力 yǐnlì
5728 *引起 yǐnqǐ
5729 引用 yǐnyòng
5730 饮 yǐn
5731 饮食 yǐnshí
5732 隐 yǐn
5733 隐蔽 yǐnbì
5734 隐藏 yǐncáng
5735 *印 yìn
5736 印刷 yìnshuā
5737 *印象 yìnxiàng
5738 饮 yìn
5739 *应 yīng
5740 *应当 yīngdāng
5741 *应该 yīnggāi
5742 *英 yīng
5743 *英雄 yīngxióng
5744 英勇 yīngyǒng
5745 *婴儿 yīng'ér
5746 鹰 yīng
5747 迎 yíng
5748 迎接 yíngjiē
5749 荧光屏 yíngguāngpíng
5750 盈利 yínglì
5751 *营 yíng
5752 *营养 yíngyǎng
5753 营业 yíngyè
5754 赢得 yíngdé
5755 影 yǐng
5756 影片 yǐngpiàn
5757 *影响 yǐngxiǎng
5758 *影子 yǐngzi
5759 *应 yìng
5760 应付 yìng•fù
5761 *应用 yìngyòng
5762 映 yìng
5763 *硬 yìng
5764 拥 yōng
5765 拥护 yōnghù
5766 拥挤 yōngjǐ
5767 *拥有 yōngyǒu
5768 永 yǒng
5769 永恒 yǒnghéng
5770 永久 yǒngjiǔ
5771 *永远 yǒngyuǎn
5772 *勇敢 yǒnggǎn
5773 勇气 yǒngqì
5774 勇于 yǒngyú
5775 涌 yǒng
5776 涌现 yǒngxiàn
5777 *用 yòng
5778 用处 yòng•chù
5779 用户 yònghù
5780 用力 yònglì
5781 用品 yòngpǐn
5782 用途 yòngtú
5783 优 yōu
5784 *优点 yōudiǎn
5785 优惠 yōuhuì
5786 *优良 yōuliáng
5787 *优美 yōuměi
5788 *优势 yōushì
5789 优先 yōuxiān
5790 *优秀 yōuxiù
5791 优越 yōuyuè
5792 优质 yōuzhì

5793 忧郁 yōuyù
5794 幽默 yōumò
5795 悠久 yōujiǔ
5796 尤 yóu
5797 *尤其 yóuqí
5798 尤为 yóuwéi
5799 *由 yóu
5800 *由于 yóuyú
5801 邮票 yóupiào
5802 犹 yóu
5803 犹如 yóurú
5804 犹豫 yóuyù
5805 *油 yóu
5806 油画 yóuhuà
5807 油田 yóutián
5808 铀 yóu
5809 *游 yóu
5810 游击 yóujī
5811 游击队 yóujīduì
5812 游戏 yóuxì
5813 游行 yóuxíng
5814 游泳 yóuyǒng
5815 友 yǒu
5816 友好 yǒuhǎo
5817 友人 yǒurén
5818 *友谊 yǒuyì
5819 *有 yǒu
5820 *有关 yǒuguān
5821 *有机 yǒujī
5822 *有力 yǒulì
5823 *有利 yǒulì
5824 有名 yǒumíng
5825 *有趣 yǒuqù
5826 有如 yǒurú
5827 *有时 yǒushí
5828 *有限 yǒuxiàn
5829 *有效 yǒuxiào
5830 有益 yǒuyì
5831 有意 yǒuyì
5832 *又 yòu
5833 *右 yòu
5834 右边 yòu·biān
5835 *右手 yòushǒu
5836 *幼 yòu
5837 *幼虫 yòuchóng
5838 幼儿 yòu'ér
5839 幼苗 yòumiáo
5840 幼年 yòunián
5841 诱导 yòudǎo
5842 *于 yú
5843 *于是 yúshì
5844 予 yú
5845 *余 yú
5846 余地 yúdì
5847 *鱼 yú
5848 娱乐 yúlè
5849 渔 yú
5850 渔业 yúyè
5851 *愉快 yúkuài
5852 舆论 yúlùn
5853 *与 yǔ
5854 与其 yǔqí
5855 予 yǔ
5856 *予以 yǔyǐ
5857 *宇宙 yǔzhòu
5858 羽 yǔ
5859 羽毛 yǔmáo
5860 *雨 yǔ
5861 雨水 yǔshuǐ
5862 *语 yǔ
5863 *语法 yǔfǎ
5864 语句 yǔjù
5865 语气 yǔqì
5866 语文 yǔwén
5867 *语言 yǔyán
5868 *语音 yǔyīn
5869 玉 yù
5870 *玉米 yùmǐ
5871 *育 yù
5872 育种 yùzhǒng
5873 *预报 yùbào
5874 *预备 yùbèi
5875 *预测 yùcè
5876 预定 yùdìng
5877 *预防 yùfáng
5878 预计 yùjì
5879 预料 yùliào
5880 预期 yùqī
5881 预算 yùsuàn
5882 预先 yùxiān
5883 预言 yùyán
5884 域 yù
5885 *欲 yù
5886 欲望 yùwàng
5887 遇 yù
5888 遇见 yù·jiàn
5889 *愈 yù
5890 *元 yuán
5891 *元素 yuánsù
5892 园 yuán
5893 *员 yuán
5894 袁 Yuán
5895 *原 yuán

5896 原材料 yuáncáiliào
5897 *原来 yuánlái
5898 *原理 yuánlǐ
5899 原谅 yuánliàng
5900 *原料 yuánliào
5901 *原始 yuánshǐ
5902 原先 yuánxiān
5903 *原因 yuányīn
5904 *原则 yuánzé
5905 *原子 yuánzǐ
5906 原子核 yuánzǐhé
5907 *圆 yuán
5908 圆心 yuánxīn
5909 援助 yuánzhù
5910 缘 yuán
5911 *缘故 yuángù
5912 *源 yuán
5913 源泉 yuánquán
5914 *远 yuǎn
5915 远方 yuǎnfāng
5916 怨 yuàn
5917 *院 yuàn
5918 *院子 yuànzi
5919 *愿 yuàn
5920 *愿望 yuànwàng
5921 *愿意 yuàn•yì
5922 *曰 yuē
5923 *约 yuē
5924 *约束 yuēshù
5925 *月 yuè
5926 月初 yuèchū
5927 *月份 yuèfèn
5928 月光 yuèguāng
5929 *月亮 yuèliang
5930 *月球 yuèqiú
5931 *乐 yuè
5932 乐队 yuèduì
5933 乐器 yuèqì
5934 *乐曲 yuèqǔ
5935 *阅读 yuèdú
5936 跃 yuè
5937 *越 yuè
5938 越冬 yuèdōng
5939 越过 yuèguò
5940 粤 Yuè
5941 *云 yún
5942 匀 yún
5943 *允许 yǔnxǔ
5944 *运 yùn
5945 *运动 yùndòng
5946 *运动员 yùndòngyuán
5947 *运输 yùnshū
5948 运算 yùnsuàn
5949 *运行 yùnxíng
5950 *运用 yùnyòng
5951 运转 yùnzhuǎn
5952 韵 yùn
5953 蕴藏 yùncáng
5954 扎 zā
5955 杂 zá
5956 杂交 zájiāo
5957 杂志 zázhì
5958 杂质 zázhì
5959 砸 zá
5960 灾难 zāinàn
5961 栽 zāi
5962 栽培 zāipéi
5963 *再 zài
5964 再见 zàijiàn
5965 再现 zàixiàn
5966 *在 zài
5967 在场 zàichǎng
5968 在家 zàijiā
5969 *在于 zàiyú
5970 *载 zài
5971 *咱 zán
5972 *咱们 zánmen
5973 暂 zàn
5974 *暂时 zànshí
5975 赞成 zànchéng
5976 赞美 zànměi
5977 赞叹 zàntàn
5978 赞扬 zànyáng
5979 脏 zāng
5980 脏 zàng
5981 葬 zàng
5982 *藏 zàng
5983 *遭 zāo
5984 *遭受 zāoshòu
5985 遭遇 zāoyù
5986 糟 zāo
5987 *早 zǎo
5988 *早晨 zǎo•chén
5989 *早期 zǎoqī
5990 早日 zǎorì
5991 早上 zǎoshang
5992 *早已 zǎoyǐ
5993 藻 zǎo
5994 灶 zào
5995 *造 zào

5996 造就 zàojiù
5997 造型 zàoxíng
5998 *则 zé
5999 责 zé
6000 *责任 zérèn
6001 责任感 zérèngǎn
6002 贼 zéi
6003 怎 zěn
6004 *怎么 zěnme
6005 *怎么样 zěnmeyàng
6006 *怎样 zěnyàng
6007 *曾 zēng
6008 *增 zēng
6009 *增产 zēngchǎn
6010 *增多 zēngduō
6011 增高 zēnggāo
6012 *增加 zēngjiā
6013 增进 zēngjìn
6014 *增强 zēngqiáng
6015 增添 zēngtiān
6016 *增长 zēngzhǎng
6017 增殖 zēngzhí
6018 扎 zhā
6019 炸 zhá
6020 眨 zhǎ
6021 炸 zhà
6022 炸弹 zhàdàn
6023 摘 zhāi
6024 窄 zhǎi
6025 债 zhài
6026 债务 zhàiwù
6027 寨 zhài
6028 *占 zhān
6029 沾 zhān
6030 粘 zhān
6031 盏 zhǎn
6032 展 zhǎn
6033 *展开 zhǎnkāi
6034 展览 zhǎnlǎn
6035 展示 zhǎnshì
6036 展现 zhǎnxiàn
6037 崭新 zhǎnxīn
6038 *占 zhàn
6039 占据 zhànjù
6040 *占领 zhànlǐng
6041 占用 zhànyòng
6042 *占有 zhànyǒu
6043 *战 zhàn
6044 *战场 zhànchǎng
6045 *战斗 zhàndòu
6046 战国 zhànguó
6047 *战略 zhànlüè
6048 *战胜 zhànshèng
6049 *战士 zhànshì
6050 战术 zhànshù
6051 战线 zhànxiàn
6052 战役 zhànyì
6053 战友 zhànyǒu
6054 *战争 zhànzhēng
6055 *站 zhàn
6056 *张 zhāng
6057 *章 zhāng
6058 章程 zhāngchéng
6059 *长 zhǎng
6060 长官 zhǎngguān
6061 涨 zhǎng
6062 掌 zhǎng
6063 *掌握 zhǎngwò
6064 丈 zhàng
6065 *丈夫 zhàngfu
6066 仗 zhàng
6067 帐 zhàng
6068 帐篷 zhàngpeng
6069 账 zhàng
6070 胀 zhàng
6071 涨 zhàng
6072 *障碍 zhàng'ài
6073 招 zhāo
6074 招待 zhāodài
6075 *招呼 zhāohu
6076 招生 zhāoshēng
6077 *着 zhāo
6078 *朝 zhāo
6079 *着 zháo
6080 *着急 zháojí
6081 *找 zhǎo
6082 召集 zhàojí
6083 *召开 zhàokāi
6084 *赵 Zhào
6085 *照 zhào
6086 *照顾 zhào•gù
6087 照例 zhàolì
6088 照明 zhàomíng
6089 *照片 zhàopiàn
6090 照射 zhàoshè
6091 照相 zhàoxiàng
6092 照相机 zhàoxiàngjī
6093 照样 zhàoyàng
6094 照耀 zhàoyào
6095 遮 zhē
6096 *折 zhé
6097 折磨 zhé•mó
6098 折射 zhéshè

6099 *哲学 zhéxué
6100 *者 zhě
6101 *这 zhè
6102 *这个 zhège
6103 *这里 zhè•lǐ
6104 *这么 zhème
6105 *这儿 zhèr
6106 *这些 zhèxiē
6107 *这样 zhèyàng
6108 *针 zhēn
6109 *针对 zhēnduì
6110 针灸 zhēnjiǔ
6111 侦查 zhēnchá
6112 侦察 zhēnchá
6113 珍贵 zhēnguì
6114 珍珠 zhēnzhū
6115 *真 zhēn
6116 真诚 zhēnchéng
6117 真空 zhēnkōng
6118 *真理 zhēnlǐ
6119 *真实 zhēnshí
6120 *真正 zhēnzhèng
6121 *诊断 zhěnduàn
6122 枕头 zhěntou
6123 *阵 zhèn
6124 *阵地 zhèndì
6125 *振 zhèn
6126 振荡 zhèndàng
6127 *振动 zhèndòng
6128 振奋 zhènfèn
6129 振兴 zhènxīng
6130 震 zhèn
6131 震动 zhèndòng
6132 震惊 zhènjīng
6133 *镇 zhèn
6134 *镇压 zhènyā
6135 *争 zhēng
6136 争夺 zhēngduó
6137 *争论 zhēnglùn
6138 *争取 zhēngqǔ
6139 征 zhēng
6140 征服 zhēngfú
6141 征求 zhēngqiú
6142 征收 zhēngshōu
6143 挣 zhēng
6144 睁 zhēng
6145 蒸 zhēng
6146 *蒸发 zhēngfā
6147 蒸气 zhēngqì
6148 *整 zhěng
6149 *整顿 zhěngdùn
6150 *整个 zhěnggè
6151 *整理 zhěnglǐ
6152 整齐 zhěngqí
6153 *整体 zhěngtǐ
6154 *正 zhèng
6155 *正常 zhèngcháng
6156 *正当 zhèngdāng
6157 *正当 zhèngdàng
6158 正规 zhèngguī
6159 *正好 zhènghǎo
6160 正面 zhèngmiàn
6161 *正确 zhèngquè
6162 *正式 zhèngshì
6163 正义 zhèngyì
6164 *正在 zhèngzài
6165 *证 zhèng
6166 证据 zhèngjù
6167 *证明 zhèngmíng
6168 *证实 zhèngshí
6169 证书 zhèngshū
6170 郑 Zhèng
6171 政 zhèng
6172 *政策 zhèngcè
6173 *政党 zhèngdǎng
6174 *政府 zhèngfǔ
6175 *政权 zhèngquán
6176 *政委 zhèngwěi
6177 *政治 zhèngzhì
6178 挣 zhèng
6179 *症 zhèng
6180 *症状 zhèngzhuàng
6181 *之 zhī
6182 *之后 zhīhòu
6183 *之前 zhīqián
6184 *支 zhī
6185 支部 zhībù
6186 支撑 zhīchēng
6187 *支持 zhīchí
6188 *支出 zhīchū
6189 支队 zhīduì
6190 支付 zhīfù
6191 *支配 zhīpèi
6192 *支援 zhīyuán
6193 *只 zhī
6194 汁 zhī
6195 *枝 zhī
6196 枝条 zhītiáo
6197 枝叶 zhīyè
6198 *知 zhī

6199 *知道 zhī·dào
6200 知觉 zhījué
6201 *知识 zhīshi
6202 肢 zhī
6203 织 zhī
6204 脂肪 zhīfáng
6205 *执行 zhíxíng
6206 *直 zhí
6207 直观 zhíguān
6208 直角 zhíjiǎo
6209 *直接 zhíjiē
6210 *直径 zhíjìng
6211 直觉 zhíjué
6212 直立 zhílì
6213 直辖市 zhíxiáshì
6214 *直线 zhíxiàn
6215 直至 zhízhì
6216 *值 zhí
6217 值班 zhíbān
6218 *值得 zhí·dé
6219 职 zhí
6220 *职工 zhígōng
6221 *职能 zhínéng
6222 职权 zhíquán
6223 *职务 zhíwù
6224 *职业 zhíyè
6225 职员 zhíyuán
6226 职责 zhízé
6227 植 zhí
6228 *植物 zhíwù
6229 植株 zhízhū
6230 殖 zhí
6231 殖民 zhímín
6232 *殖民地 zhímíndì
6233 止 zhǐ
6234 *只 zhǐ
6235 *只得 zhǐdé
6236 只顾 zhǐgù
6237 *只好 zhǐhǎo
6238 *只是 zhǐshì
6239 *只要 zhǐyào
6240 *只有 zhǐyǒu
6241 *纸 zhǐ
6242 *指 zhǐ
6243 *指标 zhǐbiāo
6244 *指导 zhǐdǎo
6245 指定 zhǐdìng
6246 *指挥 zhǐhuī
6247 指令 zhǐlìng
6248 指明 zhǐmíng
6249 *指示 zhǐshì
6250 指数 zhǐshù
6251 指责 zhǐzé
6252 *至 zhì
6253 至此 zhìcǐ
6254 *至今 zhìjīn
6255 *至少 zhìshǎo
6256 *至于 zhìyú
6257 *志 zhì
6258 *制 zhì
6259 *制订 zhìdìng
6260 *制定 zhìdìng
6261 *制度 zhìdù
6262 制品 zhìpǐn
6263 *制约 zhìyuē
6264 *制造 zhìzào
6265 制止 zhìzhǐ
6266 *制作 zhìzuò
6267 *质 zhì
6268 质变 zhìbiàn
6269 *质量 zhìliàng
6270 质子 zhìzǐ
6271 *治 zhì
6272 治安 zhì'ān
6273 治理 zhìlǐ
6274 *治疗 zhìliáo
6275 *致 zhì
6276 致富 zhìfù
6277 致使 zhìshǐ
6278 *秩序 zhìxù
6279 智 zhì
6280 *智慧 zhìhuì
6281 *智力 zhìlì
6282 智能 zhìnéng
6283 滞 zhì
6284 置 zhì
6285 *中 zhōng
6286 中等 zhōngděng
6287 中断 zhōngduàn
6288 中华 zhōnghuá
6289 *中间 zhōngjiān
6290 中年 zhōngnián
6291 中期 zhōngqī
6292 中世纪 zhōngshìjì
6293 中枢 zhōngshū
6294 中外 zhōngwài
6295 中午 zhōngwǔ
6296 *中心 zhōngxīn
6297 中性 zhōngxìng
6298 *中学 zhōngxué
6299 中学生 zhōngxuéshēng

6300 中旬 zhōngxún
6301 *中央 zhōngyāng
6302 中叶 zhōngyè
6303 中医 zhōngyī
6304 中原 zhōngyuán
6305 中子 zhōngzǐ
6306 忠诚 zhōngchéng
6307 忠实 zhōngshí
6308 *终 zhōng
6309 终究 zhōngjiū
6310 终年 zhōngnián
6311 终身 zhōngshēn
6312 *终于 zhōngyú
6313 *钟 zhōng
6314 钟头 zhōngtóu
6315 肿 zhǒng
6316 肿瘤 zhǒngliú
6317 *种 zhǒng
6318 *种类 zhǒnglèi
6319 种群 zhǒngqún
6320 *种子 zhǒngzi
6321 种族 zhǒngzú
6322 *中 zhòng
6323 中毒 zhòngdú
6324 *众 zhòng
6325 *众多 zhòngduō
6326 众人 zhòngrén
6327 *种 zhòng
6328 *种植 zhòngzhí
6329 *重 zhòng
6330 *重大 zhòngdà
6331 *重点 zhòngdiǎn
6332 重工业 zhònggōngyè
6333 *重力 zhònglì
6334 *重量 zhòngliàng
6335 *重视 zhòngshì
6336 *重要 zhòngyào
6337 *州 zhōu
6338 *周 zhōu
6339 周年 zhōunián
6340 *周期 zhōuqī
6341 *周围 zhōuwéi
6342 周转 zhōuzhuǎn
6343 *轴 zhóu
6344 昼夜 zhòuyè
6345 皱 zhòu
6346 朱 zhū
6347 珠 zhū
6348 *株 zhū
6349 *诸 zhū
6350 诸如 zhūrú
6351 *猪 zhū
6352 *竹 zhú
6353 逐 zhú
6354 *逐步 zhúbù
6355 *逐渐 zhújiàn
6356 逐年 zhúnián
6357 *主 zhǔ
6358 主编 zhǔbiān
6359 *主持 zhǔchí
6360 *主导 zhǔdǎo
6361 *主动 zhǔdòng
6362 *主观 zhǔguān
6363 主管 zhǔguǎn
6364 主教 zhǔjiào
6365 主力 zhǔlì
6366 主权 zhǔquán
6367 *主人 zhǔ•rén
6368 主人公 zhǔréngōng
6369 *主任 zhǔrèn
6370 *主题 zhǔtí
6371 *主体 zhǔtǐ
6372 *主席 zhǔxí
6373 *主要 zhǔyào
6374 *主义 zhǔyì
6375 *主意 zhǔyi(zhúyi)
6376 主语 zhǔyǔ
6377 *主张 zhǔzhāng
6378 煮 zhǔ
6379 *属 zhǔ
6380 嘱咐 zhǔ•fù
6381 助 zhù
6382 助手 zhùshǒu
6383 *住 zhù
6384 住房 zhùfáng
6385 住宅 zhùzhái
6386 贮藏 zhùcáng
6387 贮存 zhùcún
6388 注 zhù
6389 注射 zhùshè
6390 注视 zhùshì
6391 *注意 zhùyì
6392 注重 zhùzhòng
6393 *驻 zhù
6394 *柱 zhù
6395 祝 zhù
6396 祝贺 zhùhè
6397 著 zhù
6398 *著名 zhùmíng
6399 *著作 zhùzuò

6400 筑 zhù
6401 *抓 zhuā
6402 抓紧 zhuājǐn
6403 *专 zhuān
6404 *专家 zhuānjiā
6405 专利 zhuānlì
6406 *专门 zhuānmén
6407 专题 zhuāntí
6408 *专业 zhuānyè
6409 专用 zhuānyòng
6410 *专政 zhuānzhèng
6411 专制 zhuānzhì
6412 砖 zhuān
6413 *转 zhuǎn
6414 *转变 zhuǎnbiàn
6415 *转动 zhuǎndòng
6416 *转化 zhuǎnhuà
6417 *转换 zhuǎnhuàn
6418 *转身 zhuǎnshēn
6419 *转向 zhuǎnxiàng
6420 *转移 zhuǎnyí
6421 *传 zhuàn
6422 *转 zhuàn
6423 *转动 zhuàndòng
6424 *转向 zhuànxiàng
6425 赚 zhuàn
6426 庄 zhuāng
6427 庄稼 zhuāngjia
6428 庄严 zhuāngyán
6429 桩 zhuāng
6430 *装 zhuāng
6431 装备 zhuāngbèi
6432 装饰 zhuāngshì
6433 *装置 zhuāngzhì
6434 壮 zhuàng
6435 壮大 zhuàngdà
6436 *状 zhuàng
6437 *状况 zhuàngkuàng
6438 *状态 zhuàngtài
6439 撞 zhuàng
6440 幢 zhuàng
6441 *追 zhuī
6442 追究 zhuījiū
6443 *追求 zhuīqiú
6444 追逐 zhuīzhú
6445 *准 zhǔn
6446 *准备 zhǔnbèi
6447 *准确 zhǔnquè
6448 准则 zhǔnzé
6449 *捉 zhuō
6450 桌 zhuō
6451 *桌子 zhuōzi
6452 卓越 zhuóyuè
6453 啄木鸟 zhuómùniǎo
6454 *着 zhuó
6455 着手 zhuóshǒu
6456 *着重 zhuózhòng
6457 琢磨 zhuómó
6458 咨询 zīxún
6459 姿势 zīshì
6460 *姿态 zītài
6461 资 zī
6462 *资本 zīběn
6463 资产 zīchǎn
6464 *资格 zī•gé
6465 *资金 zījīn
6466 *资料 zīliào
6467 *资源 zīyuán
6468 滋味 zīwèi
6469 *子 zǐ
6470 子弹 zǐdàn
6471 子弟 zǐdì
6472 子宫 zǐgōng
6473 *子女 zǐnǚ
6474 子孙 zǐsūn
6475 *仔细 zǐxì
6476 姊妹 zǐmèi
6477 紫 zǐ
6478 *自 zì
6479 自称 zìchēng
6480 *自从 zìcóng
6481 *自动 zìdòng
6482 自动化 zìdònghuà
6483 自发 zìfā
6484 自豪 zìháo
6485 *自己 zìjǐ
6486 *自觉 zìjué
6487 自力更生 zìlì-gēngshēng
6488 *自然 zìrán
6489 *自然界 zìránjiè
6490 自杀 zìshā
6491 *自身 zìshēn
6492 自卫 zìwèi
6493 *自我 zìwǒ
6494 自信 zìxìn
6495 自行 zìxíng
6496 自行车 zìxíngchē
6497 *自由 zìyóu
6498 自愿 zìyuàn
6499 自在 zìzài
6500 自在 zìzai
6501 自治 zìzhì

6502 *自治区 zìzhìqū
6503 自主 zìzhǔ
6504 自转 zìzhuàn
6505 *字 zì
6506 字母 zìmǔ
6507 宗 zōng
6508 *宗教 zōngjiào
6509 宗旨 zōngzhǐ
6510 *综合 zōnghé
6511 *总 zǒng
6512 总额 zǒng'é
6513 总和 zǒnghé
6514 *总结 zǒngjié
6515 *总理 zǒnglǐ
6516 总数 zǒngshù
6517 总算 zǒngsuàn
6518 *总体 zǒngtǐ
6519 *总统 zǒngtǒng
6520 *总之 zǒngzhī
6521 纵 zòng
6522 纵队 zòngduì
6523 *走 zǒu
6524 走廊 zǒuláng
6525 *走向 zǒuxiàng
6526 奏 zòu
6527 租 zū
6528 租界 zūjiè
6529 *足 zú
6530 *足够 zúgòu
6531 足球 zúqiú
6532 *足以 zúyǐ
6533 *族 zú
6534 阻 zǔ
6535 *阻碍 zǔ'ài
6536 阻力 zǔlì
6537 阻止 zǔzhǐ
6538 *组 zǔ
6539 *组合 zǔhé
6540 *组织 zǔzhī
6541 祖 zǔ
6542 祖父 zǔfù
6543 *祖国 zǔguó
6544 祖母 zǔmǔ
6545 *祖先 zǔxiān
6546 祖宗 zǔzong
6547 *钻 zuān
6548 钻研 zuānyán
6549 *钻 zuàn
6550 *嘴 zuǐ
6551 嘴巴 zuǐba
6552 *嘴唇 zuǐchún
6553 *最 zuì
6554 *最初 zuìchū
6555 *最后 zuìhòu
6556 *最近 zuìjìn
6557 *最为 zuìwéi
6558 *最终 zuìzhōng
6559 *罪 zuì
6560 罪恶 zuì'è
6561 罪犯 zuìfàn
6562 罪行 zuìxíng
6563 醉 zuì
6564 尊 zūn
6565 尊敬 zūnjìng
6566 尊严 zūnyán
6567 *尊重 zūnzhòng
6568 *遵守 zūnshǒu
6569 *遵循 zūnxún
6570 *昨天 zuótiān
6571 琢磨 zuómo
6572 *左 zuǒ
6573 左边 zuǒ•biān
6574 左手 zuǒshǒu
6575 *左右 zuǒyòu
6576 *作 zuò
6577 作法 zuòfǎ
6578 *作风 zuòfēng
6579 *作家 zuòjiā
6580 *作品 zuòpǐn
6581 *作为 zuòwéi
6582 *作物 zuòwù
6583 *作业 zuòyè
6584 *作用 zuòyòng
6585 *作战 zuòzhàn
6586 *作者 zuòzhě
6587 *坐 zuò
6588 坐标 zuòbiāo
6589 *座 zuò
6590 座位 zuò•wèi
6591 *做 zuò
6592 *做法 zuòfǎ
6593 做梦 zuòmèng

表　二

1	哀	āi	32	安逸	ānyì	63	拗	ào
2	哀愁	āichóu	33	安葬	ānzàng	64	傲	ào
3	哀悼	āidào	34	庵	ān	65	傲慢	àomàn
4	哀求	āiqiú	35	按摩	ànmó	66	傲然	àorán
5	哀伤	āishāng	36	按捺	ànnà	67	奥	ào
6	哀怨	āiyuàn	37	按钮	ànniǔ	68	奥妙	àomiào
7	哀乐	āiyuè	38	按期	ànqī	69	澳	ào
8	皑皑	ái'ái	39	按时	ànshí	70	懊悔	àohuǐ
9	癌	ái	40	按说	ànshuō	71	懊恼	àonǎo
10	矮小	ǎixiǎo	41	案例	ànlì	72	懊丧	àosàng
11	艾	ài	42	案情	ànqíng	73	八股	bāgǔ
12	爱戴	àidài	43	案头	àntóu	74	八卦	bāguà
13	爱抚	àifǔ	44	案子	ànzi	75	八仙桌	bāxiānzhuō
14	爱慕	àimù	45	暗藏	àncáng	76	八字	bāzì
15	爱惜	àixī	46	暗淡	àndàn	77	巴掌	bāzhang
16	碍	ài	47	暗号	ànhào	78	芭蕉	bājiāo
17	碍事	àishì	48	暗杀	ànshā	79	芭蕾舞	bālěiwǔ
18	安插	ānchā	49	暗自	ànzì	80	疤	bā
19	安顿	āndùn	50	黯	àn	81	疤痕	bāhén
20	安放	ānfàng	51	黯然	ànrán	82	拔除	báchú
21	安分	ānfèn	52	昂	áng	83	拔节	bájié
22	安抚	ānfǔ	53	昂贵	ángguì	84	拔腿	bátuǐ
23	安家	ānjiā	54	昂然	ángrán	85	跋涉	báshè
24	安居乐业	ānjū-lèyè	55	昂首	ángshǒu	86	把柄	bǎbǐng
25	安理会	Ānlǐhuì	56	昂扬	ángyáng	87	把持	bǎchí
26	安宁	ānníng	57	盎然	àngrán	88	把门儿	bǎménr
27	安生	ānshēng	58	凹陷	āoxiàn	89	把手	bǎ•shǒu
28	安稳	ānwěn	59	遨游	áoyóu	90	把守	bǎshǒu
29	安息	ānxī	60	鳌	áo	91	把戏	bǎxì
30	安闲	ānxián	61	翱翔	áoxiáng	92	把子	bǎzi
31	安详	ānxiáng	62	袄	ǎo	93	靶	bǎ

94 靶场 bǎchǎng
95 坝 bà
96 把子 bàzi
97 耙 bà
98 罢官 bàguān
99 罢课 bàkè
100 罢免 bàmiǎn
101 罢休 bàxiū
102 霸 bà
103 霸权 bàquán
104 霸王 bàwáng
105 霸占 bàzhàn
106 掰 bāi
107 白菜 báicài
108 白费 báifèi
109 白骨 báigǔ
110 白果 báiguǒ
111 白话 báihuà
112 白话文 báihuàwén
113 白桦 báihuà
114 白净 báijing
115 白酒 báijiǔ
116 白人 báirén
117 白日 báirì
118 白薯 báishǔ
119 白糖 báitáng
120 白皙 báixī
121 白眼 báiyǎn
122 白蚁 báiyǐ
123 白银 báiyín
124 白昼 báizhòu
125 百般 bǎibān
126 百分比 bǎifēnbǐ
127 百合 bǎihé
128 百花齐放 bǎihuā-qífàng
129 百货 bǎihuò
130 百家争鸣 bǎijiā-zhēngmíng
131 百科全书 bǎikē quánshū
132 百灵 bǎilíng
133 柏 bǎi
134 柏油 bǎiyóu
135 摆布 bǎi•bù
136 摆弄 bǎi•nòng
137 摆设 bǎi•shè
138 败坏 bàihuài
139 败仗 bàizhàng
140 拜访 bàifǎng
141 拜年 bàinián
142 扳 bān
143 班车 bānchē
144 班级 bānjí
145 班主任 bānzhǔrèn
146 班子 bānzi
147 颁发 bānfā
148 斑 bān
149 斑白 bānbái
150 斑驳 bānbó
151 斑点 bāndiǎn
152 斑斓 bānlán
153 斑纹 bānwén
154 搬迁 bānqiān
155 搬用 bānyòng
156 板栗 bǎnlì
157 板子 bǎnzi
158 版本 bǎnběn
159 版画 bǎnhuà
160 版面 bǎnmiàn
161 版权 bǎnquán
162 版图 bǎntú
163 办案 bàn'àn
164 办公 bàngōng
165 办学 bànxué
166 半边 bànbiān
167 半成品 bànchéngpǐn
168 半截 bànjié
169 半空 bànkōng
170 半路 bànlù
171 半途 bàntú
172 半圆 bànyuán
173 扮 bàn
174 伴侣 bànlǚ
175 拌 bàn
176 绊 bàn
177 邦 bāng
178 帮办 bāngbàn
179 帮工 bānggōng
180 帮手 bāngshou
181 帮凶 bāngxiōng
182 梆 bāng
183 梆子 bāngzi
184 绑 bǎng
185 绑架 bǎngjià
186 榜 bǎng
187 膀 bǎng
188 膀子 bǎngzi
189 蚌 bàng
190 棒槌 bàngchui
191 棒球 bàngqiú
192 棒子 bàngzi
193 傍 bàng
194 磅 bàng
195 包办 bāobàn
196 包庇 bāobì
197 包工 bāogōng
198 包裹 bāoguǒ
199 包涵 bāohan
200 包揽 bāolǎn
201 包罗万象 bāoluó-wànxiàng

202 包容 bāoróng
203 包销 bāoxiāo
204 包扎 bāozā
205 包子 bāozi
206 苞 bāo
207 胞 bāo
208 剥 bāo
209 褒贬 bāo·biǎn
210 雹 báo
211 饱含 bǎohán
212 饱满 bǎomǎn
213 宝剑 bǎojiàn
214 宝库 bǎokù
215 宝塔 bǎotǎ
216 宝物 bǎowù
217 宝藏 bǎozàng
218 宝座 bǎozuò
219 保安 bǎo'ān
220 保护色 bǎohùsè
221 保健 bǎojiàn
222 保密 bǎomì
223 保姆 bǎomǔ
224 保全 bǎoquán
225 保温 bǎowēn
226 保险丝 bǎoxiǎnsī
227 保养 bǎoyǎng
228 保佑 bǎoyòu
229 保证金 bǎozhèngjīn
230 保证人 bǎozhèngrén
231 保重 bǎozhòng
232 堡 bǎo
233 堡垒 bǎolěi
234 报表 bàobiǎo
235 报仇 bàochóu
236 报答 bàodá
237 报导 bàodǎo
238 报到 bàodào
239 报废 bàofèi
240 报馆 bàoguǎn
241 报警 bàojǐng
242 报考 bàokǎo
243 报请 bàoqǐng
244 报社 bàoshè
245 报喜 bàoxǐ
246 报销 bàoxiāo
247 报信 bàoxìn
248 报应 bào·yìng
249 刨 bào
250 抱不平 bào bùpíng
251 抱负 bàofù
252 抱歉 bàoqiàn
253 抱怨 bào·yuàn
254 豹 bào
255 豹子 bàozi
256 鲍鱼 bàoyú
257 暴 bào
258 暴发 bàofā
259 暴风雪 bàofēngxuě
260 暴风雨 bàofēngyǔ
261 暴君 bàojūn
262 暴乱 bàoluàn
263 暴徒 bàotú
264 暴行 bàoxíng
265 暴躁 bàozào
266 暴涨 bàozhǎng
267 爆 bào
268 爆裂 bàoliè
269 爆破 bàopò
270 爆竹 bàozhú
271 杯子 bēizi
272 卑 bēi
273 卑鄙 bēibǐ
274 卑劣 bēiliè
275 卑微 bēiwēi
276 卑下 bēixià
277 悲 bēi
278 悲愤 bēifèn
279 悲观 bēiguān
280 悲苦 bēikǔ
281 悲凉 bēiliáng
282 悲伤 bēishāng
283 悲痛 bēitòng
284 悲壮 bēizhuàng
285 碑 bēi
286 碑文 bēiwén
287 北半球 běibànqiú
288 北边 běi·biān
289 北国 běiguó
290 北极 běijí
291 北极星 běijíxīng
292 贝壳 bèiké
293 备案 bèi'àn
294 备课 bèikè
295 备用 bèiyòng
296 备战 bèizhàn
297 背包 bèibāo
298 背道而驰 bèidào'érchí
299 背风 bèifēng
300 背脊 bèijǐ
301 背离 bèilí
302 背面 bèimiàn
303 背叛 bèipàn
304 背诵 bèisòng
305 背心 bèixīn
306 背影 bèiyǐng
307 钡 bèi
308 倍数 bèishù
309 倍增 bèizēng
310 被单 bèidān
311 被褥 bèirù
312 奔波 bēnbō

313 奔驰 bēnchí
314 奔放 bēnfàng
315 奔赴 bēnfù
316 奔流 bēnliú
317 奔腾 bēnténg
318 奔涌 bēnyǒng
319 奔走 bēnzǒu
320 本部 běnbù
321 本分 běnfèn
322 本行 běnháng
323 本家 běnjiā
324 本科 běnkē
325 本钱 běn•qián
326 本色 běnsè
327 本土 běntǔ
328 本位 běnwèi
329 本义 běnyì
330 本意 běnyì
331 本原 běnyuán
332 本源 běnyuán
333 本子 běnzi
334 笨重 bènzhòng
335 笨拙 bènzhuō
336 崩 bēng
337 绷 bēng
338 绷带 bēngdài
339 绷 běng
340 泵 bèng
341 迸 bèng
342 迸发 bèngfā
343 绷 bèng
344 逼近 bījìn
345 逼迫 bīpò
346 逼真 bīzhēn
347 鼻尖 bíjiān
348 鼻梁 bíliáng
349 鼻腔 bíqiāng
350 鼻涕 bí•tì
351 鼻音 bíyīn
352 匕首 bǐshǒu
353 比方 bǐfang
354 比分 bǐfēn
355 比例尺 bǐlìchǐ
356 比率 bǐlǜ
357 比拟 bǐnǐ
358 比热 bǐrè
359 比武 bǐwǔ
360 比值 bǐzhí
361 彼岸 bǐ'àn
362 笔触 bǐchù
363 笔法 bǐfǎ
364 笔画 bǐhuà
365 笔迹 bǐjì
366 笔尖 bǐjiān
367 笔名 bǐmíng
368 笔墨 bǐmò
369 笔直 bǐzhí
370 鄙 bǐ
371 鄙视 bǐshì
372 鄙夷 bǐyí
373 币 bì
374 币制 bìzhì
375 必需品 bìxūpǐn
376 毕 bì
377 毕生 bìshēng
378 闭幕 bìmù
379 闭塞 bìsè
380 庇护 bìhù
381 陛下 bìxià
382 毙 bì
383 敝 bì
384 婢女 bìnǚ
385 痹 bì
386 辟 bì
387 碧 bì
388 碧波 bìbō
389 碧绿 bìlǜ
390 蔽 bì
391 弊 bì
392 弊病 bìbìng
393 弊端 bìduān
394 壁垒 bìlěi
395 避风 bìfēng
396 避雷针 bìléizhēn
397 避难 bìnàn
398 臂膀 bìbǎng
399 璧 bì
400 边陲 biānchuí
401 边防 biānfáng
402 边际 biānjì
403 边沿 biānyán
404 边远 biānyuǎn
405 编导 biāndǎo
406 编号 biānhào
407 编码 biānmǎ
408 编排 biānpái
409 编造 biānzào
410 编者 biānzhě
411 编织 biānzhī
412 编撰 biānzhuàn
413 编纂 biānzuǎn
414 鞭策 biāncè
415 鞭打 biāndǎ
416 鞭炮 biānpào
417 贬 biǎn
418 贬低 biǎndī
419 贬义 biǎnyì
420 贬值 biǎnzhí
421 扁担 biǎndan
422 匾 biǎn
423 变故 biàngù

424 变幻 biànhuàn
425 变卖 biànmài
426 变色 biànsè
427 变数 biànshù
428 变通 biàntōng
429 变相 biànxiàng
430 变性 biànxìng
431 变压器 biànyāqì
432 变样 biànyàng
433 变质 biànzhì
434 变种 biànzhǒng
435 便秘 biànmì
436 便衣 biànyī
437 遍布 biànbù
438 遍地 biàndì
439 遍及 biànjí
440 辨证 biànzhèng
441 辩 biàn
442 辩驳 biànbó
443 辩护人 biànhùrén
444 辩解 biànjiě
445 辩论 biànlùn
446 辫 biàn
447 辫子 biànzi
448 标榜 biāobǎng
449 标兵 biāobīng
450 标尺 biāochǐ
451 标的 biāodì
452 标记 biāojì
453 标明 biāomíng
454 标签 biāoqiān
455 标新立异 biāoxīn-lìyì
456 膘 biāo
457 表白 biǎobái
458 表格 biǎogé
459 表决 biǎojué
460 表露 biǎolù
461 表率 biǎoshuài
462 表态 biǎotài
463 憋 biē
464 鳖 biē
465 别出心裁 biéchū-xīncái
466 别具一格 biéjù-yīgé
467 别开生面 biékāi-shēngmiàn
468 别名 biémíng
469 别墅 biéshù
470 别有用心 biéyǒu-yòngxīn
471 别致 bié·zhì
472 瘪 biě
473 别扭 bièniu
474 宾馆 bīnguǎn
475 宾客 bīnkè
476 宾语 bīnyǔ
477 宾主 bīnzhǔ
478 滨 bīn
479 濒临 bīnlín
480 濒于 bīnyú
481 摈弃 bìnqì
482 鬓 bìn
483 冰雹 bīngbáo
484 冰点 bīngdiǎn
485 冰冻 bīngdòng
486 冰窖 bīngjiào
487 冰晶 bīngjīng
488 冰冷 bīnglěng
489 冰凉 bīngliáng
490 冰山 bīngshān
491 冰天雪地 bīngtiān-xuědì
492 冰箱 bīngxiāng
493 兵法 bīngfǎ
494 兵家 bīngjiā
495 兵器 bīngqì
496 兵团 bīngtuán
497 兵役 bīngyì
498 兵营 bīngyíng
499 兵站 bīngzhàn
500 兵种 bīngzhǒng
501 饼干 bǐnggān
502 饼子 bǐngzi
503 屏息 bǐngxī
504 禀 bǐng
505 并发 bìngfā
506 并肩 bìngjiān
507 并进 bìngjìn
508 并举 bìngjǔ
509 并联 bìnglián
510 并列 bìngliè
511 并排 bìngpái
512 并行 bìngxíng
513 并重 bìngzhòng
514 病程 bìngchéng
515 病床 bìngchuáng
516 病房 bìngfáng
517 病根 bìnggēn
518 病故 bìnggù
519 病害 bìnghài
520 病号 bìnghào
521 病菌 bìngjūn
522 病例 bìnglì
523 病魔 bìngmó
524 病史 bìngshǐ
525 病榻 bìngtà
526 病态 bìngtài
527 病痛 bìngtòng
528 病因 bìngyīn

529 病员 bìngyuán
530 病原体 bìngyuántǐ
531 病灶 bìngzào
532 病症 bìngzhèng
533 摒弃 bìngqì
534 拨款 bōkuǎn
535 拨弄 bōnong
536 波段 bōduàn
537 波峰 bōfēng
538 波谷 bōgǔ
539 波及 bōjí
540 波澜 bōlán
541 波涛 bōtāo
542 波纹 bōwén
543 波折 bōzhé
544 钵 bō
545 剥离 bōlí
546 剥蚀 bōshí
547 菠菜 bōcài
548 菠萝 bōluó
549 播 bō
550 播放 bōfàng
551 播送 bōsòng
552 伯父 bófù
553 伯乐 Bólè
554 伯母 bómǔ
555 驳 bó
556 驳斥 bóchì
557 驳回 bóhuí
558 帛 bó
559 泊 bó
560 铂 bó
561 脖 bó
562 脖颈儿 bógěngr
563 博 bó
564 博爱 bó'ài
565 博大 bódà
566 博得 bódé
567 博览会 bólǎnhuì
568 博物馆 bówùguǎn
569 搏 bó
570 搏击 bójī
571 箔 bó
572 膊 bó
573 跛 bǒ
574 簸箕 bòji
575 卜 bǔ
576 补丁 bǔding
577 补给 bǔjǐ
578 补救 bǔjiù
579 补课 bǔkè
580 补习 bǔxí
581 补助 bǔzhù
582 补足 bǔzú
583 捕获 bǔhuò
584 捕杀 bǔshā
585 哺乳 bǔrǔ
586 哺育 bǔyù
587 不啻 bùchì
588 不得了 bù déliǎo
589 不得已 bùdéyǐ
590 不动产 bùdòngchǎn
591 不动声色 bùdòng-shēngsè
592 不乏 bùfá
593 不法 bùfǎ
594 不凡 bùfán
595 不符 bùfú
596 不甘 bùgān
597 不敢当 bùgǎndāng
598 不计其数 bùjì-qíshù
599 不见得 bù jiàn·dé
600 不胫而走 bùjìng'érzǒu
601 不可思议 bùkě-sīyì
602 不可一世 bùkě-yīshì
603 不力 bùlì
604 不妙 bùmiào
605 不配 bùpèi
606 不屈 bùqū
607 不忍 bùrěn
608 不善 bùshàn
609 不适 bùshì
610 不速之客 bùsùzhīkè
611 不祥 bùxiáng
612 不像话 bù xiànghuà
613 不孝 bùxiào
614 不屑 bùxiè
615 不懈 bùxiè
616 不休 bùxiū
617 不朽 bùxiǔ
618 不锈钢 bùxiùgāng
619 不言而喻 bùyán'éryù
620 不一 bùyī
621 不依 bùyī
622 不以为然 bùyǐwéirán
623 不由得 bùyóude
624 不约而同 bùyuē'értóng
625 不在乎 bùzàihu
626 不只 bùzhǐ
627 不至于 bùzhìyú
628 布告 bùgào
629 布景 bùjǐng
630 布匹 bùpǐ
631 布衣 bùyī

632 步兵 bùbīng
633 步履 bùlǚ
634 步枪 bùqiāng
635 步行 bùxíng
636 部件 bùjiàn
637 部属 bùshǔ
638 部委 bùwěi
639 部下 bùxià
640 埠 bù
641 簿 bù
642 擦拭 cāshì
643 猜测 cāicè
644 猜想 cāixiǎng
645 猜疑 cāiyí
646 才干 cáigàn
647 才华 cáihuá
648 才智 cáizhì
649 财经 cáijīng
650 财会 cáikuài
651 财贸 cáimào
652 财权 cáiquán
653 财团 cáituán
654 财物 cáiwù
655 财源 cáiyuán
656 财主 cáizhu
657 裁 cái
658 裁定 cáidìng
659 裁缝 cáifeng
660 裁减 cáijiǎn
661 裁剪 cáijiǎn
662 裁决 cáijué
663 裁军 cáijūn
664 裁判 cáipàn
665 采伐 cǎifá
666 采掘 cǎijué
667 采矿 cǎikuàng
668 采纳 cǎinà
669 采写 cǎixiě
670 采样 cǎiyàng
671 采油 cǎiyóu
672 采摘 cǎizhāi
673 彩电 cǎidiàn
674 彩虹 cǎihóng
675 彩绘 cǎihuì
676 彩礼 cǎilǐ
677 彩旗 cǎiqí
678 彩塑 cǎisù
679 彩陶 cǎitáo
680 睬 cǎi
681 菜场 càichǎng
682 菜刀 càidāo
683 菜蔬 càishū
684 菜肴 càiyáo
685 菜园 càiyuán
686 参见 cānjiàn
687 参军 cānjūn
688 参看 cānkàn
689 参赛 cānsài
690 参天 cāntiān
691 参议院 cānyìyuàn
692 参阅 cānyuè
693 参展 cānzhǎn
694 参战 cānzhàn
695 参政 cānzhèng
696 餐 cān
697 餐具 cānjù
698 餐厅 cāntīng
699 餐桌 cānzhuō
700 残暴 cánbào
701 残存 cáncún
702 残废 cánfèi
703 残害 cánhài
704 残疾 cán·jí
705 残留 cánliú
706 残破 cánpò
707 残缺 cánquē
708 残忍 cánrěn
709 残杀 cánshā
710 蚕豆 cándòu
711 蚕食 cánshí
712 蚕丝 cánsī
713 惭愧 cánkuì
714 惨 cǎn
715 惨案 cǎn'àn
716 惨白 cǎnbái
717 惨败 cǎnbài
718 惨死 cǎnsǐ
719 惨痛 cǎntòng
720 惨重 cǎnzhòng
721 仓促 cāngcù
722 仓皇 cānghuáng
723 苍 cāng
724 苍翠 cāngcuì
725 苍老 cānglǎo
726 苍茫 cāngmáng
727 苍穹 cāngqióng
728 苍天 cāngtiān
729 沧桑 cāngsāng
730 藏身 cángshēn
731 藏书 cángshū
732 操办 cāobàn
733 操场 cāochǎng
734 操持 cāochí
735 操劳 cāoláo
736 操练 cāoliàn
737 操心 cāoxīn
738 嘈杂 cáozá
739 草本 cǎoběn
740 草场 cǎochǎng
741 草丛 cǎocóng
742 草帽 cǎomào

743 草莓 cǎoméi
744 草拟 cǎonǐ
745 草皮 cǎopí
746 草坪 cǎopíng
747 草率 cǎoshuài
748 草图 cǎotú
749 草屋 cǎowū
750 草鞋 cǎoxié
751 草药 cǎoyào
752 厕所 cèsuǒ
753 侧耳 cè'ěr
754 侧身 cèshēn
755 测绘 cèhuì
756 测试 cèshì
757 测算 cèsuàn
758 策 cè
759 策动 cèdòng
760 策划 cèhuà
761 层出不穷 céngchū-bùqióng
762 层面 céngmiàn
763 蹭 cèng
764 叉腰 chāyāo
765 杈 chā
766 差错 chācuò
767 差额 chā'é
768 插队 chāduì
769 插话 chāhuà
770 插曲 chāqǔ
771 插手 chāshǒu
772 插图 chātú
773 插秧 chāyāng
774 插嘴 chāzuǐ
775 茬 chá
776 茶点 chádiǎn
777 茶花 cháhuā
778 茶几 chájī
779 茶具 chájù
780 茶水 cháshuǐ
781 茶园 cháyuán
782 查处 cháchǔ
783 查对 cháduì
784 查获 cháhuò
785 查禁 chájìn
786 查看 chákàn
787 查问 cháwèn
788 查询 cháxún
789 查阅 cháyuè
790 查找 cházhǎo
791 察觉 chájué
792 察看 chákàn
793 杈 chà
794 岔 chà
795 刹 chà
796 刹那 chànà
797 诧异 chàyì
798 拆除 chāichú
799 拆毁 chāihuǐ
800 拆迁 chāiqiān
801 拆卸 chāixiè
802 差使 chāishǐ
803 差事 chāishi
804 柴火 cháihuo
805 柴油 cháiyóu
806 掺 chān
807 搀 chān
808 搀扶 chānfú
809 馋 chán
810 禅 chán
811 禅宗 chánzōng
812 缠绵 chánmián
813 缠绕 chánrào
814 蝉 chán
815 潺潺 chánchán
816 蟾蜍 chánchú
817 产妇 chǎnfù
818 产权 chǎnquán
819 产销 chǎnxiāo
820 铲 chǎn
821 铲除 chǎnchú
822 阐发 chǎnfā
823 阐释 chǎnshì
824 忏悔 chànhuǐ
825 颤 chàn
826 颤动 chàndòng
827 昌 chāng
828 猖獗 chāngjué
829 猖狂 chāngkuáng
830 娼妓 chāngjì
831 长臂猿 chángbìyuán
832 长波 chángbō
833 长笛 chángdí
834 长方形 chángfāngxíng
835 长工 chánggōng
836 长颈鹿 chángjǐnglù
837 长空 chángkōng
838 长年 chángnián
839 长袍 chángpáo
840 长跑 chángpǎo
841 长篇 chángpiān
842 长衫 chángshān
843 长寿 chángshòu
844 长叹 chángtàn
845 长途 chángtú
846 长线 chángxiàn
847 长夜 chángyè
848 长于 chángyú
849 长足 chángzú
850 肠胃 chángwèi
851 肠子 chángzi
852 尝新 chángxīn

853 常人 chángrén
854 常设 chángshè
855 常态 chángtài
856 常委 chángwěi
857 常温 chángwēn
858 常务 chángwù
859 常住 chángzhù
860 偿 cháng
861 偿付 chángfù
862 偿还 chánghuán
863 厂家 chǎngjiā
864 厂矿 chǎngkuàng
865 厂商 chǎngshāng
866 厂子 chǎngzi
867 场景 chǎngjǐng
868 场子 chǎngzi
869 敞 chǎng
870 敞开 chǎngkāi
871 怅惘 chàngwǎng
872 畅 chàng
873 畅快 chàngkuài
874 畅所欲言 chàngsuǒyùyán
875 畅谈 chàngtán
876 畅通 chàngtōng
877 畅销 chàngxiāo
878 倡 chàng
879 倡导 chàngdǎo
880 倡议 chàngyì
881 唱词 chàngcí
882 唱片 chàngpiàn
883 唱腔 chàngqiāng
884 唱戏 chàngxì
885 抄袭 chāoxí
886 抄写 chāoxiě
887 钞 chāo
888 钞票 chāopiào
889 超产 chāochǎn
890 超常 chāocháng
891 超导体 chāodǎotǐ
892 超级 chāojí
893 超前 chāoqián
894 超然 chāorán
895 超人 chāorén
896 超声波 chāoshēngbō
897 超脱 chāotuō
898 剿 chāo
899 巢穴 cháoxué
900 朝拜 cháobài
901 朝代 cháodài
902 朝向 cháoxiàng
903 朝阳 cháoyáng
904 朝野 cháoyě
905 朝政 cháozhèng
906 嘲讽 cháofěng
907 嘲弄 cháonòng
908 嘲笑 cháoxiào
909 潮水 cháoshuǐ
910 潮汐 cháoxī
911 吵架 chǎojià
912 吵闹 chǎonào
913 吵嘴 chǎozuǐ
914 车床 chēchuáng
915 车队 chēduì
916 车夫 chēfū
917 车祸 chēhuò
918 车门 chēmén
919 车身 chēshēn
920 车头 chētóu
921 扯皮 chěpí
922 彻 chè
923 撤换 chèhuàn
924 撤回 chèhuí
925 撤离 chèlí
926 撤退 chètuì
927 撤职 chèzhí
928 澈 chè
929 抻 chēn
930 臣民 chénmín
931 尘埃 chén'āi
932 尘土 chéntǔ
933 辰 chén
934 沉寂 chénjì
935 沉降 chénjiàng
936 沉浸 chénjìn
937 沉静 chénjìng
938 沉沦 chénlún
939 沉闷 chénmèn
940 沉没 chénmò
941 沉睡 chénshuì
942 沉痛 chéntòng
943 沉吟 chényín
944 沉郁 chényù
945 沉醉 chénzuì
946 陈腐 chénfǔ
947 陈规 chénguī
948 陈迹 chénjì
949 陈列 chénliè
950 陈设 chénshè
951 晨 chén
952 晨光 chénguāng
953 晨曦 chénxī
954 衬 chèn
955 衬衫 chènshān
956 衬托 chèntuō
957 衬衣 chènyī
958 称职 chènzhí
959 趁机 chènjī
960 趁势 chènshì
961 趁早 chènzǎo

962 称霸 chēngbà
963 称道 chēngdào
964 称颂 chēngsòng
965 称谓 chēngwèi
966 撑腰 chēngyāo
967 成败 chéngbài
968 成才 chéngcái
969 成材 chéngcái
970 成风 chéngfēng
971 成活 chénghuó
972 成家 chéngjiā
973 成见 chéngjiàn
974 成交 chéngjiāo
975 成名 chéngmíng
976 成品 chéngpǐn
977 成亲 chéngqīn
978 成全 chéngquán
979 成书 chéngshū
980 成套 chéngtào
981 成天 chéngtiān
982 成行 chéngxíng
983 成形 chéngxíng
984 成因 chéngyīn
985 丞 chéng
986 丞相 chéngxiàng
987 诚然 chéngrán
988 诚心 chéngxīn
989 诚挚 chéngzhì
990 承办 chéngbàn
991 承继 chéngjì
992 承建 chéngjiàn
993 承袭 chéngxí
994 城堡 chéngbǎo
995 城郊 chéngjiāo
996 城楼 chénglóu
997 城墙 chéngqiáng
998 城区 chéngqū
999 乘法 chéngfǎ
1000 乘方 chéngfāng
1001 乘积 chéngjī
1002 乘凉 chéngliáng
1003 乘务员 chéngwùyuán
1004 乘坐 chéngzuò
1005 惩 chéng
1006 惩办 chéngbàn
1007 惩处 chéngchǔ
1008 惩戒 chéngjiè
1009 惩治 chéngzhì
1010 澄清 chéngqīng
1011 橙 chéng
1012 逞 chěng
1013 吃不消 chī·bùxiāo
1014 吃苦 chīkǔ
1015 吃亏 chīkuī
1016 吃水 chīshuǐ
1017 吃香 chīxiāng
1018 嗤 chī
1019 痴 chī
1020 痴呆 chīdāi
1021 池子 chízi
1022 驰骋 chíchěng
1023 驰名 chímíng
1024 迟到 chídào
1025 迟缓 chíhuǎn
1026 迟疑 chíyí
1027 迟早 chízǎo
1028 持之以恒 chízhīyǐhéng
1029 持重 chízhòng
1030 尺寸 chǐ·cùn
1031 尺子 chǐzi
1032 齿轮 chǐlún
1033 齿龈 chǐyín
1034 耻辱 chǐrǔ
1035 斥 chì
1036 斥责 chìzé
1037 赤诚 chìchéng
1038 赤裸 chìluǒ
1039 赤手空拳 chìshǒu-kōngquán
1040 赤字 chìzì
1041 炽烈 chìliè
1042 炽热 chìrè
1043 冲淡 chōngdàn
1044 冲锋 chōngfēng
1045 冲积 chōngjī
1046 冲刷 chōngshuā
1047 冲天 chōngtiān
1048 冲洗 chōngxǐ
1049 冲撞 chōngzhuàng
1050 充斥 chōngchì
1051 充电 chōngdiàn
1052 充饥 chōngjī
1053 充沛 chōngpèi
1054 充塞 chōngsè
1055 充血 chōngxuè
1056 充溢 chōngyì
1057 充裕 chōngyù
1058 舂 chōng
1059 憧憬 chōngjǐng
1060 虫害 chónghài
1061 虫子 chóngzi
1062 重叠 chóngdié
1063 重逢 chóngféng
1064 重申 chóngshēn
1065 重围 chóngwéi
1066 重行 chóngxíng
1067 重修 chóngxiū
1068 重演 chóngyǎn
1069 崇敬 chóngjìng

1070 崇尚 chóngshàng
1071 宠 chǒng
1072 宠爱 chǒng'ài
1073 宠儿 chǒng'ér
1074 抽查 chōuchá
1075 抽搐 chōuchù
1076 抽打 chōudǎ
1077 抽调 chōudiào
1078 抽空 chōukòng
1079 抽泣 chōuqì
1080 抽签 chōuqiān
1081 抽取 chōuqǔ
1082 抽穗 chōusuì
1083 抽屉 chōu•ti
1084 抽样 chōuyàng
1085 仇 chóu
1086 仇敌 chóudí
1087 仇人 chóurén
1088 仇视 chóushì
1089 惆怅 chóuchàng
1090 绸 chóu
1091 绸缎 chóuduàn
1092 绸子 chóuzi
1093 稠 chóu
1094 稠密 chóumì
1095 愁苦 chóukǔ
1096 筹 chóu
1097 筹办 chóubàn
1098 筹备 chóubèi
1099 筹措 chóucuò
1100 筹划 chóuhuà
1101 筹集 chóují
1102 筹建 chóujiàn
1103 踌躇 chóuchú
1104 丑恶 chǒu'è
1105 丑陋 chǒulòu
1106 臭氧 chòuyǎng
1107 出兵 chūbīng
1108 出差 chūchāi
1109 出厂 chūchǎng
1110 出场 chūchǎng
1111 出动 chūdòng
1112 出工 chūgōng
1113 出海 chūhǎi
1114 出击 chūjī
1115 出家 chūjiā
1116 出嫁 chūjià
1117 出境 chūjìng
1118 出类拔萃 chūlèi-bácuì
1119 出力 chūlì
1120 出马 chūmǎ
1121 出面 chūmiàn
1122 出苗 chūmiáo
1123 出名 chūmíng
1124 出没 chūmò
1125 出品 chūpǐn
1126 出其不意 chūqíbùyì
1127 出奇 chūqí
1128 出气 chūqì
1129 出勤 chūqín
1130 出人意料 chūrényìliào
1131 出任 chūrèn
1132 出入 chūrù
1133 出山 chūshān
1134 出神 chūshén
1135 出生率 chūshēnglǜ
1136 出师 chūshī
1137 出使 chūshǐ
1138 出示 chūshì
1139 出世 chūshì
1140 出事 chūshì
1141 出手 chūshǒu
1142 出台 chūtái
1143 出头 chūtóu
1144 出外 chūwài
1145 出院 chūyuàn
1146 出征 chūzhēng
1147 出众 chūzhòng
1148 出资 chūzī
1149 出走 chūzǒu
1150 出租 chūzū
1151 初春 chūchūn
1152 初等 chūděng
1153 初冬 chūdōng
1154 初恋 chūliàn
1155 初年 chūnián
1156 初秋 chūqiū
1157 初夏 chūxià
1158 初学 chūxué
1159 除尘 chúchén
1160 除法 chúfǎ
1161 除外 chúwài
1162 除夕 chúxī
1163 厨 chú
1164 厨师 chúshī
1165 锄 chú
1166 锄头 chútou
1167 雏 chú
1168 雏形 chúxíng
1169 橱 chú
1170 橱窗 chúchuāng
1171 处方 chǔfāng
1172 处决 chǔjué
1173 处女 chǔnǚ
1174 处世 chǔshì
1175 处事 chǔshì
1176 处死 chǔsǐ
1177 处置 chǔzhì

1178 储 chǔ
1179 储藏 chǔcáng
1180 处所 chùsuǒ
1181 畜力 chùlì
1182 畜生 chùsheng
1183 触电 chùdiàn
1184 触动 chùdòng
1185 触发 chùfā
1186 触犯 chùfàn
1187 触及 chùjí
1188 触角 chùjiǎo
1189 触觉 chùjué
1190 触摸 chùmō
1191 触目惊心 chùmù-jīngxīn
1192 触手 chùshǒu
1193 触须 chùxū
1194 矗立 chùlì
1195 揣 chuāi
1196 揣测 chuǎicè
1197 揣摩 chuǎimó
1198 踹 chuài
1199 川剧 chuānjù
1200 川流不息 chuānliú-bùxī
1201 穿插 chuānchā
1202 穿刺 chuāncì
1203 穿戴 chuāndài
1204 穿孔 chuānkǒng
1205 穿山甲 chuānshānjiǎ
1206 穿梭 chuānsuō
1207 穿行 chuānxíng
1208 穿越 chuānyuè
1209 传布 chuánbù
1210 传承 chuánchéng
1211 传单 chuándān
1212 传道 chuándào
1213 传教 chuánjiào
1214 传令 chuánlìng
1215 传奇 chuánqí
1216 传染 chuánrǎn
1217 传人 chuánrén
1218 传神 chuánshén
1219 传输 chuánshū
1220 传送 chuánsòng
1221 传诵 chuánsòng
1222 传闻 chuánwén
1223 传真 chuánzhēn
1224 船舱 chuáncāng
1225 船夫 chuánfū
1226 船家 chuánjiā
1227 船台 chuántái
1228 船舷 chuánxián
1229 船员 chuányuán
1230 船闸 chuánzhá
1231 喘气 chuǎnqì
1232 喘息 chuǎnxī
1233 创口 chuāngkǒu
1234 疮 chuāng
1235 疮疤 chuāngbā
1236 窗帘 chuānglián
1237 窗台 chuāngtái
1238 床单 chuángdān
1239 床铺 chuángpù
1240 床位 chuángwèi
1241 创汇 chuànghuì
1242 创见 chuàngjiàn
1243 创建 chuàngjiàn
1244 创举 chuàngjǔ
1245 创刊 chuàngkān
1246 创设 chuàngshè
1247 创始 chuàngshǐ
1248 创业 chuàngyè
1249 创制 chuàngzhì
1250 炊烟 chuīyān
1251 吹拂 chuīfú
1252 吹牛 chuīniú
1253 吹捧 chuīpěng
1254 吹嘘 chuīxū
1255 吹奏 chuīzòu
1256 垂钓 chuídiào
1257 垂柳 chuíliǔ
1258 垂死 chuísǐ
1259 垂危 chuíwēi
1260 捶 chuí
1261 锤炼 chuíliàn
1262 锤子 chuízi
1263 春分 chūnfēn
1264 春风 chūnfēng
1265 春耕 chūngēng
1266 春光 chūnguāng
1267 春雷 chūnléi
1268 春色 chūnsè
1269 纯度 chúndù
1270 纯净 chúnjìng
1271 纯真 chúnzhēn
1272 纯正 chúnzhèng
1273 淳朴 chúnpǔ
1274 醇 chún
1275 蠢 chǔn
1276 蠢事 chǔnshì
1277 戳 chuō
1278 戳穿 chuōchuān
1279 啜泣 chuòqì
1280 绰号 chuòhào
1281 词句 cíjù
1282 祠 cí
1283 祠堂 cítáng
1284 瓷 cí
1285 瓷器 cíqì

1286 瓷砖 cízhuān
1287 辞典 cídiǎn
1288 辞退 cítuì
1289 慈 cí
1290 慈爱 cí'ài
1291 慈悲 cíbēi
1292 慈善 císhàn
1293 慈祥 cíxiáng
1294 磁带 cídài
1295 磁化 cíhuà
1296 磁极 cíjí
1297 磁体 cítǐ
1298 磁头 cítóu
1299 磁性 cíxìng
1300 雌蕊 círuǐ
1301 雌性 cíxìng
1302 雌雄 cíxióng
1303 此间 cǐjiān
1304 此起彼伏 cǐqǐ-bǐfú
1305 次第 cìdì
1306 次品 cìpǐn
1307 次日 cìrì
1308 刺刀 cìdāo
1309 刺耳 cì'ěr
1310 刺骨 cìgǔ
1311 刺客 cìkè
1312 刺杀 cìshā
1313 刺猬 cìwei
1314 刺绣 cìxiù
1315 刺眼 cìyǎn
1316 赐予 cìyǔ
1317 匆忙 cōngmáng
1318 葱 cōng
1319 聪慧 cōnghuì
1320 从容 cóngróng
1321 从军 cóngjūn
1322 从属 cóngshǔ
1323 从头 cóngtóu
1324 从新 cóngxīn
1325 从业 cóngyè
1326 从众 cóngzhòng
1327 丛林 cónglín
1328 丛生 cóngshēng
1329 丛书 cóngshū
1330 凑合 còuhe
1331 凑近 còujìn
1332 凑巧 còuqiǎo
1333 粗暴 cūbào
1334 粗笨 cūbèn
1335 粗布 cūbù
1336 粗大 cūdà
1337 粗放 cūfàng
1338 粗犷 cūguǎng
1339 粗鲁 cūlǔ
1340 粗略 cūlüè
1341 粗俗 cūsú
1342 粗细 cūxì
1343 粗心 cūxīn
1344 粗野 cūyě
1345 粗壮 cūzhuàng
1346 醋 cù
1347 簇拥 cùyōng
1348 蹿 cuān
1349 攒 cuán
1350 篡夺 cuànduó
1351 篡改 cuàngǎi
1352 崔 Cuī
1353 催促 cuīcù
1354 催化 cuīhuà
1355 催化剂 cuīhuàjì
1356 催眠 cuīmián
1357 摧 cuī
1358 璀璨 cuǐcàn
1359 脆 cuì
1360 脆弱 cuìruò
1361 萃取 cuìqǔ
1362 啐 cuì
1363 淬火 cuìhuǒ
1364 翠 cuì
1365 翠绿 cuìlǜ
1366 村落 cūnluò
1367 村民 cūnmín
1368 村寨 cūnzhài
1369 村镇 cūnzhèn
1370 皴 cūn
1371 存储 cúnchǔ
1372 存放 cúnfàng
1373 存活 cúnhuó
1374 存货 cúnhuò
1375 存留 cúnliú
1376 存亡 cúnwáng
1377 存心 cúnxīn
1378 存折 cúnzhé
1379 搓 cuō
1380 磋商 cuōshāng
1381 撮 cuō
1382 挫 cuò
1383 挫败 cuòbài
1384 挫伤 cuòshāng
1385 锉 cuò
1386 错过 cuòguò
1387 错觉 cuòjué
1388 错位 cuòwèi
1389 错综复杂 cuòzōng-fùzá
1390 耷拉 dāla
1391 搭救 dājiù
1392 搭配 dāpèi
1393 搭讪 dā•shàn
1394 答辩 dábiàn
1395 答话 dáhuà

1396 打岔 dǎchà
1397 打点 dǎdian
1398 打动 dǎdòng
1399 打赌 dǎdǔ
1400 打盹儿 dǎdǔnr
1401 打发 dǎfa
1402 打火机 dǎhuǒjī
1403 打交道 dǎ jiāo•dào
1404 打搅 dǎjiǎo
1405 打垮 dǎkuǎ
1406 打捞 dǎlāo
1407 打猎 dǎliè
1408 打趣 dǎqù
1409 打扰 dǎrǎo
1410 打扫 dǎsǎo
1411 打铁 dǎtiě
1412 打通 dǎtōng
1413 打消 dǎxiāo
1414 打印 dǎyìn
1415 打颤 dǎzhàn
1416 打字 dǎzì
1417 大白 dàbái
1418 大本营 dàběnyíng
1419 大便 dàbiàn
1420 大不了 dà•bùliǎo
1421 大肠 dàcháng
1422 大潮 dàcháo
1423 大车 dàchē
1424 大抵 dàdǐ
1425 大殿 dàdiàn
1426 大度 dàdù
1427 大法 dàfǎ
1428 大凡 dàfán
1429 大方 dàfāng
1430 大方 dàfang
1431 大副 dàfù
1432 大公无私 dàgōng-wúsī
1433 大鼓 dàgǔ
1434 大褂 dàguà
1435 大汉 dàhàn
1436 大号 dàhào
1437 大户 dàhù
1438 大计 dàjì
1439 大将 dàjiàng
1440 大惊小怪 dàjīng-xiǎoguài
1441 大局 dàjú
1442 大举 dàjǔ
1443 大理石 dàlǐshí
1444 大陆架 dàlùjià
1445 大路 dàlù
1446 大略 dàlüè
1447 大麻 dàmá
1448 大麦 dàmài
1449 大米 dàmǐ
1450 大气层 dàqìcéng
1451 大气压 dàqìyā
1452 大权 dàquán
1453 大人物 dàrénwù
1454 大赛 dàsài
1455 大使 dàshǐ
1456 大势 dàshì
1457 大肆 dàsì
1458 大同小异 dàtóng-xiǎoyì
1459 大腿 dàtuǐ
1460 大喜 dàxǐ
1461 大显身手 dàxiǎn-shēnshǒu
1462 大相径庭 dàxiāng-jìngtíng
1463 大修 dàxiū
1464 大选 dàxuǎn
1465 大雪 dàxuě
1466 大雁 dàyàn
1467 大业 dàyè
1468 大义 dàyì
1469 大专 dàzhuān
1470 大宗 dàzōng
1471 大作 dàzuò
1472 呆板 dāibǎn
1473 呆滞 dāizhì
1474 歹徒 dǎitú
1475 逮 dǎi
1476 代办 dàibàn
1477 代表作 dàibiǎozuò
1478 代词 dàicí
1479 代号 dàihào
1480 代数 dàishù
1481 玳瑁 dàimào
1482 带电 dàidiàn
1483 带劲 dàijìn
1484 带路 dàilù
1485 带子 dàizi
1486 贷 dài
1487 待命 dàimìng
1488 待业 dàiyè
1489 怠工 dàigōng
1490 怠慢 dàimàn
1491 袋子 dàizi
1492 逮 dài
1493 丹 dān
1494 丹顶鹤 dāndǐnghè
1495 担保 dānbǎo
1496 担当 dāndāng
1497 担架 dānjià
1498 担忧 dānyōu
1499 单薄 dānbó
1500 单产 dānchǎn
1501 单词 dāncí

1502 单方　dānfāng
1503 单干　dāngàn
1504 单价　dānjià
1505 单据　dānjù
1506 单身　dānshēn
1507 单项　dānxiàng
1508 单衣　dānyī
1509 单元　dānyuán
1510 单子　dānzi
1511 耽搁　dānge
1512 胆固醇 dǎngùchún
1513 胆量　dǎnliàng
1514 胆略　dǎnlüè
1515 胆囊　dǎnnáng
1516 胆怯　dǎnqiè
1517 胆小鬼 dǎnxiǎoguǐ
1518 胆汁　dǎnzhī
1519 胆子　dǎnzi
1520 掸　dǎn
1521 旦　dàn
1522 旦角儿 dànjuér
1523 诞辰　dànchén
1524 淡薄　dànbó
1525 淡化　dànhuà
1526 淡漠　dànmò
1527 淡然　dànrán
1528 弹片　dànpiàn
1529 弹头　dàntóu
1530 弹药　dànyào
1531 蛋糕　dàngāo
1532 氮肥　dànféi
1533 氮气　dànqì
1534 当差　dāngchāi
1535 当归　dāngguī
1536 当家　dāngjiā
1537 当量　dāngliàng
1538 当面　dāngmiàn
1539 当权　dāngquán
1540 当日　dāngrì
1541 当下　dāngxià
1542 当心　dāngxīn
1543 当众　dāngzhòng
1544 裆　dāng
1545 党籍　dǎngjí
1546 党纪　dǎngjì
1547 党派　dǎngpài
1548 党团　dǎngtuán
1549 党务　dǎngwù
1550 党校　dǎngxiào
1551 党章　dǎngzhāng
1552 当铺　dàng·pù
1553 当日　dàngrì
1554 当晚　dàngwǎn
1555 当夜　dàngyè
1556 当真　dàngzhēn
1557 荡　dàng
1558 荡漾　dàngyàng
1559 档　dàng
1560 档次　dàngcì
1561 刀枪　dāoqiāng
1562 刀子　dāozi
1563 导电　dǎodiàn
1564 导航　dǎoháng
1565 导热　dǎorè
1566 导师　dǎoshī
1567 导向　dǎoxiàng
1568 导游　dǎoyóu
1569 导语　dǎoyǔ
1570 捣　dǎo
1571 捣鬼　dǎoguǐ
1572 捣毁　dǎohuǐ
1573 捣乱　dǎoluàn
1574 倒闭　dǎobì
1575 倒伏　dǎofú
1576 倒卖　dǎomài
1577 倒塌　dǎotā
1578 祷告　dǎogào
1579 蹈　dǎo
1580 到家　dàojiā
1581 倒挂　dàoguà
1582 倒立　dàolì
1583 倒数　dàoshǔ
1584 倒数　dàoshù
1585 倒退　dàotuì
1586 倒影　dàoyǐng
1587 倒置　dàozhì
1588 倒转　dàozhuǎn
1589 倒转　dàozhuàn
1590 盗　dào
1591 盗贼　dàozéi
1592 悼念　dàoniàn
1593 道家　Dàojiā
1594 道具　dàojù
1595 道歉　dàoqiàn
1596 道士　dàoshi
1597 道喜　dàoxǐ
1598 道谢　dàoxiè
1599 道义　dàoyì
1600 稻草　dàocǎo
1601 稻子　dàozi
1602 得逞　déchěng
1603 得当　dédàng
1604 得分　défēn
1605 得救　déjiù
1606 得力　délì
1607 得失　déshī
1608 得体　détǐ
1609 得天独厚　détiān-dúhòu
1610 得心应手　déxīn-yìngshǒu

1611 得罪 dé·zuì
1612 灯火 dēnghuǒ
1613 灯笼 dēnglong
1614 灯塔 dēngtǎ
1615 登场 dēngcháng
1616 登场 dēngchǎng
1617 登高 dēnggāo
1618 登陆 dēnglù
1619 登门 dēngmén
1620 登山 dēngshān
1621 登台 dēngtái
1622 登载 dēngzǎi
1623 等号 děnghào
1624 等价 děngjià
1625 等式 děngshì
1626 等同 děngtóng
1627 凳 dèng
1628 凳子 dèngzi
1629 澄 dèng
1630 瞪眼 dèngyǎn
1631 低层 dīcéng
1632 低潮 dīcháo
1633 低沉 dīchén
1634 低估 dīgū
1635 低空 dīkōng
1636 低廉 dīlián
1637 低劣 dīliè
1638 低落 dīluò
1639 低能 dīnéng
1640 低洼 dīwā
1641 低微 dīwēi
1642 低压 dīyā
1643 堤 dī
1644 堤坝 dībà
1645 提防 dīfang
1646 滴灌 dīguàn
1647 敌国 díguó
1648 敌后 díhòu
1649 敌寇 díkòu
1650 敌情 díqíng
1651 敌视 díshì
1652 敌意 díyì
1653 涤纶 dílún
1654 笛 dí
1655 笛子 dízi
1656 嫡 dí
1657 诋毁 dǐhuǐ
1658 抵偿 dǐcháng
1659 抵触 dǐchù
1660 抵达 dǐdá
1661 抵挡 dǐdǎng
1662 抵消 dǐxiāo
1663 抵押 dǐyā
1664 抵御 dǐyù
1665 底片 dǐpiàn
1666 底细 dǐ·xì
1667 底子 dǐzi
1668 地产 dìchǎn
1669 地磁 dìcí
1670 地道 dìdào
1671 地道 dìdao
1672 地段 dìduàn
1673 地核 dìhé
1674 地基 dìjī
1675 地窖 dìjiào
1676 地雷 dìléi
1677 地力 dìlì
1678 地幔 dìmàn
1679 地盘 dìpán
1680 地皮 dìpí
1681 地平线 dìpíngxiàn
1682 地热 dìrè
1683 地毯 dìtǎn
1684 地下室 dìxiàshì
1685 地衣 dìyī
1686 地狱 dìyù
1687 地址 dìzhǐ
1688 弟妹 dìmèi
1689 帝王 dìwáng
1690 帝制 dìzhì
1691 递减 dìjiǎn
1692 递增 dìzēng
1693 谛听 dìtīng
1694 蒂 dì
1695 缔 dì
1696 缔结 dìjié
1697 缔约 dìyuē
1698 掂 diān
1699 滇 Diān
1700 颠 diān
1701 颠簸 diānbǒ
1702 颠倒 diāndǎo
1703 颠覆 diānfù
1704 巅 diān
1705 典 diǎn
1706 典范 diǎnfàn
1707 典故 diǎngù
1708 典籍 diǎnjí
1709 典礼 diǎnlǐ
1710 典雅 diǎnyǎ
1711 点滴 diǎndī
1712 点火 diǎnhuǒ
1713 点名 diǎnmíng
1714 点心 diǎnxin
1715 点缀 diǎn·zhuì
1716 电表 diànbiǎo
1717 电波 diànbō
1718 电车 diànchē
1719 电磁场 diàncíchǎng
1720 电镀 diàndù
1721 电工 diàngōng

1722 电光 diànguāng
1723 电焊 diànhàn
1724 电机 diànjī
1725 电极 diànjí
1726 电解 diànjiě
1727 电解质 diànjiězhì
1728 电缆 diànlǎn
1729 电铃 diànlíng
1730 电炉 diànlú
1731 电气 diànqì
1732 电气化 diànqìhuà
1733 电扇 diànshàn
1734 电梯 diàntī
1735 电筒 diàntǒng
1736 电网 diànwǎng
1737 电文 diànwén
1738 电信 diànxìn
1739 电讯 diànxùn
1740 电影院 diànyǐngyuàn
1741 佃 diàn
1742 店铺 diànpù
1743 店堂 diàntáng
1744 店员 diànyuán
1745 垫圈 diànquān
1746 惦记 diàn•jì
1747 惦念 diànniàn
1748 奠 diàn
1749 奠基 diànjī
1750 殿 diàn
1751 殿堂 diàntáng
1752 殿下 diànxià
1753 刁 diāo
1754 刁难 diāonàn
1755 叼 diāo
1756 貂 diāo
1757 碉堡 diāobǎo
1758 雕琢 diāozhuó
1759 吊环 diàohuán
1760 钓 diào
1761 钓竿 diàogān
1762 调度 diàodù
1763 调换 diàohuàn
1764 调集 diàojí
1765 调配 diàopèi
1766 调遣 diàoqiǎn
1767 调运 diàoyùn
1768 调子 diàozi
1769 掉队 diàoduì
1770 掉头 diàotóu
1771 跌落 diēluò
1772 碟 dié
1773 蝶 dié
1774 叮 dīng
1775 叮咛 dīngníng
1776 叮嘱 dīngzhǔ
1777 钉子 dīngzi
1778 顶峰 dǐngfēng
1779 顶替 dǐngtì
1780 鼎 dǐng
1781 鼎盛 dǐngshèng
1782 订购 dìnggòu
1783 订婚 dìnghūn
1784 订立 dìnglì
1785 订阅 dìngyuè
1786 订正 dìngzhèng
1787 定点 dìngdiǎn
1788 定都 dìngdū
1789 定购 dìnggòu
1790 定价 dìngjià
1791 定居 dìngjū
1792 定论 dìnglùn
1793 定名 dìngmíng
1794 定神 dìngshén
1795 定时 dìngshí
1796 定位 dìngwèi
1797 定性 dìngxìng
1798 定语 dìngyǔ
1799 定员 dìngyuán
1800 定罪 dìngzuì
1801 锭 dìng
1802 丢掉 diūdiào
1803 丢脸 diūliǎn
1804 丢人 diūrén
1805 丢失 diūshī
1806 东边 dōng•biān
1807 东道主 dōngdàozhǔ
1808 东风 dōngfēng
1809 东家 dōngjia
1810 东经 dōngjīng
1811 东正教 Dōngzhèngjiào
1812 冬眠 dōngmián
1813 冬至 dōngzhì
1814 董 dǒng
1815 董事 dǒngshì
1816 董事会 dǒngshìhuì
1817 懂事 dǒngshì
1818 动产 dòngchǎn
1819 动荡 dòngdàng
1820 动工 dònggōng
1821 动画片 dònghuàpiàn
1822 动乱 dòngluàn
1823 动情 dòngqíng
1824 动身 dòngshēn
1825 动弹 dòngtan
1826 动听 dòngtīng
1827 动物园 dòngwùyuán
1828 动向 dòngxiàng
1829 动心 dòngxīn
1830 动用 dòngyòng

1831 动辄 dòngzhé
1832 冻疮 dòngchuāng
1833 冻结 dòngjié
1834 栋 dòng
1835 洞察 dòngchá
1836 洞房 dòngfáng
1837 洞穴 dòngxué
1838 斗笠 dǒulì
1839 抖动 dǒudòng
1840 抖擞 dǒusǒu
1841 陡 dǒu
1842 陡坡 dǒupō
1843 陡峭 dǒuqiào
1844 陡然 dǒurán
1845 斗志 dòuzhì
1846 豆浆 dòujiāng
1847 豆芽儿 dòuyár
1848 豆子 dòuzi
1849 逗乐儿 dòulèr
1850 逗留 dòuliú
1851 痘 dòu
1852 窦 dòu
1853 都城 dūchéng
1854 督 dū
1855 督办 dūbàn
1856 督促 dūcù
1857 督军 dūjūn
1858 嘟囔 dūnang
1859 毒草 dúcǎo
1860 毒打 dúdǎ
1861 毒害 dúhài
1862 毒剂 dújì
1863 毒品 dúpǐn
1864 毒气 dúqì
1865 毒蛇 dúshé
1866 毒物 dúwù
1867 毒药 dúyào
1868 独霸 dúbà
1869 独白 dúbái
1870 独裁 dúcái
1871 独唱 dúchàng
1872 独创 dúchuàng
1873 独到 dúdào
1874 独断 dúduàn
1875 独家 dújiā
1876 独身 dúshēn
1877 独舞 dúwǔ
1878 独一无二 dúyī-wú'èr
1879 独奏 dúzòu
1880 读数 dúshù
1881 读物 dúwù
1882 读音 dúyīn
1883 犊 dú
1884 笃信 dǔxìn
1885 堵截 dǔjié
1886 堵塞 dǔsè
1887 赌 dǔ
1888 赌博 dǔbó
1889 赌气 dǔqì
1890 睹 dǔ
1891 杜鹃 dùjuān
1892 杜绝 dùjué
1893 妒忌 dùjì
1894 度量 dùliàng
1895 度日 dùrì
1896 渡船 dùchuán
1897 渡口 dùkǒu
1898 镀 dù
1899 端午 Duānwǔ
1900 端详 duānxiáng
1901 端庄 duānzhuāng
1902 短波 duǎnbō
1903 短处 duǎn•chù
1904 短促 duǎncù
1905 短工 duǎngōng
1906 短路 duǎnlù
1907 短跑 duǎnpǎo
1908 短缺 duǎnquē
1909 短线 duǎnxiàn
1910 短小 duǎnxiǎo
1911 短语 duǎnyǔ
1912 段落 duànluò
1913 断层 duàncéng
1914 断绝 duànjué
1915 断然 duànrán
1916 断送 duànsòng
1917 断言 duànyán
1918 缎 duàn
1919 缎子 duànzi
1920 煅 duàn
1921 锻 duàn
1922 堆放 duīfàng
1923 堆砌 duīqì
1924 队列 duìliè
1925 对岸 duì'àn
1926 对策 duìcè
1927 对答 duìdá
1928 对等 duìděng
1929 对接 duìjiē
1930 对口 duìkǒu
1931 对联 duìlián
1932 对路 duìlù
1933 对门 duìmén
1934 对偶 duì'ǒu
1935 对数 duìshù
1936 对头 duìtou
1937 对虾 duìxiā
1938 对峙 duìzhì
1939 兑 duì
1940 兑换 duìhuàn

1941 兑现 duìxiàn
1942 敦促 dūncù
1943 墩 dūn
1944 囤 dùn
1945 炖 dùn
1946 钝 dùn
1947 盾 dùn
1948 顿悟 dùnwù
1949 多寡 duōguǎ
1950 多亏 duōkuī
1951 多情 duōqíng
1952 多事 duōshì
1953 多谢 duōxiè
1954 多嘴 duōzuǐ
1955 夺目 duómù
1956 踱 duó
1957 垛 duǒ
1958 躲避 duǒbì
1959 躲藏 duǒcáng
1960 躲闪 duǒshǎn
1961 剁 duò
1962 垛 duò
1963 舵 duò
1964 堕 duò
1965 堕落 duòluò
1966 惰性 duòxìng
1967 跺 duò
1968 跺脚 duòjiǎo
1969 鹅卵石 éluǎnshí
1970 蛾子 ézi
1971 额定 édìng
1972 额角 éjiǎo
1973 额头 étóu
1974 额外 éwài
1975 厄运 èyùn
1976 扼 è
1977 扼杀 èshā
1978 扼要 èyào
1979 恶霸 èbà
1980 恶臭 èchòu
1981 恶毒 èdú
1982 恶棍 ègùn
1983 恶果 èguǒ
1984 恶魔 èmó
1985 恶人 èrén
1986 恶习 èxí
1987 恶性 èxìng
1988 恶意 èyì
1989 恶作剧 èzuòjù
1990 鄂 È
1991 萼片 èpiàn
1992 遏止 èzhǐ
1993 遏制 èzhì
1994 愕然 èrán
1995 腭 è
1996 恩赐 ēncì
1997 恩情 ēnqíng
1998 恩人 ēnrén
1999 儿科 érkē
2000 儿孙 érsūn
2001 儿戏 érxì
2002 而今 érjīn
2003 尔后 ěrhòu
2004 耳光 ěrguāng
2005 耳环 ěrhuán
2006 耳机 ěrjī
2007 耳鸣 ěrmíng
2008 耳目 ěrmù
2009 耳语 ěryǔ
2010 饵 ěr
2011 二胡 èrhú
2012 发报 fābào
2013 发财 fācái
2014 发愁 fāchóu
2015 发呆 fādāi
2016 发放 fāfàng
2017 发疯 fāfēng
2018 发还 fāhuán
2019 发火 fāhuǒ
2020 发酵 fājiào
2021 发狂 fākuáng
2022 发愣 fālèng
2023 发毛 fāmáo
2024 发霉 fāméi
2025 发怒 fānù
2026 发配 fāpèi
2027 发票 fāpiào
2028 发情 fāqíng
2029 发球 fāqiú
2030 发散 fāsàn
2031 发烧 fāshāo
2032 发誓 fāshì
2033 发售 fāshòu
2034 发送 fāsòng
2035 发文 fāwén
2036 发问 fāwèn
2037 发笑 fāxiào
2038 发泄 fāxiè
2039 发言人 fāyánrén
2040 发源 fāyuán
2041 乏 fá
2042 乏力 fálì
2043 乏味 fáwèi
2044 伐 fá
2045 伐木 fámù
2046 罚金 fájīn
2047 阀 fá
2048 筏 fá
2049 法案 fǎ'àn
2050 法宝 fǎbǎo
2051 法典 fǎdiǎn

2052 法纪 fǎjì
2053 法权 fǎquán
2054 法师 fǎshī
2055 法术 fǎshù
2056 法医 fǎyī
2057 法治 fǎzhì
2058 发型 fàxíng
2059 帆 fān
2060 帆布 fānbù
2061 帆船 fānchuán
2062 番茄 fānqié
2063 藩镇 fānzhèn
2064 翻案 fān'àn
2065 翻动 fāndòng
2066 翻滚 fāngǔn
2067 翻腾 fān·téng
2068 翻阅 fānyuè
2069 凡人 fánrén
2070 凡事 fánshì
2071 烦 fán
2072 烦闷 fánmèn
2073 烦躁 fánzào
2074 繁复 fánfù
2075 繁华 fánhuá
2076 繁忙 fánmáng
2077 繁茂 fánmào
2078 繁盛 fánshèng
2079 繁琐 fánsuǒ
2080 繁星 fánxīng
2081 繁衍 fányǎn
2082 繁育 fányù
2083 繁杂 fánzá
2084 反比 fǎnbǐ
2085 反驳 fǎnbó
2086 反常 fǎncháng
2087 反刍 fǎnchú
2088 反倒 fǎndào
2089 反感 fǎngǎn
2090 反攻 fǎngōng
2091 反光 fǎnguāng
2092 反击 fǎnjī
2093 反叛 fǎnpàn
2094 反扑 fǎnpū
2095 反思 fǎnsī
2096 反问 fǎnwèn
2097 反响 fǎnxiǎng
2098 反省 fǎnxǐng
2099 反义词 fǎnyìcí
2100 反证 fǎnzhèng
2101 返航 fǎnháng
2102 返还 fǎnhuán
2103 返青 fǎnqīng
2104 犯法 fànfǎ
2105 犯人 fànrén
2106 饭菜 fàncài
2107 饭馆儿 fànguǎnr
2108 饭盒 fànhé
2109 饭厅 fàntīng
2110 饭碗 fànwǎn
2111 饭桌 fànzhuō
2112 泛滥 fànlàn
2113 范例 fànlì
2114 贩 fàn
2115 贩卖 fànmài
2116 贩运 fànyùn
2117 贩子 fànzi
2118 梵文 fànwén
2119 方剂 fāngjì
2120 方略 fānglüè
2121 方位 fāngwèi
2122 方向盘 fāngxiàngpán
2123 方兴未艾 fāngxīng-wèi'ài
2124 方圆 fāngyuán
2125 方桌 fāngzhuō
2126 芳香 fāngxiāng
2127 防备 fángbèi
2128 防毒 fángdú
2129 防范 fángfàn
2130 防寒 fánghán
2131 防洪 fánghóng
2132 防护 fánghù
2133 防护林 fánghùlín
2134 防空 fángkōng
2135 防守 fángshǒu
2136 防卫 fángwèi
2137 防务 fángwù
2138 防线 fángxiàn
2139 防汛 fángxùn
2140 防疫 fángyì
2141 妨害 fánghài
2142 房产 fángchǎn
2143 房东 fángdōng
2144 房租 fángzū
2145 仿 fǎng
2146 仿效 fǎngxiào
2147 仿照 fǎngzhào
2148 仿制 fǎngzhì
2149 纺 fǎng
2150 纺织品 fǎngzhīpǐn
2151 放大镜 fàngdàjìng
2152 放电 fàngdiàn
2153 放火 fànghuǒ
2154 放假 fàngjià
2155 放宽 fàngkuān
2156 放牧 fàngmù
2157 放炮 fàngpào
2158 放任 fàngrèn
2159 放哨 fàngshào
2160 放射线 fàngshèxiàn

2161 放声 fàngshēng
2162 放手 fàngshǒu
2163 放肆 fàngsì
2164 放行 fàngxíng
2165 放学 fàngxué
2166 放眼 fàngyǎn
2167 放养 fàngyǎng
2168 放映 fàngyìng
2169 放置 fàngzhì
2170 放纵 fàngzòng
2171 飞驰 fēichí
2172 飞碟 fēidié
2173 飞溅 fēijiàn
2174 飞禽 fēiqín
2175 飞速 fēisù
2176 飞腾 fēiténg
2177 飞天 fēitiān
2178 飞艇 fēitǐng
2179 飞舞 fēiwǔ
2180 飞行器 fēixíngqì
2181 飞行员 fēixíngyuán
2182 飞扬 fēiyáng
2183 飞越 fēiyuè
2184 飞涨 fēizhǎng
2185 妃 fēi
2186 非得 fēiděi
2187 非凡 fēifán
2188 非难 fēinàn
2189 非同小可 fēitóngxiǎokě
2190 非议 fēiyì
2191 绯红 fēihóng
2192 肥大 féidà
2193 肥厚 féihòu
2194 肥力 féilì
2195 肥胖 féipàng
2196 肥水 féishuǐ
2197 肥沃 féiwò
2198 肥效 féixiào
2199 肥皂 féizào
2200 匪帮 fěibāng
2201 匪徒 fěitú
2202 诽谤 fěibàng
2203 翡翠 fěicuì
2204 吠 fèi
2205 肺病 fèibìng
2206 肺活量 fèihuóliàng
2207 肺结核 fèijiéhé
2208 肺炎 fèiyán
2209 废话 fèihuà
2210 废旧 fèijiù
2211 废料 fèiliào
2212 废品 fèipǐn
2213 废气 fèiqì
2214 废弃 fèiqì
2215 废水 fèishuǐ
2216 废物 fèiwù
2217 废物 fèiwu
2218 废渣 fèizhā
2219 废止 fèizhǐ
2220 沸 fèi
2221 沸点 fèidiǎn
2222 沸水 fèishuǐ
2223 费解 fèijiě
2224 费劲 fèijìn
2225 费力 fèilì
2226 分辩 fēnbiàn
2227 分兵 fēnbīng
2228 分寸 fēn•cùn
2229 分担 fēndān
2230 分队 fēnduì
2231 分发 fēnfā
2232 分隔 fēngé
2233 分管 fēnguǎn
2234 分红 fēnhóng
2235 分家 fēnjiā
2236 分居 fēnjū
2237 分流 fēnliú
2238 分娩 fēnmiǎn
2239 分蘖 fēnniè
2240 分派 fēnpài
2241 分清 fēnqīng
2242 分手 fēnshǒu
2243 分数 fēnshù
2244 分水岭 fēnshuǐlǐng
2245 分摊 fēntān
2246 分头 fēntóu
2247 分享 fēnxiǎng
2248 芬芳 fēnfāng
2249 纷繁 fēnfán
2250 纷飞 fēnfēi
2251 纷乱 fēnluàn
2252 纷纭 fēnyún
2253 纷争 fēnzhēng
2254 氛围 fēnwéi
2255 酚 fēn
2256 坟 fén
2257 坟地 féndì
2258 坟墓 fénmù
2259 坟头 féntóu
2260 焚 fén
2261 焚毁 fénhuǐ
2262 焚烧 fénshāo
2263 粉笔 fěnbǐ
2264 粉尘 fěnchén
2265 粉刺 fěncì
2266 粉红 fěnhóng
2267 粉剂 fěnjì
2268 粉饰 fěnshì
2269 分外 fènwài
2270 份额 fèn'é

2271 份儿 fènr
2272 份子 fènzi
2273 奋不顾身 fènbùgùshēn
2274 奋发 fènfā
2275 奋力 fènlì
2276 奋起 fènqǐ
2277 奋勇 fènyǒng
2278 奋战 fènzhàn
2279 粪便 fènbiàn
2280 愤 fèn
2281 愤恨 fènhèn
2282 愤慨 fènkǎi
2283 愤然 fènrán
2284 丰产 fēngchǎn
2285 丰厚 fēnghòu
2286 丰满 fēngmǎn
2287 丰年 fēngnián
2288 丰盛 fēngshèng
2289 丰硕 fēngshuò
2290 丰腴 fēngyú
2291 风波 fēngbō
2292 风采 fēngcǎi
2293 风潮 fēngcháo
2294 风车 fēngchē
2295 风驰电掣 fēngchí-diànchè
2296 风度 fēngdù
2297 风帆 fēngfān
2298 风寒 fēnghán
2299 风化 fēnghuà
2300 风浪 fēnglàng
2301 风流 fēngliú
2302 风貌 fēngmào
2303 风靡 fēngmǐ
2304 风起云涌 fēngqǐ-yúnyǒng
2305 风情 fēngqíng
2306 风趣 fēngqù
2307 风沙 fēngshā
2308 风尚 fēngshàng
2309 风声 fēngshēng
2310 风水 fēng•shuǐ
2311 风味 fēngwèi
2312 风箱 fēngxiāng
2313 风向 fēngxiàng
2314 风行 fēngxíng
2315 风雅 fēngyǎ
2316 风云 fēngyún
2317 风韵 fēngyùn
2318 风筝 fēngzheng
2319 风姿 fēngzī
2320 枫 fēng
2321 封面 fēngmiàn
2322 疯 fēng
2323 疯子 fēngzi
2324 峰峦 fēngluán
2325 烽火 fēnghuǒ
2326 锋利 fēnglì
2327 锋芒 fēngmáng
2328 蜂巢 fēngcháo
2329 蜂房 fēngfáng
2330 蜂蜜 fēngmì
2331 蜂王 fēngwáng
2332 蜂窝 fēngwō
2333 逢 féng
2334 缝合 féinghé
2335 缝纫 féngrèn
2336 讽 fěng
2337 凤 fèng
2338 凤凰 fèng•huáng
2339 奉命 fèngmìng
2340 奉行 fèngxíng
2341 缝隙 fèngxì
2342 佛典 fódiǎn
2343 佛法 fófǎ
2344 佛经 fójīng
2345 佛寺 fósì
2346 佛像 fóxiàng
2347 佛学 fóxué
2348 否决 fǒujué
2349 夫子 fūzǐ
2350 肤浅 fūqiǎn
2351 肤色 fūsè
2352 孵 fū
2353 敷 fū
2354 敷衍 fūyǎn
2355 弗 fú
2356 伏击 fújī
2357 伏贴 fútiē
2358 芙蓉 fúróng
2359 扶持 fúchí
2360 扶贫 fúpín
2361 扶桑 fúsāng
2362 扶手 fú•shǒu
2363 扶养 fúyǎng
2364 扶植 fúzhí
2365 扶助 fúzhù
2366 拂 fú
2367 拂晓 fúxiǎo
2368 服侍 fú•shì
2369 服饰 fúshì
2370 服药 fúyào
2371 服役 fúyì
2372 氟 fú
2373 俘 fú
2374 俘获 fúhuò
2375 浮雕 fúdiāo
2376 浮力 fúlì
2377 浮现 fúxiàn
2378 浮云 fúyún

2379 浮肿 fúzhǒng
2380 符 fú
2381 辐 fú
2382 福气 fúqi
2383 福音 fúyīn
2384 甫 fǔ
2385 抚 fǔ
2386 抚摩 fǔmó
2387 抚慰 fǔwèi
2388 抚养 fǔyǎng
2389 抚育 fǔyù
2390 斧头 fǔ•tóu
2391 斧子 fǔzi
2392 俯 fǔ
2393 俯冲 fǔchōng
2394 俯瞰 fǔkàn
2395 俯视 fǔshì
2396 俯首 fǔshǒu
2397 辅 fǔ
2398 辅导 fǔdǎo
2399 腐化 fǔhuà
2400 腐烂 fǔlàn
2401 父辈 fùbèi
2402 父老 fùlǎo
2403 负电 fùdiàn
2404 负荷 fùhè
2405 负极 fùjí
2406 负离子 fùlízǐ
2407 负伤 fùshāng
2408 负载 fùzài
2409 负债 fùzhài
2410 负重 fùzhòng
2411 妇科 fùkē
2412 附带 fùdài
2413 附和 fùhè
2414 附件 fùjiàn
2415 附录 fùlù
2416 附设 fùshè
2417 附属 fùshǔ
2418 附庸 fùyōng
2419 复查 fùchá
2420 复仇 fùchóu
2421 复发 fùfā
2422 复古 fùgǔ
2423 复核 fùhé
2424 复活 fùhuó
2425 复述 fùshù
2426 复苏 fùsū
2427 复习 fùxí
2428 复兴 fùxīng
2429 复眼 fùyǎn
2430 复议 fùyì
2431 复员 fùyuán
2432 复原 fùyuán
2433 副本 fùběn
2434 副词 fùcí
2435 副官 fùguān
2436 副刊 fùkān
2437 副食 fùshí
2438 副作用 fùzuòyòng
2439 赋税 fùshuì
2440 富贵 fùguì
2441 富丽 fùlì
2442 富强 fùqiáng
2443 富饶 fùráo
2444 富庶 fùshù
2445 富翁 fùwēng
2446 富足 fùzú
2447 腹地 fùdì
2448 腹膜 fùmó
2449 腹腔 fùqiāng
2450 腹泻 fùxiè
2451 缚 fù
2452 覆 fù
2453 覆灭 fùmiè
2454 改道 gǎidào
2455 改动 gǎidòng
2456 改观 gǎiguān
2457 改行 gǎiháng
2458 改换 gǎihuàn
2459 改悔 gǎihuǐ
2460 改嫁 gǎijià
2461 改建 gǎijiàn
2462 改口 gǎikǒu
2463 改写 gǎixiě
2464 改选 gǎixuǎn
2465 改制 gǎizhì
2466 改装 gǎizhuāng
2467 盖子 gàizi
2468 概 gài
2469 概况 gàikuàng
2470 概论 gàilùn
2471 概述 gàishù
2472 干杯 gānbēi
2473 干瘪 gānbiě
2474 干冰 gānbīng
2475 干草 gāncǎo
2476 干涸 gānhé
2477 干枯 gānkū
2478 干粮 gān•liáng
2479 甘 gān
2480 甘草 gāncǎo
2481 甘露 gānlù
2482 甘薯 gānshǔ
2483 甘愿 gānyuàn
2484 甘蔗 gānzhe
2485 杆子 gānzi
2486 坩埚 gānguō
2487 柑 gān
2488 柑橘 gānjú
2489 竿 gān

2490 杆菌 gǎnjūn
2491 杆子 gǎnzi
2492 秆 gǎn
2493 赶场 gǎnchǎng
2494 赶车 gǎnchē
2495 赶集 gǎnjí
2496 赶路 gǎnlù
2497 感触 gǎnchù
2498 感光 gǎnguāng
2499 感化 gǎnhuà
2500 感冒 gǎnmào
2501 感人 gǎnrén
2502 感伤 gǎnshāng
2503 感叹 gǎntàn
2504 感想 gǎnxiǎng
2505 橄榄 gǎnlǎn
2506 擀 gǎn
2507 干劲 gànjìn
2508 干流 gànliú
2509 干事 gànshi
2510 干线 gànxiàn
2511 赣 Gàn
2512 刚好 gānghǎo
2513 刚健 gāngjiàn
2514 刚劲 gāngjìng
2515 刚强 gāngqiáng
2516 肛门 gāngmén
2517 纲要 gāngyào
2518 钢板 gāngbǎn
2519 钢笔 gāngbǐ
2520 钢材 gāngcái
2521 钢筋 gāngjīn
2522 钢盔 gāngkuī
2523 缸 gāng
2524 岗 gǎng
2525 港币 gǎngbì
2526 港湾 gǎngwān
2527 杠 gàng
2528 杠杆 gànggǎn
2529 杠子 gàngzi
2530 高昂 gāo'áng
2531 高傲 gāo'ào
2532 高倍 gāobèi
2533 高层 gāocéng
2534 高超 gāochāo
2535 高档 gāodàng
2536 高贵 gāoguì
2537 高寒 gāohán
2538 高价 gāojià
2539 高举 gāojǔ
2540 高亢 gāokàng
2541 高考 gāokǎo
2542 高粱 gāoliang
2543 高龄 gāolíng
2544 高明 gāomíng
2545 高能 gāonéng
2546 高强 gāoqiáng
2547 高热 gāorè
2548 高烧 gāoshāo
2549 高深 gāoshēn
2550 高手 gāoshǒu
2551 高耸 gāosǒng
2552 高下 gāoxià
2553 高效 gāoxiào
2554 高血压 gāoxuèyā
2555 高雅 gāoyǎ
2556 羔 gāo
2557 羔皮 gāopí
2558 羔羊 gāoyáng
2559 膏 gāo
2560 膏药 gāoyao
2561 篙 gāo
2562 糕 gāo
2563 糕点 gāodiǎn
2564 镐 gǎo
2565 稿费 gǎofèi
2566 稿件 gǎojiàn
2567 稿纸 gǎozhǐ
2568 稿子 gǎozi
2569 告辞 gàocí
2570 告发 gàofā
2571 告急 gàojí
2572 告诫 gàojiè
2573 告示 gào•shì
2574 告知 gàozhī
2575 告终 gàozhōng
2576 告状 gàozhuàng
2577 膏 gào
2578 戈壁 gēbì
2579 哥们儿 gēmenr
2580 搁置 gēzhì
2581 割断 gēduàn
2582 割据 gējù
2583 割裂 gēliè
2584 割让 gēràng
2585 歌词 gēcí
2586 歌喉 gēhóu
2587 歌手 gēshǒu
2588 歌星 gēxīng
2589 歌咏 gēyǒng
2590 革 gé
2591 革除 géchú
2592 阁 gé
2593 阁楼 gélóu
2594 阁下 géxià
2595 格调 gédiào
2596 格局 géjú
2597 格律 gélǜ
2598 格式 gé•shì
2599 格言 géyán
2600 格子 gézi

2601 隔断　géduàn
2602 隔阂　géhé
2603 隔绝　géjué
2604 隔膜　gémó
2605 膈　gé
2606 葛　Gě
2607 个子　gèzi
2608 各别　gèbié
2609 根除　gēnchú
2610 根基　gēnjī
2611 根深蒂固　gēnshēn-dìgù
2612 根治　gēnzhì
2613 根子　gēnzi
2614 跟头　gēntou
2615 跟踪　gēnzōng
2616 更改　gēnggǎi
2617 更换　gēnghuàn
2618 更替　gēngtì
2619 更正　gēngzhèng
2620 庚　gēng
2621 耕耘　gēngyún
2622 耕种　gēngzhòng
2623 羹　gēng
2624 埂　gěng
2625 耿　gěng
2626 哽咽　gěngyè
2627 梗　gěng
2628 工段　gōngduàn
2629 工分　gōngfēn
2630 工匠　gōngjiàng
2631 工矿　gōngkuàng
2632 工龄　gōnglíng
2633 工期　gōngqī
2634 工钱　gōng·qián
2635 工时　gōngshí
2636 工事　gōngshì
2637 工头　gōngtóu
2638 工效　gōngxiào
2639 工序　gōngxù
2640 工艺品　gōngyìpǐn
2641 工友　gōngyǒu
2642 工种　gōngzhǒng
2643 工作日　gōngzuòrì
2644 弓子　gōngzi
2645 公案　gōng'àn
2646 公报　gōngbào
2647 公差　gōngchāi
2648 公道　gōng·dào
2649 公法　gōngfǎ
2650 公费　gōngfèi
2651 公告　gōnggào
2652 公关　gōngguān
2653 公馆　gōngguǎn
2654 公海　gōnghǎi
2655 公害　gōnghài
2656 公函　gōnghán
2657 公会　gōnghuì
2658 公积金　gōngjījīn
2659 公家　gōng·jiā
2660 公款　gōngkuǎn
2661 公墓　gōngmù
2662 公婆　gōngpó
2663 公仆　gōngpú
2664 公然　gōngrán
2665 公使　gōngshǐ
2666 公事　gōngshì
2667 公私　gōngsī
2668 公诉　gōngsù
2669 公文　gōngwén
2670 公务　gōngwù
2671 公务员　gōngwùyuán
2672 公益　gōngyì
2673 公用　gōngyòng
2674 公寓　gōngyù
2675 公约　gōngyuē
2676 公债　gōngzhài
2677 公证　gōngzhèng
2678 公职　gōngzhí
2679 公众　gōngzhòng
2680 公转　gōngzhuàn
2681 公子　gōngzǐ
2682 功臣　gōngchén
2683 功德　gōngdé
2684 功绩　gōngjì
2685 功劳　gōng·láo
2686 功力　gōnglì
2687 功利　gōnglì
2688 功名　gōngmíng
2689 功效　gōngxiào
2690 功勋　gōngxūn
2691 功用　gōngyòng
2692 攻打　gōngdǎ
2693 攻读　gōngdú
2694 攻关　gōngguān
2695 攻克　gōngkè
2696 攻破　gōngpò
2697 攻势　gōngshì
2698 攻陷　gōngxiàn
2699 攻占　gōngzhàn
2700 供销　gōngxiāo
2701 供需　gōngxū
2702 供养　gōngyǎng
2703 宫殿　gōngdiàn
2704 宫女　gōngnǚ
2705 恭敬　gōngjìng
2706 恭维　gōng·wéi
2707 恭喜　gōngxǐ
2708 躬　gōng
2709 龚　Gōng
2710 拱桥　gǒngqiáo

2711 拱手 gǒngshǒu
2712 共存 gòngcún
2713 共和 gònghé
2714 共计 gòngjì
2715 共生 gòngshēng
2716 共事 gòngshì
2717 共通 gòngtōng
2718 共性 gòngxìng
2719 共振 gòngzhèn
2720 贡 gòng
2721 供奉 gòngfèng
2722 供养 gòngyǎng
2723 勾 gōu
2724 勾画 gōuhuà
2725 勾勒 gōulè
2726 勾引 gōuyǐn
2727 沟谷 gōugǔ
2728 沟渠 gōuqú
2729 钩子 gōuzi
2730 篝火 gōuhuǒ
2731 苟且 gǒuqiě
2732 狗熊 gǒuxióng
2733 勾当 gòu•dàng
2734 构件 gòujiàn
2735 构图 gòutú
2736 构想 gòuxiǎng
2737 构筑 gòuzhù
2738 购置 gòuzhì
2739 垢 gòu
2740 估 gū
2741 估价 gūjià
2742 估量 gū•liáng
2743 估算 gūsuàn
2744 姑姑 gūgu
2745 姑且 gūqiě
2746 姑息 gūxī
2747 孤 gū
2748 孤单 gūdān
2749 孤儿 gū'ér
2750 孤寂 gūjì
2751 孤军 gūjūn
2752 孤僻 gūpì
2753 辜负 gūfù
2754 古董 gǔdǒng
2755 古怪 gǔguài
2756 古籍 gǔjí
2757 古迹 gǔjì
2758 古兰经 Gǔlánjīng
2759 古朴 gǔpǔ
2760 古书 gǔshū
2761 古文 gǔwén
2762 古音 gǔyīn
2763 谷地 gǔdì
2764 谷物 gǔwù
2765 谷子 gǔzi
2766 股东 gǔdōng
2767 股份 gǔfèn
2768 股金 gǔjīn
2769 股息 gǔxī
2770 骨灰 gǔhuī
2771 骨架 gǔjià
2772 骨盆 gǔpén
2773 骨气 gǔqì
2774 骨肉 gǔròu
2775 骨髓 gǔsuǐ
2776 骨折 gǔzhé
2777 鼓动 gǔdòng
2778 鼓膜 gǔmó
2779 鼓掌 gǔzhǎng
2780 固守 gùshǒu
2781 固态 gùtài
2782 故此 gùcǐ
2783 故而 gù'ér
2784 故宫 gùgōng
2785 故国 gùguó
2786 故土 gùtǔ
2787 故障 gùzhàng
2788 顾及 gùjí
2789 顾忌 gùjì
2790 顾名思义 gùmíng-sīyì
2791 顾盼 gùpàn
2792 雇工 gùgōng
2793 雇佣 gùyōng
2794 雇用 gùyòng
2795 雇员 gùyuán
2796 雇主 gùzhǔ
2797 瓜分 guāfēn
2798 瓜子 guāzǐ
2799 寡 guǎ
2800 卦 guà
2801 挂钩 guàgōu
2802 挂念 guàniàn
2803 挂帅 guàshuài
2804 褂子 guàzi
2805 乖 guāi
2806 拐棍 guǎigùn
2807 拐弯 guǎiwān
2808 拐杖 guǎizhàng
2809 怪事 guàishì
2810 怪异 guàiyì
2811 关口 guānkǒu
2812 关门 guānmén
2813 关卡 guānqiǎ
2814 关切 guānqiè
2815 关税 guānshuì
2816 关头 guāntóu
2817 关押 guānyā
2818 关照 guānzhào
2819 观光 guānguāng
2820 观摩 guānmó

2821 观赏 guānshǎng
2822 观望 guānwàng
2823 官办 guānbàn
2824 官场 guānchǎng
2825 官方 guānfāng
2826 官府 guānfǔ
2827 官司 guānsi
2828 官职 guānzhí
2829 管家 guǎnjiā
2830 管教 guǎnjiào
2831 管事 guǎnshì
2832 管弦乐 guǎnxiányuè
2833 管用 guǎnyòng
2834 管制 guǎnzhì
2835 贯通 guàntōng
2836 惯例 guànlì
2837 惯用 guànyòng
2838 灌木 guànmù
2839 灌区 guànqū
2840 灌输 guànshū
2841 灌注 guànzhù
2842 罐 guàn
2843 罐头 guàntou
2844 罐子 guànzi
2845 光波 guāngbō
2846 光度 guāngdù
2847 光复 guāngfù
2848 光顾 guānggù
2849 光环 guānghuán
2850 光洁 guāngjié
2851 光临 guānglín
2852 光能 guāngnéng
2853 光年 guāngnián
2854 光束 guāngshù
2855 光速 guāngsù
2856 光阴 guāngyīn
2857 广博 guǎngbó
2858 广度 guǎngdù
2859 广袤 guǎngmào
2860 广漠 guǎngmò
2861 归队 guīduì
2862 归附 guīfù
2863 归还 guīhuán
2864 归侨 guīqiáo
2865 归属 guīshǔ
2866 归宿 guīsù
2867 归途 guītú
2868 归于 guīyú
2869 龟 guī
2870 规 guī
2871 规程 guīchéng
2872 规范化 guīfànhuà
2873 规劝 guīquàn
2874 规章 guīzhāng
2875 皈依 guīyī
2876 瑰丽 guīlì
2877 轨 guǐ
2878 轨迹 guǐjì
2879 诡辩 guǐbiàn
2880 诡秘 guǐmì
2881 鬼魂 guǐhún
2882 鬼脸 guǐliǎn
2883 鬼神 guǐshén
2884 柜 guì
2885 柜台 guìtái
2886 柜子 guìzi
2887 贵宾 guìbīn
2888 贵妃 guìfēi
2889 贵贱 guìjiàn
2890 贵人 guìrén
2891 贵姓 guìxìng
2892 贵重 guìzhòng
2893 桂冠 guìguān
2894 桂花 guìhuā
2895 桂圆 guìyuán
2896 滚动 gǔndòng
2897 滚烫 gǔntàng
2898 棍 gùn
2899 棍棒 gùnbàng
2900 棍子 gùnzi
2901 锅炉 guōlú
2902 锅台 guōtái
2903 锅子 guōzi
2904 国策 guócè
2905 国产 guóchǎn
2906 国度 guódù
2907 国法 guófǎ
2908 国歌 guógē
2909 国画 guóhuà
2910 国货 guóhuò
2911 国籍 guójí
2912 国界 guójiè
2913 国境 guójìng
2914 国君 guójūn
2915 国库 guókù
2916 国力 guólì
2917 国立 guólì
2918 国难 guónàn
2919 国旗 guóqí
2920 国庆 guóqìng
2921 国人 guórén
2922 国事 guóshì
2923 国势 guóshì
2924 国体 guótǐ
2925 国务 guówù
2926 国语 guóyǔ
2927 果木 guǒmù
2928 果皮 guǒpí
2929 果品 guǒpǐn
2930 果肉 guǒròu
2931 果园 guǒyuán

2932 果真 guǒzhēn
2933 果子 guǒzi
2934 过场 guòchǎng
2935 过错 guòcuò
2936 过道 guòdào
2937 过冬 guòdōng
2938 过关 guòguān
2939 过火 guòhuǒ
2940 过境 guòjìng
2941 过量 guòliàng
2942 过路 guòlù
2943 过滤 guòlǜ
2944 过敏 guòmǐn
2945 过热 guòrè
2946 过人 guòrén
2947 过剩 guòshèng
2948 过失 guòshī
2949 过时 guòshí
2950 过头 guòtóu
2951 过往 guòwǎng
2952 过问 guòwèn
2953 过夜 guòyè
2954 过瘾 guòyǐn
2955 过硬 guòyìng
2956 哈密瓜 hāmìguā
2957 蛤蟆 háma
2958 孩提 háití
2959 海岸线 hǎi'ànxiàn
2960 海报 hǎibào
2961 海滨 hǎibīn
2962 海潮 hǎicháo
2963 海岛 hǎidǎo
2964 海盗 hǎidào
2965 海防 hǎifáng
2966 海风 hǎifēng
2967 海港 hǎigǎng
2968 海口 hǎikǒu
2969 海里 hǎilǐ
2970 海流 hǎiliú
2971 海轮 hǎilún
2972 海绵 hǎimián
2973 海参 hǎishēn
2974 海市蜃楼 hǎishì-shènlóu
2975 海滩 hǎitān
2976 海棠 hǎitáng
2977 海豚 hǎitún
2978 海峡 hǎixiá
2979 海啸 hǎixiào
2980 海员 hǎiyuán
2981 海运 hǎiyùn
2982 海蜇 hǎizhé
2983 骇 hài
2984 氦 hài
2985 害处 hài·chù
2986 害羞 hàixiū
2987 蚶 hān
2988 酣睡 hānshuì
2989 憨 hān
2990 憨厚 hānhòu
2991 鼾声 hānshēng
2992 含糊 hánhu
2993 含混 hánhùn
2994 含笑 hánxiào
2995 含蓄 hánxù
2996 含意 hányì
2997 函 hán
2998 函授 hánshòu
2999 涵义 hányì
3000 韩 Hán
3001 寒潮 háncháo
3002 寒带 hándài
3003 寒假 hánjià
3004 寒噤 hánjìn
3005 寒流 hánliú
3006 寒气 hánqì
3007 寒热 hánrè
3008 寒暑 hánshǔ
3009 寒暄 hánxuān
3010 寒意 hányì
3011 寒颤 hánzhàn
3012 罕 hǎn
3013 喊叫 hǎnjiào
3014 汗流浃背 hànliú-jiābèi
3015 汗毛 hànmáo
3016 汗衫 hànshān
3017 旱地 hàndì
3018 旱烟 hànyān
3019 旱灾 hànzāi
3020 捍卫 hànwèi
3021 悍然 hànrán
3022 焊 hàn
3023 焊接 hànjiē
3024 憾 hàn
3025 行当 hángdang
3026 行会 hánghuì
3027 行家 háng·jiā
3028 行情 hángqíng
3029 杭 Háng
3030 航 háng
3031 航程 hángchéng
3032 航船 hángchuán
3033 航道 hángdào
3034 航路 hánglù
3035 航天 hángtiān
3036 航线 hángxiàn
3037 航运 hángyùn
3038 巷道 hàngdào
3039 毫 háo
3040 豪 háo

3041 豪放 háofàng
3042 豪华 háohuá
3043 豪迈 háomài
3044 豪情 háoqíng
3045 豪爽 háoshuǎng
3046 壕 háo
3047 壕沟 háogōu
3048 嚎 háo
3049 嚎啕 háotáo
3050 好歹 hǎodǎi
3051 好感 hǎogǎn
3052 好汉 hǎohàn
3053 好评 hǎopíng
3054 好受 hǎoshòu
3055 好说 hǎoshuō
3056 好似 hǎosì
3057 好玩儿 hǎowánr
3058 好笑 hǎoxiào
3059 好心 hǎoxīn
3060 好意 hǎoyì
3061 郝 Hǎo
3062 号称 hàochēng
3063 号角 hàojiǎo
3064 号令 hàolìng
3065 号码 hàomǎ
3066 好客 hàokè
3067 好恶 hàowù
3068 耗资 hàozī
3069 浩大 hàodà
3070 浩劫 hàojié
3071 呵斥 hēchì
3072 禾 hé
3073 合唱 héchàng
3074 合伙 héhuǒ
3075 合击 héjī
3076 合计 héjì
3077 合流 héliú
3078 合算 hésuàn
3079 合体 hétǐ
3080 合营 héyíng
3081 合影 héyǐng
3082 合用 héyòng
3083 合资 hézī
3084 合奏 hézòu
3085 何尝 hécháng
3086 何苦 hékǔ
3087 何止 hézhǐ
3088 和蔼 hé'ǎi
3089 和缓 héhuǎn
3090 和解 héjiě
3091 和睦 hémù
3092 和气 hé•qì
3093 和声 héshēng
3094 和约 héyuē
3095 河床 héchuáng
3096 河道 hédào
3097 河谷 hégǔ
3098 河口 hékǒu
3099 河山 héshān
3100 河滩 hétān
3101 河豚 hétún
3102 荷包 hé•bāo
3103 核定 hédìng
3104 核对 héduì
3105 核能 hénéng
3106 核实 héshí
3107 核桃 hétao
3108 核准 hézhǔn
3109 核子 hézǐ
3110 盒子 hézi
3111 贺 hè
3112 贺喜 hèxǐ
3113 喝彩 hècǎi
3114 赫 hè
3115 赫然 hèrán
3116 褐 hè
3117 鹤 hè
3118 壑 hè
3119 黑白 hēibái
3120 黑板 hēibǎn
3121 黑洞 hēidòng
3122 黑体 hēitǐ
3123 痕 hén
3124 狠 hěn
3125 狠心 hěnxīn
3126 恒定 héngdìng
3127 恒温 héngwēn
3128 恒心 héngxīn
3129 横渡 héngdù
3130 横亘 hénggèn
3131 横贯 héngguàn
3132 横扫 héngsǎo
3133 横行 héngxíng
3134 衡 héng
3135 轰动 hōngdòng
3136 轰击 hōngjī
3137 轰鸣 hōngmíng
3138 轰然 hōngrán
3139 轰响 hōngxiǎng
3140 轰炸 hōngzhà
3141 烘 hōng
3142 烘托 hōngtuō
3143 弘扬 hóngyáng
3144 红火 hónghuo
3145 红利 hónglì
3146 红领巾 hónglǐngjīn
3147 红木 hóngmù
3148 红娘 Hóngniáng
3149 红润 hóngrùn
3150 红烧 hóngshāo
3151 红外线 hóngwàixiàn

3152 红星 hóngxīng
3153 红叶 hóngyè
3154 红晕 hóngyùn
3155 宏大 hóngdà
3156 虹 hóng
3157 洪亮 hóngliàng
3158 洪流 hóngliú
3159 鸿沟 hónggōu
3160 侯 hóu
3161 喉 hóu
3162 喉舌 hóushé
3163 吼 hǒu
3164 吼叫 hǒujiào
3165 吼声 hǒushēng
3166 后备 hòubèi
3167 后盾 hòudùn
3168 后顾之忧 hòugùzhīyōu
3169 后继 hòujì
3170 后劲 hòujìn
3171 后门 hòumén
3172 后台 hòutái
3173 后头 hòutou
3174 后退 hòutuì
3175 后卫 hòuwèi
3176 后续 hòuxù
3177 后裔 hòuyì
3178 后院 hòuyuàn
3179 厚薄 hòubó
3180 厚道 hòudao
3181 候补 hòubǔ
3182 候鸟 hòuniǎo
3183 候审 hòushěn
3184 呼号 hūháo
3185 呼叫 hūjiào
3186 呼救 hūjiù
3187 呼声 hūshēng
3188 呼啸 hūxiào
3189 呼应 hūyìng
3190 忽而 hū'ér
3191 狐狸 húli
3192 狐疑 húyí
3193 弧光 húguāng
3194 胡乱 húluàn
3195 胡萝卜 húluóbo
3196 胡闹 húnào
3197 胡琴 húqin
3198 胡同儿 hútòngr
3199 胡须 húxū
3200 糊 hú
3201 唬 hǔ
3202 互利 hùlì
3203 户主 hùzhǔ
3204 护理 hùlǐ
3205 护送 hùsòng
3206 护照 hùzhào
3207 花白 huābái
3208 花瓣 huābàn
3209 花边 huābiān
3210 花草 huācǎo
3211 花丛 huācóng
3212 花旦 huādàn
3213 花萼 huā'è
3214 花岗岩 huāgāngyán
3215 花冠 huāguān
3216 花卉 huāhuì
3217 花轿 huājiào
3218 花蕾 huālěi
3219 花脸 huāliǎn
3220 花蜜 huāmì
3221 花木 huāmù
3222 花鸟 huāniǎo
3223 花瓶 huāpíng
3224 花圃 huāpǔ
3225 花期 huāqī
3226 花圈 huāquān
3227 花蕊 huāruǐ
3228 花坛 huātán
3229 花厅 huātīng
3230 花样 huāyàng
3231 华贵 huáguì
3232 华丽 huálì
3233 华美 huáměi
3234 华人 huárén
3235 华夏 Huáxià
3236 哗然 huárán
3237 滑稽 huá·jī
3238 滑轮 huálún
3239 滑行 huáxíng
3240 滑雪 huáxuě
3241 化脓 huànóng
3242 化身 huàshēn
3243 化纤 huàxiān
3244 化验 huàyàn
3245 化妆 huàzhuāng
3246 化妆品 huàzhuāngpǐn
3247 化装 huàzhuāng
3248 画报 huàbào
3249 画笔 huàbǐ
3250 画册 huàcè
3251 画卷 huàjuàn
3252 画廊 huàláng
3253 画片 huàpiàn
3254 画师 huàshī
3255 画室 huàshì
3256 画坛 huàtán
3257 画图 huàtú
3258 画外音 huàwàiyīn
3259 画院 huàyuàn
3260 画展 huàzhǎn

3261 话音 huàyīn
3262 桦 huà
3263 怀孕 huáiyùn
3264 淮 Huái
3265 槐 huái
3266 坏蛋 huàidàn
3267 坏事 huàishì
3268 坏死 huàisǐ
3269 欢 huān
3270 欢呼 huānhū
3271 欢快 huānkuài
3272 欢送 huānsòng
3273 欢腾 huānténg
3274 欢笑 huānxiào
3275 欢心 huānxīn
3276 欢欣 huānxīn
3277 还击 huánjī
3278 环抱 huánbào
3279 环顾 huángù
3280 环球 huánqiú
3281 环绕 huánrào
3282 环视 huánshì
3283 环形 huánxíng
3284 缓冲 huǎnchōng
3285 缓解 huǎnjiě
3286 缓刑 huǎnxíng
3287 幻 huàn
3288 幻灯 huàndēng
3289 幻象 huànxiàng
3290 幻影 huànyǐng
3291 宦官 huànguān
3292 换取 huànqǔ
3293 换算 huànsuàn
3294 唤醒 huànxǐng
3295 涣散 huànsàn
3296 患难 huànnàn
3297 焕发 huànfā
3298 焕然一新 huànrán-yīxīn
3299 豢养 huànyǎng
3300 荒诞 huāngdàn
3301 荒地 huāngdì
3302 荒废 huāngfèi
3303 荒凉 huāngliáng
3304 荒谬 huāngmiù
3305 荒漠 huāngmò
3306 荒僻 huāngpì
3307 荒唐 huāng•táng
3308 荒芜 huāngwú
3309 荒野 huāngyě
3310 荒原 huāngyuán
3311 慌乱 huāngluàn
3312 慌忙 huāngmáng
3313 慌张 huāngzhāng
3314 皇 huáng
3315 皇宫 huánggōng
3316 皇冠 huángguān
3317 皇后 huánghòu
3318 皇家 huángjiā
3319 皇权 huángquán
3320 皇上 huángshang
3321 皇室 huángshì
3322 黄疸 huángdǎn
3323 黄澄澄 huángdēngdēng
3324 黄帝 Huángdì
3325 黄豆 huángdòu
3326 黄瓜 huáng•guā
3327 黄花 huánghuā
3328 黄连 huánglián
3329 黄鼠狼 huángshǔláng
3330 黄莺 huángyīng
3331 惶惑 huánghuò
3332 惶恐 huángkǒng
3333 蝗虫 huángchóng
3334 簧 huáng
3335 恍惚 huǎng•hū
3336 恍然 huǎngrán
3337 谎 huǎng
3338 谎话 huǎnghuà
3339 谎言 huǎngyán
3340 幌子 huǎngzi
3341 晃动 huàngdòng
3342 灰暗 huī'àn
3343 灰白 huībái
3344 灰烬 huījìn
3345 灰心 huīxīn
3346 诙谐 huīxié
3347 挥动 huīdòng
3348 挥发 huīfā
3349 挥霍 huīhuò
3350 挥手 huīshǒu
3351 挥舞 huīwǔ
3352 辉 huī
3353 辉映 huīyìng
3354 徽 huī
3355 回报 huíbào
3356 回荡 huídàng
3357 回复 huífù
3358 回归线 huíguīxiàn
3359 回合 huíhé
3360 回话 huíhuà
3361 回环 huíhuán
3362 回击 huíjī
3363 回敬 huíjìng
3364 回流 huíliú
3365 回路 huílù
3366 回身 huíshēn
3367 回升 huíshēng
3368 回声 huíshēng

3369 回师 huíshī
3370 回收 huíshōu
3371 回首 huíshǒu
3372 回味 huíwèi
3373 回响 huíxiǎng
3374 回想 huíxiǎng
3375 回信 huíxìn
3376 回旋 huíxuán
3377 回忆录 huíyìlù
3378 回音 huíyīn
3379 回应 huíyìng
3380 回转 huízhuǎn
3381 洄游 huíyóu
3382 蛔虫 huíchóng
3383 悔 huǐ
3384 悔改 huǐgǎi
3385 悔恨 huǐhèn
3386 毁坏 huǐhuài
3387 汇 huì
3388 汇编 huìbiān
3389 汇合 huìhé
3390 汇集 huìjí
3391 汇率 huìlǜ
3392 汇总 huìzǒng
3393 会合 huìhé
3394 会话 huìhuà
3395 会聚 huìjù
3396 会面 huìmiàn
3397 会师 huìshī
3398 会谈 huìtán
3399 会堂 huìtáng
3400 会晤 huìwù
3401 会心 huìxīn
3402 会意 huìyì
3403 会战 huìzhàn
3404 讳言 huìyán
3405 荟萃 huìcuì
3406 绘制 huìzhì
3407 贿赂 huìlù
3408 彗星 huìxīng
3409 晦气 huì·qì
3410 惠 huì
3411 喙 huì
3412 慧 huì
3413 昏 hūn
3414 昏暗 hūn'àn
3415 昏黄 hūnhuáng
3416 昏迷 hūnmí
3417 昏睡 hūnshuì
3418 荤 hūn
3419 婚配 hūnpèi
3420 婚事 hūnshì
3421 浑 hún
3422 浑厚 húnhòu
3423 浑浊 húnzhuó
3424 魂魄 húnpò
3425 混沌 hùndùn
3426 混合物 hùnhéwù
3427 混凝土 hùnníngtǔ
3428 混同 hùntóng
3429 混杂 hùnzá
3430 混战 hùnzhàn
3431 混浊 hùnzhuó
3432 豁 huō
3433 豁口 huōkǒu
3434 活命 huómìng
3435 活期 huóqī
3436 活塞 huósāi
3437 活体 huótǐ
3438 活捉 huózhuō
3439 火把 huǒbǎ
3440 火海 huǒhǎi
3441 火红 huǒhóng
3442 火候 huǒhou
3443 火花 huǒhuā
3444 火化 huǒhuà
3445 火炬 huǒjù
3446 火坑 huǒkēng
3447 火力 huǒlì
3448 火炉 huǒlú
3449 火苗 huǒmiáo
3450 火炮 huǒpào
3451 火气 huǒ·qì
3452 火器 huǒqì
3453 火热 huǒrè
3454 火速 huǒsù
3455 火线 huǒxiàn
3456 火药 huǒyào
3457 火灾 huǒzāi
3458 火葬 huǒzàng
3459 火种 huǒzhǒng
3460 伙 huǒ
3461 伙房 huǒfáng
3462 伙计 huǒji
3463 伙食 huǒ·shí
3464 货场 huòchǎng
3465 货车 huòchē
3466 货款 huòkuǎn
3467 货轮 huòlún
3468 货色 huòsè
3469 货源 huòyuán
3470 货运 huòyùn
3471 获悉 huòxī
3472 祸 huò
3473 祸害 huò·hài
3474 惑 huò
3475 霍 huò
3476 霍乱 huòluàn
3477 豁免 huòmiǎn
3478 几率 jīlǜ
3479 讥讽 jīfěng

3480 讥笑　jīxiào
3481 击败　jībài
3482 击毙　jībì
3483 击毁　jīhuǐ
3484 击落　jīluò
3485 饥　jī
3486 机舱　jīcāng
3487 机床　jīchuáng
3488 机电　jīdiàn
3489 机动　jīdòng
3490 机井　jījǐng
3491 机警　jījǐng
3492 机理　jīlǐ
3493 机灵　jīling
3494 机密　jīmì
3495 机敏　jīmǐn
3496 机枪　jīqiāng
3497 机遇　jīyù
3498 机缘　jīyuán
3499 机智　jīzhì
3500 机组　jīzǔ
3501 肌肤　jīfū
3502 肌腱　jījiàn
3503 肌体　jītǐ
3504 积存　jīcún
3505 积分　jīfēn
3506 积聚　jījù
3507 积蓄　jīxù
3508 姬　jī
3509 基本功 jīběngōng
3510 基调　jīdiào
3511 基石　jīshí
3512 基数　jīshù
3513 激昂　jī'áng
3514 激荡　jīdàng
3515 激愤　jīfèn
3516 激化　jīhuà
3517 激活　jīhuó
3518 激进　jījìn
3519 激流　jīliú
3520 激怒　jīnù
3521 激增　jīzēng
3522 激战　jīzhàn
3523 羁绊　jībàn
3524 及格　jígé
3525 及早　jízǎo
3526 吉　jí
3527 吉利　jílì
3528 吉普车 jípǔchē
3529 吉他　jítā
3530 吉祥　jíxiáng
3531 汲取　jíqǔ
3532 级别　jíbié
3533 级差　jíchā
3534 极地　jídì
3535 极点　jídiǎn
3536 极度　jídù
3537 极限　jíxiàn
3538 即便　jíbiàn
3539 即刻　jíkè
3540 即日　jírì
3541 即时　jíshí
3542 即位　jíwèi
3543 即兴　jíxìng
3544 急促　jícù
3545 急救　jíjiù
3546 急遽　jíjù
3547 急流　jíliú
3548 急迫　jípò
3549 急切　jíqiè
3550 急事　jíshì
3551 急速　jísù
3552 急中生智
jízhōng-shēngzhì
3553 疾　jí
3554 疾驰　jíchí
3555 疾患　jíhuàn
3556 疾苦　jíkǔ
3557 棘手　jíshǒu
3558 集成　jíchéng
3559 集结　jíjié
3560 集聚　jíjù
3561 集权　jíquán
3562 集市　jíshì
3563 集训　jíxùn
3564 集邮　jíyóu
3565 集约　jíyuē
3566 集镇　jízhèn
3567 集装箱
jízhuāngxiāng
3568 辑　jí
3569 嫉妒　jídù
3570 瘠　jí
3571 几经　jǐjīng
3572 几时　jǐshí
3573 纪　Jǐ
3574 给养　jǐyǎng
3575 脊背　jǐbèi
3576 脊梁　jǐliang
3577 脊髓　jǐsuǐ
3578 脊柱　jǐzhù
3579 脊椎　jǐzhuī
3580 戟　jǐ
3581 麂　jǐ
3582 计价　jìjià
3583 计较　jìjiào
3584 计量　jìliàng
3585 计数　jìshù
3586 记号　jìhao
3587 记事　jìshì
3588 记述　jìshù

3589 记性 jìxing
3590 记忆力 jìyìlì
3591 伎俩 jìliǎng
3592 纪年 jìnián
3593 纪实 jìshí
3594 纪要 jìyào
3595 技法 jìfǎ
3596 技工 jìgōng
3597 技师 jìshī
3598 忌 jì
3599 忌讳 jì·huì
3600 妓女 jìnǚ
3601 季度 jìdù
3602 剂量 jìliàng
3603 迹象 jìxiàng
3604 继承权 jìchéngquán
3605 继而 jì'ér
3606 继母 jìmǔ
3607 继任 jìrèn
3608 祭礼 jìlǐ
3609 祭坛 jìtán
3610 寄居 jìjū
3611 寄予 jìyǔ
3612 寂 jì
3613 暨 jì
3614 髻 jì
3615 冀 jì
3616 加班 jiābān
3617 加倍 jiābèi
3618 加法 jiāfǎ
3619 加固 jiāgù
3620 加油 jiāyóu
3621 夹攻 jiāgōng
3622 夹击 jiājī
3623 夹杂 jiāzá
3624 夹子 jiāzi
3625 佳话 jiāhuà
3626 佳节 jiājié
3627 佳肴 jiāyáo
3628 佳作 jiāzuò
3629 枷锁 jiāsuǒ
3630 家产 jiāchǎn
3631 家常 jiācháng
3632 家访 jiāfǎng
3633 家教 jiājiào
3634 家境 jiājìng
3635 家眷 jiājuàn
3636 家禽 jiāqín
3637 家业 jiāyè
3638 家用 jiāyòng
3639 家喻户晓 jiāyù-hùxiǎo
3640 家园 jiāyuán
3641 嘉奖 jiājiǎng
3642 荚 jiá
3643 颊 jiá
3644 甲虫 jiǎchóng
3645 甲骨文 jiǎgǔwén
3646 甲壳 jiǎqiào
3647 甲鱼 jiǎyú
3648 甲状腺 jiǎzhuàngxiàn
3649 贾 Jiǎ
3650 钾肥 jiǎféi
3651 假借 jiǎjiè
3652 假冒 jiǎmào
3653 假若 jiǎruò
3654 假想 jiǎxiǎng
3655 假象 jiǎxiàng
3656 假意 jiǎyì
3657 假装 jiǎzhuāng
3658 驾 jià
3659 驾驭 jiàyù
3660 架空 jiàkōng
3661 架设 jiàshè
3662 架势 jiàshi
3663 假期 jiàqī
3664 假日 jiàrì
3665 嫁妆 jiàzhuang
3666 尖刀 jiāndāo
3667 尖端 jiānduān
3668 尖利 jiānlì
3669 尖子 jiānzi
3670 奸 jiān
3671 奸商 jiānshāng
3672 歼 jiān
3673 坚 jiān
3674 坚韧 jiānrèn
3675 坚守 jiānshǒu
3676 坚信 jiānxìn
3677 坚毅 jiānyì
3678 坚贞 jiānzhēn
3679 间距 jiānjù
3680 肩负 jiānfù
3681 肩胛 jiānjiǎ
3682 肩头 jiāntóu
3683 艰险 jiānxiǎn
3684 艰辛 jiānxīn
3685 监 jiān
3686 监测 jiāncè
3687 监察 jiānchá
3688 监工 jiāngōng
3689 监管 jiānguǎn
3690 监禁 jiānjìn
3691 监牢 jiānláo
3692 兼备 jiānbèi
3693 兼并 jiānbìng
3694 兼顾 jiāngù
3695 兼任 jiānrèn
3696 兼职 jiānzhí
3697 缄默 jiānmò

3698 煎 jiān
3699 煎熬 jiān'áo
3700 茧子 jiǎnzi
3701 柬 jiǎn
3702 检测 jiǎncè
3703 检察 jiǎnchá
3704 检举 jiǎnjǔ
3705 检索 jiǎnsuǒ
3706 检讨 jiǎntǎo
3707 检修 jiǎnxiū
3708 检疫 jiǎnyì
3709 检阅 jiǎnyuè
3710 减产 jiǎnchǎn
3711 减低 jiǎndī
3712 减免 jiǎnmiǎn
3713 减速 jiǎnsù
3714 减退 jiǎntuì
3715 剪裁 jiǎncái
3716 剪刀 jiǎndāo
3717 剪纸 jiǎnzhǐ
3718 剪子 jiǎnzi
3719 简便 jiǎnbiàn
3720 简短 jiǎnduǎn
3721 简洁 jiǎnjié
3722 简介 jiǎnjiè
3723 简练 jiǎnliàn
3724 简陋 jiǎnlòu
3725 简略 jiǎnlüè
3726 简明 jiǎnmíng
3727 简朴 jiǎnpǔ
3728 简要 jiǎnyào
3729 简易 jiǎnyì
3730 见长 jiàncháng
3731 见地 jiàndì
3732 见识 jiànshi
3733 见闻 jiànwén
3734 见效 jiànxiào
3735 见于 jiànyú
3736 见证 jiànzhèng
3737 间谍 jiàndié
3738 间断 jiànduàn
3739 间或 jiànhuò
3740 间隙 jiànxì
3741 间歇 jiànxiē
3742 间作 jiànzuò
3743 建材 jiàncái
3744 建交 jiànjiāo
3745 建树 jiànshù
3746 建制 jiànzhì
3747 荐 jiàn
3748 贱 jiàn
3749 涧 jiàn
3750 健儿 jiàn'ér
3751 健将 jiànjiàng
3752 健美 jiànměi
3753 健身 jiànshēn
3754 舰 jiàn
3755 舰队 jiànduì
3756 舰艇 jiàntǐng
3757 渐变 jiànbiàn
3758 渐次 jiàncì
3759 渐进 jiànjìn
3760 谏 jiàn
3761 践踏 jiàntà
3762 毽子 jiànzi
3763 腱 jiàn
3764 溅 jiàn
3765 鉴赏 jiànshǎng
3766 鉴于 jiànyú
3767 箭头 jiàntóu
3768 江湖 jiānghú
3769 江山 jiāngshān
3770 将就 jiāngjiu
3771 姜 jiāng
3772 僵 jiāng
3773 僵化 jiānghuà
3774 僵死 jiāngsǐ
3775 僵硬 jiāngyìng
3776 缰 jiāng
3777 缰绳 jiāng•shéng
3778 疆 jiāng
3779 疆域 jiāngyù
3780 讲解 jiǎngjiě
3781 讲理 jiǎnglǐ
3782 讲求 jiǎngqiú
3783 讲师 jiǎngshī
3784 讲授 jiǎngshòu
3785 讲台 jiǎngtái
3786 讲坛 jiǎngtán
3787 讲学 jiǎngxué
3788 讲演 jiǎngyǎn
3789 讲义 jiǎngyì
3790 讲座 jiǎngzuò
3791 奖惩 jiǎngchéng
3792 奖品 jiǎngpǐn
3793 奖券 jiǎngquàn
3794 奖赏 jiǎngshǎng
3795 奖章 jiǎngzhāng
3796 奖状 jiǎngzhuàng
3797 桨 jiǎng
3798 匠 jiàng
3799 降价 jiàngjià
3800 降临 jiànglín
3801 降生 jiàngshēng
3802 降温 jiàngwēn
3803 将领 jiànglǐng
3804 将士 jiàngshì
3805 绛 jiàng
3806 酱 jiàng
3807 酱油 jiàngyóu
3808 犟 jiàng

3809 交待 jiāodài
3810 交道 jiāodào
3811 交点 jiāodiǎn
3812 交锋 jiāofēng
3813 交付 jiāofù
3814 交互 jiāohù
3815 交还 jiāohuán
3816 交汇 jiāohuì
3817 交加 jiāojiā
3818 交接 jiāojiē
3819 交界 jiāojiè
3820 交纳 jiāonà
3821 交配 jiāopèi
3822 交情 jiāoqing
3823 交融 jiāoróng
3824 交涉 jiāoshè
3825 交尾 jiāowěi
3826 交响乐 jiāoxiǎngyuè
3827 交易所 jiāoyìsuǒ
3828 交战 jiāozhàn
3829 郊 jiāo
3830 郊外 jiāowài
3831 郊野 jiāoyě
3832 浇灌 jiāoguàn
3833 娇 jiāo
3834 娇嫩 jiāonèn
3835 娇艳 jiāoyàn
3836 胶布 jiāobù
3837 胶片 jiāopiàn
3838 教书 jiāoshū
3839 椒 jiāo
3840 焦距 jiāojù
3841 焦虑 jiāolǜ
3842 焦炭 jiāotàn
3843 焦躁 jiāozào
3844 焦灼 jiāozhuó
3845 跤 jiāo
3846 礁 jiāo
3847 礁石 jiāoshí
3848 角膜 jiǎomó
3849 角质 jiǎozhì
3850 狡猾 jiǎohuá
3851 饺子 jiǎozi
3852 绞 jiǎo
3853 矫 jiǎo
3854 矫健 jiǎojiàn
3855 矫揉造作 jiǎoróu-zàozuò
3856 矫正 jiǎozhèng
3857 矫治 jiǎozhì
3858 皎洁 jiǎojié
3859 脚背 jiǎobèi
3860 脚跟 jiǎogēn
3861 脚尖 jiǎojiān
3862 脚手架 jiǎoshǒujià
3863 脚掌 jiǎozhǎng
3864 脚趾 jiǎozhǐ
3865 搅拌 jiǎobàn
3866 搅动 jiǎodòng
3867 剿 jiǎo
3868 缴 jiǎo
3869 缴获 jiǎohuò
3870 缴纳 jiǎonà
3871 叫喊 jiàohǎn
3872 叫好 jiàohǎo
3873 叫唤 jiàohuan
3874 叫卖 jiàomài
3875 叫嚷 jiàorǎng
3876 叫嚣 jiàoxiāo
3877 校对 jiàoduì
3878 校样 jiàoyàng
3879 校正 jiàozhèng
3880 轿 jiào
3881 轿车 jiàochē
3882 轿子 jiàozi
3883 较量 jiàoliàng
3884 教案 jiào'àn
3885 教程 jiàochéng
3886 教官 jiàoguān
3887 教规 jiàoguī
3888 教化 jiàohuà
3889 教皇 jiàohuáng
3890 教诲 jiàohuì
3891 教科书 jiàokēshū
3892 教士 jiàoshì
3893 教条 jiàotiáo
3894 教徒 jiàotú
3895 教务 jiàowù
3896 教益 jiàoyì
3897 窖 jiào
3898 酵母 jiàomǔ
3899 阶 jiē
3900 阶梯 jiētī
3901 接管 jiēguǎn
3902 接合 jiēhé
3903 接济 jiējì
3904 接见 jiējiàn
3905 接纳 jiēnà
3906 接洽 jiēqià
3907 接壤 jiērǎng
3908 接生 jiēshēng
3909 接替 jiētì
3910 接头 jiētóu
3911 接吻 jiēwěn
3912 接线 jiēxiàn
3913 接种 jiēzhòng
3914 秸 jiē
3915 秸秆 jiēgǎn
3916 揭 jiē
3917 揭穿 jiēchuān
3918 揭发 jiēfā

3919 揭晓 jiēxiǎo
3920 街坊 jiēfang
3921 街市 jiēshì
3922 节俭 jiéjiǎn
3923 节律 jiélǜ
3924 节能 jiénéng
3925 节拍 jiépāi
3926 节余 jiéyú
3927 节制 jiézhì
3928 劫 jié
3929 劫持 jiéchí
3930 杰作 jiézuò
3931 洁 jié
3932 洁净 jiéjìng
3933 结伴 jiébàn
3934 结核 jiéhé
3935 结集 jiéjí
3936 结膜 jiémó
3937 结社 jiéshè
3938 结石 jiéshí
3939 结识 jiéshí
3940 结尾 jiéwěi
3941 结业 jiéyè
3942 结余 jiéyú
3943 捷 jié
3944 捷报 jiébào
3945 捷径 jiéjìng
3946 睫毛 jiémáo
3947 截断 jiéduàn
3948 截面 jiémiàn
3949 截取 jiéqǔ
3950 截然 jiérán
3951 截止 jiézhǐ
3952 截至 jiézhì
3953 竭 jié
3954 姐夫 jiěfu
3955 解冻 jiědòng
3956 解毒 jiědú
3957 解雇 jiěgù
3958 解救 jiějiù
3959 解渴 jiěkě
3960 解说 jiěshuō
3961 解体 jiětǐ
3962 介 jiè
3963 介入 jièrù
3964 介意 jièyì
3965 戒备 jièbèi
3966 戒律 jièlǜ
3967 戒严 jièyán
3968 戒指 jièzhi
3969 届时 jièshí
3970 界定 jièdìng
3971 界面 jièmiàn
3972 界线 jièxiàn
3973 诫 jiè
3974 借贷 jièdài
3975 借以 jièyǐ
3976 借重 jièzhòng
3977 巾 jīn
3978 金刚 Jīngāng
3979 金龟子 jīnguīzǐ
3980 金黄 jīnhuáng
3981 金库 jīnkù
3982 金石 jīnshí
3983 金丝猴 jīnsīhóu
3984 金文 jīnwén
3985 金星 jīnxīng
3986 金鱼 jīnyú
3987 金子 jīnzi
3988 金字塔 jīnzìtǎ
3989 津贴 jīntiē
3990 津液 jīnyè
3991 矜持 jīnchí
3992 筋 jīn
3993 筋骨 jīngǔ
3994 禁 jīn
3995 禁不住 jīn·bùzhù
3996 襟 jīn
3997 尽早 jǐnzǎo
3998 紧凑 jǐncòu
3999 紧迫 jǐnpò
4000 紧俏 jǐnqiào
4001 紧缺 jǐnquē
4002 紧缩 jǐnsuō
4003 紧要 jǐnyào
4004 锦 jǐn
4005 锦旗 jǐnqí
4006 锦绣 jǐnxiù
4007 谨 jǐn
4008 尽情 jìnqíng
4009 尽头 jìntóu
4010 尽心 jìnxīn
4011 进逼 jìnbī
4012 进餐 jìncān
4013 进出 jìnchū
4014 进度 jìndù
4015 进发 jìnfā
4016 进犯 jìnfàn
4017 进贡 jìngòng
4018 进货 jìnhuò
4019 进食 jìnshí
4020 进退 jìntuì
4021 进位 jìnwèi
4022 进行曲 jìnxíngqǔ
4023 进修 jìnxiū
4024 进驻 jìnzhù
4025 近海 jìnhǎi
4026 近郊 jìnjiāo
4027 近邻 jìnlín
4028 近旁 jìnpáng
4029 近期 jìnqī

4030 近亲 jìnqīn
4031 近视 jìn·shì
4032 劲头 jìntóu
4033 晋级 jìnjí
4034 晋升 jìnshēng
4035 浸泡 jìnpào
4036 浸润 jìnrùn
4037 浸透 jìntòu
4038 靳 Jìn
4039 禁 jìn
4040 禁锢 jìngù
4041 禁忌 jìnjì
4042 禁令 jìnlìng
4043 禁区 jìnqū
4044 京城 jīngchéng
4045 京师 jīngshī
4046 京戏 jīngxì
4047 经度 jīngdù
4048 经纪人 jīngjìrén
4049 经久 jīngjiǔ
4050 经络 jīngluò
4051 经脉 jīngmài
4052 经贸 jīngmào
4053 经商 jīngshāng
4054 经书 jīngshū
4055 经线 jīngxiàn
4056 经销 jīngxiāo
4057 经由 jīngyóu
4058 荆 jīng
4059 荆棘 jīngjí
4060 惊诧 jīngchà
4061 惊动 jīngdòng
4062 惊愕 jīng'è
4063 惊骇 jīnghài
4064 惊慌 jīnghuāng
4065 惊惶 jīnghuáng
4066 惊恐 jīngkǒng
4067 惊扰 jīngrǎo
4068 惊叹 jīngtàn
4069 惊吓 jīngxià
4070 惊险 jīngxiǎn
4071 惊疑 jīngyí
4072 晶莹 jīngyíng
4073 睛 jīng
4074 精彩 jīngcǎi
4075 精干 jīnggàn
4076 精光 jīngguāng
4077 精华 jīnghuá
4078 精简 jīngjiǎn
4079 精炼 jīngliàn
4080 精灵 jīnglíng
4081 精美 jīngměi
4082 精明 jīngmíng
4083 精辟 jīngpì
4084 精品 jīngpǐn
4085 精巧 jīngqiǎo
4086 精锐 jīngruì
4087 精髓 jīngsuǐ
4088 精通 jīngtōng
4089 精微 jīngwēi
4090 精益求精 jīngyì-qiújīng
4091 精英 jīngyīng
4092 精湛 jīngzhàn
4093 精制 jīngzhì
4094 精致 jīngzhì
4095 颈椎 jǐngzhuī
4096 景观 jǐngguān
4097 景况 jǐngkuàng
4098 景致 jǐngzhì
4099 警 jǐng
4100 警报 jǐngbào
4101 警备 jǐngbèi
4102 警车 jǐngchē
4103 警官 jǐngguān
4104 警戒 jǐngjiè
4105 警觉 jǐngjué
4106 警犬 jǐngquǎn
4107 警卫 jǐngwèi
4108 劲旅 jìnglǚ
4109 径直 jìngzhí
4110 净土 jìngtǔ
4111 竞 jìng
4112 竞技 jìngjì
4113 竞相 jìngxiāng
4114 竞选 jìngxuǎn
4115 敬爱 jìng'ài
4116 敬礼 jìnglǐ
4117 敬佩 jìngpèi
4118 敬畏 jìngwèi
4119 敬仰 jìngyǎng
4120 敬意 jìngyì
4121 敬重 jìngzhòng
4122 静电 jìngdiàn
4123 静谧 jìngmì
4124 静默 jìngmò
4125 静穆 jìngmù
4126 静态 jìngtài
4127 境况 jìngkuàng
4128 境遇 jìngyù
4129 镜框 jìngkuàng
4130 镜片 jìngpiàn
4131 炯炯 jiǒngjiǒng
4132 窘 jiǒng
4133 窘迫 jiǒngpò
4134 纠 jiū
4135 纠缠 jiūchán
4136 纠葛 jiūgé
4137 纠集 jiūjí
4138 揪 jiū
4139 久远 jiǔyuǎn

4140 灸 jiǔ
4141 韭菜 jiǔcài
4142 酒吧 jiǔbā
4143 酒店 jiǔdiàn
4144 酒会 jiǔhuì
4145 酒家 jiǔjiā
4146 酒席 jiǔxí
4147 旧历 jiùlì
4148 旧式 jiùshì
4149 旧址 jiùzhǐ
4150 臼齿 jiùchǐ
4151 厩 jiù
4152 救护 jiùhù
4153 救火 jiùhuǒ
4154 救命 jiùmìng
4155 救亡 jiùwáng
4156 救援 jiùyuán
4157 救灾 jiùzāi
4158 救助 jiùzhù
4159 就餐 jiùcān
4160 就此 jiùcǐ
4161 就地 jiùdì
4162 就读 jiùdú
4163 就近 jiùjìn
4164 就任 jiùrèn
4165 就绪 jiùxù
4166 就学 jiùxué
4167 就职 jiùzhí
4168 就座 jiùzuò
4169 舅妈 jiùmā
4170 拘 jū
4171 拘谨 jūjǐn
4172 拘留 jūliú
4173 拘泥 jūnì
4174 拘束 jūshù
4175 居留 jūliú
4176 居室 jūshì
4177 驹 jū
4178 鞠躬 jūgōng
4179 鞠躬尽瘁 jūgōng-jìncuì
4180 局促 júcù
4181 菊 jú
4182 橘子 júzi
4183 沮丧 jǔsàng
4184 矩 jǔ
4185 矩形 jǔxíng
4186 举例 jǔlì
4187 举目 jǔmù
4188 举止 jǔzhǐ
4189 举重 jǔzhòng
4190 举足轻重 jǔzú-qīngzhòng
4191 巨额 jù'é
4192 巨人 jùrén
4193 巨星 jùxīng
4194 巨著 jùzhù
4195 句法 jùfǎ
4196 拒 jù
4197 俱乐部 jùlèbù
4198 剧变 jùbiàn
4199 剧目 jùmù
4200 剧情 jùqíng
4201 剧院 jùyuàn
4202 据悉 jùxī
4203 惧 jù
4204 惧怕 jùpà
4205 锯 jù
4206 锯齿 jùchǐ
4207 聚变 jùbiàn
4208 聚餐 jùcān
4209 聚合 jùhé
4210 聚会 jùhuì
4211 聚积 jùjī
4212 聚居 jùjū
4213 踞 jù
4214 捐款 juānkuǎn
4215 捐税 juānshuì
4216 捐赠 juānzèng
4217 卷烟 juǎnyān
4218 卷子 juànzi
4219 倦 juàn
4220 绢 juàn
4221 眷恋 juànliàn
4222 撅 juē
4223 决断 juéduàn
4224 决裂 juéliè
4225 决赛 juésài
4226 决死 juésǐ
4227 决算 juésuàn
4228 决意 juéyì
4229 决战 juézhàn
4230 诀 jué
4231 诀别 juébié
4232 诀窍 juéqiào
4233 抉择 juézé
4234 角逐 juézhú
4235 觉醒 juéxǐng
4236 绝迹 juéjì
4237 绝技 juéjì
4238 绝境 juéjìng
4239 绝妙 juémiào
4240 绝食 juéshí
4241 绝缘 juéyuán
4242 倔强 juéjiàng
4243 掘 jué
4244 崛起 juéqǐ
4245 厥 jué
4246 蕨 jué
4247 爵 jué
4248 爵士 juéshì

4249 爵士乐 juéshìyuè
4250 攫 jué
4251 攫取 juéqǔ
4252 倔 juè
4253 军备 jūnbèi
4254 军费 jūnfèi
4255 军服 jūnfú
4256 军工 jūngōng
4257 军火 jūnhuǒ
4258 军机 jūnjī
4259 军礼 jūnlǐ
4260 军粮 jūnliáng
4261 军属 jūnshǔ
4262 军务 jūnwù
4263 军校 jūnxiào
4264 军需 jūnxū
4265 军训 jūnxùn
4266 军医 jūnyī
4267 军营 jūnyíng
4268 军用 jūnyòng
4269 军装 jūnzhuāng
4270 均等 jūnděng
4271 君权 jūnquán
4272 君子 jūnzǐ
4273 钧 jūn
4274 俊 jùn
4275 俊美 jùnměi
4276 俊俏 jùnqiào
4277 郡 jùn
4278 峻 jùn
4279 骏马 jùnmǎ
4280 竣工 jùngōng
4281 卡车 kǎchē
4282 卡片 kǎpiàn
4283 咯 kǎ
4284 开场 kāichǎng
4285 开车 kāichē
4286 开春 kāichūn
4287 开刀 kāidāo
4288 开导 kāidǎo
4289 开动 kāidòng
4290 开端 kāiduān
4291 开饭 kāifàn
4292 开赴 kāifù
4293 开工 kāigōng
4294 开荒 kāihuāng
4295 开火 kāihuǒ
4296 开机 kāijī
4297 开掘 kāijué
4298 开朗 kāilǎng
4299 开明 kāimíng
4300 开炮 kāipào
4301 开启 kāiqǐ
4302 开窍 kāiqiào
4303 开山 kāishān
4304 开庭 kāitíng
4305 开通 kāitōng
4306 开脱 kāituō
4307 开外 kāiwài
4308 开销 kāixiāo
4309 开心 kāixīn
4310 开学 kāixué
4311 开业 kāiyè
4312 开凿 kāizáo
4313 开战 kāizhàn
4314 开张 kāizhāng
4315 揩 kāi
4316 凯歌 kǎigē
4317 凯旋 kǎixuán
4318 慨然 kǎirán
4319 慨叹 kǎitàn
4320 楷模 kǎimó
4321 刊 kān
4322 刊载 kānzǎi
4323 看管 kānguǎn
4324 看护 kānhù
4325 看守 kānshǒu
4326 勘测 kāncè
4327 勘察 kānchá
4328 堪 kān
4329 坎 kǎn
4330 坎坷 kǎnkě
4331 砍伐 kǎnfá
4332 看病 kànbìng
4333 看不起 kàn ·buqǐ
4334 看穿 kànchuān
4335 看好 kànhǎo
4336 看台 kàntái
4337 看透 kàntòu
4338 看中 kànzhòng
4339 看重 kànzhòng
4340 看做 kànzuò
4341 康 kāng
4342 康复 kāngfù
4343 慷慨 kāngkǎi
4344 糠 kāng
4345 亢奋 kàngfèn
4346 亢进 kàngjìn
4347 抗旱 kànghàn
4348 抗衡 kànghéng
4349 抗击 kàngjī
4350 抗拒 kàngjù
4351 抗体 kàngtǐ
4352 抗原 kàngyuán
4353 抗灾 kàngzāi
4354 抗争 kàngzhēng
4355 考查 kǎochá
4356 考场 kǎochǎng
4357 考究 kǎo·jiū
4358 考据 kǎojù
4359 考取 kǎoqǔ

4360 考生 kǎoshēng
4361 考问 kǎowèn
4362 考证 kǎozhèng
4363 烤 kǎo
4364 烤火 kǎohuǒ
4365 靠不住 kào·bùzhù
4366 靠拢 kàolǒng
4367 靠山 kàoshān
4368 苛刻 kēkè
4369 苛求 kēqiú
4370 柯 kē
4371 科班 kēbān
4372 科举 kējǔ
4373 科目 kēmù
4374 科普 kēpǔ
4375 科室 kēshì
4376 磕 kē
4377 磕头 kētóu
4378 瞌睡 kēshuì
4379 蝌蚪 kēdǒu
4380 可悲 kěbēi
4381 可耻 kěchǐ
4382 可观 kěguān
4383 可贵 kěguì
4384 可恨 kěhèn
4385 可口 kěkǒu
4386 可取 kěqǔ
4387 可恶 kěwù
4388 可喜 kěxǐ
4389 可行 kěxíng
4390 可疑 kěyí
4391 渴 kě
4392 渴求 kěqiú
4393 克己 kèjǐ
4394 克制 kèzhì
4395 刻板 kèbǎn
4396 刻薄 kèbó
4397 刻不容缓 kèbùrónghuǎn
4398 恪守 kèshǒu
4399 客车 kèchē
4400 客房 kèfáng
4401 客户 kèhù
4402 客机 kèjī
4403 客轮 kèlún
4404 客商 kèshāng
4405 客运 kèyùn
4406 课外 kèwài
4407 课文 kèwén
4408 课余 kèyú
4409 垦 kěn
4410 垦荒 kěnhuāng
4411 恳切 kěnqiè
4412 恳求 kěnqiú
4413 坑道 kēngdào
4414 吭声 kēngshēng
4415 铿锵 kēngqiāng
4416 空洞 kōngdòng
4417 空话 kōnghuà
4418 空旷 kōngkuàng
4419 空谈 kōngtán
4420 空投 kōngtóu
4421 空袭 kōngxí
4422 空想 kōngxiǎng
4423 空心 kōngxīn
4424 孔洞 kǒngdòng
4425 孔隙 kǒngxì
4426 恐 kǒng
4427 恐吓 kǒnghè
4428 恐龙 kǒnglóng
4429 空地 kòngdì
4430 空隙 kòngxì
4431 空闲 kòngxián
4432 空子 kòngzi
4433 控 kòng
4434 控告 kònggào
4435 控诉 kòngsù
4436 抠 kōu
4437 口岸 kǒu'àn
4438 口服 kǒufú
4439 口角 kǒujiǎo
4440 口径 kǒujìng
4441 口诀 kǒujué
4442 口粮 kǒuliáng
4443 口令 kǒulìng
4444 口琴 kǒuqín
4445 口哨 kǒushào
4446 口水 kǒushuǐ
4447 口味 kǒuwèi
4448 口吻 kǒuwěn
4449 口音 kǒuyīn
4450 口罩 kǒuzhào
4451 口子 kǒuzi
4452 叩 kòu
4453 叩头 kòutóu
4454 扣除 kòuchú
4455 扣留 kòuliú
4456 扣押 kòuyā
4457 扣子 kòuzi
4458 寇 kòu
4459 枯 kū
4460 枯黄 kūhuáng
4461 枯竭 kūjié
4462 枯萎 kūwěi
4463 枯燥 kūzào
4464 哭泣 kūqì
4465 哭诉 kūsù
4466 窟 kū
4467 窟窿 kūlong
4468 苦果 kǔguǒ
4469 苦力 kǔlì

4470 苦闷 kǔmèn
4471 苦涩 kǔsè
4472 苦痛 kǔtòng
4473 苦头 kǔ•tóu
4474 苦笑 kǔxiào
4475 苦心 kǔxīn
4476 苦于 kǔyú
4477 苦战 kǔzhàn
4478 苦衷 kǔzhōng
4479 库房 kùfáng
4480 裤 kù
4481 裤脚 kùjiǎo
4482 裤腿 kùtuǐ
4483 酷 kù
4484 酷爱 kù'ài
4485 酷热 kùrè
4486 酷暑 kùshǔ
4487 酷似 kùsì
4488 夸 kuā
4489 夸大 kuādà
4490 夸奖 kuājiǎng
4491 夸耀 kuāyào
4492 垮 kuǎ
4493 垮台 kuǎtái
4494 挎 kuà
4495 挎包 kuàbāo
4496 跨度 kuàdù
4497 跨越 kuàyuè
4498 快感 kuàigǎn
4499 快慢 kuàimàn
4500 快艇 kuàitǐng
4501 快意 kuàiyì
4502 脍炙人口 kuàizhì-rénkǒu
4503 宽敞 kuān•chǎng
4504 宽度 kuāndù
4505 宽广 kuānguǎng
4506 宽厚 kuānhòu
4507 宽容 kuānróng
4508 宽恕 kuānshù
4509 宽慰 kuānwèi
4510 宽裕 kuānyù
4511 款待 kuǎndài
4512 款式 kuǎnshì
4513 款项 kuǎnxiàng
4514 狂奔 kuángbēn
4515 狂风 kuángfēng
4516 狂欢 kuánghuān
4517 狂热 kuángrè
4518 狂妄 kuángwàng
4519 狂喜 kuángxǐ
4520 狂笑 kuángxiào
4521 旷 kuàng
4522 旷工 kuànggōng
4523 旷野 kuàngyě
4524 况 kuàng
4525 矿藏 kuàngcáng
4526 矿床 kuàngchuáng
4527 矿工 kuànggōng
4528 矿井 kuàngjǐng
4529 矿区 kuàngqū
4530 矿山 kuàngshān
4531 矿石 kuàngshí
4532 矿业 kuàngyè
4533 框 kuàng
4534 框架 kuàngjià
4535 框子 kuàngzi
4536 眶 kuàng
4537 亏本 kuīběn
4538 盔 kuī
4539 窥 kuī
4540 窥见 kuījiàn
4541 窥探 kuītàn
4542 奎 kuí
4543 葵花 kuíhuā
4544 魁梧 kuí•wú
4545 傀儡 kuǐlěi
4546 匮乏 kuìfá
4547 溃 kuì
4548 溃烂 kuìlàn
4549 溃疡 kuìyáng
4550 愧 kuì
4551 坤 kūn
4552 昆曲 kūnqǔ
4553 困惑 kùnhuò
4554 困苦 kùnkǔ
4555 困扰 kùnrǎo
4556 扩 kuò
4557 扩充 kuòchōng
4558 扩建 kuòjiàn
4559 括 kuò
4560 括号 kuòhào
4561 阔气 kuòqi
4562 廓 kuò
4563 拉力 lālì
4564 拉拢 lā•lǒng
4565 喇嘛 lǎma
4566 腊 là
4567 腊梅 làméi
4568 腊月 làyuè
4569 辣 là
4570 来宾 láibīn
4571 来电 láidiàn
4572 来访 láifǎng
4573 来客 láikè
4574 来历 láilì
4575 来龙去脉 láilóng-qùmài
4576 来年 láinián
4577 来去 láiqù
4578 来世 láishì

4579 来势 láishì
4580 来意 láiyì
4581 来者 láizhě
4582 癞 lài
4583 兰花 lánhuā
4584 拦 lán
4585 拦截 lánjié
4586 拦腰 lányāo
4587 拦阻 lánzǔ
4588 栏杆 lángān
4589 蓝图 lántú
4590 篮 lán
4591 篮球 lánqiú
4592 篮子 lánzi
4593 览 lǎn
4594 揽 lǎn
4595 缆 lǎn
4596 懒 lǎn
4597 懒得 lǎnde
4598 懒惰 lǎnduò
4599 懒汉 lǎnhàn
4600 懒散 lǎnsǎn
4601 烂泥 lànní
4602 滥 làn
4603 滥用 lànyòng
4604 郎 láng
4605 狼狈 lángbèi
4606 廊 láng
4607 朗读 lǎngdú
4608 朗诵 lǎngsòng
4609 浪潮 làngcháo
4610 浪漫 làngmàn
4611 浪涛 làngtāo
4612 浪头 làngtou
4613 劳工 láogōng
4614 劳驾 láojià
4615 劳教 láojiào
4616 劳苦 láokǔ
4617 劳累 láolèi
4618 劳模 láomó
4619 劳务 láowù
4620 劳役 láoyì
4621 劳资 láozī
4622 劳作 láozuò
4623 牢房 láofáng
4624 牢记 láojì
4625 牢笼 láolóng
4626 牢骚 láo•sāo
4627 牢狱 láoyù
4628 老伯 lǎobó
4629 老化 lǎohuà
4630 老家 lǎojiā
4631 老练 lǎoliàn
4632 老少 lǎoshào
4633 老生 lǎoshēng
4634 老式 lǎoshì
4635 老天爷 lǎotiānyé
4636 老头儿 lǎotóur
4637 老鹰 lǎoyīng
4638 老者 lǎozhě
4639 老总 lǎozǒng
4640 姥姥 lǎolao
4641 烙 lào
4642 烙印 làoyìn
4643 涝 lào
4644 乐趣 lèqù
4645 乐意 lèyì
4646 乐于 lèyú
4647 乐园 lèyuán
4648 勒 lè
4649 勒令 lèlìng
4650 勒索 lèsuǒ
4651 勒 lēi
4652 累赘 léizhui
4653 雷暴 léibào
4654 雷电 léidiàn
4655 雷鸣 léimíng
4656 雷同 léitóng
4657 雷雨 léiyǔ
4658 擂 léi
4659 镭 léi
4660 垒 lěi
4661 累积 lěijī
4662 累及 lěijí
4663 累计 lěijì
4664 肋 lèi
4665 肋骨 lèigǔ
4666 泪痕 lèihén
4667 泪花 lèihuā
4668 泪眼 lèiyǎn
4669 泪珠 lèizhū
4670 类比 lèibǐ
4671 类别 lèibié
4672 类群 lèiqún
4673 类推 lèituī
4674 擂 lèi
4675 棱 léng
4676 棱角 léngjiǎo
4677 棱镜 léngjìng
4678 冷不防 lěng•bùfáng
4679 冷藏 lěngcáng
4680 冷淡 lěngdàn
4681 冷冻 lěngdòng
4682 冷风 lěngfēng
4683 冷汗 lěnghàn
4684 冷峻 lěngjùn
4685 冷酷 lěngkù
4686 冷落 lěngluò
4687 冷漠 lěngmò
4688 冷凝 lěngníng
4689 冷暖 lěngnuǎn

4690 冷气 lěngqì
4691 冷清 lěng·qīng
4692 冷眼 lěngyǎn
4693 冷饮 lěngyǐn
4694 冷遇 lěngyù
4695 厘 lí
4696 离别 líbié
4697 离奇 líqí
4698 离散 lísàn
4699 离心 líxīn
4700 离心力 líxīnlì
4701 离休 líxiū
4702 离异 líyì
4703 离职 lízhí
4704 梨园 líyuán
4705 黎明 límíng
4706 篱笆 líba
4707 礼拜 lǐbài
4708 礼法 lǐfǎ
4709 礼教 lǐjiào
4710 礼节 lǐjié
4711 礼品 lǐpǐn
4712 礼让 lǐràng
4713 礼堂 lǐtáng
4714 礼仪 lǐyí
4715 里程 lǐchéng
4716 里程碑 lǐchéngbēi
4717 理财 lǐcái
4718 理睬 lǐcǎi
4719 理发 lǐfà
4720 理会 lǐhuì
4721 理科 lǐkē
4722 理事 lǐ·shì
4723 理应 lǐyīng
4724 理直气壮 lǐzhí-qìzhuàng
4725 锂 lǐ
4726 鲤 lǐ
4727 力度 lìdù
4728 力争 lìzhēng
4729 历程 lìchéng
4730 历次 lìcì
4731 历法 lìfǎ
4732 历届 lìjiè
4733 历尽 lìjìn
4734 历经 lìjīng
4735 历年 lìnián
4736 历书 lìshū
4737 厉声 lìshēng
4738 立案 lì'àn
4739 立方 lìfāng
4740 立功 lìgōng
4741 立国 lìguó
4742 立论 lìlùn
4743 立宪 lìxiàn
4744 立意 lìyì
4745 立正 lìzhèng
4746 立志 lìzhì
4747 立足 lìzú
4748 吏 lì
4749 利弊 lìbì
4750 利落 lìluo
4751 利尿 lìniào
4752 利索 lìsuo
4753 沥青 lìqīng
4754 例证 lìzhèng
4755 隶 lì
4756 隶属 lìshǔ
4757 荔枝 lìzhī
4758 栗子 lìzi
4759 砾石 lìshí
4760 痢疾 lìji
4761 连带 liándài
4762 连贯 liánguàn
4763 连环 liánhuán
4764 连环画 liánhuánhuà
4765 连累 liánlei
4766 连绵 liánmián
4767 连年 liánnián
4768 连日 liánrì
4769 连声 liánshēng
4770 连锁 liánsuǒ
4771 连通 liántōng
4772 连夜 liányè
4773 连衣裙 liányīqún
4774 怜 lián
4775 怜悯 liánmǐn
4776 帘 lián
4777 帘子 liánzi
4778 莲 lián
4779 莲花 liánhuā
4780 涟漪 liányī
4781 联欢 liánhuān
4782 联名 liánmíng
4783 联赛 liánsài
4784 联姻 liányīn
4785 廉 lián
4786 廉洁 liánjié
4787 镰 lián
4788 镰刀 liándāo
4789 敛 liǎn
4790 脸红 liǎnhóng
4791 脸颊 liǎnjiá
4792 脸面 liǎnmiàn
4793 脸庞 liǎnpáng
4794 脸皮 liǎnpí
4795 脸谱 liǎnpǔ
4796 练兵 liànbīng
4797 练功 liàngōng
4798 练武 liànwǔ
4799 恋 liàn

4800 恋人 liànrén
4801 链条 liàntiáo
4802 良机 liángjī
4803 良久 liángjiǔ
4804 良田 liángtián
4805 良性 liángxìng
4806 凉快 liángkuai
4807 凉爽 liángshuǎng
4808 凉水 liángshuǐ
4809 凉鞋 liángxié
4810 粮仓 liángcāng
4811 两口子 liǎngkǒuzi
4812 两栖 liǎngqī
4813 两性 liǎngxìng
4814 两样 liǎngyàng
4815 两翼 liǎngyì
4816 亮度 liàngdù
4817 亮光 liàngguāng
4818 亮相 liàngxiàng
4819 谅解 liàngjiě
4820 量变 liàngbiàn
4821 量词 liàngcí
4822 量刑 liàngxíng
4823 晾 liàng
4824 踉跄 liàngqiàng
4825 撩 liāo
4826 辽 liáo
4827 疗 liáo
4828 疗程 liáochéng
4829 疗效 liáoxiào
4830 疗养 liáoyǎng
4831 疗养院 liáoyǎngyuàn
4832 聊 liáo
4833 聊天儿 liáotiānr
4834 撩 liáo
4835 嘹亮 liáoliàng
4836 潦倒 liáodǎo
4837 缭绕 liáorào
4838 燎 liáo
4839 了不得 liǎo·bù·dé
4840 了结 liǎojié
4841 了然 liǎorán
4842 了如指掌 liǎorúzhǐzhǎng
4843 燎 liǎo
4844 料理 liàolǐ
4845 料想 liàoxiǎng
4846 料子 liàozi
4847 撂 liào
4848 廖 Liào
4849 瞭望 liàowàng
4850 列强 lièqiáng
4851 列席 lièxí
4852 劣 liè
4853 劣等 lièděng
4854 劣势 lièshì
4855 劣质 lièzhì
4856 烈 liè
4857 烈火 lièhuǒ
4858 烈日 lièrì
4859 烈性 lièxìng
4860 烈焰 lièyàn
4861 猎狗 liègǒu
4862 猎枪 lièqiāng
4863 猎取 lièqǔ
4864 猎犬 lièquǎn
4865 猎人 lièrén
4866 猎手 lièshǒu
4867 猎物 lièwù
4868 裂变 lièbiàn
4869 裂缝 lièfèng
4870 裂痕 lièhén
4871 裂纹 lièwén
4872 裂隙 lièxì
4873 拎 līn
4874 邻里 línlǐ
4875 邻舍 línshè
4876 林带 líndài
4877 林地 líndì
4878 林立 línlì
4879 林阴道 línyīndào
4880 林子 línzi
4881 临别 línbié
4882 临到 líndào
4883 临界 línjiè
4884 临近 línjìn
4885 临摹 línmó
4886 临终 línzhōng
4887 淋巴结 línbājié
4888 淋漓 línlí
4889 淋漓尽致 línlí-jìnzhì
4890 琳琅满目 línláng-mǎnmù
4891 嶙峋 línxún
4892 霖 lín
4893 磷肥 línféi
4894 磷脂 línzhī
4895 鳞 lín
4896 鳞片 línpiàn
4897 吝啬 lìnsè
4898 伶 líng
4899 伶俐 líng·lì
4900 灵巧 língqiǎo
4901 灵堂 língtáng
4902 灵通 língtōng
4903 灵性 língxìng
4904 灵芝 língzhī
4905 玲珑 línglóng
4906 凌 líng

4907 凌晨 língchén
4908 凌空 língkōng
4909 凌乱 língluàn
4910 陵 líng
4911 陵墓 língmù
4912 陵园 língyuán
4913 聆听 língtīng
4914 菱形 língxíng
4915 翎子 língzi
4916 羚羊 língyáng
4917 绫 líng
4918 零点 língdiǎn
4919 零乱 língluàn
4920 零散 língsǎn
4921 零碎 língsuì
4922 零星 língxīng
4923 领带 lǐngdài
4924 领地 lǐngdì
4925 领队 lǐngduì
4926 领海 lǐnghǎi
4927 领教 lǐngjiào
4928 领口 lǐngkǒu
4929 领略 lǐnglüè
4930 领取 lǐngqǔ
4931 领事馆 lǐngshìguǎn
4932 领受 lǐngshòu
4933 领头 lǐngtóu
4934 领悟 lǐngwù
4935 领先 lǐngxiān
4936 领主 lǐngzhǔ
4937 领子 lǐngzi
4938 另行 lìngxíng
4939 溜达 liūda
4940 蹓 liū
4941 浏览 liúlǎn
4942 留成 liúchéng
4943 留存 liúcún
4944 留恋 liúliàn
4945 留神 liúshén
4946 留声机 liúshēngjī
4947 留守 liúshǒu
4948 留心 liúxīn
4949 留意 liúyì
4950 流产 liúchǎn
4951 流畅 liúchàng
4952 流程 liúchéng
4953 流毒 liúdú
4954 流放 liúfàng
4955 流浪 liúlàng
4956 流利 liúlì
4957 流量 liúliàng
4958 流落 liúluò
4959 流失 liúshī
4960 流逝 liúshì
4961 流水线 liúshuǐxiàn
4962 流速 liúsù
4963 流淌 liútǎng
4964 流亡 liúwáng
4965 流星 liúxīng
4966 流言 liúyán
4967 流转 liúzhuǎn
4968 琉璃 liú•lí
4969 硫磺 liúhuáng
4970 绺 liǔ
4971 蹓 liù
4972 龙船 lóngchuán
4973 龙灯 lóngdēng
4974 龙骨 lónggǔ
4975 龙卷风 lóngjuǎnfēng
4976 龙王 Lóngwáng
4977 龙眼 lóngyǎn
4978 聋 lóng
4979 聋子 lóngzi
4980 笼子 lóngzi
4981 隆冬 lóngdōng
4982 隆重 lóngzhòng
4983 陇 Lǒng
4984 垄 lǒng
4985 笼络 lǒngluò
4986 笼统 lǒngtǒng
4987 楼阁 lóugé
4988 楼台 lóutái
4989 楼梯 lóutī
4990 篓 lǒu
4991 陋 lòu
4992 漏洞 lòudòng
4993 漏斗 lòudǒu
4994 卢 Lú
4995 芦笙 lúshēng
4996 芦苇 lúwěi
4997 炉灶 lúzào
4998 颅 lú
4999 卤水 lǔshuǐ
5000 卤素 lǔsù
5001 虏 lǔ
5002 掳 lǔ
5003 鲁莽 lǔmǎng
5004 陆路 lùlù
5005 录取 lùqǔ
5006 录像 lùxiàng
5007 录像机 lùxiàngjī
5008 录音 lùyīn
5009 录音机 lùyīnjī
5010 录用 lùyòng
5011 录制 lùzhì
5012 绿林 lùlín
5013 禄 lù
5014 路标 lùbiāo
5015 路灯 lùdēng
5016 路费 lùfèi
5017 路径 lùjìng

5018 路口 lùkǒu
5019 路面 lùmiàn
5020 路人 lùrén
5021 路途 lùtú
5022 麓 lù
5023 露骨 lùgǔ
5024 露水 lù•shuǐ
5025 露天 lùtiān
5026 露珠 lùzhū
5027 吕 lǚ
5028 捋 lǚ
5029 旅伴 lǚbàn
5030 旅程 lǚchéng
5031 旅店 lǚdiàn
5032 旅途 lǚtú
5033 屡 lǚ
5034 屡次 lǚcì
5035 屡见不鲜 lǚjiàn-bùxiān
5036 履 lǚ
5037 虑 lǜ
5038 绿灯 lǜdēng
5039 绿地 lǜdì
5040 绿豆 lǜdòu
5041 绿肥 lǜféi
5042 绿洲 lǜzhōu
5043 峦 luán
5044 孪生 luánshēng
5045 卵石 luǎnshí
5046 卵子 luǎnzǐ
5047 掠 lüè
5048 略微 lüèwēi
5049 抡 lūn
5050 沦陷 lúnxiàn
5051 轮班 lúnbān
5052 轮番 lúnfān
5053 轮换 lúnhuàn
5054 轮回 lúnhuí
5055 轮胎 lúntāi
5056 轮椅 lúnyǐ
5057 轮子 lúnzi
5058 论调 lùndiào
5059 论断 lùnduàn
5060 论据 lùnjù
5061 论理 lùnlǐ
5062 论说 lùnshuō
5063 论坛 lùntán
5064 论战 lùnzhàn
5065 论著 lùnzhù
5066 捋 luō
5067 罗汉 luóhàn
5068 罗列 luóliè
5069 罗盘 luópán
5070 萝卜 luóbo
5071 锣 luó
5072 锣鼓 luógǔ
5073 箩 luó
5074 箩筐 luókuāng
5075 骡子 luózi
5076 螺 luó
5077 螺丝 luósī
5078 螺旋桨 luóxuánjiǎng
5079 裸 luǒ
5080 裸露 luǒlù
5081 裸体 luǒtǐ
5082 洛 Luò
5083 落差 luòchā
5084 落成 luòchéng
5085 落户 luòhù
5086 落脚 luòjiǎo
5087 落空 luòkōng
5088 落日 luòrì
5089 落水 luòshuǐ
5090 落伍 luòwǔ
5091 摞 luò
5092 抹布 mābù
5093 麻痹 mábì
5094 麻袋 mádài
5095 麻将 májiàng
5096 麻利 máli
5097 麻木 mámù
5098 麻雀 máquè
5099 麻疹 mázhěn
5100 麻子 mázi
5101 马达 mǎdá
5102 马灯 mǎdēng
5103 马褂 mǎguà
5104 马虎 mǎhu
5105 马力 mǎlì
5106 马铃薯 mǎlíngshǔ
5107 马匹 mǎpǐ
5108 马蹄 mǎtí
5109 马桶 mǎtǒng
5110 马戏 mǎxì
5111 玛瑙 mǎnǎo
5112 埋藏 máicáng
5113 埋伏 mái•fú
5114 埋没 máimò
5115 埋头 máitóu
5116 埋葬 máizàng
5117 买主 mǎizhǔ
5118 迈步 màibù
5119 迈进 màijìn
5120 麦收 màishōu
5121 麦子 màizi
5122 卖国 màiguó
5123 卖力 màilì
5124 卖命 màimìng
5125 卖弄 mài•nòng
5126 卖主 màizhǔ
5127 脉搏 màibó

5128 脉冲 màichōng
5129 脉络 màiluò
5130 蛮干 mángàn
5131 蛮横 mánhèng
5132 鳗 mán
5133 满腹 mǎnfù
5134 满怀 mǎnhuái
5135 满口 mǎnkǒu
5136 满面 mǎnmiàn
5137 满目 mǎnmù
5138 满腔 mǎnqiāng
5139 满心 mǎnxīn
5140 满月 mǎnyuè
5141 满载 mǎnzài
5142 满嘴 mǎnzuǐ
5143 螨 mǎn
5144 曼 màn
5145 谩骂 mànmà
5146 蔓 màn
5147 蔓延 mànyán
5148 漫 màn
5149 漫不经心 màn bù jīngxīn
5150 漫步 mànbù
5151 漫画 mànhuà
5152 漫天 màntiān
5153 漫游 mànyóu
5154 慢条斯理 màntiáo-sīlǐ
5155 忙活 mánghuo
5156 忙乱 mángluàn
5157 盲 máng
5158 盲肠 mángcháng
5159 盲从 mángcóng
5160 盲流 mángliú
5161 盲人 mángrén
5162 蟒 mǎng
5163 猫头鹰 māotóuyīng
5164 毛笔 máobǐ
5165 毛虫 máochóng
5166 毛发 máofà
5167 毛骨悚然 máogǔ-sǒngrán
5168 毛料 máoliào
5169 毛驴 máolǘ
5170 毛囊 máonáng
5171 毛皮 máopí
5172 毛毯 máotǎn
5173 毛线 máoxiàn
5174 毛衣 máoyī
5175 矛 máo
5176 矛头 máotóu
5177 茅草 máocǎo
5178 茅屋 máowū
5179 锚 máo
5180 卯 mǎo
5181 铆 mǎo
5182 茂密 màomì
5183 茂盛 màoshèng
5184 冒充 màochōng
5185 冒火 màohuǒ
5186 冒昧 màomèi
5187 冒失 màoshi
5188 贸然 màorán
5189 貌 mào
5190 貌似 màosì
5191 没劲 méijìn
5192 没命 méimìng
5193 没趣 méiqù
5194 没准儿 méizhǔnr
5195 玫瑰 méi•guī
5196 眉飞色舞 méifēi-sèwǔ
5197 眉开眼笑 méikāi-yǎnxiào
5198 眉目 méi•mù
5199 眉眼 méiyǎn
5200 眉宇 méiyǔ
5201 梅花 méihuā
5202 梅雨 méiyǔ
5203 媒 méi
5204 媒人 méiren
5205 煤气 méiqì
5206 煤油 méiyóu
5207 霉 méi
5208 霉菌 méijūn
5209 霉烂 méilàn
5210 美德 měidé
5211 美观 měiguān
5212 美景 měijǐng
5213 美酒 měijiǔ
5214 美满 měimǎn
5215 美貌 měimào
5216 美女 měinǚ
5217 美人 měirén
5218 美容 měiróng
5219 美谈 měitán
5220 美味 měiwèi
5221 美育 měiyù
5222 昧 mèi
5223 媚 mèi
5224 闷热 mēnrè
5225 门板 ménbǎn
5226 门道 méndao
5227 门第 méndì
5228 门洞儿 méndòngr
5229 门户 ménhù
5230 门槛 ménkǎn
5231 门框 ménkuàng
5232 门类 ménlèi
5233 门帘 ménlián

5234 门铃 ménlíng
5235 门面 mén•miàn
5236 门票 ménpiào
5237 门生 ménshēng
5238 门徒 méntú
5239 门牙 ményá
5240 门诊 ménzhěn
5241 萌 méng
5242 萌动 méngdòng
5243 萌生 méngshēng
5244 蒙蔽 méngbì
5245 蒙昧 méngmèi
5246 蒙受 méngshòu
5247 盟 méng
5248 盟国 méngguó
5249 猛然 měngrán
5250 猛兽 měngshòu
5251 蒙古包 měnggǔbāo
5252 锰 měng
5253 梦幻 mènghuàn
5254 梦境 mèngjìng
5255 梦寐以求 mèngmèiyǐqiú
5256 梦乡 mèngxiāng
5257 梦想 mèngxiǎng
5258 梦呓 mèngyì
5259 眯 mī
5260 眯缝 mīfeng
5261 弥 mí
5262 弥散 mísàn
5263 迷宫 mígōng
5264 迷糊 míhu
5265 迷惑 míhuò
5266 迷离 mílí
5267 迷恋 míliàn
5268 迷路 mílù
5269 迷茫 mímáng
5270 迷蒙 míméng
5271 迷失 míshī
5272 迷惘 míwǎng
5273 迷雾 míwù
5274 猕猴 míhóu
5275 糜烂 mílàn
5276 米饭 mǐfàn
5277 觅 mì
5278 秘 mì
5279 秘诀 mìjué
5280 密闭 mìbì
5281 密布 mìbù
5282 密封 mìfēng
5283 密码 mìmǎ
5284 幂 mì
5285 蜜月 mìyuè
5286 眠 mián
5287 绵 mián
5288 绵延 miányán
5289 绵羊 miányáng
5290 棉布 miánbù
5291 棉纱 miánshā
5292 棉田 miántián
5293 棉絮 miánxù
5294 免除 miǎnchú
5295 免得 miǎn•dé
5296 免费 miǎnfèi
5297 免税 miǎnshuì
5298 勉 miǎn
5299 勉励 miǎnlì
5300 缅怀 miǎnhuái
5301 面额 miàn'é
5302 面粉 miànfěn
5303 面颊 miànjiá
5304 面具 miànjù
5305 面庞 miànpáng
5306 面容 miànróng
5307 面色 miànsè
5308 面纱 miànshā
5309 面谈 miàntán
5310 面条儿 miàntiáor
5311 面子 miànzi
5312 苗木 miáomù
5313 苗圃 miáopǔ
5314 苗条 miáotiao
5315 苗头 miáotou
5316 描 miáo
5317 描画 miáohuà
5318 描摹 miáomó
5319 瞄 miáo
5320 瞄准 miáozhǔn
5321 渺 miǎo
5322 渺茫 miǎománg
5323 渺小 miǎoxiǎo
5324 藐视 miǎoshì
5325 庙会 miàohuì
5326 庙宇 miàoyǔ
5327 灭火 mièhuǒ
5328 灭绝 mièjué
5329 蔑视 mièshì
5330 篾 miè
5331 民办 mínbàn
5332 民法 mínfǎ
5333 民房 mínfáng
5334 民工 míngōng
5335 民航 mínháng
5336 民警 mínjǐng
5337 民情 mínqíng
5338 民权 mínquán
5339 民生 mínshēng
5340 民心 mínxīn
5341 民谣 mínyáo
5342 民意 mínyì
5343 民营 mínyíng

5344 民用 mínyòng
5345 民政 mínzhèng
5346 皿 mǐn
5347 抿 mǐn
5348 泯灭 mǐnmiè
5349 闽 Mǐn
5350 名次 míngcì
5351 名单 míngdān
5352 名额 míng'é
5353 名副其实 míngfùqíshí
5354 名贵 míngguì
5355 名家 míngjiā
5356 名利 mínglì
5357 名列前茅 mínglièqiánmáo
5358 名流 míngliú
5359 名目 míngmù
5360 名牌 míngpái
5361 名片 míngpiàn
5362 名气 míngqì
5363 名人 míngrén
5364 名山 míngshān
5365 名声 míngshēng
5366 名胜 míngshèng
5367 名师 míngshī
5368 名堂 míngtang
5369 名望 míngwàng
5370 名下 míngxià
5371 名言 míngyán
5372 名誉 míngyù
5373 名著 míngzhù
5374 明矾 míngfán
5375 明净 míngjìng
5376 明镜 míngjìng
5377 明快 míngkuài
5378 明朗 mínglǎng
5379 明了 míngliǎo
5380 明媚 míngmèi
5381 明日 míngrì
5382 明晰 míngxī
5383 明星 míngxīng
5384 明珠 míngzhū
5385 鸣叫 míngjiào
5386 冥想 míngxiǎng
5387 铭 míng
5388 铭文 míngwén
5389 命脉 mìngmài
5390 命中 mìngzhòng
5391 谬 miù
5392 谬论 miùlùn
5393 谬误 miùwù
5394 摹 mó
5395 模特儿 mótèr
5396 摩登 módēng
5397 摩托 mótuō
5398 磨练 móliàn
5399 磨难 mónàn
5400 磨损 mósǔn
5401 蘑菇 mógu
5402 魔 mó
5403 魔法 mófǎ
5404 魔鬼 móguǐ
5405 魔力 mólì
5406 魔术 móshù
5407 魔王 mówáng
5408 魔爪 mózhǎo
5409 抹杀 mǒshā
5410 末日 mòrì
5411 末梢 mòshāo
5412 末尾 mòwěi
5413 沫 mò
5414 莫大 mòdà
5415 莫非 mòfēi
5416 蓦然 mòrán
5417 漠然 mòrán
5418 漠视 mòshì
5419 墨水 mòshuǐ
5420 默 mò
5421 默念 mòniàn
5422 默契 mòqì
5423 默然 mòrán
5424 眸 móu
5425 谋害 móuhài
5426 谋略 móulüè
5427 谋求 móuqiú
5428 谋取 móuqǔ
5429 谋杀 móushā
5430 谋生 móushēng
5431 模板 múbǎn
5432 母爱 mǔ'ài
5433 母本 mǔběn
5434 母系 mǔxì
5435 母校 mǔxiào
5436 母语 mǔyǔ
5437 牡丹 mǔ·dān
5438 牡蛎 mǔlì
5439 拇指 mǔzhǐ
5440 木本 mùběn
5441 木柴 mùchái
5442 木耳 mù'ěr
5443 木筏 mùfá
5444 木工 mùgōng
5445 木匠 mùjiang
5446 木刻 mùkè
5447 木料 mùliào
5448 木偶 mù'ǒu
5449 木炭 mùtàn
5450 木星 mùxīng
5451 目不转睛 mùbùzhuǎnjīng

5452 目瞪口呆 mùdèng-kǒudāi
5453 目睹 mùdǔ
5454 目录 mùlù
5455 目送 mùsòng
5456 沐浴 mùyù
5457 牧 mù
5458 牧草 mùcǎo
5459 牧场 mùchǎng
5460 牧民 mùmín
5461 牧区 mùqū
5462 募 mù
5463 募捐 mùjuān
5464 墓碑 mùbēi
5465 墓地 mùdì
5466 墓室 mùshì
5467 墓葬 mùzàng
5468 幕后 mùhòu
5469 暮 mù
5470 暮色 mùsè
5471 穆 mù
5472 穆斯林 mùsīlín
5473 纳粹 Nàcuì
5474 纳闷儿 nàmènr
5475 娜 nà
5476 捺 nà
5477 奶粉 nǎifěn
5478 奶牛 nǎiniú
5479 奶油 nǎiyóu
5480 氖 nǎi
5481 奈何 nàihé
5482 耐力 nàilì
5483 耐用 nàiyòng
5484 男方 nánfāng
5485 男生 nánshēng
5486 南半球 nánbànqiú
5487 南边 nán•biān
5488 南瓜 nán•guā
5489 南面 nán•miàn
5490 南洋 Nányáng
5491 难保 nánbǎo
5492 难产 nánchǎn
5493 难处 nán•chù
5494 难点 nándiǎn
5495 难度 nándù
5496 难关 nánguān
5497 难堪 nánkān
5498 难看 nánkàn
5499 难说 nánshuō
5500 难听 nántīng
5501 难为 nánwei
5502 难为情 nánwéiqíng
5503 难民 nànmín
5504 难友 nànyǒu
5505 囊括 nángkuò
5506 挠 náo
5507 恼 nǎo
5508 恼火 nǎohuǒ
5509 恼怒 nǎonù
5510 脑海 nǎohǎi
5511 脑际 nǎojì
5512 脑筋 nǎojīn
5513 脑力 nǎolì
5514 脑髓 nǎosuǐ
5515 闹市 nàoshì
5516 闹事 nàoshì
5517 闹钟 nàozhōng
5518 内阁 nèigé
5519 内海 nèihǎi
5520 内行 nèiháng
5521 内疚 nèijiù
5522 内科 nèikē
5523 内力 nèilì
5524 内陆 nèilù
5525 内乱 nèiluàn
5526 内幕 nèimù
5527 内情 nèiqíng
5528 内燃机 nèiránjī
5529 内伤 nèishāng
5530 内务 nèiwù
5531 内线 nèixiàn
5532 内向 nèixiàng
5533 内销 nèixiāo
5534 内省 nèixǐng
5535 内衣 nèiyī
5536 内因 nèiyīn
5537 内政 nèizhèng
5538 嫩绿 nènlǜ
5539 能干 nénggàn
5540 能耐 néngnai
5541 能人 néngrén
5542 能事 néngshì
5543 能手 néngshǒu
5544 尼 ní
5545 尼姑 nígū
5546 尼龙 nílóng
5547 呢绒 níróng
5548 泥浆 níjiāng
5549 泥坑 níkēng
5550 泥泞 nínìng
5551 泥鳅 ní•qiū
5552 泥塑 nísù
5553 泥炭 nítàn
5554 倪 ní
5555 霓虹灯 níhóngdēng
5556 拟订 nǐdìng
5557 拟定 nǐdìng
5558 拟人 nǐrén
5559 逆差 nìchā
5560 逆境 nìjìng
5561 逆流 nìliú

5562 逆向 nìxiàng
5563 逆转 nìzhuǎn
5564 腻 nì
5565 溺 nì
5566 溺爱 nì'ài
5567 拈 niān
5568 蔫 niān
5569 年份 niánfèn
5570 年华 niánhuá
5571 年画 niánhuà
5572 年会 niánhuì
5573 年景 niánjǐng
5574 年轮 niánlún
5575 年迈 niánmài
5576 年岁 niánsuì
5577 年限 niánxiàn
5578 年终 niánzhōng
5579 黏 nián
5580 捻 niǎn
5581 碾 niǎn
5582 撵 niǎn
5583 廿 niàn
5584 念白 niànbái
5585 念叨 niàndao
5586 娘家 niángjia
5587 酿 niàng
5588 鸟瞰 niǎokàn
5589 袅袅 niǎoniǎo
5590 尿布 niàobù
5591 尿素 niàosù
5592 捏造 niēzào
5593 聂 Niè
5594 涅槃 nièpán
5595 啮 niè
5596 镊子 nièzi
5597 镍 niè
5598 孽 niè
5599 狞笑 níngxiào
5600 凝神 níngshén
5601 凝望 níngwàng
5602 宁可 nìngkě
5603 宁肯 nìngkěn
5604 宁愿 nìngyuàn
5605 牛犊 niúdú
5606 牛皮 niúpí
5607 牛仔裤 niúzǎikù
5608 扭曲 niǔqū
5609 纽带 niǔdài
5610 纽扣 niǔkòu
5611 拗 niù
5612 农夫 nóngfū
5613 农妇 nóngfù
5614 农耕 nónggēng
5615 农机 nóngjī
5616 农家 nóngjiā
5617 农垦 nóngkěn
5618 农历 nónglì
5619 农忙 nóngmáng
5620 农事 nóngshì
5621 农闲 nóngxián
5622 浓淡 nóngdàn
5623 浓烈 nóngliè
5624 浓眉 nóngméi
5625 浓密 nóngmì
5626 浓缩 nóngsuō
5627 浓郁 nóngyù
5628 浓重 nóngzhòng
5629 弄虚作假 nòngxū-zuòjiǎ
5630 奴 nú
5631 奴才 núcai
5632 奴仆 núpú
5633 怒放 nùfàng
5634 怒吼 nùhǒu
5635 怒火 nùhuǒ
5636 怒气 nùqì
5637 女方 nǚfāng
5638 女皇 nǚhuáng
5639 女郎 nǚláng
5640 女神 nǚshén
5641 女生 nǚshēng
5642 女王 nǚwáng
5643 暖和 nuǎnhuo
5644 暖流 nuǎnliú
5645 暖瓶 nuǎnpíng
5646 暖气 nuǎnqì
5647 疟疾 nüèji
5648 虐待 nüèdài
5649 挪 nuó
5650 挪动 nuó·dòng
5651 挪用 nuóyòng
5652 诺言 nuòyán
5653 懦弱 nuòruò
5654 糯米 nuòmǐ
5655 讴歌 ōugē
5656 鸥 ōu
5657 殴打 ōudǎ
5658 呕 ǒu
5659 呕吐 ǒutù
5660 偶像 ǒuxiàng
5661 藕 ǒu
5662 趴 pā
5663 爬行 páxíng
5664 耙 pá
5665 帕 pà
5666 拍板 pāibǎn
5667 拍卖 pāimài
5668 拍手 pāishǒu
5669 拍照 pāizhào
5670 拍子 pāizi
5671 排场 pái·chǎng

5672 排队　páiduì
5673 排挤　páijǐ
5674 排练　páiliàn
5675 排卵　páiluǎn
5676 排球　páiqiú
5677 排戏　páixì
5678 排泄　páixiè
5679 排演　páiyǎn
5680 排忧解难　páiyōu-jiěnàn
5681 牌坊　pái•fāng
5682 牌价　páijià
5683 牌楼　páilou
5684 派别　pàibié
5685 派生　pàishēng
5686 派头　pàitóu
5687 派系　pàixì
5688 派性　pàixìng
5689 攀登　pāndēng
5690 攀谈　pāntán
5691 攀援　pānyuán
5692 盘剥　pánbō
5693 盘踞　pánjù
5694 盘算　pánsuan
5695 盘问　pánwèn
5696 盘旋　pánxuán
5697 盘子　pánzi
5698 判别　pànbié
5699 判决书　pànjuéshū
5700 判明　pànmíng
5701 判刑　pànxíng
5702 叛　pàn
5703 叛变　pànbiàn
5704 叛乱　pànluàn
5705 叛逆　pànnì
5706 叛徒　pàntú
5707 畔　pàn
5708 膀　pāng
5709 庞　páng
5710 旁白　pángbái
5711 旁人　pángrén
5712 旁听　pángtīng
5713 膀胱　pángguāng
5714 磅礴　pángbó
5715 胖子　pàngzi
5716 刨　páo
5717 咆哮　páoxiào
5718 狍子　páozi
5719 炮制　páozhì
5720 袍　páo
5721 跑步　pǎobù
5722 跑道　pǎodào
5723 泡菜　pàocài
5724 泡沫　pàomò
5725 炮兵　pàobīng
5726 炮火　pàohuǒ
5727 炮击　pàojī
5728 炮楼　pàolóu
5729 炮台　pàotái
5730 胚芽　pēiyá
5731 陪伴　péibàn
5732 陪衬　péichèn
5733 陪同　péitóng
5734 培　péi
5735 培土　péitǔ
5736 培植　péizhí
5737 赔　péi
5738 赔款　péikuǎn
5739 赔钱　péiqián
5740 裴　Péi
5741 佩　pèi
5742 佩戴　pèidài
5743 配备　pèibèi
5744 配对　pèiduì
5745 配方　pèifāng
5746 配件　pèijiàn
5747 配角　pèijué
5748 配偶　pèi'ǒu
5749 配伍　pèiwǔ
5750 配制　pèizhì
5751 配种　pèizhǒng
5752 喷发　pēnfā
5753 喷泉　pēnquán
5754 喷洒　pēnsǎ
5755 喷射　pēnshè
5756 喷嚏　pēn•tì
5757 喷涂　pēntú
5758 盆景　pénjǐng
5759 盆栽　pénzāi
5760 盆子　pénzi
5761 抨击　pēngjī
5762 烹饪　pēngrèn
5763 烹调　pēngtiáo
5764 棚子　péngzi
5765 蓬　péng
5766 蓬乱　péngluàn
5767 蓬松　péngsōng
5768 硼　péng
5769 篷　péng
5770 膨大　péngdà
5771 碰见　pèng•jiàn
5772 碰巧　pèngqiǎo
5773 碰头　pèngtóu
5774 碰撞　pèngzhuàng
5775 批驳　pībó
5776 批量　pīliàng
5777 批示　pīshì
5778 坯　pī
5779 披露　pīlù
5780 劈　pī
5781 霹雳　pīlì

5782 皮包 píbāo
5783 皮层 pícéng
5784 皮带 pídài
5785 皮革 pígé
5786 皮毛 pímáo
5787 皮球 píqiú
5788 皮肉 píròu
5789 皮子 pízi
5790 毗邻 pílín
5791 疲 pí
5792 疲惫 píbèi
5793 疲乏 pífá
5794 啤酒 píjiǔ
5795 琵琶 pí•pá
5796 脾胃 píwèi
5797 脾脏 pízàng
5798 匹配 pǐpèi
5799 痞子 pǐzi
5800 劈 pǐ
5801 癖 pǐ
5802 屁 pì
5803 辟 pì
5804 媲美 pìměi
5805 僻静 pìjìng
5806 片子 piānzi
5807 偏爱 piān'ài
5808 偏差 piānchā
5809 偏激 piānjī
5810 偏离 piānlí
5811 偏旁 piānpáng
5812 偏僻 piānpì
5813 偏颇 piānpō
5814 偏心 piānxīn
5815 偏重 piānzhòng
5816 篇幅 piān•fú
5817 篇章 piānzhāng
5818 片段 piànduàn
5819 片断 piànduàn
5820 骗局 piànjú
5821 骗取 piànqǔ
5822 骗子 piànzi
5823 漂 piāo
5824 漂泊 piāobó
5825 漂浮 piāofú
5826 漂流 piāoliú
5827 漂移 piāoyí
5828 飘带 piāodài
5829 飘荡 piāodàng
5830 飘动 piāodòng
5831 飘浮 piāofú
5832 飘忽 piāohū
5833 飘零 piāolíng
5834 飘落 piāoluò
5835 飘然 piāorán
5836 飘散 piāosàn
5837 飘扬 piāoyáng
5838 飘逸 piāoyì
5839 朴 Piáo
5840 瓢 piáo
5841 漂 piǎo
5842 漂白粉 piǎobáifěn
5843 瞟 piǎo
5844 票据 piàojù
5845 票子 piàozi
5846 撇 piē
5847 撇开 piē•kāi
5848 瞥 piē
5849 瞥见 piējiàn
5850 撇 piě
5851 拼 pīn
5852 拼搏 pīnbó
5853 拼凑 pīncòu
5854 拼死 pīnsǐ
5855 拼音 pīnyīn
5856 贫乏 pínfá
5857 贫寒 pínhán
5858 贫瘠 pínjí
5859 贫苦 pínkǔ
5860 贫民 pínmín
5861 贫血 pínxuè
5862 频 pín
5863 频道 píndào
5864 品尝 pǐncháng
5865 品格 pǐngé
5866 品评 pǐnpíng
5867 品位 pǐnwèi
5868 品味 pǐnwèi
5869 品行 pǐnxíng
5870 聘 pìn
5871 聘请 pìnqǐng
5872 平安 píng'ān
5873 平板 píngbǎn
5874 平淡 píngdàn
5875 平地 píngdì
5876 平定 píngdìng
5877 平反 píngfǎn
5878 平方 píngfāng
5879 平房 píngfáng
5880 平衡木 pínghéngmù
5881 平滑 pínghuá
5882 平缓 pínghuǎn
5883 平价 píngjià
5884 平米 píngmǐ
5885 平生 píngshēng
5886 平素 píngsù
5887 平台 píngtái
5888 平稳 píngwěn
5889 平息 píngxī
5890 平移 píngyí
5891 平庸 píngyōng
5892 平整 píngzhěng

5893 评比 píngbǐ
5894 评定 píngdìng
5895 评分 píngfēn
5896 评估 pínggū
5897 评奖 píngjiǎng
5898 评剧 píngjù
5899 评判 píngpàn
5900 评审 píngshěn
5901 评述 píngshù
5902 评弹 píngtán
5903 评议 píngyì
5904 评语 píngyǔ
5905 坪 píng
5906 凭吊 píngdiào
5907 凭空 píngkōng
5908 凭证 píngzhèng
5909 屏风 píngfēng
5910 屏障 píngzhàng
5911 瓶子 píngzi
5912 萍 píng
5913 坡地 pōdì
5914 坡度 pōdù
5915 泊 pō
5916 泼 pō
5917 泼辣 pō•là
5918 婆家 pójia
5919 迫不及待 pòbùjídài
5920 破案 pò'àn
5921 破除 pòchú
5922 破格 pògé
5923 破获 pòhuò
5924 破旧 pòjiù
5925 破烂 pòlàn
5926 破例 pòlì
5927 破灭 pòmiè
5928 破碎 pòsuì
5929 破绽 pò•zhàn
5930 魄 pò
5931 魄力 pò•lì
5932 剖 pōu
5933 剖析 pōuxī
5934 仆 pū
5935 扑鼻 pūbí
5936 扑克 pūkè
5937 扑灭 pūmiè
5938 铺盖 pūgai
5939 铺设 pūshè
5940 仆 pú
5941 仆人 púrén
5942 仆役 púyì
5943 匍匐 púfú
5944 葡萄酒 pú•táojiǔ
5945 蒲公英 púgōngyīng
5946 蒲扇 púshàn
5947 朴实 pǔshí
5948 圃 pǔ
5949 浦 pǔ
5950 普 pǔ
5951 普查 pǔchá
5952 普法 pǔfǎ
5953 普选 pǔxuǎn
5954 谱写 pǔxiě
5955 堡 pù
5956 瀑 pù
5957 瀑布 pùbù
5958 沏 qī
5959 栖息 qīxī
5960 凄惨 qīcǎn
5961 凄楚 qīchǔ
5962 凄厉 qīlì
5963 凄然 qīrán
5964 戚 qī
5965 期刊 qīkān
5966 欺 qī
5967 欺负 qīfu
5968 欺凌 qīlíng
5969 欺侮 qīwǔ
5970 欺压 qīyā
5971 欺诈 qīzhà
5972 漆黑 qīhēi
5973 漆器 qīqì
5974 齐备 qíbèi
5975 齐名 qímíng
5976 齐全 qíquán
5977 齐整 qízhěng
5978 奇观 qíguān
5979 奇妙 qímiào
5980 奇闻 qíwén
5981 歧视 qíshì
5982 歧途 qítú
5983 歧义 qíyì
5984 祈 qí
5985 祈祷 qídǎo
5986 祈求 qíqiú
5987 畦 qí
5988 崎岖 qíqū
5989 骑兵 qíbīng
5990 棋 qí
5991 棋盘 qípán
5992 棋子 qízǐ
5993 旗号 qíhào
5994 旗袍 qípáo
5995 旗子 qízi
5996 鳍 qí
5997 乞丐 qǐgài
5998 乞求 qǐqiú
5999 乞讨 qǐtǎo
6000 岂有此理 qǐyǒucǐlǐ
6001 企鹅 qǐ'é
6002 启 qǐ
6003 启程 qǐchéng

6004 启迪 qǐdí
6005 启动 qǐdòng
6006 启蒙 qǐméng
6007 启事 qǐshì
6008 起兵 qǐbīng
6009 起步 qǐbù
6010 起草 qǐcǎo
6011 起床 qǐchuáng
6012 起飞 qǐfēi
6013 起哄 qǐhòng
6014 起火 qǐhuǒ
6015 起家 qǐjiā
6016 起见 qǐjiàn
6017 起劲 qǐjìn
6018 起居 qǐjū
6019 起立 qǐlì
6020 起落 qǐluò
6021 起事 qǐshì
6022 起诉 qǐsù
6023 起先 qǐxiān
6024 起因 qǐyīn
6025 绮丽 qǐlì
6026 气喘 qìchuǎn
6027 气垫 qìdiàn
6028 气度 qìdù
6029 气概 qìgài
6030 气功 qìgōng
6031 气管 qìguǎn
6032 气急 qìjí
6033 气节 qìjié
6034 气孔 qìkǒng
6035 气力 qìlì
6036 气囊 qìnáng
6037 气恼 qìnǎo
6038 气馁 qìněi
6039 气派 qìpài
6040 气泡 qìpào
6041 气魄 qìpò
6042 气球 qìqiú
6043 气色 qìsè
6044 气势 qìshì
6045 气态 qìtài
6046 气虚 qìxū
6047 气旋 qìxuán
6048 气焰 qìyàn
6049 迄 qì
6050 迄今 qìjīn
6051 汽 qì
6052 汽笛 qìdí
6053 汽缸 qìgāng
6054 汽化 qìhuà
6055 汽水 qìshuǐ
6056 汽艇 qìtǐng
6057 泣 qì
6058 契 qì
6059 契机 qìjī
6060 器件 qìjiàn
6061 器具 qìjù
6062 器皿 qìmǐn
6063 器物 qìwù
6064 器械 qìxiè
6065 器乐 qìyuè
6066 器重 qìzhòng
6067 掐 qiā
6068 洽 qià
6069 洽谈 qiàtán
6070 恰 qià
6071 恰巧 qiàqiǎo
6072 恰如 qiàrú
6073 恰似 qiàsì
6074 千古 qiāngǔ
6075 千金 qiānjīn
6076 千钧一发 qiānjūn-yīfà
6077 千卡 qiānkǎ
6078 千瓦 qiānwǎ
6079 扦 qiān
6080 迁就 qiānjiù
6081 迁居 qiānjū
6082 牵动 qiāndòng
6083 牵挂 qiānguà
6084 牵连 qiānlián
6085 牵涉 qiānshè
6086 牵引 qiānyǐn
6087 牵制 qiānzhì
6088 谦虚 qiānxū
6089 谦逊 qiānxùn
6090 签 qiān
6091 签发 qiānfā
6092 签名 qiānmíng
6093 签署 qiānshǔ
6094 签约 qiānyuē
6095 签证 qiānzhèng
6096 签字 qiānzì
6097 前辈 qiánbèi
6098 前臂 qiánbì
6099 前程 qiánchéng
6100 前额 qián'é
6101 前锋 qiánfēng
6102 前列 qiánliè
6103 前年 qiánnián
6104 前仆后继 qiánpū-hòujì
6105 前哨 qiánshào
6106 前身 qiánshēn
6107 前世 qiánshì
6108 前天 qiántiān
6109 前卫 qiánwèi
6110 前沿 qiányán
6111 前夜 qiányè
6112 前肢 qiánzhī

6113 前奏 qiánzòu
6114 虔诚 qiánchéng
6115 钱包 qiánbāo
6116 钱币 qiánbì
6117 钱财 qiáncái
6118 钳工 qiángōng
6119 钳子 qiánzi
6120 乾 qián
6121 乾坤 qiánkūn
6122 潜藏 qiáncáng
6123 潜伏 qiánfú
6124 潜入 qiánrù
6125 潜水 qiánshuǐ
6126 潜艇 qiántǐng
6127 潜移默化 qiányí-mòhuà
6128 黔 Qián
6129 浅薄 qiǎnbó
6130 浅海 qiǎnhǎi
6131 浅滩 qiǎntān
6132 浅显 qiǎnxiǎn
6133 谴责 qiǎnzé
6134 欠缺 qiànquē
6135 纤 qiàn
6136 歉 qiàn
6137 歉收 qiànshōu
6138 歉意 qiànyì
6139 呛 qiāng
6140 枪毙 qiāngbì
6141 枪弹 qiāngdàn
6142 枪杀 qiāngshā
6143 枪支 qiāngzhī
6144 腔调 qiāngdiào
6145 强渡 qiángdù
6146 强攻 qiánggōng
6147 强国 qiángguó
6148 强加 qiángjiā
6149 强健 qiángjiàn
6150 强劲 qiángjìng
6151 强力 qiánglì
6152 强盛 qiángshèng
6153 强行 qiángxíng
6154 强硬 qiángyìng
6155 强占 qiángzhàn
6156 强壮 qiángzhuàng
6157 墙根 qiánggēn
6158 墙角 qiángjiǎo
6159 墙头 qiángtóu
6160 抢夺 qiǎngduó
6161 抢购 qiǎnggòu
6162 抢劫 qiǎngjié
6163 抢先 qiǎngxiān
6164 抢险 qiǎngxiǎn
6165 抢修 qiǎngxiū
6166 抢占 qiǎngzhàn
6167 强求 qiǎngqiú
6168 呛 qiàng
6169 跷 qiāo
6170 锹 qiāo
6171 敲打 qiāo•dǎ
6172 乔 qiáo
6173 乔木 qiáomù
6174 侨胞 qiáobāo
6175 侨眷 qiáojuàn
6176 侨民 qiáomín
6177 侨务 qiáowù
6178 桥头 qiáotóu
6179 翘 qiáo
6180 瞧见 qiáo•jiàn
6181 巧合 qiǎohé
6182 悄然 qiǎorán
6183 悄声 qiǎoshēng
6184 俏 qiào
6185 俏皮 qiào•pí
6186 峭壁 qiàobì
6187 窍 qiào
6188 窍门 qiàomén
6189 翘 qiào
6190 撬 qiào
6191 鞘 qiào
6192 切除 qiēchú
6193 切磋 qiēcuō
6194 切点 qiēdiǎn
6195 切割 qiēgē
6196 切口 qiēkǒu
6197 切面 qiēmiàn
6198 切片 qiēpiàn
6199 切线 qiēxiàn
6200 茄子 qiézi
6201 切合 qièhé
6202 切忌 qièjì
6203 切身 qièshēn
6204 妾 qiè
6205 怯 qiè
6206 怯懦 qiènuò
6207 窃 qiè
6208 窃取 qièqǔ
6209 惬意 qièyì
6210 钦差 qīnchāi
6211 钦佩 qīnpèi
6212 侵害 qīnhài
6213 侵吞 qīntūn
6214 侵袭 qīnxí
6215 亲爱 qīn'ài
6216 亲笔 qīnbǐ
6217 亲近 qīnjìn
6218 亲口 qīnkǒu
6219 亲临 qīnlín
6220 亲昵 qīnnì
6221 亲朋 qīnpéng
6222 亲身 qīnshēn

6223 亲生 qīnshēng
6224 亲事 qīn•shì
6225 亲手 qīnshǒu
6226 亲王 qīnwáng
6227 亲吻 qīnwěn
6228 亲信 qīnxìn
6229 亲缘 qīnyuán
6230 亲子 qīnzǐ
6231 禽 qín
6232 禽兽 qínshòu
6233 勤奋 qínfèn
6234 勤俭 qínjiǎn
6235 勤快 qínkuai
6236 擒 qín
6237 噙 qín
6238 寝 qǐn
6239 寝室 qǐnshì
6240 沁 qìn
6241 青菜 qīngcài
6242 青草 qīngcǎo
6243 青翠 qīngcuì
6244 青稞 qīngkē
6245 青睐 qīnglài
6246 青霉素 qīngméisù
6247 青苔 qīngtái
6248 青天 qīngtiān
6249 青铜 qīngtóng
6250 青衣 qīngyī
6251 轻便 qīngbiàn
6252 轻而易举 qīng'éryìjǔ
6253 轻浮 qīngfú
6254 轻快 qīngkuài
6255 轻描淡写 qīngmiáo-dànxiě
6256 轻蔑 qīngmiè
6257 轻骑 qīngqí
6258 轻巧 qīng•qiǎo
6259 轻柔 qīngróu
6260 轻率 qīngshuài
6261 轻信 qīngxìn
6262 轻音乐 qīngyīnyuè
6263 轻盈 qīngyíng
6264 氢弹 qīngdàn
6265 倾倒 qīngdǎo
6266 倾倒 qīngdào
6267 倾角 qīngjiǎo
6268 倾诉 qīngsù
6269 倾吐 qīngtǔ
6270 倾销 qīngxiāo
6271 倾泻 qīngxiè
6272 倾心 qīngxīn
6273 倾注 qīngzhù
6274 卿 qīng
6275 清白 qīngbái
6276 清查 qīngchá
6277 清偿 qīngcháng
6278 清澈 qīngchè
6279 清脆 qīngcuì
6280 清单 qīngdān
6281 清淡 qīngdàn
6282 清风 qīngfēng
6283 清高 qīnggāo
6284 清官 qīngguān
6285 清净 qīngjìng
6286 清静 qīngjìng
6287 清冷 qīnglěng
6288 清凉 qīngliáng
6289 清明 qīngmíng
6290 清扫 qīngsǎo
6291 清瘦 qīngshòu
6292 清爽 qīngshuǎng
6293 清算 qīngsuàn
6294 清洗 qīngxǐ
6295 清闲 qīngxián
6296 清香 qīngxiāng
6297 清新 qīngxīn
6298 清秀 qīngxiù
6299 清早 qīngzǎo
6300 清真寺 qīngzhēnsì
6301 蜻蜓 qīngtíng
6302 情不自禁 qíngbùzìjīn
6303 情调 qíngdiào
6304 情怀 qínghuái
6305 情理 qínglǐ
6306 情侣 qínglǚ
6307 情人 qíngrén
6308 情势 qíngshì
6309 情书 qíngshū
6310 情思 qíngsī
6311 情态 qíngtài
6312 情谊 qíngyì
6313 情意 qíngyì
6314 情欲 qíngyù
6315 情愿 qíngyuàn
6316 晴 qíng
6317 晴空 qíngkōng
6318 晴朗 qínglǎng
6319 擎 qíng
6320 顷 qǐng
6321 顷刻 qǐngkè
6322 请假 qǐngjià
6323 请教 qǐngjiào
6324 请客 qǐngkè
6325 请愿 qǐngyuàn
6326 庆 qìng
6327 庆贺 qìnghè
6328 庆幸 qìngxìng
6329 亲家 qìngjia
6330 磬 qìng

6331 穷尽 qióngjìn
6332 穷苦 qióngkǔ
6333 穷困 qióngkùn
6334 琼 qióng
6335 丘陵 qiūlíng
6336 邱 Qiū
6337 秋风 qiūfēng
6338 秋收 qiūshōu
6339 仇 Qiú
6340 囚 qiú
6341 囚犯 qiúfàn
6342 囚禁 qiújìn
6343 囚徒 qiútú
6344 求爱 qiú'ài
6345 求婚 qiúhūn
6346 求救 qiújiù
6347 求解 qiújiě
6348 求教 qiújiào
6349 求人 qiúrén
6350 求生 qiúshēng
6351 求实 qiúshí
6352 求学 qiúxué
6353 求援 qiúyuán
6354 求知 qiúzhī
6355 求助 qiúzhù
6356 球场 qiúchǎng
6357 球迷 qiúmí
6358 球面 qiúmiàn
6359 球赛 qiúsài
6360 球体 qiútǐ
6361 裘 qiú
6362 裘皮 qiúpí
6363 区划 qūhuà
6364 区间 qūjiān
6365 曲解 qūjiě
6366 曲面 qūmiàn
6367 曲轴 qūzhóu
6368 驱车 qūchē
6369 驱除 qūchú
6370 驱赶 qūgǎn
6371 驱散 qūsàn
6372 驱使 qūshǐ
6373 屈 qū
6374 屈从 qūcóng
6375 屈辱 qūrǔ
6376 祛 qū
6377 蛆 qū
6378 躯 qū
6379 躯干 qūgàn
6380 躯壳 qūqiào
6381 躯体 qūtǐ
6382 曲调 qǔdiào
6383 曲目 qǔmù
6384 曲牌 qǔpái
6385 曲艺 qǔyì
6386 曲子 qǔzi
6387 取材 qǔcái
6388 取缔 qǔdì
6389 取经 qǔjīng
6390 取乐 qǔlè
6391 取暖 qǔnuǎn
6392 取舍 qǔshě
6393 取胜 qǔshèng
6394 取笑 qǔxiào
6395 取样 qǔyàng
6396 取悦 qǔyuè
6397 去处 qù•chù
6398 去路 qùlù
6399 去向 qùxiàng
6400 趣 qù
6401 圈套 quāntào
6402 圈子 quānzi
6403 权贵 quánguì
6404 权衡 quánhéng
6405 权势 quánshì
6406 权限 quánxiàn
6407 全集 quánjí
6408 全力 quánlì
6409 全貌 quánmào
6410 全能 quánnéng
6411 全盘 quánpán
6412 全权 quánquán
6413 全文 quánwén
6414 全线 quánxiàn
6415 泉水 quánshuǐ
6416 泉源 quányuán
6417 拳击 quánjī
6418 痊愈 quányù
6419 蜷 quán
6420 蜷缩 quánsuō
6421 犬 quǎn
6422 犬齿 quǎnchǐ
6423 劝导 quàndǎo
6424 劝告 quàngào
6425 劝解 quànjiě
6426 劝说 quànshuō
6427 劝慰 quànwèi
6428 劝阻 quànzǔ
6429 券 quàn
6430 缺德 quēdé
6431 缺憾 quēhàn
6432 缺口 quēkǒu
6433 缺损 quēsǔn
6434 瘸 qué
6435 雀 què
6436 确信 quèxìn
6437 确凿 quèzáo(quèzuò)
6438 确证 quèzhèng
6439 阙 què
6440 裙 qún

6441 裙子 qúnzi
6442 群岛 qúndǎo
6443 群居 qúnjū
6444 冉冉 rǎnrǎn
6445 染料 rǎnliào
6446 让步 ràngbù
6447 让位 ràngwèi
6448 饶 ráo
6449 饶恕 ráoshù
6450 扰 rǎo
6451 绕道 ràodào
6452 热潮 rècháo
6453 热忱 rèchén
6454 热诚 rèchéng
6455 热度 rèdù
6456 热浪 rèlàng
6457 热泪 rèlèi
6458 热力 rèlì
6459 热恋 rèliàn
6460 热流 rèliú
6461 热门 rèmén
6462 热气 rèqì
6463 热切 rèqiè
6464 热望 rèwàng
6465 热血 rèxuè
6466 热源 rèyuán
6467 人称 rénchēng
6468 人次 réncì
6469 人道 réndào
6470 人丁 réndīng
6471 人和 rénhé
6472 人际 rénjì
6473 人迹 rénjì
6474 人流 rénliú
6475 人伦 rénlún
6476 人马 rénmǎ
6477 人命 rénmìng
6478 人品 rénpǐn
6479 人情 rénqíng
6480 人权 rénquán
6481 人参 rénshēn
6482 人声 rénshēng
6483 人世 rénshì
6484 人手 rénshǒu
6485 人文 rénwén
6486 人像 rénxiàng
6487 人行道 rénxíngdào
6488 人选 rénxuǎn
6489 人烟 rényān
6490 人中 rénzhōng
6491 人种 rénzhǒng
6492 仁慈 réncí
6493 仁义 rényì
6494 忍痛 rěntòng
6495 忍心 rěnxīn
6496 刃 rèn
6497 认错 rèncuò
6498 认购 rèngòu
6499 认可 rènkě
6500 认同 rèntóng
6501 认罪 rènzuì
6502 任教 rènjiào
6503 任免 rènmiǎn
6504 任凭 rènpíng
6505 任期 rènqī
6506 任性 rènxìng
6507 任用 rènyòng
6508 任职 rènzhí
6509 韧 rèn
6510 韧带 rèndài
6511 韧性 rènxìng
6512 妊娠 rènshēn
6513 日程 rìchéng
6514 日光 rìguāng
6515 日后 rìhòu
6516 日见 rìjiàn
6517 日渐 rìjiàn
6518 日历 rìlì
6519 日食 rìshí
6520 日用 rìyòng
6521 荣 róng
6522 荣获 rónghuò
6523 荣幸 róngxìng
6524 荣耀 róngyào
6525 绒 róng
6526 绒毛 róngmáo
6527 绒线 róngxiàn
6528 容积 róngjī
6529 容貌 róngmào
6530 容忍 róngrěn
6531 容许 róngxǔ
6532 容颜 róngyán
6533 溶洞 róngdòng
6534 溶化 rónghuà
6535 溶血 róngxuè
6536 熔化 rónghuà
6537 融 róng
6538 融化 rónghuà
6539 融洽 róngqià
6540 融资 róngzī
6541 冗长 rǒngcháng
6542 柔 róu
6543 柔道 róudào
6544 柔美 róuměi
6545 柔情 róuqíng
6546 柔弱 róuruò
6547 柔顺 róushùn
6548 蹂躏 róulìn
6549 肉食 ròushí
6550 肉眼 ròuyǎn
6551 肉质 ròuzhì

6552 如期 rúqī
6553 如实 rúshí
6554 如释重负 rúshìzhòngfù
6555 如意 rúyì
6556 儒 rú
6557 儒学 rúxué
6558 蠕动 rúdòng
6559 汝 rǔ
6560 乳白 rǔbái
6561 乳房 rǔfáng
6562 乳牛 rǔniú
6563 乳汁 rǔzhī
6564 辱 rǔ
6565 入股 rùgǔ
6566 入境 rùjìng
6567 入口 rùkǒu
6568 入门 rùmén
6569 入迷 rùmí
6570 入睡 rùshuì
6571 入伍 rùwǔ
6572 入夜 rùyè
6573 入座 rùzuò
6574 褥子 rùzi
6575 软骨 ruǎngǔ
6576 软化 ruǎnhuà
6577 软件 ruǎnjiàn
6578 软禁 ruǎnjìn
6579 软弱 ruǎnruò
6580 蕊 ruǐ
6581 锐 ruì
6582 锐角 ruìjiǎo
6583 锐利 ruìlì
6584 瑞 ruì
6585 闰 rùn
6586 润 rùn
6587 润滑 rùnhuá
6588 若无其事 ruòwúqíshì
6589 弱小 ruòxiǎo
6590 仨 sā
6591 撒谎 sāhuǎng
6592 撒娇 sājiāo
6593 撒手 sāshǒu
6594 洒脱 sǎ•tuō
6595 卅 sà
6596 腮 sāi
6597 塞子 sāizi
6598 赛场 sàichǎng
6599 赛跑 sàipǎo
6600 赛事 sàishì
6601 三角洲 sānjiǎozhōu
6602 三轮车 sānlúnchē
6603 散漫 sǎnmàn
6604 散场 sànchǎng
6605 散会 sànhuì
6606 散伙 sànhuǒ
6607 散落 sànluò
6608 散失 sànshī
6609 丧事 sāngshì
6610 丧葬 sāngzàng
6611 桑 sāng
6612 嗓 sǎng
6613 嗓门儿 sǎngménr
6614 嗓音 sǎngyīn
6615 丧气 sàngqì
6616 搔 sāo
6617 骚 sāo
6618 骚动 sāodòng
6619 骚扰 sāorǎo
6620 缫 sāo
6621 臊 sāo
6622 扫除 sǎochú
6623 扫地 sǎodì
6624 扫盲 sǎománg
6625 扫描 sǎomiáo
6626 扫射 sǎoshè
6627 扫视 sǎoshì
6628 扫兴 sǎoxìng
6629 扫帚 sàozhou
6630 臊 sào
6631 色调 sèdiào
6632 色光 sèguāng
6633 色盲 sèmáng
6634 色情 sèqíng
6635 色素 sèsù
6636 色泽 sèzé
6637 涩 sè
6638 瑟 sè
6639 森严 sēnyán
6640 僧尼 sēngní
6641 杀菌 shājūn
6642 杀戮 shālù
6643 杀伤 shāshāng
6644 杉木 shāmù
6645 沙丘 shāqiū
6646 沙土 shātǔ
6647 沙哑 shāyǎ
6648 沙子 shāzi
6649 纱布 shābù
6650 纱锭 shādìng
6651 刹 shā
6652 刹车 shāchē
6653 煞 shā
6654 傻瓜 shǎguā
6655 傻子 shǎzi
6656 煞 shà
6657 霎时 shàshí
6658 筛 shāi
6659 筛选 shāixuǎn
6660 山坳 shān'ào

6661 山茶 shānchá
6662 山川 shānchuān
6663 山村 shāncūn
6664 山歌 shāngē
6665 山沟 shāngōu
6666 山河 shānhé
6667 山洪 shānhóng
6668 山涧 shānjiàn
6669 山脚 shānjiǎo
6670 山梁 shānliáng
6671 山岭 shānlǐng
6672 山麓 shānlù
6673 山峦 shānluán
6674 山门 shānmén
6675 山系 shānxì
6676 山崖 shānyá
6677 山羊 shānyáng
6678 山腰 shānyāo
6679 山野 shānyě
6680 山岳 shānyuè
6681 山楂 shānzhā
6682 杉 shān
6683 衫 shān
6684 珊瑚 shānhú
6685 扇动 shāndòng
6686 煽动 shāndòng
6687 闪现 shǎnxiàn
6688 闪耀 shǎnyào
6689 陕 Shǎn
6690 扇贝 shànbèi
6691 扇子 shànzi
6692 善后 shànhòu
6693 善意 shànyì
6694 善战 shànzhàn
6695 禅 shàn
6696 擅长 shàncháng
6697 擅自 shànzì
6698 膳 shàn
6699 膳食 shànshí
6700 赡养 shànyǎng
6701 伤疤 shāngbā
6702 伤感 shānggǎn
6703 伤寒 shānghán
6704 伤痕 shānghén
6705 伤势 shāngshì
6706 伤亡 shāngwáng
6707 商场 shāngchǎng
6708 商船 shāngchuán
6709 商定 shāngdìng
6710 商贩 shāngfàn
6711 商贾 shānggǔ
6712 商会 shānghuì
6713 商检 shāngjiǎn
6714 商榷 shāngquè
6715 商谈 shāngtán
6716 商讨 shāngtǎo
6717 商务 shāngwù
6718 商议 shāngyì
6719 晌 shǎng
6720 晌午 shǎngwu
6721 赏赐 shǎngcì
6722 赏识 shǎngshí
6723 上报 shàngbào
6724 上臂 shàngbì
6725 上场 shàngchǎng
6726 上当 shàngdàng
6727 上等 shàngděng
6728 上吊 shàngdiào
6729 上风 shàngfēng
6730 上工 shànggōng
6731 上古 shànggǔ
6732 上好 shànghǎo
6733 上将 shàngjiàng
6734 上缴 shàngjiǎo
6735 上进 shàngjìn
6736 上列 shàngliè
6737 上流 shàngliú
6738 上路 shànglù
6739 上马 shàngmǎ
6740 上门 shàngmén
6741 上品 shàngpǐn
6742 上任 shàngrèn
6743 上身 shàngshēn
6744 上书 shàngshū
6745 上司 shàngsi
6746 上台 shàngtái
6747 上头 shàngtou
6748 上行 shàngxíng
6749 上旬 shàngxún
6750 上演 shàngyǎn
6751 上阵 shàngzhèn
6752 上肢 shàngzhī
6753 上座 shàngzuò
6754 尚且 shàngqiě
6755 捎 shāo
6756 烧杯 shāobēi
6757 烧饼 shāobing
6758 烧毁 shāohuǐ
6759 烧火 shāohuǒ
6760 烧酒 shāojiǔ
6761 烧瓶 shāopíng
6762 烧伤 shāoshāng
6763 烧香 shāoxiāng
6764 勺 sháo
6765 勺子 sháozi
6766 少见 shǎojiàn
6767 少儿 shào'ér
6768 少妇 shàofù
6769 少将 shàojiàng
6770 哨 shào
6771 哨兵 shàobīng

6772 哨所 shàosuǒ
6773 哨子 shàozi
6774 奢侈 shēchǐ
6775 舌苔 shétāi
6776 舍弃 shěqì
6777 舍身 shěshēn
6778 设防 shèfáng
6779 社交 shèjiāo
6780 社论 shèlùn
6781 社区 shèqū
6782 社团 shètuán
6783 射程 shèchéng
6784 射箭 shèjiàn
6785 射门 shèmén
6786 射手 shèshǒu
6787 涉 shè
6788 涉外 shèwài
6789 涉足 shèzú
6790 赦 shè
6791 赦免 shèmiǎn
6792 摄取 shèqǔ
6793 摄食 shèshí
6794 摄制 shèzhì
6795 麝 shè
6796 申 shēn
6797 申报 shēnbào
6798 申明 shēnmíng
6799 申诉 shēnsù
6800 伸缩 shēnsuō
6801 伸展 shēnzhǎn
6802 伸张 shēnzhāng
6803 身长 shēncháng
6804 身段 shēnduàn
6805 身高 shēngāo
6806 身价 shēnjià
6807 身世 shēnshì
6808 呻吟 shēnyín
6809 绅士 shēnshì
6810 砷 shēn
6811 深奥 shēn'ào
6812 深层 shēncéng
6813 深海 shēnhǎi
6814 深浅 shēnqiǎn
6815 深切 shēnqiè
6816 深秋 shēnqiū
6817 深山 shēnshān
6818 深思 shēnsī
6819 深邃 shēnsuì
6820 深信 shēnxìn
6821 深渊 shēnyuān
6822 深造 shēnzào
6823 深重 shēnzhòng
6824 神采 shéncǎi
6825 神化 shénhuà
6826 神经病 shénjīngbìng
6827 神经质 shénjīngzhì
6828 神龛 shénkān
6829 神灵 shénlíng
6830 神明 shénmíng
6831 神速 shénsù
6832 神通 shéntōng
6833 神童 shéntóng
6834 神往 shénwǎng
6835 神仙 shén•xiān
6836 神像 shénxiàng
6837 神韵 shényùn
6838 神志 shénzhì
6839 神州 shénzhōu
6840 审 shěn
6841 审定 shěndìng
6842 审核 shěnhé
6843 审理 shěnlǐ
6844 审批 shěnpī
6845 审慎 shěnshèn
6846 审视 shěnshì
6847 审问 shěnwèn
6848 审讯 shěnxùn
6849 审议 shěnyì
6850 婶子 shěnzi
6851 肾脏 shènzàng
6852 甚而 shèn'ér
6853 渗 shèn
6854 渗入 shènrù
6855 慎 shèn
6856 升华 shēnghuá
6857 升级 shēngjí
6858 升降 shēngjiàng
6859 升任 shēngrèn
6860 升腾 shēngténg
6861 升学 shēngxué
6862 生病 shēngbìng
6863 生发 shēngfā
6864 生根 shēnggēn
6865 生机 shēngjī
6866 生计 shēngjì
6867 生路 shēnglù
6868 生怕 shēngpà
6869 生平 shēngpíng
6870 生日 shēng•rì
6871 生疏 shēngshū
6872 生死 shēngsǐ
6873 生息 shēngxī
6874 生肖 shēngxiào
6875 生效 shēngxiào
6876 生性 shēngxìng
6877 生涯 shēngyá
6878 生硬 shēngyìng
6879 生字 shēngzì
6880 声波 shēngbō
6881 声部 shēngbù
6882 声称 shēngchēng

6883 声带 shēngdài
6884 声浪 shēnglàng
6885 声名 shēngmíng
6886 声势 shēngshì
6887 声速 shēngsù
6888 声望 shēngwàng
6889 声息 shēngxī
6890 声学 shēngxué
6891 声言 shēngyán
6892 声誉 shēngyù
6893 声援 shēngyuán
6894 声乐 shēngyuè
6895 笙 shēng
6896 绳索 shéngsuǒ
6897 省城 shěngchéng
6898 省份 shěngfèn
6899 省会 shěnghuì
6900 省略 shěnglüè
6901 省事 shěngshì
6902 圣诞节 Shèngdàn Jié
6903 圣地 shèngdì
6904 圣母 shèngmǔ
6905 圣人 shèngrén
6906 圣旨 shèngzhǐ
6907 胜地 shèngdì
6908 胜任 shèngrèn
6909 胜仗 shèngzhàng
6910 盛产 shèngchǎn
6911 盛大 shèngdà
6912 盛会 shènghuì
6913 盛开 shèngkāi
6914 盛况 shèngkuàng
6915 盛名 shèngmíng
6916 盛怒 shèngnù
6917 盛夏 shèngxià
6918 盛装 shèngzhuāng
6919 尸 shī
6920 尸骨 shīgǔ
6921 尸首 shī•shǒu
6922 失常 shīcháng
6923 失传 shīchuán
6924 失地 shīdì
6925 失火 shīhuǒ
6926 失控 shīkòng
6927 失礼 shīlǐ
6928 失利 shīlì
6929 失恋 shīliàn
6930 失灵 shīlíng
6931 失落 shīluò
6932 失眠 shīmián
6933 失明 shīmíng
6934 失散 shīsàn
6935 失神 shīshén
6936 失声 shīshēng
6937 失实 shīshí
6938 失守 shīshǒu
6939 失陷 shīxiàn
6940 失效 shīxiào
6941 失血 shīxuè
6942 失意 shīyì
6943 失真 shīzhēn
6944 失职 shīzhí
6945 失重 shīzhòng
6946 失踪 shīzōng
6947 失足 shīzú
6948 师父 shīfu
6949 师母 shīmǔ
6950 师资 shīzī
6951 诗集 shījí
6952 诗句 shījù
6953 诗篇 shīpiān
6954 虱子 shīzi
6955 狮子 shīzi
6956 施放 shīfàng
6957 施加 shījiā
6958 施舍 shīshě
6959 施展 shīzhǎn
6960 施政 shīzhèng
6961 湿热 shīrè
6962 十足 shízú
6963 什 shí
6964 石板 shíbǎn
6965 石雕 shídiāo
6966 石膏 shígāo
6967 石匠 shíjiang
6968 石刻 shíkè
6969 石窟 shíkū
6970 石料 shíliào
6971 石榴 shíliu
6972 石棉 shímián
6973 石墨 shímò
6974 石笋 shísǔn
6975 石英 shíyīng
6976 石子儿 shízǐr
6977 时分 shífèn
6978 时光 shíguāng
6979 时局 shíjú
6980 时区 shíqū
6981 时日 shírì
6982 时尚 shíshàng
6983 时事 shíshì
6984 时势 shíshì
6985 时务 shíwù
6986 时效 shíxiào
6987 时兴 shíxīng
6988 时针 shízhēn
6989 时钟 shízhōng
6990 时装 shízhuāng
6991 识破 shípò
6992 实测 shícè

6993 实地 shídì
6994 实话 shíhuà
6995 实惠 shíhuì
6996 实况 shíkuàng
6997 实情 shíqíng
6998 实权 shíquán
6999 实事 shíshì
7000 实数 shíshù
7001 实习 shíxí
7002 实效 shíxiào
7003 实心 shíxīn
7004 实业 shíyè
7005 实战 shízhàn
7006 实证 shízhèng
7007 拾掇 shíduo
7008 食道 shídào
7009 食管 shíguǎn
7010 食粮 shíliáng
7011 食谱 shípǔ
7012 食物链 shíwùliàn
7013 食性 shíxìng
7014 食欲 shíyù
7015 食指 shízhǐ
7016 蚀 shí
7017 史册 shǐcè
7018 史籍 shǐjí
7019 史料 shǐliào
7020 史前 shǐqián
7021 史诗 shǐshī
7022 史实 shǐshí
7023 史书 shǐshū
7024 矢 shǐ
7025 使馆 shǐguǎn
7026 使唤 shǐhuan
7027 使节 shǐjié
7028 使者 shǐzhě
7029 始祖 shǐzǔ
7030 驶 shǐ
7031 屎 shǐ
7032 士气 shìqì
7033 士族 shìzú
7034 示弱 shìruò
7035 示意 shìyì
7036 示众 shìzhòng
7037 世道 shìdào
7038 世故 shìgù
7039 世故 shìgu
7040 世家 shìjiā
7041 世间 shìjiān
7042 世面 shìmiàn
7043 世人 shìrén
7044 世事 shìshì
7045 世俗 shìsú
7046 世袭 shìxí
7047 仕 shì
7048 市价 shìjià
7049 市郊 shìjiāo
7050 市面 shìmiàn
7051 市镇 shìzhèn
7052 市政 shìzhèng
7053 式样 shìyàng
7054 事理 shìlǐ
7055 事态 shìtài
7056 事项 shìxiàng
7057 事宜 shìyí
7058 势头 shì·tóu
7059 侍 shì
7060 侍从 shìcóng
7061 侍奉 shìfèng
7062 侍候 shìhòu
7063 侍卫 shìwèi
7064 饰 shì
7065 试点 shìdiǎn
7066 试剂 shìjì
7067 试卷 shìjuàn
7068 试看 shìkàn
7069 试探 shìtàn
7070 试题 shìtí
7071 试问 shìwèn
7072 试想 shìxiǎng
7073 试行' shìxíng
7074 试用 shìyòng
7075 试纸 shìzhǐ
7076 视察 shìchá
7077 视角 shìjiǎo
7078 视力 shìlì
7079 视图 shìtú
7080 视网膜 shìwǎngmó
7081 柿子 shìzi
7082 拭 shì
7083 适度 shìdù
7084 适量 shìliàng
7085 适时 shìshí
7086 适中 shìzhōng
7087 恃 shì
7088 逝 shì
7089 舐 shì
7090 嗜 shì
7091 嗜好 shìhào
7092 誓 shì
7093 誓言 shìyán
7094 噬 shì
7095 螫 shì
7096 收藏 shōucáng
7097 收场 shōuchǎng
7098 收成 shōucheng
7099 收发 shōufā
7100 收复 shōufù
7101 收割 shōugē
7102 收工 shōugōng
7103 收缴 shōujiǎo

7104 收看 shōukàn
7105 收敛 shōuliǎn
7106 收留 shōuliú
7107 收录 shōulù
7108 收买 shōumǎi
7109 收取 shōuqǔ
7110 收容 shōuróng
7111 收听 shōutīng
7112 收效 shōuxiào
7113 收养 shōuyǎng
7114 手背 shǒubèi
7115 手册 shǒucè
7116 手稿 shǒugǎo
7117 手巾 shǒu•jīn
7118 手绢儿 shǒujuànr
7119 手铐 shǒukào
7120 手帕 shǒupà
7121 手软 shǒuruǎn
7122 手套 shǒutào
7123 手腕 shǒuwàn
7124 手下 shǒuxià
7125 手心 shǒuxīn
7126 手艺 shǒuyì
7127 手杖 shǒuzhàng
7128 手足 shǒuzú
7129 守备 shǒubèi
7130 守法 shǒufǎ
7131 守候 shǒuhòu
7132 守护 shǒuhù
7133 守旧 shǒujiù
7134 守卫 shǒuwèi
7135 守则 shǒuzé
7136 首创 shǒuchuàng
7137 首府 shǒufǔ
7138 首届 shǒujiè
7139 首脑 shǒunǎo
7140 首饰 shǒushi
7141 首尾 shǒuwěi
7142 首席 shǒuxí
7143 首相 shǒuxiàng
7144 寿 shòu
7145 受挫 shòucuò
7146 受害 shòuhài
7147 受贿 shòuhuì
7148 受奖 shòujiǎng
7149 受戒 shòujiè
7150 受惊 shòujīng
7151 受苦 shòukǔ
7152 受累 shòulěi
7153 受累 shòulèi
7154 受理 shòulǐ
7155 受命 shòumìng
7156 受难 shòunàn
7157 受骗 shòupiàn
7158 受气 shòuqì
7159 受热 shòurè
7160 受训 shòuxùn
7161 受益 shòuyì
7162 受灾 shòuzāi
7163 受制 shòuzhì
7164 受阻 shòuzǔ
7165 受罪 shòuzuì
7166 授粉 shòufěn
7167 授课 shòukè
7168 授权 shòuquán
7169 授予 shòuyǔ
7170 售 shòu
7171 兽医 shòuyī
7172 瘦弱 shòuruò
7173 瘦小 shòuxiǎo
7174 书法 shūfǎ
7175 书房 shūfáng
7176 书画 shūhuà
7177 书架 shūjià
7178 书局 shūjú
7179 书卷 shūjuàn
7180 书刊 shūkān
7181 书目 shūmù
7182 书生 shūshēng
7183 书信 shūxìn
7184 书院 shūyuàn
7185 书桌 shūzhuō
7186 抒发 shūfā
7187 枢 shū
7188 枢纽 shūniǔ
7189 倏然 shūrán
7190 梳理 shūlǐ
7191 梳子 shūzi
7192 舒 shū
7193 舒畅 shūchàng
7194 舒坦 shūtan
7195 舒展 shūzhǎn
7196 舒张 shūzhāng
7197 疏导 shūdǎo
7198 疏忽 shūhu
7199 疏散 shūsàn
7200 疏松 shūsōng
7201 疏通 shūtōng
7202 疏远 shūyuǎn
7203 孰 shú
7204 赎 shú
7205 赎罪 shúzuì
7206 熟人 shúrén
7207 熟睡 shúshuì
7208 熟知 shúzhī
7209 暑 shǔ
7210 暑假 shǔjià
7211 署 shǔ
7212 署名 shǔmíng
7213 蜀 shǔ
7214 曙光 shǔguāng

7215 述评　shùpíng
7216 述说　shùshuō
7217 树丛　shùcóng
7218 树冠　shùguān
7219 树苗　shùmiáo
7220 树脂　shùzhī
7221 竖立　shùlì
7222 恕　shù
7223 庶民　shùmín
7224 数额　shù'é
7225 数码　shùmǎ
7226 刷新　shuāxīn
7227 衰　shuāi
7228 衰败　shuāibài
7229 衰减　shuāijiǎn
7230 衰竭　shuāijié
7231 衰落　shuāiluò
7232 衰弱　shuāiruò
7233 衰退　shuāituì
7234 衰亡　shuāiwáng
7235 摔跤　shuāijiāo
7236 帅　shuài
7237 率先　shuàixiān
7238 栓　shuān
7239 涮　shuàn
7240 双边　shuāngbiān
7241 双重　shuāngchóng
7242 双亲　shuāngqīn
7243 双向　shuāngxiàng
7244 双语　shuāngyǔ
7245 霜冻　shuāngdòng
7246 霜期　shuāngqī
7247 爽　shuǎng
7248 爽快　shuǎngkuai
7249 爽朗　shuǎnglǎng
7250 水泵　shuǐbèng
7251 水兵　shuǐbīng
7252 水波　shuǐbō
7253 水草　shuǐcǎo
7254 水产　shuǐchǎn
7255 水车　shuǐchē
7256 水花　shuǐhuā
7257 水火　shuǐhuǒ
7258 水晶　shuǐjīng
7259 水井　shuǐjǐng
7260 水力　shuǐlì
7261 水龙头　shuǐlóngtóu
7262 水陆　shuǐlù
7263 水路　shuǐlù
7264 水鸟　shuǐniǎo
7265 水牛　shuǐniú
7266 水情　shuǐqíng
7267 水渠　shuǐqú
7268 水势　shuǐshì
7269 水塔　shuǐtǎ
7270 水獭　shuǐtǎ
7271 水土　shuǐtǔ
7272 水系　shuǐxì
7273 水仙　shuǐxiān
7274 水乡　shuǐxiāng
7275 水箱　shuǐxiāng
7276 水星　shuǐxīng
7277 水性　shuǐxìng
7278 水域　shuǐyù
7279 水运　shuǐyùn
7280 水灾　shuǐzāi
7281 水闸　shuǐzhá
7282 水质　shuǐzhì
7283 水肿　shuǐzhǒng
7284 水准　shuǐzhǔn
7285 税额　shuì'é
7286 税法　shuìfǎ
7287 税利　shuìlì
7288 税率　shuìlǜ
7289 税务　shuìwù
7290 睡梦　shuìmèng
7291 睡意　shuìyì
7292 吮　shǔn
7293 顺便　shùnbiàn
7294 顺从　shùncóng
7295 顺风　shùnfēng
7296 顺口　shùnkǒu
7297 顺势　shùnshì
7298 顺心　shùnxīn
7299 顺眼　shùnyǎn
7300 顺应　shùnyìng
7301 舜　Shùn
7302 瞬时　shùnshí
7303 说唱　shuōchàng
7304 说穿　shuōchuān
7305 说谎　shuohuǎng
7306 说教　shuōjiào
7307 说理　shuōlǐ
7308 说笑　shuōxiào
7309 硕大　shuòdà
7310 硕士　shuòshì
7311 司空见惯　sīkōng-jiànguàn
7312 丝绸　sīchóu
7313 丝绒　sīróng
7314 丝线　sīxiàn
7315 私产　sīchǎn
7316 私法　sīfǎ
7317 私立　sīlì
7318 私利　sīlì
7319 私事　sīshì
7320 私塾　sīshú
7321 私下　sīxià
7322 私心　sīxīn
7323 私语　sīyǔ
7324 私自　sīzì

7325 思辨 sībiàn
7326 思忖 sīcǔn
7327 思量 sīliang
7328 思虑 sīlǜ
7329 思念 sīniàn
7330 思绪 sīxù
7331 斯文 sīwén
7332 厮杀 sīshā
7333 撕 sī
7334 撕毁 sīhuǐ
7335 嘶哑 sīyǎ
7336 死板 sǐbǎn
7337 死活 sǐhuó
7338 死寂 sǐjì
7339 死伤 sǐshāng
7340 死神 sǐshén
7341 死守 sǐshǒu
7342 四季 sìjì
7343 四散 sìsàn
7344 四时 sìshí
7345 四外 sìwài
7346 四围 sìwéi
7347 寺庙 sìmiào
7348 似是而非 sìshì'érfēi
7349 伺机 sìjī
7350 祀 sì
7351 饲 sì
7352 俟 sì
7353 肆无忌惮 sìwújìdàn
7354 肆意 sìyì
7355 嗣 sì
7356 松动 sōngdòng
7357 松软 sōngruǎn
7358 松散 sōngsǎn
7359 松手 sōngshǒu
7360 松鼠 sōngshǔ
7361 松懈 sōngxiè
7362 怂恿 sǒngyǒng
7363 耸 sǒng
7364 耸立 sǒnglì
7365 讼 sòng
7366 送别 sòngbié
7367 送礼 sònglǐ
7368 送气 sòngqì
7369 送行 sòngxíng
7370 送葬 sòngzàng
7371 诵 sòng
7372 诵读 sòngdú
7373 颂 sòng
7374 颂扬 sòngyáng
7375 搜 sōu
7376 搜捕 sōubǔ
7377 搜查 sōuchá
7378 搜刮 sōuguā
7379 搜罗 sōuluó
7380 搜索 sōusuǒ
7381 搜寻 sōuxún
7382 苏醒 sūxǐng
7383 酥 sū
7384 俗话 súhuà
7385 俗名 súmíng
7386 俗人 súrén
7387 俗语 súyǔ
7388 诉 sù
7389 诉苦 sùkǔ
7390 诉说 sùshuō
7391 肃穆 sùmù
7392 肃清 sùqīng
7393 素来 sùlái
7394 素描 sùmiáo
7395 素养 sùyǎng
7396 速成 sùchéng
7397 速写 sùxiě
7398 宿营 sùyíng
7399 粟 sù
7400 塑 sù
7401 塑像 sùxiàng
7402 溯 sù
7403 酸痛 suāntòng
7404 酸雨 suānyǔ
7405 酸枣 suānzǎo
7406 蒜 suàn
7407 算计 suànji
7408 算命 suànmìng
7409 算盘 suàn•pán
7410 算术 suànshù
7411 算账 suànzhàng
7412 绥 suí
7413 随处 suíchù
7414 随从 suícóng
7415 随军 suíjūn
7416 随身 suíshēn
7417 随同 suítóng
7418 随心所欲 suíxīnsuǒyù
7419 岁数 suìshu
7420 隧道 suìdào
7421 孙女 sūn•nǚ
7422 损 sǔn
7423 损坏 sǔnhuài
7424 笋 sǔn
7425 唆使 suōshǐ
7426 梭 suō
7427 蓑衣 suōyī
7428 缩减 suōjiǎn
7429 缩影 suōyǐng
7430 索取 suǒqǔ
7431 索性 suǒxìng
7432 琐事 suǒshì

7460 摊贩 tānfàn
7461 摊派 tānpài
7462 摊子 tānzi
7463 滩涂 tāntú
7464 瘫痪 tānhuàn
7465 坛 tán
7466 坛子 tánzi
7467 谈天 tántiān
7468 谈吐 tántǔ
7469 谈心 tánxīn

ánhé
ánlì
ántiào
án
n
nbái
nrán
nshuài
nzi
nqì
n
njiū
qīn
qiú
shì
tīng
óu
vàng
vèn
iǎn
ún
ún
huáng
í
è
uǒ
7496 糖尿病 tángniàobìng
7497 螳螂 tángláng
7498 倘使 tǎngshǐ
7499 淌 tǎng
7500 烫伤 tàngshāng
7501 涛 tāo
7502 绦虫 tāochóng
7503 滔滔 tāotāo
7504 逃兵 táobīng
7505 逃窜 táocuàn
7506 逃荒 táohuāng

7507 逃命 táomìng
7508 逃难 táonàn
7509 逃脱 táotuō
7510 逃亡 táowáng
7511 逃学 táoxué
7512 桃李 táolǐ
7513 桃子 táozi
7514 陶瓷 táocí
7515 陶器 táoqì
7516 陶醉 táozuì
7517 淘 táo
7518 淘气 táoqì
7519 讨伐 tǎofá
7520 讨饭 tǎofàn
7521 讨好 tǎohǎo
7522 套用 tàoyòng
7523 特产 tèchǎn
7524 特长 tècháng
7525 特技 tèjì
7526 特例 tèlì
7527 特派 tèpài
7528 特区 tèqū
7529 特赦 tèshè
7530 特写 tèxiě
7531 特许 tèxǔ
7532 特异 tèyì
7533 特约 tèyuē
7534 特制 tèzhì
7535 特质 tèzhì
7536 特种 tèzhǒng
7537 疼爱 téng'ài
7538 腾飞 téngfēi
7539 腾空 téngkōng
7540 滕 Téng
7541 藤萝 téngluó
7542 剔除 tīchú
7543 梯 tī

7544 梯田 tītián
7545 梯形 tīxíng
7546 梯子 tīzi
7547 提案 tí'àn
7548 提拔 tí•bá
7549 提包 tíbāo
7550 提成 tíchéng
7551 提纯 tíchún
7552 提纲 tígāng
7553 提货 tíhuò
7554 提交 tíjiāo
7555 提留 tíliú
7556 提名 tímíng
7557 提琴 tíqín
7558 提请 tíqǐng
7559 提升 tíshēng
7560 提示 tíshì
7561 提问 tíwèn
7562 提携 tíxié
7563 提早 tízǎo
7564 啼 tí
7565 啼哭 tíkū
7566 啼笑皆非 tíxiào-jiēfēi
7567 题词 tící
7568 蹄 tí
7569 蹄子 tízi
7570 体察 tǐchá
7571 体罚 tǐfá
7572 体格 tǐgé
7573 体检 tǐjiǎn
7574 体谅 tǐ•liàng
7575 体面 tǐ•miàn
7576 体魄 tǐpò
7577 体态 tǐtài
7578 体贴 tǐtiē
7579 体味 tǐwèi
7580 体形 tǐxíng
7581 体型 tǐxíng
7582 体液 tǐyè
7583 体育场 tǐyùchǎng
7584 体育馆 tǐyùguǎn
7585 体征 tǐzhēng
7586 剃 tì
7587 剃头 tìtóu
7588 替换 tì•huàn
7589 天边 tiānbiān
7590 天窗 tiānchuāng
7591 天敌 tiāndí
7592 天赋 tiānfù
7593 天国 tiānguó
7594 天花 tiānhuā
7595 天花板 tiānhuābǎn
7596 天际 tiānjì
7597 天经地义 tiānjīng-dìyì
7598 天井 tiānjǐng
7599 天理 tiānlǐ
7600 天亮 tiānliàng
7601 天明 tiānmíng
7602 天命 tiānmìng
7603 天幕 tiānmù
7604 天平 tiānpíng
7605 天色 tiānsè
7606 天时 tiānshí
7607 天使 tiānshǐ
7608 天书 tiānshū
7609 天堂 tiāntáng
7610 天外 tiānwài
7611 天线 tiānxiàn
7612 天象 tiānxiàng
7613 天性 tiānxìng
7614 天涯 tiānyá
7615 天灾 tiānzāi
7616 天职 tiānzhí
7617 天资 tiānzī
7618 天子 tiānzǐ
7619 添置 tiānzhì
7620 田赋 tiánfù
7621 田埂 tiángěng
7622 田亩 tiánmǔ
7623 田鼠 tiánshǔ
7624 田园 tiányuán
7625 恬静 tiánjìng
7626 甜菜 tiáncài
7627 甜美 tiánměi
7628 甜蜜 tiánmì
7629 填补 tiánbǔ
7630 填充 tiánchōng
7631 填空 tiánkòng
7632 填塞 tiánsè
7633 填写 tiánxiě
7634 舔 tiǎn
7635 挑剔 tiāoti
7636 挑子 tiāozi
7637 条理 tiáolǐ
7638 条文 tiáowén
7639 条子 tiáozi
7640 调剂 tiáojì
7641 调价 tiáojià
7642 调控 tiáokòng
7643 调配 tiáopèi
7644 调皮 tiáopí
7645 调试 tiáoshì
7646 调停 tiáotíng
7647 调制 tiáozhì
7648 挑拨 tiǎobō
7649 挑衅 tiǎoxìn
7650 眺望 tiàowàng
7651 跳板 tiàobǎn
7652 跳高 tiàogāo

7653 跳水 tiàoshuǐ
7654 跳蚤 tiàozao
7655 贴近 tiējìn
7656 贴切 tiēqiè
7657 帖 tiě
7658 铁道 tiědào
7659 铁轨 tiěguǐ
7660 铁匠 tiějiang
7661 铁青 tiěqīng
7662 铁丝 tiěsī
7663 铁索 tiěsuǒ
7664 铁蹄 tiětí
7665 铁锨 tiěxiān
7666 帖 tiè
7667 厅堂 tīngtáng
7668 听从 tīngcóng
7669 听候 tīnghòu
7670 听讲 tīngjiǎng
7671 听课 tīngkè
7672 听任 tīngrèn
7673 听筒 tīngtǒng
7674 听信 tīngxìn
7675 廷 tíng
7676 亭 tíng
7677 亭子 tíngzi
7678 庭审 tíngshěn
7679 庭院 tíngyuàn
7680 停办 tíngbàn
7681 停泊 tíngbó
7682 停车 tíngchē
7683 停放 tíngfàng
7684 停刊 tíngkān
7685 停息 tíngxī
7686 停歇 tíngxiē
7687 停业 tíngyè
7688 停战 tíngzhàn
7689 停滞 tíngzhì
7690 挺拔 tǐngbá
7691 挺进 tǐngjìn
7692 挺立 tǐnglì
7693 挺身 tǐngshēn
7694 艇 tǐng
7695 通报 tōngbào
7696 通畅 tōngchàng
7697 通车 tōngchē
7698 通称 tōngchēng
7699 通达 tōngdá
7700 通风 tōngfēng
7701 通告 tōnggào
7702 通航 tōngháng
7703 通话 tōnghuà
7704 通婚 tōnghūn
7705 通货 tōnghuò
7706 通令 tōnglìng
7707 通路 tōnglù
7708 通气 tōngqì
7709 通融 tōng·róng
7710 通商 tōngshāng
7711 通俗 tōngsú
7712 通宵 tōngxiāo
7713 通晓 lōngxiǎo
7714 通行 tōngxíng
7715 通则 tōngzé
7716 同班 tóngbān
7717 同辈 tóngbèi
7718 同步 tóngbù
7719 同感 tónggǎn
7720 同居 tóngjū
7721 同龄 tónglíng
7722 同盟 tóngméng
7723 同名 tóngmíng
7724 同位素 tóngwèisù
7725 同乡 tóngxiāng
7726 同心 tóngxīn
7727 同性 tóngxìng
7728 同姓 tóngxìng
7729 佟 Tóng
7730 铜板 tóngbǎn
7731 铜臭 tóngxiù
7732 铜钱 tóngqián
7733 童 tóng
7734 童工 tónggōng
7735 童心 tóngxīn
7736 童子 tóngzǐ
7737 瞳孔 tóngkǒng
7738 统称 tǒngchēng
7739 统筹 tǒngchóu
7740 统购 tǒnggòu
7741 统领 tǒnglǐng
7742 统帅 tǒngshuài
7743 统率 tǒngshuài
7744 统辖 tǒngxiá
7745 统一体 tǒngyītǐ
7746 统制 tǒngzhì
7747 捅 tǒng
7748 痛斥 tòngchì
7749 痛楚 tòngchǔ
7750 痛恨 tònghèn
7751 痛觉 tòngjué
7752 痛哭 tòngkū
7753 痛心 tòngxīn
7754 偷懒 tōulǎn
7755 偷窃 tōuqiè
7756 偷袭 tōuxí
7757 头等 tóuděng
7758 头骨 tóugǔ
7759 头号 tóuhào
7760 头巾 tóujīn
7761 头盔 tóukuī
7762 头颅 tóulú
7763 头目 tóumù

7764 头疼 tóuténg
7765 头痛 tóutòng
7766 头衔 tóuxián
7767 头绪 tóuxù
7768 头子 tóuzi
7769 投案 tóu'àn
7770 投保 tóubǎo
7771 投奔 tóubèn
7772 投标 tóubiāo
7773 投递 tóudì
7774 投放 tóufàng
7775 投考 tóukǎo
7776 投靠 tóukào
7777 投票 tóupiào
7778 投射 tóushè
7779 投身 tóushēn
7780 投诉 tóusù
7781 投影 tóuyǐng
7782 投掷 tóuzhì
7783 透彻 tòuchè
7784 透亮 tòu•liàng
7785 透气 tòuqì
7786 透视 tòushì
7787 秃顶 tūdǐng
7788 突起 tūqǐ
7789 突围 tūwéi
7790 突袭 tūxí
7791 图表 túbiǎo
7792 图解 tújiě
7793 图景 tújǐng
7794 图谋 túmóu
7795 图片 túpiàn
7796 图腾 túténg
7797 图像 túxiàng
7798 图样 túyàng
7799 徒步 túbù
7800 徒弟 tú•dì
7801 徒工 túgōng
7802 徒然 túrán
7803 徒手 túshǒu
7804 徒刑 túxíng
7805 途 tú
7806 涂料 túliào
7807 涂抹 túmǒ
7808 屠 tú
7809 屠刀 túdāo
7810 屠宰 túzǎi
7811 土产 tǔchǎn
7812 土豆 tǔdòu
7813 土星 tǔxīng
7814 土语 tǔyǔ
7815 土质 tǔzhì
7816 土著 tǔzhù
7817 吐露 tǔlù
7818 吐血 tùxiě
7819 湍急 tuānjí
7820 团队 tuánduì
7821 团伙 tuánhuǒ
7822 团聚 tuánjù
7823 团圆 tuányuán
7824 推迟 tuīchí
7825 推崇 tuīchóng
7826 推辞 tuīcí
7827 推导 tuīdǎo
7828 推倒 tuīdǎo
7829 推定 tuīdìng
7830 推断 tuīduàn
7831 推举 tuījǔ
7832 推力 tuīlì
7833 推敲 tuīqiāo
7834 推算 tuīsuàn
7835 推想 tuīxiǎng
7836 推卸 tuīxiè
7837 推选 tuīxuǎn
7838 推演 tuīyǎn
7839 推移 tuīyí
7840 颓废 tuífèi
7841 颓然 tuírán
7842 颓丧 tuísàng
7843 腿脚 tuǐjiǎo
7844 退步 tuìbù
7845 退还 tuìhuán
7846 退回 tuìhuí
7847 退路 tuìlù
7848 退却 tuìquè
7849 退让 tuìràng
7850 退守 tuìshǒu
7851 退缩 tuìsuō
7852 退位 tuìwèi
7853 退伍 tuìwǔ
7854 退学 tuìxué
7855 蜕 tuì
7856 蜕变 tuìbiàn
7857 蜕化 tuìhuà
7858 蜕皮 tuìpí
7859 褪 tuì
7860 吞 tūn
7861 吞并 tūnbìng
7862 吞没 tūnmò
7863 吞食 tūnshí
7864 吞噬 tūnshì
7865 吞吐 tūntǔ
7866 吞咽 tūnyàn
7867 屯 tún
7868 囤 tún
7869 囤积 túnjī
7870 臀 tún
7871 拖车 tuōchē
7872 拖累 tuōlěi
7873 拖欠 tuōqiàn
7874 拖鞋 tuōxié

7875 拖延 tuōyán
7876 托管 tuōguǎn
7877 托盘 tuōpán
7878 脱节 tuōjié
7879 脱口 tuōkǒu
7880 脱身 tuōshēn
7881 脱水 tuōshuǐ
7882 脱胎 tuōtāi
7883 脱险 tuōxiǎn
7884 脱销 tuōxiāo
7885 驮 tuó
7886 陀螺 tuóluó
7887 驼 tuó
7888 驼背 tuóbèi
7889 妥 tuǒ
7890 妥当 tuǒdang
7891 妥善 tuǒshàn
7892 椭圆 tuǒyuán
7893 拓 tuò
7894 唾 tuò
7895 唾沫 tuòmo
7896 唾液 tuòyè
7897 挖苦 wāku
7898 挖潜 wāqián
7899 洼 wā
7900 洼地 wādì
7901 蛙 wā
7902 瓦解 wǎjiě
7903 瓦砾 wǎlì
7904 瓦斯 wǎsī
7905 袜 wà
7906 袜子 wàzi
7907 外币 wàibì
7908 外宾 wàibīn
7909 外出 wàichū
7910 外感 wàigǎn
7911 外公 wàigōng
7912 外观 wàiguān
7913 外海 wàihǎi
7914 外行 wàiháng
7915 外号 wàihào
7916 外籍 wàijí
7917 外加 wàijiā
7918 外流 wàiliú
7919 外露 wàilù
7920 外貌 wàimào
7921 外婆 wàipó
7922 外人 wàirén
7923 外伤 wàishāng
7924 外省 wàishěng
7925 外事 wàishì
7926 外套 wàitào
7927 外围 wàiwéi
7928 外文 wàiwén
7929 外线 wàixiàn
7930 外销 wàixiāo
7931 外延 wàiyán
7932 外衣 wàiyī
7933 外因 wàiyīn
7934 外债 wàizhài
7935 外长 wàizhǎng
7936 外族 wàizú
7937 外祖父 wàizǔfù
7938 外祖母 wàizǔmǔ
7939 弯路 wānlù
7940 剜 wān
7941 湾 wān
7942 丸 wán
7943 完工 wángōng
7944 完好 wánhǎo
7945 完结 wánjié
7946 完满 wánmǎn
7947 玩弄 wánnòng
7948 玩赏 wánshǎng
7949 玩耍 wánshuǎ
7950 玩味 wánwèi
7951 玩物 wánwù
7952 玩意儿 wányìr
7953 顽固 wángù
7954 顽皮 wánpí
7955 宛如 wǎnrú
7956 挽回 wǎnhuí
7957 挽救 wǎnjiù
7958 挽留 wǎnliú
7959 晚报 wǎnbào
7960 晚辈 wǎnbèi
7961 晚会 wǎnhuì
7962 晚婚 wǎnhūn
7963 晚年 wǎnnián
7964 晚霞 wǎnxiá
7965 惋惜 wǎnxī
7966 婉转 wǎnzhuǎn
7967 皖 Wǎn
7968 万恶 wàn'è
7969 万国 wànguó
7970 万能 wànnéng
7971 万岁 wànsuì
7972 万紫千红 wànzǐ-qiānhóng
7973 腕 wàn
7974 蔓 wàn
7975 汪洋 wāngyáng
7976 亡灵 wánglíng
7977 王府 wángfǔ
7978 王宫 wánggōng
7979 王冠 wángguān
7980 王后 wánghòu
7981 王室 wángshì
7982 王位 wángwèi
7983 王子 wángzǐ
7984 网点 wǎngdiǎn

7985 网罗 wǎngluó
7986 网球 wǎngqiú
7987 枉 wǎng
7988 往常 wǎngcháng
7989 往返 wǎngfǎn
7990 往复 wǎngfù
7991 往年 wǎngnián
7992 往日 wǎngrì
7993 往事 wǎngshì
7994 往昔 wǎngxī
7995 妄 wàng
7996 妄图 wàngtú
7997 妄想 wàngxiǎng
7998 忘恩负义 wàng'ēn-fùyì
7999 忘怀 wànghuái
8000 忘情 wàngqíng
8001 忘却 wàngquè
8002 忘我 wàngwǒ
8003 旺季 wàngjì
8004 危 wēi
8005 危及 wēijí
8006 危急 wēijí
8007 危难 wēinàn
8008 危亡 wēiwáng
8009 威 wēi
8010 威风 wēifēng
8011 威吓 wēihè
8012 威望 wēiwàng
8013 威武 wēiwǔ
8014 威严 wēiyán
8015 微波 wēibō
8016 微风 wēifēng
8017 微机 wēijī
8018 微妙 wēimiào
8019 微细 wēixì
8020 微型 wēixíng
8021 巍峨 wēi'é
8022 韦 wéi
8023 为害 wéihài
8024 违 wéi
8025 违犯 wéifàn
8026 违抗 wéikàng
8027 违心 wéixīn
8028 违约 wéiyuē
8029 违章 wéizhāng
8030 围攻 wéigōng
8031 围观 wéiguān
8032 围巾 wéijīn
8033 围困 wéikùn
8034 围棋 wéiqí
8035 围墙 wéiqiáng
8036 围裙 wéi•qún
8037 桅杆 wéigān
8038 帷幕 wéimù
8039 惟恐 wéikǒng
8040 惟一 wéiyī
8041 惟有 wéiyǒu
8042 维 wéi
8043 维系 wéixì
8044 伟 wěi
8045 伟人 wěirén
8046 伪善 wěishàn
8047 伪造 wěizào
8048 伪装 wěizhuāng
8049 苇 wěi
8050 尾声 wěishēng
8051 尾随 wěisuí
8052 纬线 wěixiàn
8053 委 wěi
8054 委派 wěipài
8055 委任 wěirèn
8056 委婉 wěiwǎn
8057 萎 wěi
8058 萎缩 wěisuō
8059 卫兵 wèibīng
8060 卫队 wèiduì
8061 卫士 wèishì
8062 未尝 wèicháng
8063 未免 wèimiǎn
8064 未遂 wèisuì
8065 位能 wèinéng
8066 位子 wèizi
8067 味觉 wèijué
8068 畏 wèi
8069 畏惧 wèijù
8070 畏缩 wèisuō
8071 胃口 wèikǒu
8072 胃液 wèiyè
8073 谓语 wèiyǔ
8074 喂养 wèiyǎng
8075 蔚蓝 wèilán
8076 慰藉 wèijiè
8077 慰劳 wèiláo
8078 慰问 wèiwèn
8079 温饱 wēnbǎo
8080 温差 wēnchā
8081 温存 wēncún
8082 温情 wēnqíng
8083 温泉 wēnquán
8084 温室 wēnshì
8085 温顺 wēnshùn
8086 温馨 wēnxīn
8087 瘟 wēn
8088 瘟疫 wēnyì
8089 文本 wénběn
8090 文笔 wénbǐ
8091 文法 wénfǎ
8092 文风 wénfēng
8093 文官 wénguān
8094 文集 wénjí

8095 文教 wénjiào
8096 文静 wénjìng
8097 文具 wénjù
8098 文科 wénkē
8099 文盲 wénmáng
8100 文凭 wénpíng
8101 文书 wénshū
8102 文坛 wéntán
8103 文体 wéntǐ
8104 文武 wénwǔ
8105 文选 wénxuǎn
8106 文雅 wényǎ
8107 文言 wényán
8108 文娱 wényú
8109 纹理 wénlǐ
8110 纹饰 wénshì
8111 闻名 wénmíng
8112 蚊虫 wénchóng
8113 蚊帐 wénzhàng
8114 吻合 wěnhé
8115 紊乱 wěnluàn
8116 稳步 wěnbù
8117 稳产 wěnchǎn
8118 稳当 wěndang
8119 稳固 wěngù
8120 稳健 wěnjiàn
8121 稳妥 wěntuǒ
8122 稳重 wěnzhòng
8123 问答 wèndá
8124 问号 wènhào
8125 问候 wènhòu
8126 问卷 wènjuàn
8127 翁 wēng
8128 瓮 wèng
8129 涡 wō
8130 涡流 wōliú
8131 窝头 wōtóu
8132 蜗牛 wōniú
8133 卧床 wòchuáng
8134 乌 wū
8135 乌黑 wūhēi
8136 乌鸦 wūyā
8137 乌云 wūyún
8138 乌贼 wūzéi
8139 污秽 wūhuì
8140 污蔑 wūmiè
8141 污辱 wūrǔ
8142 污浊 wūzhuó
8143 巫 wū
8144 巫师 wūshī
8145 呜咽 wūyè
8146 诬告 wūgào
8147 诬蔑 wūmiè
8148 诬陷 wūxiàn
8149 屋脊 wūjǐ
8150 屋檐 wūyán
8151 无边 wúbiān
8152 无常 wúcháng
8153 无偿 wúcháng
8154 无耻 wúchǐ
8155 无端 wúduān
8156 无辜 wúgū
8157 无故 wúgù
8158 无尽 wújìn
8159 无赖 wúlài
8160 无理 wúlǐ
8161 无量 wúliàng
8162 无聊 wúliáo
8163 无奈 wúnài
8164 无能 wúnéng
8165 无视 wúshì
8166 无私 wúsī
8167 无损 wúsǔn
8168 无望 wúwàng
8169 无畏 wúwèi
8170 无谓 wúwèi
8171 无误 wúwù
8172 无暇 wúxiá
8173 无心 wúxīn
8174 无须 wúxū
8175 无需 wúxū
8176 无遗 wúyí
8177 无益 wúyì
8178 无垠 wúyín
8179 无缘 wúyuán
8180 毋 wú
8181 梧桐 wútóng
8182 五谷 wǔgǔ
8183 五行 wǔxíng
8184 五脏 wǔzàng
8185 午 wǔ
8186 午餐 wǔcān
8187 午饭 wǔfàn
8188 午睡 wǔshuì
8189 午夜 wǔyè
8190 伍 wǔ
8191 武打 wǔdǎ
8192 武断 wǔduàn
8193 武功 wǔgōng
8194 武生 wǔshēng
8195 武士 wǔshì
8196 武术 wǔshù
8197 武艺 wǔyì
8198 捂 wǔ
8199 舞弊 wǔbì
8200 舞步 wǔbù
8201 舞场 wǔchǎng
8202 舞动 wǔdòng
8203 舞会 wǔhuì
8204 舞女 wǔnǚ
8205 舞曲 wǔqǔ

8206 舞厅 wǔtīng
8207 舞姿 wǔzī
8208 务必 wùbì
8209 务农 wùnóng
8210 物产 wùchǎn
8211 物件 wùjiàn
8212 物象 wùxiàng
8213 悟 wù
8214 悟性 wùxìng
8215 晤 wù
8216 雾气 wùqì
8217 夕 xī
8218 夕阳 xīyáng
8219 兮 xī
8220 西服 xīfú
8221 西红柿 xīhóngshì
8222 西天 xītiān
8223 西医 xīyī
8224 西域 xīyù
8225 西装 xīzhuāng
8226 吸毒 xīdú
8227 吸盘 xīpán
8228 吸食 xīshí
8229 吸吮 xīshǔn
8230 希冀 xījì
8231 昔 xī
8232 昔日 xīrì
8233 析出 xīchū
8234 唏嘘 xīxū
8235 奚落 xīluò
8236 悉 xī
8237 惜 xī
8238 稀薄 xībó
8239 稀饭 xīfàn
8240 稀罕 xīhan
8241 稀奇 xīqí
8242 稀释 xīshì
8243 稀疏 xīshū
8244 稀有 xīyǒu
8245 犀利 xīlì
8246 溪 xī
8247 溪流 xīliú
8248 蜥蜴 xīyì
8249 熄 xī
8250 熄灯 xīdēng
8251 膝 xī
8252 嬉戏 xīxì
8253 习气 xíqì
8254 习题 xítí
8255 习作 xízuò
8256 席卷 xíjuǎn
8257 席位 xíwèi
8258 席子 xízi
8259 袭 xí
8260 洗涤 xǐdí
8261 洗礼 xǐlǐ
8262 洗刷 xǐshuā
8263 铣 xǐ
8264 喜好 xǐhào
8265 喜庆 xǐqìng
8266 喜鹊 xǐ·què
8267 喜人 xǐrén
8268 喜事 xǐshì
8269 喜讯 xǐxùn
8270 戏弄 xìnòng
8271 戏台 xìtái
8272 戏谑 xìxuè
8273 戏院 xìyuàn
8274 细胞核 xìbāohé
8275 细密 xìmì
8276 细腻 xìnì
8277 细弱 xìruò
8278 细碎 xìsuì
8279 细微 xìwēi
8280 细则 xìzé
8281 瞎子 xiāzi
8282 匣 xiá
8283 匣子 xiázi
8284 峡 xiá
8285 峡谷 xiágǔ
8286 狭长 xiácháng
8287 狭小 xiáxiǎo
8288 遐想 xiáxiǎng
8289 辖 xiá
8290 辖区 xiáqū
8291 霞 xiá
8292 下巴 xiàba
8293 下笔 xiàbǐ
8294 下等 xiàděng
8295 下跌 xiàdiē
8296 下海 xiàhǎi
8297 下课 xiàkè
8298 下流 xiàliú
8299 下马 xiàmǎ
8300 下手 xiàshǒu
8301 下台 xiàtái
8302 下文 xiàwén
8303 下行 xiàxíng
8304 下野 xiàyě
8305 下肢 xiàzhī
8306 吓唬 xiàhu
8307 吓人 xiàrén
8308 夏令 xiàlìng
8309 仙鹤 xiānhè
8310 仙境 xiānjìng
8311 仙女 xiānnǚ
8312 仙人 xiānrén
8313 先辈 xiānbèi
8314 先导 xiāndǎo
8315 先锋 xiānfēng
8316 先例 xiānlì

8317 先驱 xiānqū
8318 先人 xiānrén
8319 先行 xiānxíng
8320 先知 xiānzhī
8321 纤 xiān
8322 纤毛 xiānmáo
8323 纤细 xiānxì
8324 掀 xiān
8325 鲜红 xiānhóng
8326 鲜美 xiānměi
8327 鲜嫩 xiānnèn
8328 闲话 xiánhuà
8329 闲人 xiánrén
8330 闲散 xiánsǎn
8331 闲谈 xiántán
8332 闲暇 xiánxiá
8333 闲置 xiánzhì
8334 贤 xián
8335 咸菜 xiáncài
8336 涎 xián
8337 娴熟 xiánshú
8338 衔接 xiánjiē
8339 舷窗 xiánchuāng
8340 嫌弃 xiánqì
8341 嫌疑 xiányí
8342 显赫 xiǎnhè
8343 显明 xiǎnmíng
8344 显眼 xiǎnyǎn
8345 险恶 xiǎn'è
8346 险峻 xiǎnjùn
8347 险情 xiǎnqíng
8348 险要 xiǎnyào
8349 现成 xiànchéng
8350 现货 xiànhuò
8351 现款 xiànkuǎn
8352 现任 xiànrèn
8353 现役 xiànyì
8354 限定 xiàndìng
8355 限额 xiàn'é
8356 限期 xiànqī
8357 宪兵 xiànbīng
8358 宪章 xiànzhāng
8359 宪政 xiànzhèng
8360 陷害 xiànhài
8361 陷阱 xiànjǐng
8362 陷落 xiànluò
8363 馅儿 xiànr
8364 霰 xiàn
8365 乡间 xiāngjiān
8366 乡里 xiānglǐ
8367 乡亲 xiāngqīn
8368 乡土 xiāngtǔ
8369 乡音 xiāngyīn
8370 乡镇 xiāngzhèn
8371 相称 xiāngchèn
8372 相持 xiāngchí
8373 相处 xiāngchǔ
8374 相传 xiāngchuán
8375 相得益彰 xiāngdé-yìzhāng
8376 相仿 xiāngfǎng
8377 相逢 xiāngféng
8378 相符 xiāngfú
8379 相干 xiānggān
8380 相隔 xiānggé
8381 相间 xiāngjiàn
8382 相距 xiāngjù
8383 相识 xiāngshí
8384 相思 xiāngsī
8385 相宜 xiāngyí
8386 相约 xiāngyuē
8387 香火 xiānghuǒ
8388 香蕉 xiāngjiāo
8389 香料 xiāngliào
8390 香炉 xiānglú
8391 香水 xiāngshuǐ
8392 香甜 xiāngtián
8393 厢 xiāng
8394 厢房 xiāngfáng
8395 湘 Xiāng
8396 镶 xiāng
8397 镶嵌 xiāngqiàn
8398 详 xiáng
8399 详尽 xiángjìn
8400 详情 xiángqíng
8401 祥 xiáng
8402 翔 xiáng
8403 享福 xiǎngfú
8404 享乐 xiǎnglè
8405 享用 xiǎngyòng
8406 响动 xiǎngdòng
8407 响亮 xiǎngliàng
8408 饷 xiǎng
8409 想必 xiǎngbì
8410 想见 xiǎngjiàn
8411 想来 xiǎnglái
8412 想念 xiǎngniàn
8413 向导 xiàngdǎo
8414 向日葵 xiàngrìkuí
8415 向阳 xiàngyáng
8416 项链 xiàngliàn
8417 巷 xiàng
8418 相机 xiàngjī
8419 相貌 xiàngmào
8420 相片 xiàngpiàn
8421 相声 xiàngsheng
8422 象棋 xiàngqí
8423 象形 xiàngxíng
8424 象牙 xiàngyá
8425 像样 xiàngyàng
8426 肖 Xiāo

8427 逍遥 xiāoyáo
8428 消沉 xiāochén
8429 消防 xiāofáng
8430 消磨 xiāomó
8431 消遣 xiāoqiǎn
8432 消融 xiāoróng
8433 消散 xiāosàn
8434 消逝 xiāoshì
8435 消瘦 xiāoshòu
8436 消退 xiāotuì
8437 消长 xiāozhǎng
8438 萧 xiāo
8439 萧条 xiāotiáo
8440 硝 xiāo
8441 硝烟 xiāoyān
8442 销毁 xiāohuǐ
8443 销路 xiāolù
8444 箫 xiāo
8445 潇 xiāo
8446 潇洒 xiāosǎ
8447 嚣张 xiāozhāng
8448 小便 xiǎobiàn
8449 小菜 xiǎocài
8450 小肠 xiǎocháng
8451 小车 xiǎochē
8452 小吃 xiǎochī
8453 小丑 xiǎochǒu
8454 小调 xiǎodiào
8455 小贩 xiǎofàn
8456 小褂 xiǎoguà
8457 小鬼 xiǎoguǐ
8458 小节 xiǎojié
8459 小结 xiǎojié
8460 小看 xiǎokàn
8461 小米 xiǎomǐ
8462 小脑 xiǎonǎo
8463 小品 xiǎopǐn
8464 小气 xiǎoqi
8465 小巧 xiǎoqiǎo
8466 小区 xiǎoqū
8467 小人 xiǎorén
8468 小生 xiǎoshēng
8469 小数 xiǎoshù
8470 小偷 xiǎotōu
8471 小腿 xiǎotuǐ
8472 小雪 xiǎoxuě
8473 小夜曲 xiǎoyèqǔ
8474 晓 xiǎo
8475 孝 xiào
8476 孝敬 xiàojìng
8477 孝顺 xiàoshùn
8478 孝子 xiàozǐ
8479 肖 xiào
8480 肖像 xiàoxiàng
8481 校风 xiàofēng
8482 校舍 xiàoshè
8483 校园 xiàoyuán
8484 哮喘 xiàochuǎn
8485 笑脸 xiàoliǎn
8486 笑语 xiàoyǔ
8487 效法 xiàofǎ
8488 效劳 xiàoláo
8489 效能 xiàonéng
8490 效验 xiàoyàn
8491 效用 xiàoyòng
8492 效忠 xiàozhōng
8493 啸 xiào
8494 楔 xiē
8495 歇脚 xiējiǎo
8496 协 xié
8497 协和 xiéhé
8498 协力 xiélì
8499 协约 xiéyuē
8500 协奏曲 xiézòuqǔ
8501 邪恶 xié'è
8502 邪路 xiélù
8503 邪气 xiéqì
8504 胁 xié
8505 胁迫 xiépò
8506 挟 xié
8507 偕 xié
8508 斜面 xiémiàn
8509 斜坡 xiépō
8510 谐调 xiétiáo
8511 携 xié
8512 携手 xiéshǒu
8513 写法 xiěfǎ
8514 写生 xiěshēng
8515 写实 xiěshí
8516 写意 xiěyì
8517 写照 xiězhào
8518 写字台 xiězìtái
8519 泄漏 xièlòu
8520 泄露 xièlòu
8521 泄气 xièqì
8522 泻 xiè
8523 卸 xiè
8524 屑 xiè
8525 械 xiè
8526 械斗 xièdòu
8527 亵渎 xièdú
8528 谢绝 xièjué
8529 心爱 xīn'ài
8530 心病 xīnbìng
8531 心不在焉 xīnbùzàiyān
8532 心肠 xīncháng
8533 心得 xīndé
8534 心地 xīndì
8535 心烦 xīnfán
8536 心房 xīnfáng

8537 心肝 xīngān
8538 心慌 xīnhuāng
8539 心急 xīnjí
8540 心计 xīnjì
8541 心悸 xīnjì
8542 心境 xīnjìng
8543 心坎 xīnkǎn
8544 心口 xīnkǒu
8545 心旷神怡 xīnkuàng-shényí
8546 心力 xīnlì
8547 心律 xīnlǜ
8548 心率 xīnlǜ
8549 心切 xīnqiè
8550 心神 xīnshén
8551 心声 xīnshēng
8552 心室 xīnshì
8553 心酸 xīnsuān
8554 心态 xīntài
8555 心疼 xīnténg
8556 心田 xīntián
8557 心跳 xīntiào
8558 心弦 xīnxián
8559 心胸 xīnxiōng
8560 心虚 xīnxū
8561 心绪 xīnxù
8562 心眼儿 xīnyǎnr
8563 心意 xīnyì
8564 心愿 xīnyuàn
8565 芯 xīn
8566 辛 xīn
8567 辛辣 xīnlà
8568 辛劳 xīnláo
8569 辛酸 xīnsuān
8570 欣然 xīnrán
8571 欣慰 xīnwèi
8572 欣喜 xīnxǐ
8573 新潮 xīncháo
8574 新房 xīnfáng
8575 新婚 xīnhūn
8576 新近 xīnjìn
8577 新居 xīnjū
8578 新郎 xīnláng
8579 新年 xīnnián
8580 新诗 xīnshī
8581 新书 xīnshū
8582 新星 xīnxīng
8583 新秀 xīnxiù
8584 新学 xīnxué
8585 新意 xīnyì
8586 新月 xīnyuè
8587 薪 xīn
8588 薪金 xīnjīn
8589 薪水 xīn·shuǐ
8590 信步 xìnbù
8591 信风 xìnfēng
8592 信封 xìnfēng
8593 信奉 xìnfèng
8594 信服 xìnfú
8595 信函 xìnhán
8596 信件 xìnjiàn
8597 信赖 xìnlài
8598 信使 xìnshǐ
8599 信条 xìntiáo
8600 信托 xìntuō
8601 信誉 xìnyù
8602 信纸 xìnzhǐ
8603 兴办 xīngbàn
8604 兴盛 xīngshèng
8605 兴衰 xīngshuāi
8606 兴亡 xīngwáng
8607 兴旺 xīngwàng
8608 兴修 xīngxiū
8609 星辰 xīngchén
8610 星光 xīngguāng
8611 星空 xīngkōng
8612 星体 xīngtǐ
8613 星座 xīngzuò
8614 猩猩 xīngxing
8615 腥 xīng
8616 刑场 xíngchǎng
8617 刑期 xíngqī
8618 刑侦 xíngzhēn
8619 邢 Xíng
8620 行车 xíngchē
8621 行程 xíngchéng
8622 行船 xíngchuán
8623 行将 xíngjiāng
8624 行进 xíngjìn
8625 行径 xíngjìng
8626 行礼 xínglǐ
8627 行文 xíngwén
8628 行销 xíngxiāo
8629 行凶 xíngxiōng
8630 行医 xíngyī
8631 行装 xíngzhuāng
8632 形容词 xíngróngcí
8633 型号 xínghào
8634 醒目 xǐngmù
8635 醒悟 xǐngwù
8636 兴高采烈 xìnggāo-cǎiliè
8637 兴致 xìngzhì
8638 杏儿 xìngr
8639 杏仁 xìngrén
8640 幸 xìng
8641 幸存 xìngcún
8642 幸而 xìng'ér
8643 幸好 xìnghǎo
8644 幸亏 xìngkuī
8645 幸免 xìngmiǎn

8646 幸运 xìngyùn
8647 性爱 xìng'ài
8648 性病 xìngbìng
8649 性急 xìngjí
8650 性命 xìngmìng
8651 性子 xìngzi
8652 姓氏 xìngshì
8653 凶残 xiōngcán
8654 凶恶 xiōng'è
8655 凶犯 xiōngfàn
8656 凶狠 xiōnghěn
8657 凶猛 xiōngměng
8658 凶手 xiōngshǒu
8659 匈奴 Xiōngnú
8660 汹涌 xiōngyǒng
8661 胸骨 xiōnggǔ
8662 胸怀 xiōnghuái
8663 胸襟 xiōngjīn
8664 胸口 xiōngkǒu
8665 胸腔 xiōngqiāng
8666 胸膛 xiōngtáng
8667 胸有成竹 xiōngyǒuchéngzhú
8668 雄辩 xióngbiàn
8669 雄厚 xiónghòu
8670 雄浑 xiónghún
8671 雄蕊 xióngruǐ
8672 雄心 xióngxīn
8673 雄性 xióngxìng
8674 雄壮 xióngzhuàng
8675 雄姿 xióngzī
8676 熊猫 xióngmāo
8677 休 xiū
8678 休假 xiūjià
8679 休想 xiūxiǎng
8680 休养 xiūyǎng
8681 休整 xiūzhěng
8682 休止 xiūzhǐ
8683 修补 xiūbǔ
8684 修长 xiūcháng
8685 修订 xiūdìng
8686 修好 xiūhǎo
8687 修剪 xiūjiǎn
8688 修配 xiūpèi
8689 修缮 xiūshàn
8690 修饰 xiūshì
8691 修行 xiū•xíng
8692 修整 xiūzhěng
8693 修筑 xiūzhù
8694 羞 xiū
8695 羞耻 xiūchǐ
8696 羞愧 xiūkuì
8697 羞怯 xiūqiè
8698 羞辱 xiūrǔ
8699 羞涩 xiūsè
8700 朽 xiǔ
8701 秀 xiù
8702 秀才 xiùcai
8703 秀丽 xiùlì
8704 秀美 xiùměi
8705 秀气 xiùqi
8706 袖口 xiùkǒu
8707 袖珍 xiùzhēn
8708 袖子 xiùzi
8709 绣花 xiùhuā
8710 锈 xiù
8711 嗅觉 xiùjué
8712 戌 xū
8713 须要 xūyào
8714 须臾 xūyú
8715 须知 xūzhī
8716 虚构 xūgòu
8717 虚幻 xūhuàn
8718 虚假 xūjiǎ
8719 虚拟 xūnǐ
8720 虚弱 xūruò
8721 虚实 xūshí
8722 虚妄 xūwàng
8723 虚伪 xūwěi
8724 虚无 xūwú
8725 虚线 xūxiàn
8726 虚心 xūxīn
8727 嘘 xū
8728 许久 xǔjiǔ
8729 许诺 xǔnuò
8730 许愿 xǔyuàn
8731 旭日 xùrì
8732 序列 xùliè
8733 序幕 xùmù
8734 序曲 xùqǔ
8735 序数 xùshù
8736 序言 xùyán
8737 叙 xù
8738 叙事 xùshì
8739 叙说 xùshuō
8740 畜牧 xùmù
8741 绪 xù
8742 续 xù
8743 絮 xù
8744 蓄 xù
8745 蓄电池 xùdiànchí
8746 蓄积 xùjī
8747 蓄意 xùyì
8748 宣 xuān
8749 宣称 xuānchēng
8750 宣读 xuāndú
8751 宣讲 xuānjiǎng
8752 宣誓 xuānshì
8753 宣泄 xuānxiè
8754 宣战 xuānzhàn
8755 喧哗 xuānhuá

8756 喧闹 xuānnào
8757 喧嚷 xuānrǎng
8758 喧嚣 xuānxiāo
8759 玄 xuán
8760 悬浮 xuánfú
8761 悬空 xuánkōng
8762 悬念 xuánniàn
8763 悬殊 xuánshū
8764 悬崖 xuányá
8765 旋即 xuánjí
8766 旋涡 xuánwō
8767 选集 xuǎnjí
8768 选民 xuǎnmín
8769 选派 xuǎnpài
8770 选票 xuǎnpiào
8771 选取 xuǎnqǔ
8772 选送 xuǎnsòng
8773 选种 xuǎnzhǒng
8774 癣 xuǎn
8775 炫耀 xuànyào
8776 绚丽 xuànlì
8777 眩晕 xuànyùn
8778 旋风 xuànfēng
8779 渲染 xuànrǎn
8780 削价 xuējià
8781 削减 xuējiǎn
8782 靴 xuē
8783 靴子 xuēzi
8784 薛 Xuē
8785 穴位 xuéwèi
8786 学报 xuébào
8787 学费 xuéfèi
8788 学风 xuéfēng
8789 学府 xuéfǔ
8790 学界 xuéjiè
8791 学历 xuélì
8792 学龄 xuélíng
8793 学年 xuénián
8794 学期 xuéqī
8795 学识 xuéshí
8796 学士 xuéshì
8797 学位 xuéwèi
8798 学业 xuéyè
8799 学制 xuézhì
8800 雪茄 xuějiā
8801 雪亮 xuěliàng
8802 雪片 xuěpiàn
8803 雪山 xuěshān
8804 雪线 xuěxiàn
8805 雪原 xuěyuán
8806 血汗 xuèhàn
8807 血红 xuèhóng
8808 血迹 xuèjì
8809 血浆 xuèjiāng
8810 血泪 xuèlèi
8811 血脉 xuèmài
8812 血泊 xuèpō
8813 血气 xuèqì
8814 血亲 xuèqīn
8815 血清 xuèqīng
8816 血肉 xuèròu
8817 血色 xuèsè
8818 血糖 xuètáng
8819 血统 xuètǒng
8820 血腥 xuèxīng
8821 血型 xuèxíng
8822 血压 xuèyā
8823 血缘 xuèyuán
8824 勋章 xūnzhāng
8825 熏 xūn
8826 熏陶 xūntáo
8827 薰 xūn
8828 旬 xún
8829 寻常 xúncháng
8830 寻根 xúngēn
8831 寻觅 xúnmì
8832 巡 xún
8833 巡回 xúnhuí
8834 巡警 xúnjǐng
8835 巡逻 xúnluó
8836 巡视 xúnshì
8837 循 xún
8838 训斥 xùnchì
8839 训话 xùnhuà
8840 讯 xùn
8841 讯号 xùnhào
8842 汛 xùn
8843 汛期 xùnqī
8844 迅 xùn
8845 迅猛 xùnměng
8846 驯 xùn
8847 驯服 xùnfú
8848 驯化 xùnhuà
8849 驯鹿 xùnlù
8850 驯养 xùnyǎng
8851 逊 xùn
8852 逊色 xùnsè
8853 丫头 yātou
8854 压倒 yādǎo
8855 压低 yādī
8856 压榨 yāzhà
8857 押送 yāsòng
8858 押韵 yāyùn
8859 鸭子 yāzi
8860 牙膏 yágāo
8861 牙关 yáguān
8862 牙刷 yáshuā
8863 牙龈 yáyín
8864 蚜虫 yáchóng
8865 崖 yá
8866 衙门 yámen

8867	哑	yǎ
8868	哑巴	yǎba
8869	哑剧	yǎjù
8870	雅	yǎ
8871	雅致	yǎzhì
8872	轧	yà
8873	亚军	yàjūn
8874	亚麻	yàmá
8875	亚热带	yàrèdài
8876	咽喉	yānhóu
8877	殷红	yānhóng
8878	胭脂	yānzhi
8879	烟草	yāncǎo
8880	烟尘	yānchén
8881	烟袋	yāndài
8882	烟斗	yāndǒu
8883	烟花	yānhuā
8884	烟灰	yānhuī
8885	烟火	yānhuǒ
8886	烟幕	yānmù
8887	烟筒	yāntong
8888	烟雾	yānwù
8889	烟叶	yānyè
8890	焉	yān
8891	淹	yān
8892	淹没	yānmò
8893	腌	yān
8894	湮没	yānmò
8895	燕	Yān
8896	延	yán
8897	延迟	yánchí
8898	延缓	yánhuǎn
8899	延期	yánqī
8900	延误	yánwù
8901	严惩	yánchéng
8902	严冬	yándōng
8903	严谨	yánjǐn
8904	严禁	yánjìn
8905	严酷	yánkù
8906	严守	yánshǒu
8907	严正	yánzhèng
8908	言传	yánchuán
8909	言辞	yáncí
8910	言谈	yántán
8911	岩层	yáncéng
8912	岩洞	yándòng
8913	岩浆	yánjiāng
8914	炎热	yánrè
8915	炎症	yánzhèng
8916	沿路	yánlù
8917	沿途	yántú
8918	沿袭	yánxí
8919	沿线	yánxiàn
8920	沿用	yányòng
8921	研读	yándú
8922	研究员	yánjiūyuán
8923	研讨	yántǎo
8924	盐场	yánchǎng
8925	盐分	yánfèn
8926	盐田	yántián
8927	阎	Yán
8928	筵席	yánxí
8929	颜	yán
8930	颜料	yánliào
8931	颜面	yánmiàn
8932	檐	yán
8933	俨然	yǎnrán
8934	衍	yǎn
8935	掩	yǎn
8936	掩蔽	yǎnbì
8937	掩埋	yǎnmái
8938	掩饰	yǎnshì
8939	掩映	yǎnyìng
8940	眼底	yǎndǐ
8941	眼红	yǎnhóng
8942	眼花	yǎnhuā
8943	眼睑	yǎnjiǎn
8944	眼见	yǎnjiàn
8945	眼角	yǎnjiǎo
8946	眼界	yǎnjiè
8947	眼眶	yǎnkuàng
8948	眼力	yǎnlì
8949	眼帘	yǎnlián
8950	眼皮	yǎnpí
8951	眼球	yǎnqiú
8952	眼圈	yǎnquān
8953	眼色	yǎnsè
8954	眼窝	yǎnwō
8955	演技	yǎnjì
8956	演进	yǎnjìn
8957	演示	yǎnshì
8958	演算	yǎnsuàn
8959	演习	yǎnxí
8960	演戏	yǎnxì
8961	演义	yǎnyì
8962	厌烦	yànfán
8963	厌倦	yànjuàn
8964	厌世	yànshì
8965	砚	yàn
8966	艳	yàn
8967	艳丽	yànlì
8968	宴	yàn
8969	宴席	yànxí
8970	验收	yànshōu
8971	谚语	yànyǔ
8972	堰	yàn
8973	雁	yàn
8974	焰	yàn
8975	燕	yàn
8976	燕麦	yànmài
8977	燕子	yànzi

8978 央求 yāngqiú
8979 秧歌 yāngge
8980 秧苗 yāngmiáo
8981 秧田 yāngtián
8982 扬弃 yángqì
8983 扬言 yángyán
8984 羊羔 yánggāo
8985 阳历 yánglì
8986 阳台 yángtái
8987 阳性 yángxìng
8988 杨柳 yángliǔ
8989 杨梅 yángméi
8990 佯 yáng
8991 洋葱 yángcōng
8992 洋流 yángliú
8993 洋溢 yángyì
8994 仰慕 yǎngmù
8995 仰望 yǎngwàng
8996 养病 yǎngbìng
8997 养护 yǎnghù
8998 养活 yǎnghuo
8999 养老 yǎnglǎo
9000 养生 yǎngshēng
9001 养育 yǎngyù
9002 痒 yǎng
9003 样板 yàngbǎn
9004 漾 yàng
9005 夭折 yāozhé
9006 吆喝 yāohe
9007 妖 yāo
9008 妖怪 yāo•guài
9009 妖精 yāojing
9010 要挟 yāoxié
9011 腰带 yāodài
9012 腰身 yāoshēn
9013 邀 yāo
9014 尧 Yáo
9015 姚 Yáo
9016 窑 yáo
9017 窑洞 yáodòng
9018 谣言 yáoyán
9019 摇摆 yáobǎi
9020 摇动 yáodòng
9021 摇篮 yáolán
9022 摇曳 yáoyè
9023 徭役 yáoyì
9024 遥控 yáokòng
9025 遥望 yáowàng
9026 瑶 yáo
9027 舀 yǎo
9028 窈窕 yǎotiǎo
9029 药材 yàocái
9030 药店 yàodiàn
9031 药方 yàofāng
9032 药剂 yàojì
9033 药水 yàoshuǐ
9034 要道 yàodào
9035 要地 yàodì
9036 要点 yàodiǎn
9037 要害 yàohài
9038 要好 yàohǎo
9039 要件 yàojiàn
9040 要领 yàolǐng
9041 要命 yàomìng
9042 要人 yàorén
9043 要职 yàozhí
9044 耀 yào
9045 耀眼 yàoyǎn
9046 掖 yē
9047 椰子 yēzi
9048 噎 yē
9049 冶 yě
9050 野菜 yěcài
9051 野地 yědì
9052 野心 yěxīn
9053 野性 yěxìng
9054 业绩 yèjì
9055 业已 yèyǐ
9056 业主 yèzhǔ
9057 叶柄 yèbǐng
9058 叶绿素 yèlǜsù
9059 叶脉 yèmài
9060 曳 yè
9061 夜班 yèbān
9062 夜空 yèkōng
9063 夜幕 yèmù
9064 夜色 yèsè
9065 夜市 yèshì
9066 夜校 yèxiào
9067 掖 yè
9068 液化 yèhuà
9069 液晶 yèjīng
9070 腋 yè
9071 一筹莫展 yīchóu-mòzhǎn
9072 一点儿 yīdiǎnr
9073 一帆风顺 yīfān-fēngshùn
9074 一概 yīgài
9075 一举 yījǔ
9076 一流 yīliú
9077 一目了然 yīmù-liǎorán
9078 一瞥 yīpiē
9079 一气 yīqì
9080 一瞬 yīshùn
9081 一丝不苟 yīsī-bùgǒu
9082 伊 yī
9083 衣襟 yījīn
9084 衣料 yīliào

9085 衣衫 yīshān
9086 衣食 yīshí
9087 衣物 yīwù
9088 衣着 yīzhuó
9089 医师 yīshī
9090 医务 yīwù
9091 医治 yīzhì
9092 依存 yīcún
9093 依恋 yīliàn
9094 依托 yītuō
9095 依偎 yīwēi
9096 依稀 yīxī
9097 依仗 yīzhàng
9098 仪表 yíbiǎo
9099 夷 yí
9100 宜人 yírén
9101 贻误 yíwù
9102 姨 yí
9103 姨妈 yímā
9104 胰岛素 yídǎosù
9105 胰腺 yíxiàn
9106 移交 yíjiāo
9107 移居 yíjū
9108 遗存 yícún
9109 遗风 yífēng
9110 遗迹 yíjì
9111 遗漏 yílòu
9112 遗弃 yíqì
9113 遗失 yíshī
9114 遗体 yítǐ
9115 遗忘 yíwàng
9116 遗物 yíwù
9117 遗像 yíxiàng
9118 遗言 yíyán
9119 疑虑 yílǜ
9120 疑难 yínán
9121 疑团 yítuán
9122 疑心 yíxīn
9123 已然 yǐrán
9124 已往 yǐwǎng
9125 倚靠 yǐkào
9126 义气 yì·qi
9127 艺人 yìrén
9128 忆 yì
9129 议案 yì'àn
9130 议程 yìchéng
9131 议定 yìdìng
9132 议价 yìjià
9133 议决 yìjué
9134 议题 yìtí
9135 屹立 yìlì
9136 异彩 yìcǎi
9137 异端 yìduān
9138 异国 yìguó
9139 异化 yìhuà
9140 异己 yìjǐ
9141 异体 yìtǐ
9142 异同 yìtóng
9143 异物 yìwù
9144 异乡 yìxiāng
9145 异性 yìxìng
9146 异样 yìyàng
9147 异议 yìyì
9148 异族 yìzú
9149 抑 yì
9150 抑或 yìhuò
9151 抑扬顿挫 yìyáng-dùncuò
9152 抑郁 yìyù
9153 邑 yì
9154 役使 yìshǐ
9155 译本 yìběn
9156 译文 yìwén
9157 驿站 yìzhàn
9158 疫 yì
9159 疫苗 yìmiáo
9160 益虫 yìchóng
9161 益处 yì·chù
9162 逸 yì
9163 翌日 yìrì
9164 意会 yìhuì
9165 意料 yìliào
9166 意念 yìniàn
9167 意想 yìxiǎng
9168 意向 yìxiàng
9169 意愿 yìyuàn
9170 意蕴 yìyùn
9171 意旨 yìzhǐ
9172 溢 yì
9173 毅力 yìlì
9174 熠熠 yìyì
9175 臆造 yìzào
9176 因袭 yīnxí
9177 阴暗 yīn'àn
9178 阴沉 yīnchén
9179 阴极 yīnjí
9180 阴间 yīnjiān
9181 阴冷 yīnlěng
9182 阴历 yīnlì
9183 阴凉 yīnliáng
9184 阴霾 yīnmái
9185 阴森 yīnsēn
9186 阴险 yīnxiǎn
9187 阴性 yīnxìng
9188 阴雨 yīnyǔ
9189 阴郁 yīnyù
9190 阴云 yīnyún
9191 音标 yīnbiāo
9192 音程 yīnchéng
9193 音符 yīnfú
9194 音高 yīngāo

9195 音量 yīnliàng
9196 音律 yīnlǜ
9197 音色 yīnsè
9198 音讯 yīnxùn
9199 音译 yīnyì
9200 音韵 yīnyùn
9201 姻缘 yīnyuán
9202 殷 yīn
9203 殷切 yīnqiè
9204 殷勤 yīnqín
9205 吟 yín
9206 银河 yínhé
9207 银幕 yínmù
9208 银杏 yínxìng
9209 银元 yínyuán
9210 银子 yínzi
9211 淫 yín
9212 淫秽 yínhuì
9213 寅 yín
9214 尹 yǐn
9215 引发 yǐnfā
9216 引路 yǐnlù
9217 引擎 yǐnqíng
9218 引申 yǐnshen
9219 引水 yǐnshuǐ
9220 引文 yǐnwén
9221 引诱 yǐnyòu
9222 引证 yǐnzhèng
9223 饮料 yǐnliào
9224 饮水 yǐnshuǐ
9225 隐患 yǐnhuàn
9226 隐居 yǐnjū
9227 隐瞒 yǐnmán
9228 隐秘 yǐnmì
9229 隐没 yǐnmò
9230 隐士 yǐnshì
9231 隐约 yǐnyuē
9232 瘾 yǐn
9233 印发 yìnfā
9234 印花 yìnhuā
9235 印记 yìnjì
9236 印染 yìnrǎn
9237 印行 yìnxíng
9238 印章 yìnzhāng
9239 印证 yìnzhèng
9240 荫庇 yìnbì
9241 应届 yīngjiè
9242 应允 yīngyǔn
9243 英镑 yīngbàng
9244 英俊 yīngjùn
9245 英明 yīngmíng
9246 英武 yīngwǔ
9247 婴 yīng
9248 樱花 yīnghuā
9249 樱桃 yīng·táo
9250 鹦鹉 yīngwǔ
9251 膺 yīng
9252 迎风 yíngfēng
9253 迎合 yínghé
9254 迎面 yíngmiàn
9255 迎亲 yíngqīn
9256 迎头 yíngtóu
9257 迎战 yíngzhàn
9258 荧光 yíngguāng
9259 荧屏 yíngpíng
9260 盈 yíng
9261 盈亏 yíngkuī
9262 盈余 yíngyú
9263 萤 yíng
9264 营地 yíngdì
9265 营房 yíngfáng
9266 营救 yíngjiù
9267 营垒 yínglěi
9268 营造 yíngzào
9269 萦绕 yíngrào
9270 蝇 yíng
9271 赢 yíng
9272 赢利 yínglì
9273 影射 yǐngshè
9274 影像 yǐngxiàng
9275 影院 yǐngyuàn
9276 应变 yìngbiàn
9277 应酬 yìngchou
9278 应对 yìngduì
9279 应急 yìngjí
9280 应考 yìngkǎo
9281 应邀 yìngyāo
9282 应战 yìngzhàn
9283 应征 yìngzhēng
9284 映照 yìngzhào
9285 硬币 yìngbì
9286 硬度 yìngdù
9287 硬化 yìnghuà
9288 硬件 yìngjiàn
9289 硬性 yìngxìng
9290 拥抱 yōngbào
9291 拥戴 yōngdài
9292 痈 yōng
9293 庸俗 yōngsú
9294 壅 yōng
9295 臃肿 yōngzhǒng
9296 永别 yǒngbié
9297 永生 yǒngshēng
9298 甬道 yǒngdào
9299 咏 yǒng
9300 咏叹调 yǒngtàndiào
9301 泳 yǒng
9302 勇 yǒng
9303 勇猛 yǒngměng
9304 勇士 yǒngshì
9305 蛹 yǒng

9306 踊跃 yǒngyuè
9307 用场 yòngchǎng
9308 用法 yòngfǎ
9309 用工 yònggōng
9310 用功 yònggōng
9311 用劲 yòngjìn
9312 用具 yòngjù
9313 用心 yòngxīn
9314 用意 yòngyì
9315 佣金 yòngjīn
9316 优待 yōudài
9317 优厚 yōuhòu
9318 优化 yōuhuà
9319 优生 yōushēng
9320 优胜 yōushèng
9321 优雅 yōuyǎ
9322 优异 yōuyì
9323 忧 yōu
9324 忧愁 yōuchóu
9325 忧虑 yōulǜ
9326 忧伤 yōushāng
9327 幽暗 yōu'àn
9328 幽静 yōujìng
9329 幽灵 yōulíng
9330 幽深 yōushēn
9331 幽雅 yōuyǎ
9332 悠长 yōucháng
9333 悠然 yōurán
9334 悠闲 yōuxián
9335 悠扬 yōuyáng
9336 由来 yóulái
9337 由衷 yóuzhōng
9338 邮 yóu
9339 邮电 yóudiàn
9340 邮寄 yóujì
9341 邮件 yóujiàn
9342 邮局 yóujú
9343 邮政 yóuzhèng
9344 犹疑 yóuyí
9345 油菜 yóucài
9346 油茶 yóuchá
9347 油井 yóujǐng
9348 油轮 yóulún
9349 油门 yóumén
9350 油墨 yóumò
9351 油腻 yóunì
9352 油漆 yóuqī
9353 油条 yóutiáo
9354 油污 yóuwū
9355 油脂 yóuzhī
9356 游荡 yóudàng
9357 游记 yóujì
9358 游客 yóukè
9359 游览 yóulǎn
9360 游乐 yóulè
9361 游离 yóulí
9362 游历 yóulì
9363 游牧 yóumù
9364 游人 yóurén
9365 游玩 yóuwán
9366 游艺 yóuyì
9367 游子 yóuzǐ
9368 友爱 yǒu'ài
9369 友邦 yǒubāng
9370 友情 yǒuqíng
9371 有偿 yǒucháng
9372 有待 yǒudài
9373 有的放矢 yǒudì-fàngshǐ
9374 有理 yǒulǐ
9375 有心 yǒuxīn
9376 有形 yǒuxíng
9377 有幸 yǒuxìng
9378 有余 yǒuyú
9379 酉 yǒu
9380 黝黑 yǒuhēi
9381 右面 yòu·miàn
9382 右倾 yòuqīng
9383 右翼 yòuyì
9384 幼儿园 yòu'éryuán
9385 幼体 yòutǐ
9386 幼小 yòuxiǎo
9387 幼稚 yòuzhì
9388 佑 yòu
9389 柚子 yòuzi
9390 诱 yòu
9391 诱发 yòufā
9392 诱惑 yòuhuò
9393 诱因 yòuyīn
9394 釉 yòu
9395 迂 yū
9396 迂回 yūhuí
9397 淤 yū
9398 淤积 yūjī
9399 淤泥 yūní
9400 余额 yú'é
9401 余粮 yúliáng
9402 余年 yúnián
9403 鱼雷 yúléi
9404 鱼鳞 yúlín
9405 鱼苗 yúmiáo
9406 俞 Yú
9407 渔场 yúchǎng
9408 渔船 yúchuán
9409 渔村 yúcūn
9410 渔夫 yúfū
9411 渔民 yúmín
9412 渔网 yúwǎng
9413 隅 yú
9414 逾 yú
9415 逾期 yúqī

9416 逾越 yúyuè
9417 愉悦 yúyuè
9418 榆 yú
9419 虞 yú
9420 愚 yú
9421 愚蠢 yúchǔn
9422 愚昧 yúmèi
9423 愚弄 yúnòng
9424 与日俱增 yǔrìjùzēng
9425 宇航 yǔháng
9426 羽毛球 yǔmáoqiú
9427 羽绒 yǔróng
9428 雨点儿 yǔdiǎnr
9429 雨季 yǔjì
9430 雨量 yǔliàng
9431 雨伞 yǔsǎn
9432 雨衣 yǔyī
9433 禹 Yǔ
9434 语词 yǔcí
9435 语调 yǔdiào
9436 语汇 yǔhuì
9437 语录 yǔlù
9438 语重心长 yǔzhòng-xīncháng
9439 与会 yùhuì
9440 郁 yù
9441 郁闷 yùmèn
9442 育才 yùcái
9443 育苗 yùmiáo
9444 狱 yù
9445 浴 yù
9446 浴场 yùchǎng
9447 浴池 yùchí
9448 浴室 yùshì
9449 预感 yùgǎn
9450 预见 yùjiàn
9451 预示 yùshì
9452 预想 yùxiǎng
9453 预约 yùyuē
9454 预兆 yùzhào
9455 预知 yùzhī
9456 欲念 yùniàn
9457 谕 yù
9458 遇难 yùnàn
9459 喻 yù
9460 御 yù
9461 寓 yù
9462 寓所 yùsuǒ
9463 寓言 yùyán
9464 寓意 yùyì
9465 寓于 yùyú
9466 愈合 yùhé
9467 愈加 yùjiā
9468 愈益 yùyì
9469 誉 yù
9470 豫 yù
9471 鸳鸯 yuān•yāng
9472 冤 yuān
9473 冤案 yuān'àn
9474 冤枉 yuānwang
9475 渊 yuān
9476 渊博 yuānbó
9477 渊源 yuānyuán
9478 元宝 yuánbǎo
9479 元旦 Yuándàn
9480 元件 yuánjiàn
9481 元老 yuánlǎo
9482 元气 yuánqì
9483 元首 yuánshǒu
9484 元帅 yuánshuài
9485 元宵 yuánxiāo
9486 元音 yuányīn
9487 元月 yuányuè
9488 园地 yuándì
9489 园丁 yuándīng
9490 园林 yuánlín
9491 园艺 yuányì
9492 员工 yuángōng
9493 垣 yuán
9494 原本 yuánběn
9495 原稿 yuángǎo
9496 原告 yuángào
9497 原籍 yuánjí
9498 原价 yuánjià
9499 原煤 yuánméi
9500 原文 yuánwén
9501 原形 yuánxíng
9502 原型 yuánxíng
9503 原样 yuányàng
9504 原野 yuányě
9505 原意 yuányì
9506 原油 yuányóu
9507 原著 yuánzhù
9508 原状 yuánzhuàng
9509 原作 yuánzuò
9510 圆场 yuánchǎng
9511 圆满 yuánmǎn
9512 圆圈 yuánquān
9513 圆润 yuánrùn
9514 圆舞曲 yuánwǔqǔ
9515 圆周 yuánzhōu
9516 圆柱 yuánzhù
9517 圆锥 yuánzhuī
9518 圆桌 yuánzhuō
9519 援 yuán
9520 援兵 yuánbīng
9521 缘由 yuányóu
9522 猿 yuán
9523 猿猴 yuánhóu
9524 猿人 yuánrén

9525 源流 yuánliú
9526 源头 yuántóu
9527 远程 yuǎnchéng
9528 远大 yuǎndà
9529 远古 yuǎngǔ
9530 远航 yuǎnháng
9531 远见 yuǎnjiàn
9532 远近 yuǎnjìn
9533 远景 yuǎnjǐng
9534 远洋 yuǎnyáng
9535 远征 yuǎnzhēng
9536 苑 yuàn
9537 怨恨 yuànhèn
9538 怨气 yuànqì
9539 怨言 yuànyán
9540 院落 yuànluò
9541 院士 yuànshì
9542 约定 yuēdìng
9543 约法 yuēfǎ
9544 约会 yuēhuì
9545 月饼 yuèbing
9546 月季 yuè•jì
9547 月刊 yuèkān
9548 月色 yuèsè
9549 月食 yuèshí
9550 月夜 yuèyè
9551 乐谱 yuèpǔ
9552 乐师 yuèshī
9553 乐团 yuètuán
9554 乐音 yuèyīn
9555 乐章 yuèzhāng
9556 岳 yuè
9557 岳父 yuèfù
9558 岳母 yuèmǔ
9559 阅 yuè
9560 阅兵 yuèbīng
9561 阅历 yuèlì
9562 悦 yuè
9563 悦耳 yuè'ěr
9564 越发 yuèfā
9565 越轨 yuèguǐ
9566 晕 yūn
9567 云彩 yúncai
9568 云层 yúncéng
9569 云端 yúnduān
9570 云朵 yúnduǒ
9571 云海 yúnhǎi
9572 云集 yúnjí
9573 云雾 yúnwù
9574 云游 yúnyóu
9575 匀称 yún•chèn
9576 允 yǔn
9577 陨石 yǔnshí
9578 孕 yùn
9579 孕妇 yùnfù
9580 孕育 yùnyù
9581 运筹 yùnchóu
9582 运费 yùnfèi
9583 运河 yùnhé
9584 运气 yùnqi
9585 运送 yùnsòng
9586 运销 yùnxiāo
9587 运载 yùnzài
9588 运作 yùnzuò
9589 晕 yùn
9590 酝酿 yùnniàng
9591 韵律 yùnlǜ
9592 韵味 yùnwèi
9593 蕴 yùn
9594 蕴含 yùnhán
9595 蕴涵 yùnhán
9596 咂 zā
9597 杂费 záfèi
9598 杂技 zájì
9599 杂居 zájū
9600 杂剧 zájù
9601 杂粮 záliáng
9602 杂乱 záluàn
9603 杂事 záshì
9604 杂文 záwén
9605 杂音 záyīn
9606 灾 zāi
9607 灾害 zāihài
9608 灾荒 zāihuāng
9609 灾祸 zāihuò
9610 灾民 zāimín
9611 灾情 zāiqíng
9612 哉 zāi
9613 栽植 zāizhí
9614 栽种 zāizhòng
9615 宰 zǎi
9616 宰割 zǎigē
9617 宰相 zǎixiàng
9618 崽 zǎi
9619 再度 zàidù
9620 再会 zàihuì
9621 再婚 zàihūn
9622 再造 zàizào
9623 在行 zàiháng
9624 在乎 zàihu
9625 在世 zàishì
9626 在望 zàiwàng
9627 在位 zàiwèi
9628 在意 zàiyì
9629 在职 zàizhí
9630 在座 zàizuò
9631 载体 zàitǐ
9632 载重 zàizhòng
9633 攒 zǎn
9634 暂且 zànqiě
9635 暂行 zànxíng

9636 赞 zàn
9637 赞歌 zàngē
9638 赞赏 zànshǎng
9639 赞颂 zànsòng
9640 赞同 zàntóng
9641 赞许 zànxǔ
9642 赞誉 zànyù
9643 赞助 zànzhù
9644 脏腑 zàngfǔ
9645 葬礼 zànglǐ
9646 葬身 zàngshēn
9647 葬送 zàngsòng
9648 遭殃 zāoyāng
9649 糟糕 zāogāo
9650 糟粕 zāopò
9651 糟蹋 zāo•tà
9652 凿 záo
9653 早春 zǎochūn
9654 早稻 zǎodào
9655 早点 zǎodiǎn
9656 早饭 zǎofàn
9657 早婚 zǎohūn
9658 早年 zǎonián
9659 早熟 zǎoshú
9660 早晚 zǎowǎn
9661 早先 zǎoxiān
9662 枣 zǎo
9663 澡 zǎo
9664 造反 zàofǎn
9665 造福 zàofú
9666 造价 zàojià
9667 造句 zàojù
9668 造谣 zàoyáo
9669 造诣 zàoyì
9670 噪 zào
9671 噪声 zàoshēng
9672 噪音 zàoyīn
9673 燥 zào
9674 躁 zào
9675 责备 zébèi
9676 责成 zéchéng
9677 责怪 zéguài
9678 责令 zélìng
9679 责骂 zémà
9680 责难 zénàn
9681 责问 zéwèn
9682 择 zé
9683 择优 zéyōu
9684 泽 zé
9685 啧啧 zézé
9686 仄 zè
9687 增补 zēngbǔ
9688 增设 zēngshè
9689 增生 zēngshēng
9690 增收 zēngshōu
9691 增援 zēngyuán
9692 增值 zēngzhí
9693 憎 zēng
9694 憎恨 zēnghèn
9695 憎恶 zēngwù
9696 赠 zèng
9697 赠送 zèngsòng
9698 扎根 zhāgēn
9699 扎实 zhāshi
9700 渣滓 zhā•zǐ
9701 轧 zhá
9702 闸 zhá
9703 闸门 zhámén
9704 铡 zhá
9705 眨巴 zhǎba
9706 眨眼 zhǎyǎn
9707 乍 zhà
9708 诈 zhà
9709 诈骗 zhàpiàn
9710 栅栏 zhàlan
9711 炸药 zhàyào
9712 蚱蜢 zhàměng
9713 榨 zhà
9714 榨取 zhàqǔ
9715 斋 zhāi
9716 摘除 zhāichú
9717 宅 zhái
9718 宅子 zháizi
9719 择菜 zháicài
9720 债权 zhàiquán
9721 债券 zhàiquàn
9722 寨子 zhàizi
9723 占卜 zhānbǔ
9724 沾染 zhānrǎn
9725 毡 zhān
9726 粘连 zhānlián
9727 瞻 zhān
9728 瞻仰 zhānyǎng
9729 斩 zhǎn
9730 展翅 zhǎnchì
9731 展望 zhǎnwàng
9732 展销 zhǎnxiāo
9733 辗转 zhǎnzhuǎn
9734 战败 zhànbài
9735 战备 zhànbèi
9736 战地 zhàndì
9737 战犯 zhànfàn
9738 战俘 zhànfú
9739 战功 zhàngōng
9740 战壕 zhànháo
9741 战火 zhànhuǒ
9742 战绩 zhànjì
9743 战局 zhànjú
9744 战栗 zhànlì
9745 战乱 zhànluàn
9746 战区 zhànqū

9747 战事 zhànshì
9748 站岗 zhàngǎng
9749 站立 zhànlì
9750 站台 zhàntái
9751 蘸 zhàn
9752 张罗 zhāngluo
9753 张贴 zhāngtiē
9754 张望 zhāngwàng
9755 章法 zhāngfǎ
9756 章节 zhāngjié
9757 樟脑 zhāngnǎo
9758 长辈 zhǎngbèi
9759 长老 zhǎnglǎo
9760 长相 zhǎngxiàng
9761 长者 zhǎngzhě
9762 涨潮 zhǎngcháo
9763 掌舵 zhǎngduò
9764 掌管 zhǎngguǎn
9765 掌权 zhǎngquán
9766 掌心 zhǎngxīn
9767 丈量 zhàngliáng
9768 丈人 zhàngren
9769 杖 zhàng
9770 帐子 zhàngzi
9771 账本 zhàngběn
9772 账房 zhàngfáng
9773 账目 zhàngmù
9774 障 zhàng
9775 招标 zhāobiāo
9776 招考 zhāokǎo
9777 招徕 zhāolái
9778 招募 zhāomù
9779 招牌 zhāopai
9780 招聘 zhāopìn
9781 招收 zhāoshōu
9782 招手 zhāoshǒu
9783 招致 zhāozhì
9784 昭 zhāo
9785 朝气 zhāoqì
9786 朝夕 zhāoxī
9787 朝霞 zhāoxiá
9788 朝阳 zhāoyáng
9789 着火 zháohuǒ
9790 着迷 zháomí
9791 爪 zhǎo
9792 爪牙 zhǎoyá
9793 找寻 zhǎoxún
9794 沼气 zhǎoqì
9795 沼泽 zhǎozé
9796 召 zhào
9797 召唤 zhàohuàn
9798 召见 zhàojiàn
9799 兆 zhào
9800 诏 zhào
9801 诏书 zhàoshū
9802 照搬 zhàobān
9803 照办 zhàobàn
9804 照常 zhàocháng
9805 照管 zhàoguǎn
9806 照会 zhàohuì
9807 照旧 zhàojiù
9808 照看 zhàokàn
9809 照料 zhàoliào
9810 照应 zhào•yìng
9811 罩 zhào
9812 肇事 zhàoshì
9813 折腾 zhēteng
9814 遮蔽 zhēbì
9815 遮挡 zhēdǎng
9816 遮盖 zhēgài
9817 遮掩 zhēyǎn
9818 折叠 zhédié
9819 折光 zhéguāng
9820 折合 zhéhé
9821 折旧 zhéjiù
9822 折扣 zhékòu
9823 折算 zhésuàn
9824 折中 zhézhōng
9825 哲 zhé
9826 哲理 zhélǐ
9827 哲人 zhérén
9828 辙 zhé
9829 褶 zhě
9830 褶皱 zhězhòu
9831 浙 Zhè
9832 蔗 zhè
9833 蔗糖 zhètáng
9834 贞 zhēn
9835 贞操 zhēncāo
9836 针头 zhēntóu
9837 侦破 zhēnpò
9838 侦探 zhēntàn
9839 珍 zhēn
9840 珍宝 zhēnbǎo
9841 珍藏 zhēncáng
9842 珍品 zhēnpǐn
9843 珍视 zhēnshì
9844 珍惜 zhēnxī
9845 珍稀 zhēnxī
9846 珍重 zhēnzhòng
9847 真迹 zhēnjì
9848 真菌 zhēnjūn
9849 真皮 zhēnpí
9850 真切 zhēnqiè
9851 真情 zhēnqíng
9852 真丝 zhēnsī
9853 真相 zhēnxiàng
9854 真心 zhēnxīn
9855 真知 zhēnzhī
9856 真挚 zhēnzhì
9857 砧 zhēn

9858 斟 zhēn
9859 斟酌 zhēnzhuó
9860 臻 zhēn
9861 诊 zhěn
9862 诊所 zhěnsuǒ
9863 诊治 zhěnzhì
9864 枕 zhěn
9865 阵容 zhènróng
9866 阵势 zhèn•shì
9867 阵亡 zhènwáng
9868 阵线 zhènxiàn
9869 阵营 zhènyíng
9870 振作 zhènzuò
9871 朕 zhèn
9872 震颤 zhènchàn
9873 震荡 zhèndàng
9874 震耳欲聋 zhèn'ěryùlóng
9875 震撼 zhènhàn
9876 镇定 zhèndìng
9877 镇静 zhènjìng
9878 镇守 zhènshǒu
9879 正月 zhēngyuè
9880 争辩 zhēngbiàn
9881 争吵 zhēngchǎo
9882 争斗 zhēngdòu
9883 争端 zhēngduān
9884 争光 zhēngguāng
9885 争鸣 zhēngmíng
9886 争气 zhēngqì
9887 争议 zhēngyì
9888 争执 zhēngzhí
9889 征购 zhēnggòu
9890 征集 zhēngjí
9891 征途 zhēngtú
9892 征文 zhēngwén
9893 征询 zhēngxún
9894 征兆 zhēngzhào
9895 症结 zhēngjié
9896 蒸馏 zhēngliú
9897 蒸馏水 zhēngliúshuǐ
9898 蒸汽 zhēngqì
9899 蒸腾 zhēngténg
9900 拯救 zhěngjiù
9901 整编 zhěngbiān
9902 整风 zhěngfēng
9903 整洁 zhěngjié
9904 整数 zhěngshù
9905 整形 zhěngxíng
9906 整修 zhěngxiū
9907 整治 zhěngzhì
9908 正比 zhèngbǐ
9909 正比例 zhèngbǐlì
9910 正步 zhèngbù
9911 正道 zhèngdào
9912 正轨 zhèngguǐ
9913 正极 zhèngjí
9914 正门 zhèngmén
9915 正派 zhèngpài
9916 正气 zhèngqì
9917 正巧 zhèngqiǎo
9918 正视 zhèngshì
9919 正统 zhèngtǒng
9920 正文 zhèngwén
9921 正午 zhèngwǔ
9922 正直 zhèngzhí
9923 正中 zhèngzhōng
9924 正宗 zhèngzōng
9925 证件 zhèngjiàn
9926 证券 zhèngquàn
9927 证人 zhèng•rén
9928 郑重 zhèngzhòng
9929 政变 zhèngbiàn
9930 政法 zhèngfǎ
9931 政界 zhèngjiè
9932 政局 zhèngjú
9933 政客 zhèngkè
9934 政论 zhènglùn
9935 政事 zhèngshì
9936 政体 zhèngtǐ
9937 政务 zhèngwù
9938 支架 zhījià
9939 支流 zhīliú
9940 支票 zhīpiào
9941 支取 zhīqǔ
9942 支柱 zhīzhù
9943 只身 zhīshēn
9944 汁液 zhīyè
9945 芝麻 zhīma
9946 知己 zhījǐ
9947 知了 zhīliǎo
9948 知名 zhīmíng
9949 知情 zhīqíng
9950 知晓 zhīxiǎo
9951 知心 zhīxīn
9952 知音 zhīyīn
9953 肢体 zhītǐ
9954 织物 zhīwù
9955 脂 zhī
9956 脂粉 zhīfěn
9957 执 zhí
9958 执笔 zhíbǐ
9959 执法 zhífǎ
9960 执教 zhíjiào
9961 执拗 zhíniù
9962 执勤 zhíqín
9963 执意 zhíyì
9964 执照 zhízhào
9965 执政 zhízhèng
9966 执着 zhízhuó
9967 直播 zhíbō

9968 直肠 zhícháng
9969 直达 zhídá
9970 直属 zhíshǔ
9971 直率 zhíshuài
9972 直爽 zhíshuǎng
9973 侄 zhí
9974 侄女 zhí·nǚ
9975 侄子 zhízi
9976 值勤 zhíqín
9977 值日 zhírì
9978 职称 zhíchēng
9979 职位 zhíwèi
9980 植被 zhíbèi
9981 止步 zhǐbù
9982 只管 zhǐguǎn
9983 只消 zhǐxiāo
9984 旨 zhǐ
9985 旨意 zhǐyì
9986 址 zhǐ
9987 纸板 zhǐbǎn
9988 纸币 zhǐbì
9989 纸浆 zhǐjiāng
9990 纸烟 zhǐyān
9991 纸张 zhǐzhāng
9992 指点 zhǐdiǎn
9993 指甲 zhǐjia(zhījia)
9994 指控 zhǐkòng
9995 指南 zhǐnán
9996 指南针 zhǐnánzhēn
9997 指派 zhǐpài
9998 指使 zhǐshǐ
9999 指头 zhǐ·tou(zhí·tou)
10000 指望 zhǐwàng
10001 指纹 zhǐwén
10002 指引 zhǐyǐn
10003 指摘 zhǐzhāi
10004 指针 zhǐzhēn
10005 趾 zhǐ
10006 至多 zhìduō
10007 至上 zhìshàng
10008 志气 zhì·qì
10009 志趣 zhìqù
10010 志向 zhìxiàng
10011 志愿 zhìyuàn
10012 志愿军 zhìyuànjūn
10013 帜 zhì
10014 制备 zhìbèi
10015 制裁 zhìcái
10016 制服 zhìfú
10017 制剂 zhìjì
10018 制图 zhìtú
10019 质地 zhìdì
10020 质朴 zhìpǔ
10021 质问 zhìwèn
10022 炙 zhì
10023 治水 zhìshuǐ
10024 治学 zhìxué
10025 桎梏 zhìgù
10026 致敬 zhìjìng
10027 致密 zhìmì
10028 致命 zhìmìng
10029 致死 zhìsǐ
10030 致意 zhìyì
10031 掷 zhì
10032 窒息 zhìxī
10033 智育 zhìyù
10034 滞留 zhìliú
10035 滞销 zhìxiāo
10036 置换 zhìhuàn
10037 置身 zhìshēn
10038 稚 zhì
10039 稚嫩 zhìnèn
10040 稚气 zhìqì
10041 中层 zhōngcéng
10042 中级 zhōngjí
10043 中间人 zhōngjiānrén
10044 中介 zhōngjiè
10045 中立 zhōnglì
10046 中秋 zhōngqiū
10047 中途 zhōngtú
10048 中文 zhōngwén
10049 中西 zhōngxī
10050 中线 zhōngxiàn
10051 中药 zhōngyào
10052 中庸 zhōngyōng
10053 中用 zhōngyòng
10054 中游 zhōngyóu
10055 中止 zhōngzhǐ
10056 中转 zhōngzhuǎn
10057 忠 zhōng
10058 忠厚 zhōnghòu
10059 忠于 zhōngyú
10060 忠贞 zhōngzhēn
10061 终点 zhōngdiǎn
10062 终端 zhōngduān
10063 终归 zhōngguī
10064 终极 zhōngjí
10065 终结 zhōngjié
10066 终了 zhōngliǎo
10067 终日 zhōngrì
10068 终生 zhōngshēng
10069 终止 zhōngzhǐ
10070 盅 zhōng
10071 钟表 zhōngbiǎo
10072 钟点 zhōngdiǎn
10073 衷心 zhōngxīn
10074 肿胀 zhǒngzhàng
10075 种姓 zhǒngxìng
10076 冢 zhǒng
10077 中风 zhòngfēng

10078 中肯 zhòngkěn
10079 中意 zhòngyì
10080 仲 zhòng
10081 仲裁 zhòngcái
10082 众生 zhòngshēng
10083 种地 zhòngdì
10084 种田 zhòngtián
10085 重兵 zhòngbīng
10086 重担 zhòngdàn
10087 重金 zhòngjīn
10088 重任 zhòngrèn
10089 重伤 zhòngshāng
10090 重心 zhòngxīn
10091 重型 zhòngxíng
10092 重音 zhòngyīn
10093 重用 zhòngyòng
10094 舟 zhōu
10095 周报 zhōubào
10096 周到 zhōu·dào
10097 周而复始 zhōu'érfùshǐ
10098 周刊 zhōukān
10099 周末 zhōumò
10100 周身 zhōushēn
10101 周岁 zhōusuì
10102 周旋 zhōuxuán
10103 周延 zhōuyán
10104 周折 zhōuzhé
10105 洲 zhōu
10106 粥 zhōu
10107 轴线 zhóuxiàn
10108 肘 zhǒu
10109 咒 zhòu
10110 咒骂 zhòumà
10111 昼 zhòu
10112 皱纹 zhòuwén
10113 骤 zhòu
10114 骤然 zhòurán
10115 诛 zhū
10116 珠宝 zhūbǎo
10117 珠子 zhūzi
10118 株连 zhūlián
10119 诸侯 zhūhóu
10120 诸如此类 zhūrúcǐlèi
10121 诸位 zhūwèi
10122 蛛网 zhūwǎng
10123 竹竿 zhúgān
10124 竹笋 zhúsǔn
10125 竹子 zhúzi
10126 烛 zhú
10127 主办 zhǔbàn
10128 主次 zhǔcì
10129 主峰 zhǔfēng
10130 主干 zhǔgàn
10131 主根 zhǔgēn
10132 主攻 zhǔgōng
10133 主顾 zhǔgù
10134 主机 zhǔjī
10135 主见 zhǔjiàn
10136 主将 zhǔjiàng
10137 主角 zhǔjué
10138 主考 zhǔkǎo
10139 主流 zhǔliú
10140 主人翁 zhǔrénwēng
10141 主食 zhǔshí
10142 主事 zhǔshì
10143 主线 zhǔxiàn
10144 主演 zhǔyǎn
10145 主宰 zhǔzǎi
10146 主旨 zhǔzhǐ
10147 主子 zhǔzi
10148 拄 zhǔ
10149 嘱 zhǔ
10150 嘱托 zhǔtuō
10151 瞩目 zhǔmù
10152 伫立 zhùlì
10153 助教 zhùjiào
10154 助理 zhùlǐ
10155 助长 zhùzhǎng
10156 住处 zhù·chù
10157 住户 zhùhù
10158 住家 zhùjiā
10159 住宿 zhùsù
10160 住所 zhùsuǒ
10161 住院 zhùyuàn
10162 住址 zhùzhǐ
10163 贮 zhù
10164 贮备 zhùbèi
10165 注册 zhùcè
10166 注定 zhùdìng
10167 注解 zhùjiě
10168 注目 zhùmù
10169 注射器 zhùshèqì
10170 注释 zhùshì
10171 注销 zhùxiāo
10172 注音 zhùyīn
10173 驻地 zhùdì
10174 驻防 zhùfáng
10175 驻军 zhùjūn
10176 驻守 zhùshǒu
10177 驻扎 zhùzhā
10178 柱子 zhùzi
10179 祝福 zhùfú
10180 祝愿 zhùyuàn
10181 著称 zhùchēng
10182 著述 zhùshù
10183 著者 zhùzhě
10184 蛀 zhù
10185 铸 zhù
10186 铸造 zhùzào
10187 抓获 zhuāhuò

10188 爪 zhuǎ
10189 爪子 zhuǎzi
10190 拽 zhuài
10191 专长 zhuāncháng
10192 专车 zhuānchē
10193 专程 zhuānchéng
10194 专断 zhuānduàn
10195 专横 zhuānhèng
10196 专科 zhuānkē
10197 专款 zhuānkuǎn
10198 专栏 zhuānlán
10199 专卖 zhuānmài
10200 专区 zhuānqū
10201 专人 zhuānrén
10202 专心 zhuānxīn
10203 专一 zhuānyī
10204 专员 zhuānyuán
10205 专职 zhuānzhí
10206 专注 zhuānzhù
10207 专著 zhuānzhù
10208 砖头 zhuāntóu
10209 转播 zhuǎnbō
10210 转产 zhuǎnchǎn
10211 转达 zhuǎndá
10212 转告 zhuǎngào
10213 转机 zhuǎnjī
10214 转嫁 zhuǎnjià
10215 转交 zhuǎnjiāo
10216 转脸 zhuǎnliǎn
10217 转念 zhuǎnniàn
10218 转让 zhuǎnràng
10219 转手 zhuǎnshǒu
10220 转瞬 zhuǎnshùn
10221 转弯 zhuǎnwān
10222 转眼 zhuǎnyǎn
10223 转业 zhuǎnyè
10224 转运 zhuǎnyùn
10225 转战 zhuǎnzhàn
10226 转折 zhuǎnzhé
10227 传记 zhuànjì
10228 转速 zhuànsù
10229 转悠 zhuànyou
10230 转轴 zhuànzhóu
10231 撰 zhuàn
10232 撰写 zhuànxiě
10233 篆 zhuàn
10234 篆刻 zhuànkè
10235 妆 zhuāng
10236 庄园 zhuāngyuán
10237 庄重 zhuāngzhòng
10238 庄子 zhuāngzi
10239 装扮 zhuāngbàn
10240 装点 zhuāngdiǎn
10241 装潢 zhuānghuáng
10242 装配 zhuāngpèi
10243 装束 zhuāngshù
10244 装卸 zhuāngxiè
10245 装修 zhuāngxiū
10246 装运 zhuāngyùn
10247 装载 zhuāngzài
10248 壮丁 zhuàngdīng
10249 壮观 zhuàngguān
10250 壮举 zhuàngjǔ
10251 壮丽 zhuànglì
10252 壮烈 zhuàngliè
10253 壮年 zhuàngnián
10254 壮实 zhuàngshi
10255 壮士 zhuàngshì
10256 壮志 zhuàngzhì
10257 状语 zhuàngyǔ
10258 状元 zhuàngyuan
10259 撞击 zhuàngjī
10260 追捕 zhuībǔ
10261 追查 zhuīchá
10262 追悼 zhuīdào
10263 追肥 zhuīféi
10264 追赶 zhuīgǎn
10265 追击 zhuījī
10266 追加 zhuījiā
10267 追溯 zhuīsù
10268 追随 zhuīsuí
10269 追问 zhuīwèn
10270 追寻 zhuīxún
10271 追忆 zhuīyì
10272 追踪 zhuīzōng
10273 椎 zhuī
10274 锥 zhuī
10275 锥子 zhuīzi
10276 坠 zhuì
10277 坠落 zhuìluò
10278 缀 zhuì
10279 赘 zhuì
10280 赘述 zhuìshù
10281 准绳 zhǔnshéng
10282 准时 zhǔnshí
10283 准许 zhǔnxǔ
10284 拙 zhuō
10285 捉拿 zhuōná
10286 灼 zhuó
10287 灼热 zhuórè
10288 茁壮 zhuózhuàng
10289 卓 zhuó
10290 卓著 zhuózhù
10291 浊 zhuó
10292 酌 zhuó
10293 啄 zhuó
10294 着力 zhuólì
10295 着陆 zhuólù
10296 着落 zhuóluò
10297 着实 zhuóshí
10298 着想 zhuóxiǎng

10299 着眼 zhuóyǎn
10300 着意 zhuóyì
10301 姿 zī
10302 兹 zī
10303 资财 zīcái
10304 资方 zīfāng
10305 资历 zīlì
10306 资助 zīzhù
10307 滋 zī
10308 滋补 zībǔ
10309 滋润 zīrùn
10310 滋生 zīshēng
10311 滋养 zīyǎng
10312 滋长 zīzhǎng
10313 籽 zǐ
10314 紫菜 zǐcài
10315 紫外线 zǐwàixiàn
10316 自卑 zìbēi
10317 自大 zìdà
10318 自得 zìdé
10319 自费 zìfèi
10320 自封 zìfēng
10321 自负 zìfù
10322 自给 zìjǐ
10323 自家 zìjiā
10324 自尽 zìjìn
10325 自救 zìjiù
10326 自居 zìjū
10327 自来水 zìláishuǐ
10328 自理 zìlǐ
10329 自立 zìlì
10330 自流 zìliú
10331 自律 zìlǜ
10332 自满 zìmǎn
10333 自强 zìqiáng
10334 自如 zìrú
10335 自始至终 zìshǐ-zhìzhōng
10336 自首 zìshǒu
10337 自述 zìshù
10338 自私 zìsī
10339 自修 zìxiū
10340 自学 zìxué
10341 自以为是 zìyǐwéishì
10342 自制 zìzhì
10343 自重 zìzhòng
10344 自传 zìzhuàn
10345 自尊 zìzūn
10346 字典 zìdiǎn
10347 字号 zìhao
10348 字画 zìhuà
10349 字迹 zìjì
10350 字句 zìjù
10351 字体 zìtǐ
10352 字条 zìtiáo
10353 字形 zìxíng
10354 字义 zìyì
10355 字音 zìyīn
10356 渍 zì
10357 宗法 zōngfǎ
10358 宗派 zōngpài
10359 宗室 zōngshì
10360 棕 zōng
10361 棕榈 zōnglǘ
10362 棕色 zōngsè
10363 踪 zōng
10364 踪迹 zōngjì
10365 踪影 zōngyǐng
10366 鬃 zōng
10367 总称 zǒngchēng
10368 总得 zǒngděi
10369 总队 zǒngduì
10370 总共 zǒnggòng
10371 总管 zǒngguǎn
10372 总归 zǒngguī
10373 总计 zǒngjì
10374 总务 zǒngwù
10375 纵横 zònghéng
10376 纵然 zòngrán
10377 纵容 zòngróng
10378 纵身 zòngshēn
10379 纵深 zòngshēn
10380 纵使 zòngshǐ
10381 纵向 zòngxiàng
10382 粽子 zòngzi
10383 走动 zǒudòng
10384 走访 zǒufǎng
10385 走私 zǒusī
10386 奏鸣曲 zòumíngqǔ
10387 奏效 zòuxiào
10388 奏章 zòuzhāng
10389 揍 zòu
10390 租借 zūjiè
10391 租金 zūjīn
10392 租赁 zūlìn
10393 租用 zūyòng
10394 足迹 zújì
10395 足见 zújiàn
10396 卒 zú
10397 诅咒 zǔzhòu
10398 阻挡 zǔdǎng
10399 阻隔 zǔgé
10400 阻击 zǔjī
10401 阻拦 zǔlán
10402 阻挠 zǔnáo
10403 阻塞 zǔsè
10404 组建 zǔjiàn
10405 组装 zǔzhuāng
10406 祖传 zǔchuán
10407 钻探 zuāntàn
10408 钻石 zuànshí

10409 钻头 zuàntóu
10410 攥 zuàn
10411 嘴脸 zuǐliǎn
10412 罪过 zuìguò
10413 罪名 zuìmíng
10414 罪孽 zuìniè
10415 罪人 zuìrén
10416 罪证 zuìzhèng
10417 罪状 zuìzhuàng
10418 醉人 zuìrén
10419 醉心 zuìxīn
10420 尊称 zūnchēng
10421 尊贵 zūnguì
10422 遵 zūn
10423 遵从 zūncóng
10424 遵照 zūnzhào
10425 作坊 zuōfang
10426 左面 zuǒ•miàn
10427 左倾 zuǒqīng
10428 左翼 zuǒyì
10429 佐 zuǒ
10430 撮 zuǒ
10431 作案 zuò'àn
10432 作对 zuòduì
10433 作恶 zuò'è
10434 作怪 zuòguài
10435 作价 zuòjià
10436 作客 zuòkè
10437 作祟 zuòsuì
10438 作文 zuòwén
10439 坐落 zuòluò
10440 坐镇 zuòzhèn
10441 座舱 zuòcāng
10442 座谈 zuòtán
10443 做工 zuògōng
10444 做功 zuògōng
10445 做人 zuòrén
10446 做声 zuòshēng
10447 做戏 zuòxì
10448 做主 zuòzhǔ

附:[表一][表二]用字统计

说　　明

1. 本表根据《普通话水平测试用普通话词语表》统计编制。

2. 本表按汉语拼音字母顺序排列,共含 3795 个汉字,其中常用字 3321 个,常用字之外的通用字 471 个(以 * 标注),通用字之外的 3 个(以#标注)。

3. 本表中"次数"指该字在《普通话水平测试用普通话词语表》中出现的总次数(多音字合并统计)。

序号	汉字	次数	序号	汉字	次数	序号	汉字	次数
1	阿	3	19	暗	13	37	叭	1
2	哀	8	20	黯*	2	38	扒	2
3	埃	1	21	昂	7	39	吧	1
4	挨	2	22	盎*	1	40	芭	2
5	皑*	2	23	凹	2	41	疤	4
6	癌	1	24	坳*	1	42	笆	1
7	矮	2	25	遨*	1	43	拔	9
8	蔼	1	26	熬	3	44	跋	1
9	艾	2	27	翱*	1	45	把	12
10	爱	28	28	鳌*	1	46	靶	2
11	隘	1	29	拗	3	47	坝	2
12	碍	5	30	袄	1	48	爸	3
13	安	31	31	傲	5	49	罢	6
14	氨	2	32	奥	5	50	霸	7
15	庵	1	33	澳	1	51	掰	1
16	岸	8	34	懊	3	52	白	42
17	按	8	35	八	5	53	百	13
18	案	25	36	巴	9	54	柏	2

序号	汉字	次数	序号	汉字	次数	序号	汉字	次数
55	摆	7	94	堡	5	133	毕	5
56	败	12	95	报	41	134	闭	8
57	拜	6	96	抱	8	135	庇	3
58	扳	1	97	豹	2	136	陛*	1
59	班	13	98	鲍*	1	137	毙	3
60	般	3	99	暴	18	138	婢*	1
61	颁	2	100	爆	6	139	敝*	1
62	斑	6	101	卑	6	140	痹	2
63	搬	6	102	杯	4	141	辟	5
64	板	23	103	悲	13	142	弊	5
65	版	7	104	碑	4	143	碧	3
66	办	25	105	北	11	144	蔽	5
67	半	16	106	贝	4	145	壁	7
68	伴	10	107	狈	1	146	避	8
69	扮	4	108	备	26	147	臂	6
70	拌	2	109	背	20	148	璧	1
71	绊	2	110	钡*	1	149	边	33
72	瓣	2	111	倍	5	150	编	17
73	邦	3	112	被	7	151	鞭	5
74	帮	8	113	惫	1	152	贬	5
75	梆	2	114	辈	8	153	扁	2
76	绑	2	115	奔	13	154	匾	1
77	榜	3	116	本	47	155	便	17
78	膀	7	117	苯*	1	156	变	41
79	蚌	1	118	笨	4	157	遍	5
80	傍	2	119	崩	2	158	辨	6
81	棒	5	120	绷	4	159	辩	13
82	谤	1	121	泵	2	160	辫	2
83	磅	2	122	迸*	2	161	标	25
84	镑*	1	123	蹦	1	162	膘	1
85	包	27	124	逼	5	163	表	31
86	孢*	1	125	鼻	9	164	憋	1
87	苞	1	126	匕	1	165	鳖	1
88	胞	5	127	比	25	166	别	31
89	褒	1	128	彼	4	167	瘪	2
90	雹	2	129	笔	20	168	宾	8
91	宝	14	130	鄙	4	169	滨	2
92	饱	5	131	币	9	170	濒	2
93	保	28	132	必	14	171	摈*	1

序号	汉字	次数
172	鬓	1
173	冰	13
174	兵	29
175	丙	1
176	柄	3
177	饼	5
178	禀	1
179	并	15
180	病	38
181	摒*	1
182	拨	5
183	波	24
184	玻	1
185	剥	6
186	钵*	1
187	菠	2
188	播	9
189	伯	6
190	驳	7
191	帛*	1
192	泊	6
193	勃	1
194	铂*	1
195	舶	1
196	脖	3
197	博	10
198	搏	5
199	箔*	1
200	膊	2
201	薄	10
202	礴#	1
203	跛	1
204	簸	2
205	卜	4
206	补	18
207	哺	2
208	捕	9
209	不	116
210	布	25
211	步	28
212	怖	1
213	部	20
214	埠	1
215	簿	1
216	擦	4
217	猜	4
218	才	13
219	材	15
220	财	18
221	裁	14
222	采	18
223	彩	15
224	睬	2
225	踩	1
226	菜	20
227	蔡*	1
228	参	22
229	餐	8
230	残	15
231	蚕	4
232	惭	1
233	惨	9
234	灿	1
235	璨*	1
236	仓	5
237	沧	1
238	苍	8
239	舱	4
240	藏	17
241	操	12
242	糙	1
243	曹	1
244	嘈*	1
245	槽	1
246	草	28
247	册	5
248	侧	5
249	厕	1
250	测	17
251	策	9
252	层	20
253	蹭	1
254	叉	4
255	杈	2
256	插	10
257	查	21
258	茬	1
259	茶	11
260	察	14
261	岔	2
262	诧*	2
263	差	23
264	拆	5
265	柴	5
266	掺	1
267	搀	2
268	禅*	3
269	馋	1
270	缠	4
271	蝉	1
272	潺*	2
273	蟾*	1
274	产	44
275	铲	2
276	阐	4
277	忏*	1
278	颤	6
279	昌	1
280	娼*	1
281	猖	2
282	长	60
283	肠	8
284	尝	6
285	偿	9
286	常	28
287	厂	8
288	场	52

序号	汉字	次数	序号	汉字	次数	序号	汉字	次数
289	敞	3	328	乘	9	367	筹	10
290	怅*	2	329	惩	8	368	酬	2
291	畅	9	330	程	31	369	踌*	1
292	倡	4	331	澄	4	370	丑	4
293	唱	10	332	橙	1	371	臭	5
294	抄	3	333	逞	2	372	出	79
295	钞	2	334	骋*	1	373	初	18
296	超	15	335	秤	1	374.	刍*	1
297	巢	4	336	吃	10	375	除	26
298	朝	14	337	嗤	1	376	厨	3
299	嘲	3	338	痴	2	377	锄	2
300	潮	16	339	池	6	378	蜍*	1
301	吵	5	340	驰	7	379	雏	2
302	炒	1	341	迟	7	380	橱	2
303	车	42	342	持	16	381	躇*	1
304	扯	2	343	匙	1	382	础	1
305	彻	4	344	尺	6	383	储	7
306	掣*	1	345	侈	1	384	楚	4
307	撤	8	346	齿	7	385	处	31
308	澈	2	347	耻	4	386	搐*	1
309	抻*	1	348	斥	8	387	触	16
310	尘	7	349	赤	6	388	矗	1
311	臣	4	350	炽*	2	389	揣	3
312	忱	1	351	翅	3	390	啜*	1
313	沉	23	352	啻*	1	391	踹*	1
314	辰	3	353	充	18	392	川	5
315	陈	9	354	冲	16	393	穿	15
316	晨	6	355	舂*	1	394	传	35
317	闯	1	356	憧*	1	395	船	20
318	衬	5	357	虫	16	396	喘	5
319	称	27	358	崇	5	397	串	2
320	趁	4	359	宠	3	398	疮	3
321	撑	3	360	抽	13	399	窗	9
322	丞*	2	361	仇	8	400	床	12
323	成	54	362	惆*	1	401	创	22
324	呈	2	363	绸	4	402	吹	7
325	承	13	364	畴	1	403	炊	1
326	诚	11	365	愁	5	404	垂	6
327	城	13	366	稠	2	405	陲*	1

序号	汉字	次数
406	捶	1
407	槌*	1
408	锤	3
409	春	15
410	纯	9
411	唇	2
412	淳	1
413	醇	2
414	蠢	3
415	戳	2
416	绰	1
417	词	20
418	祠	2
419	瓷	5
420	慈	6
421	辞	8
422	磁	14
423	雌	4
424	此	16
425	次	17
426	刺	13
427	赐	4
428	匆	1
429	囱	1
430	葱	2
431	聪	2
432	从	25
433	丛	7
434	凑	6
435	粗	15
436	促	11
437	醋	1
438	簇	2
439	蹿*	1
440	窜	2
441	篡	2
442	崔	1
443	催	5
444	摧	3
445	璀*	1
446	脆	4
447	啐*	1
448	淬*	1
449	萃*	3
450	瘁*	1
451	粹	2
452	翠	5
453	村	11
454	皴*	1
455	存	25
456	忖*	1
457	寸	3
458	搓	1
459	磋*	2
460	撮	2
461	挫	6
462	措	2
463	锉	1
464	错	11
465	耷*	1
466	搭	4
467	达	14
468	答	11
469	瘩	1
470	打	42
471	大	132
472	呆	6
473	歹	2
474	代	27
475	带	28
476	待	17
477	怠	2
478	玳*	1
479	贷	4
480	袋	6
481	逮	3
482	戴	5
483	丹	3
484	单	26
485	担	15
486	耽	2
487	胆	10
488	疸*	1
489	掸	1
490	旦	5
491	但	3
492	诞	4
493	弹	19
494	惮*	1
495	淡	13
496	蛋	5
497	氮	3
498	当	52
499	裆	1
500	挡	4
501	党	13
502	荡	10
503	档	4
504	刀	10
505	叨	1
506	导	33
507	岛	6
508	倒	24
509	捣	4
510	祷	2
511	蹈	2
512	到	15
513	悼	3
514	盗	5
515	道	53
516	稻	6
517	得	41
518	德	7
519	的	5
520	灯	15
521	登	13
522	蹬	1

序号	汉字	次数	序号	汉字	次数	序号	汉字	次数
523	等	24	562	叼	1	601	豆	10
524	邓	1	563	貂*	1	602	逗	3
525	凳	3	564	碉	1	603	痘	1
526	瞪	3	565	雕	6	604	窦*	1
527	低	22	566	吊	4	605	嘟*	1
528	堤	2	567	钓	3	606	督	6
529	滴	3	568	调	43	607	毒	19
530	迪*	1	569	掉	5	608	读	13
531	敌	11	570	爹	1	609	渎*	1
532	涤	2	571	跌	3	610	犊*	2
533	笛	4	572	迭*	1	611	独	20
534	嫡	1	573	谍	1	612	笃*	1
535	诋*	1	574	叠	3	613	堵	3
536	底	11	575	碟	2	614	赌	4
537	抵	11	576	蝶	2	615	睹	2
538	地	107	577	丁	5	616	妒	2
539	弟	9	578	叮	3	617	杜	3
540	帝	7	579	盯	1	618	肚	3
541	递	5	580	钉	3	619	度	50
542	第	3	581	顶	8	620	渡	6
543	谛*	1	582	鼎	2	621	镀	2
544	缔	4	583	订	11	622	端	16
545	蒂	2	584	定	65	623	短	16
546	掂	1	585	锭	2	624	段	10
547	滇*	1	586	丢	5	625	断	24
548	颠	4	587	东	15	626	缎	3
549	巅*	1	588	冬	10	627	煅*	1
550	典	14	589	董	4	628	锻	2
551	点	45	590	懂	3	629	堆	4
552	碘	1	591	动	101	630	队	22
553	电	73	592	冻	7	631	对	43
554	佃	1	593	栋	1	632	兑	3
555	店	9	594	洞	12	633	吨	1
556	垫	3	595	都	7	634	敦	1
557	惦	2	596	兜	1	635	墩	1
558	淀	2	597	斗	12	636	蹲	1
559	奠	3	598	抖	5	637	盹	1
560	殿	5	599	陡	4	638	囤	3
561	刁	2	600	蚪	1	639	沌*	1

序号	汉字	次数	序号	汉字	次数	序号	汉字	次数
640	炖*	1	679	伐	6	718	诽	1
641	盾	3	680	罚	7	719	翡*	1
642	钝	1	681	阀	2	720	吠	1
643	顿	8	682	筏	2	721	废	17
644	多	21	683	法	75	722	沸	4
645	夺	8	684	帆	5	723	肺	5
646	掇*	1	685	番	3	724	费	21
647	踱	1	686	翻	9	725	分	69
648	朵	4	687	藩*	1	726	纷	6
649	垛	2	688	凡	8	727	芬	1
650	躲	4	689	矾	1	728	氛	2
651	剁*	1	690	烦	7	729	酚*	1
652	堕	2	691	繁	17	730	坟	4
653	舵	2	692	反	34	731	焚	3
654	惰	2	693	返	6	732	粉	16
655	跺	2	694	犯	12	733	份	9
656	俄	1	695	泛	3	734	奋	11
657	峨*	1	696	饭	16	735	愤	8
658	鹅	4	697	范	11	736	粪	2
659	蛾	1	698	贩	7	737	丰	10
660	额	19	699	梵*	1	738	风	74
661	厄*	1	700	方	46	739	枫	1
662	扼	3	701	坊	3	740	封	8
663	恶	26	702	芳	2	741	疯	4
664	饿	2	703	防	27	742	峰	6
665	鄂*	1	704	妨	3	743	烽*	1
666	愕	2	705	房	27	744	锋	7
667	萼*	2	706	肪	1	745	蜂	7
668	遏	2	707	仿	7	746	冯	1
669	腭*	1	708	访	7	747	逢	3
670	恩	5	709	纺	3	748	缝	8
671	儿	65	710	放	47	749	讽	4
672	而	22	711	飞	25	750	凤	2
673	尔	3	712	妃*	2	751	奉	7
674	耳	13	713	非	14	752	佛	9
675	饵	2	714	啡	1	753	否	6
676	二	3	715	绯*	1	754	夫	14
677	发	98	716	肥	17	755	肤	4
678	乏	8	717	匪	4	756	孵	2

序号	汉字	次数	序号	汉字	次数	序号	汉字	次数
757	敷	2	796	覆	4	835	戈	1
758	弗*	1	797	该	2	836	疙	1
759	伏	9	798	改	27	837	哥	4
760	扶	9	799	丐	1	838	胳	1
761	芙	1	800	钙	1	839	鸽	1
762	拂	3	801	盖	6	840	割	9
763	服	24	802	溉	1	841	搁	3
764	俘	4	803	概	10	842	歌	20
765	氟*	1	804	干	34	843	阁	5
766	浮	12	805	甘	8	844	革	7
767	匐*	1	806	杆	8	845	格	22
768	符	6	807	肝	3	846	葛	2
769	袱	1	808	坩*	1	847	蛤	1
770	幅	3	809	柑	2	848	隔	11
771	福	8	810	竿	3	849	膈*	1
772	辐	2	811	秆	2	850	骼*	1
773	抚	8	812	赶	10	851	个	8
774	甫	1	813	敢	4	852	各	3
775	府	6	814	感	35	853	给	7
776	斧	2	815	橄	1	854	根	17
777	俯	5	816	擀*	1	855	跟	7
778	脯	1	817	赣*	1	856	亘*	1
779	辅	3	818	刚	8	857	更	10
780	腑*	1	819	岗	4	858	庚*	1
781	腐	8	820	纲	5	859	耕	7
782	父	9	821	肛	1	860	羹	1
783	付	7	822	缸	2	861	哽*	1
784	妇	11	823	钢	9	862	埂	2
785	负	19	824	港	5	863	耿	1
786	附	14	825	杠	3	864	梗	1
787	咐	1	826	羔	4	865	工	72
788	复	33	827	高	55	866	弓	2
789	赴	3	828	膏	5	867	公	64
790	副	10	829	篙	1	868	功	24
791	傅	1	830	糕	4	869	攻	16
792	富	13	831	搞	1	870	供	11
793	赋	5	832	稿	7	871	宫	9
794	缚	2	833	镐	1	872	恭	3
795	腹	6	834	告	25	873	躬	3

序号	汉字	次数
874	龚*	1
875	巩	1
876	汞	1
877	拱	3
878	共	16
879	贡	3
880	勾	6
881	沟	7
882	钩	3
883	篝*	1
884	狗	3
885	苟	2
886	构	11
887	购	12
888	垢	1
889	够	4
890	估	7
891	姑	6
892	孤	8
893	菇	1
894	辜	2
895	古	20
896	谷	11
897	股	9
898	骨	23
899	鼓	9
900	固	17
901	故	19
902	顾	18
903	梏*	1
904	雇	7
905	锢*	1
906	瓜	8
907	刮	2
908	寡	3
909	卦	2
910	挂	7
911	褂	4
912	乖	1
913	拐	4
914	怪	11
915	关	29
916	观	29
917	官	23
918	冠	8
919	馆	12
920	管	28
921	贯	6
922	惯	6
923	灌	8
924	罐	3
925	光	56
926	胱*	1
927	广	14
928	犷*	1
929	逛	1
930	归	17
931	龟	3
932	规	18
933	皈*	1
934	闺	1
935	硅	1
936	瑰	2
937	轨	6
938	诡	2
939	鬼	9
940	柜	3
941	贵	18
942	桂	4
943	跪	1
944	滚	4
945	棍	5
946	埚*	1
947	郭	1
948	锅	4
949	国	57
950	果	25
951	裹	2
952	过	42
953	哈	2
954	孩	2
955	海	50
956	骇	2
957	害	26
958	氦*	1
959	蚶*	1
960	酣	1
961	憨	2
962	鼾*	1
963	含	11
964	函	5
965	涵	4
966	寒	19
967	韩	1
968	罕	3
969	喊	4
970	汉	10
971	汗	7
972	旱	6
973	悍	1
974	捍	1
975	焊	3
976	憾	3
977	撼	1
978	杭	1
979	航	17
980	毫	2
981	豪	7
982	嚎	2
983	壕	3
984	好	44
985	郝*	1
986	号	28
987	浩	2
988	耗	5
989	呵	2
990	喝	4

序号	汉字	次数	序号	汉字	次数	序号	汉字	次数
991	禾	1	1030	厚	15	1069	宦	1
992	合	58	1031	候	12	1070	唤	7
993	何	14	1032	乎	6	1071	换	14
994	劾*	1	1033	呼	13	1072	涣	1
995	和	27	1034	忽	6	1073	患	5
996	河	12	1035	惚*	1	1074	焕	2
997	阂*	1	1036	弧	2	1075	痪	1
998	核	19	1037	狐	2	1076	豢*	1
999	荷	5	1038	胡	8	1077	荒	16
1000	涸*	1	1039	壶	1	1078	慌	7
1001	盒	3	1040	湖	3	1079	皇	13
1002	颌*	2	1041	瑚*	1	1080	凰	1
1003	贺	4	1042	糊	5	1081	黄	17
1004	褐	1	1043	蝴	1	1082	惶	3
1005	赫	3	1044	虎	3	1083	煌	1
1006	鹤	3	1045	唬	2	1084	潢*	1
1007	壑*	1	1046	互	7	1085	蝗	1
1008	黑	11	1047	户	12	1086	磺	1
1009	痕	6	1048	护	20	1087	簧*	2
1010	很	1	1049	沪	1	1088	恍	2
1011	狠	3	1050	花	56	1089	晃	4
1012	恨	8	1051	华	16	1090	谎	5
1013	恒	8	1052	哗	2	1091	幌	1
1014	横	11	1053	滑	9	1092	灰	10
1015	衡	7	1054	猾	1	1093	诙*	1
1016	轰	7	1055	化	66	1094	恢	1
1017	哄	4	1056	划	8	1095	挥	8
1018	烘	2	1057	画	32	1096	辉	4
1019	弘*	1	1058	话	33	1097	徽	1
1020	红	27	1059	桦	2	1098	回	45
1021	宏	3	1060	怀	11	1099	洄*	1
1022	洪	6	1061	淮	1	1100	蛔	1
1023	虹	3	1062	槐	1	1101	悔	7
1024	鸿	1	1063	坏	9	1102	卉*	1
1025	侯	2	1064	欢	14	1103	汇	12
1026	喉	5	1065	还	10	1104	会	59
1027	猴	4	1066	环	17	1105	讳	2
1028	吼	4	1067	缓	11	1106	绘	6
1029	后	49	1068	幻	9	1107	荟*	1

序号	汉字	次数	序号	汉字	次数	序号	汉字	次数
1108	诲	1	1147	激	21	1186	暨*	1
1109	贿	2	1148	羁*	1	1187	冀	2
1110	彗*	1	1149	及	16	1188	髻*	1
1111	晦	1	1150	吉	5	1189	加	28
1112	秽	2	1151	汲*	1	1190	夹	6
1113	喙*	1	1152	级	16	1191	佳	4
1114	惠	3	1153	即	13	1192	枷	1
1115	毁	12	1154	极	22	1193	浃*	1
1116	慧	3	1155	急	25	1194	家	65
1117	昏	6	1156	疾	8	1195	嘉	1
1118	荤	1	1157	棘	2	1196	荚	1
1119	婚	14	1158	集	35	1197	颊	3
1120	浑	5	1159	嫉	1	1198	甲	9
1121	魂	4	1160	辑	3	1199	胛*	1
1122	混	13	1161	瘠*	2	1200	贾	2
1123	豁	3	1162	籍	8	1201	钾	2
1124	活	21	1163	几	7	1202	价	27
1125	火	58	1164	己	5	1203	驾	4
1126	伙	11	1165	挤	3	1204	架	15
1127	或	5	1166	脊	8	1205	假	23
1128	货	19	1167	戟*	1	1206	嫁	6
1129	获	12	1168	麂*	1	1207	稼	1
1130	祸	4	1169	计	25	1208	奸	3
1131	惑	6	1170	记	22	1209	尖	9
1132	霍	3	1171	伎*	1	1210	坚	13
1133	讥	2	1172	纪	13	1211	歼	2
1134	击	29	1173	妓	2	1212	间	30
1135	饥	3	1174	忌	7	1213	肩	6
1136	机	62	1175	技	14	1214	艰	5
1137	肌	5	1176	际	8	1215	兼	6
1138	鸡	1	1177	剂	11	1216	监	11
1139	迹	16	1178	季	12	1217	缄*	1
1140	姬*	1	1179	既	3	1218	煎	2
1141	积	22	1180	济	6	1219	拣	1
1142	基	18	1181	继	12	1220	俭	2
1143	绩	4	1182	寂	6	1221	柬	1
1144	畸	1	1183	寄	8	1222	茧	2
1145	箕	1	1184	悸*	1	1223	捡	1
1146	稽	1	1185	祭	4	1224	减	14

序号	汉字	次数	序号	汉字	次数	序号	汉字	次数
1225	剪	7	1264	犟*	1	1303	捷	4
1226	检	13	1265	交	43	1304	睫*	1
1227	睑*	1	1266	郊	7	1305	截	10
1228	简	17	1267	娇	4	1306	竭	4
1229	碱	1	1268	浇	2	1307	她	2
1230	见	40	1269	骄	1	1308	姐	6
1231	件	20	1270	胶	4	1309	解	41
1232	建	21	1271	椒	2	1310	介	8
1233	剑	2	1272	焦	8	1311	戒	8
1234	荐	2	1273	跤*	2	1312	届	5
1235	贱	2	1274	蕉	2	1313	界	18
1236	健	12	1275	礁	2	1314	诫	2
1237	涧	2	1276	角	25	1315	借	12
1238	舰	4	1277	狡	1	1316	藉*	1
1239	渐	7	1278	绞	1	1317	巾	6
1240	谏*	1	1279	饺	1	1318	今	11
1241	毽*	1	1280	皎*	1	1319	斤	1
1242	溅	2	1281	矫	5	1320	金	34
1243	腱*	2	1282	脚	17	1321	津	3
1244	践	2	1283	搅	4	1322	矜*	1
1245	鉴	5	1284	剿	3	1323	筋	4
1246	键	2	1285	缴	5	1324	襟	3
1247	槛*	1	1286	叫	12	1325	仅	2
1248	箭	4	1287	轿	4	1326	紧	14
1249	江	4	1288	较	5	1327	谨	4
1250	姜	1	1289	教	53	1328	锦	4
1251	将	17	1290	窖	3	1329	尽	18
1252	浆	6	1291	酵	2	1330	劲	14
1253	僵	4	1292	阶	7	1331	近	26
1254	缰	2	1293	皆	2	1332	进	45
1255	疆	3	1294	接	30	1333	晋	3
1256	讲	18	1295	秸	2	1334	浸	5
1257	奖	13	1296	揭	6	1335	烬*	1
1258	桨	2	1297	街	6	1336	禁	15
1259	蒋	1	1298	节	30	1337	靳*	1
1260	匠	5	1299	劫	4	1338	噤*	1
1261	降	13	1300	杰	2	1339	京	5
1262	绛*	1	1301	洁	10	1340	经	37
1263	酱	2	1302	结	40	1341	茎	1

序号	汉字	次数
1342	荆	2
1343	惊	24
1344	晶	7
1345	睛	3
1346	精	34
1347	鲸	1
1348	井	6
1349	阱	1
1350	颈	4
1351	景	19
1352	憬*	1
1353	警	16
1354	净	9
1355	径	11
1356	胫*	1
1357	竞	6
1358	竟	4
1359	敬	14
1360	境	21
1361	静	21
1362	镜	12
1363	炯*	2
1364	窘	2
1365	纠	6
1366	究	10
1367	揪	1
1368	九	1
1369	久	10
1370	灸	2
1371	韭	1
1372	酒	12
1373	旧	12
1374	臼	1
1375	疚	1
1376	厩*	1
1377	救	22
1378	就	18
1379	舅	3
1380	居	22
1381	拘	5
1382	驹	1
1383	鞠	2
1384	局	18
1385	桔*	1
1386	菊	2
1387	橘	2
1388	咀*	1
1389	沮	1
1390	举	21
1391	矩	3
1392	句	8
1393	巨	7
1394	拒	3
1395	具	16
1396	炬	1
1397	俱	3
1398	剧	25
1399	惧	4
1400	据	15
1401	距	6
1402	锯	2
1403	聚	13
1404	踞*	2
1405	遽*	1
1406	捐	5
1407	鹃	1
1408	卷	10
1409	倦	3
1410	绢	2
1411	眷	3
1412	撅*	1
1413	决	22
1414	诀	5
1415	抉*	1
1416	绝	15
1417	觉	22
1418	倔	2
1419	崛*	1
1420	掘	5
1421	厥*	1
1422	獗*	1
1423	蕨*	1
1424	爵	3
1425	嚼	3
1426	攫*	2
1427	军	44
1428	君	6
1429	均	6
1430	钧	2
1431	菌	7
1432	俊	4
1433	郡*	1
1434	峻	4
1435	骏	1
1436	竣	1
1437	咖	1
1438	卡	6
1439	开	66
1440	揩	1
1441	凯	2
1442	慨	5
1443	楷	1
1444	刊	12
1445	勘	3
1446	龛*	1
1447	堪	3
1448	坎	3
1449	砍	2
1450	看	29
1451	瞰*	2
1452	康	3
1453	慷	1
1454	糠	1
1455	扛	1
1456	亢*	3
1457	抗	15
1458	炕	1

序号	汉字	次数	序号	汉字	次数	序号	汉字	次数
1459	考	23	1498	枯	6	1537	扩	7
1460	烤	2	1499	哭	5	1538	括	5
1461	铐	1	1500	窟	3	1539	阔	6
1462	靠	9	1501	苦	30	1540	廓	2
1463	坷	1	1502	库	8	1541	拉	6
1464	苛	2	1503	裤	5	1542	喇	2
1465	柯*	1	1504	酷	8	1543	腊	3
1466	科	22	1505	夸	5	1544	蜡	2
1467	棵	1	1506	垮	3	1545	辣	4
1468	稞*	1	1507	挎	2	1546	来	44
1469	颗	2	1508	跨	3	1547	徕*	1
1470	瞌*	1	1509	块	3	1548	睐*	1
1471	磕	2	1510	快	23	1549	赖	4
1472	蝌	1	1511	脍*	1	1550	癞	1
1473	壳	6	1512	筷	1	1551	兰	4
1474	咳	2	1513	宽	12	1552	拦	5
1475	可	30	1514	款	16	1553	栏	4
1476	渴	4	1515	筐	2	1554	婪*	1
1477	克	8	1516	狂	11	1555	蓝	3
1478	刻	19	1517	况	10	1556	澜	1
1479	客	25	1518	旷	5	1557	斓*	1
1480	恪*	1	1519	矿	14	1558	篮	4
1481	课	16	1520	框	5	1559	览	5
1482	肯	4	1521	眶	2	1560	揽	2
1483	垦	4	1522	亏	7	1561	缆	2
1484	恳	3	1523	盔	3	1562	榄	1
1485	啃	1	1524	窥	3	1563	懒	6
1486	吭	1	1525	奎*	1	1564	烂	8
1487	坑	4	1526	葵	2	1565	滥	3
1488	铿*	1	1527	魁	1	1566	郎	3
1489	空	45	1528	傀	1	1567	狼	3
1490	孔	9	1529	匮*	1	1568	廊	3
1491	恐	10	1530	愧	3	1569	琅	1
1492	控	8	1531	溃	4	1570	螂*	1
1493	抠	1	1532	馈*	1	1571	朗	6
1494	口	57	1533	坤	2	1572	浪	12
1495	叩*	2	1534	昆	2	1573	捞	3
1496	扣	7	1535	捆	1	1574	劳	23
1497	寇	2	1536	困	9	1575	牢	8

序号	汉字	次数
1576	老	38
1577	姥	2
1578	潦	1
1579	涝	1
1580	烙	2
1581	乐	33
1582	勒	5
1583	雷	11
1584	镭*	1
1585	垒	4
1586	蕾	2
1587	儡	1
1588	肋	2
1589	泪	9
1590	类	14
1591	累	13
1592	擂	2
1593	棱	3
1594	冷	26
1595	愣*	2
1596	厘	1
1597	梨	2
1598	狸	1
1599	离	24
1600	犁	1
1601	漓	2
1602	璃	2
1603	黎	1
1604	篱	1
1605	礼	22
1606	李	3
1607	里	14
1608	理	62
1609	锂*	1
1610	鲤	1
1611	力	88
1612	历	23
1613	厉	4
1614	立	42
1615	吏	2
1616	丽	9
1617	利	37
1618	励	4
1619	沥	1
1620	例	20
1621	隶	3
1622	俐	1
1623	荔	1
1624	栗	3
1625	砾	2
1626	笠*	1
1627	粒	4
1628	蛎*	1
1629	痢	1
1630	雳	1
1631	俩	2
1632	连	27
1633	帘	5
1634	怜	3
1635	涟*	1
1636	莲	3
1637	联	19
1638	廉	4
1639	镰	2
1640	敛	2
1641	脸	14
1642	练	13
1643	炼	6
1644	恋	10
1645	链	5
1646	良	12
1647	凉	13
1648	梁	5
1649	粮	9
1650	粱	1
1651	踉*	1
1652	两	10
1653	亮	14
1654	谅	3
1655	辆	2
1656	晾	1
1657	量	46
1658	辽	2
1659	疗	7
1660	聊	3
1661	僚	1
1662	廖*	1
1663	嘹	1
1664	撩	2
1665	缭	1
1666	燎	2
1667	了	15
1668	料	30
1669	撂*	1
1670	瞭	1
1671	咧	1
1672	列	17
1673	劣	7
1674	烈	15
1675	猎	10
1676	裂	11
1677	邻	7
1678	林	16
1679	临	15
1680	淋	5
1681	琳	1
1682	嶙*	1
1683	霖*	1
1684	磷	3
1685	鳞	3
1686	吝	1
1687	赁	1
1688	躏	1
1689	拎*	1
1690	伶	2
1691	灵	18
1692	岭	3

序号	汉字	次数	序号	汉字	次数	序号	汉字	次数
1693	玲	1	1732	楼	10	1771	峦	3
1694	凌	5	1733	搂	2	1772	卵	6
1695	铃	4	1734	篓	1	1773	乱	19
1696	陵	4	1735	陋	3	1774	掠	2
1697	绫*	1	1736	漏	5	1775	略	14
1698	羚*	1	1737	露	18	1776	抡	1
1699	翎	1	1738	卢	1	1777	伦	2
1700	聆*	1	1739	芦	2	1778	沦	2
1701	菱	1	1740	炉	7	1779	纶*	1
1702	零	9	1741	颅	2	1780	轮	19
1703	龄	6	1742	卤	3	1781	论	35
1704	领	32	1743	虏	2	1782	捋*	2
1705	令	15	1744	掳*	1	1783	罗	8
1706	另	3	1745	鲁	3	1784	萝	4
1707	溜	3	1746	陆	12	1785	逻	2
1708	刘	1	1747	录	15	1786	锣	2
1709	浏*	1	1748	赂	1	1787	箩	2
1710	流	73	1749	鹿	3	1788	骡	1
1711	留	23	1750	禄*	1	1789	螺	5
1712	琉	1	1751	滤	2	1790	裸	4
1713	硫	3	1752	碌	1	1791	洛	1
1714	馏	2	1753	路	44	1792	络	6
1715	榴	2	1754	戮*	1	1793	骆	1
1716	瘤	2	1755	麓*	2	1794	落	41
1717	柳	3	1756	驴	2	1795	摞*	1
1718	绺*	1	1757	榈*	1	1796	妈	5
1719	六	1	1758	吕	1	1797	麻	14
1720	蹓*	2	1759	侣	3	1798	蟆	1
1721	咯*	1	1760	旅	10	1799	马	19
1722	龙	11	1761	铝	1	1800	玛	1
1723	咙	1	1762	屡	3	1801	码	7
1724	珑*	1	1763	缕	1	1802	蚂	1
1725	笼	8	1764	履	3	1803	骂	4
1726	聋	3	1765	律	15	1804	嘛*	1
1727	隆	2	1766	虑	7	1805	埋	7
1728	窿	1	1767	率	22	1806	霾*	1
1729	陇*	1	1768	绿	12	1807	买	5
1730	垄	2	1769	氯	2	1808	迈	5
1731	拢	3	1770	孪*	1	1809	麦	6

序号	汉字	次数	序号	汉字	次数	序号	汉字	次数
1810	卖	14	1849	眉	9	1888	幂*	1
1811	脉	12	1850	莓*	1	1889	谧*	1
1812	蛮	4	1851	梅	5	1890	蜜	6
1813	馒	1	1852	媒	3	1891	眠	6
1814	瞒	2	1853	煤	5	1892	绵	6
1815	鳗*	1	1854	酶*	1	1893	棉	7
1816	满	22	1855	霉	6	1894	免	17
1817	螨*	1	1856	每	2	1895	勉	3
1818	曼	1	1857	美	34	1896	娩	1
1819	谩*	1	1858	镁*	1	1897	缅	1
1820	幔	1	1859	妹	5	1898	面	70
1821	慢	7	1860	昧	4	1899	苗	13
1822	漫	10	1861	媚	2	1900	描	9
1823	蔓	3	1862	痳*	1	1901	瞄	2
1824	忙	12	1863	魅*	1	1902	秒	1
1825	芒	2	1864	门	41	1903	渺	3
1826	盲	9	1865	闷	8	1904	藐	1
1827	茫	4	1866	们	8	1905	妙	8
1828	莽	1	1867	氓	1	1906	庙	4
1829	蟒*	1	1868	萌	5	1907	灭	12
1830	猫	3	1869	盟	4	1908	蔑	4
1831	毛	24	1870	猛	7	1909	篾*	1
1832	矛	3	1871	蒙	9	1910	民	48
1833	茅	3	1872	锰	1	1911	皿	2
1834	锚	1	1873	蜢*	1	1912	抿*	1
1835	髦*	1	1874	孟	1	1913	泯*	1
1836	卯*	1	1875	梦	9	1914	闽	1
1837	铆	1	1876	弥	4	1915	悯	1
1838	茂	3	1877	迷	18	1916	敏	6
1839	冒	8	1878	猕*	1	1917	名	55
1840	贸	5	1879	谜	1	1918	明	46
1841	袤*	1	1880	糜	1	1919	鸣	9
1842	帽	3	1881	靡	1	1920	冥*	1
1843	瑁*	1	1882	米	7	1921	铭	2
1844	貌	11	1883	眯	2	1922	命	28
1845	么	6	1884	泌	1	1923	谬	4
1846	没	17	1885	觅	2	1924	摸	4
1847	枚	1	1886	秘	9	1925	摹	3
1848	玫	1	1887	密	21	1926	模	13

序号	汉字	次数
1927	膜	7
1928	摩	8
1929	磨	10
1930	蘑	1
1931	魔	9
1932	抹	6
1933	末	7
1934	沫	3
1935	陌	1
1936	莫	4
1937	寞	1
1938	漠	7
1939	蓦*	1
1940	墨	5
1941	默	11
1942	眸*	1
1943	谋	10
1944	某	1
1945	母	18
1946	亩	2
1947	牡	2
1948	姆	1
1949	拇	1
1950	木	27
1951	目	34
1952	沐	1
1953	牧	8
1954	募	3
1955	墓	8
1956	幕	12
1957	睦	1
1958	慕	3
1959	暮	2
1960	穆	4
1961	拿	2
1962	哪	4
1963	内	30
1964	那	7
1965	纳	11
1966	娜	1
1967	钠	1
1968	捺	2
1969	乃	2
1970	奶	6
1971	氖*	1
1972	奈	3
1973	耐	6
1974	男	7
1975	南*	14
1976	难	43
1977	囔*	1
1978	囊	5
1979	挠	2
1980	恼	7
1981	脑	14
1982	瑙*	1
1983	闹	8
1984	呢	1
1985	馁	1
1986	嫩	5
1987	能	35
1988	尼	4
1989	泥	12
1990	倪*	1
1991	霓*	1
1992	你	2
1993	拟	8
1994	昵	1
1995	逆	7
1996	溺	2
1997	腻	3
1998	拈*	1
1999	年	59
2000	黏*	1
2001	捻	1
2002	撵	1
2003	碾	1
2004	廿*	1
2005	念	19
2006	娘	6
2007	酿	2
2008	鸟	6
2009	袅*	2
2010	尿	5
2011	捏	2
2012	涅*	1
2013	聂	1
2014	啮*	1
2015	镊	1
2016	镍*	1
2017	孽	2
2018	蘖*	1
2019	您	1
2020	宁	7
2021	咛*	1
2022	拧	3
2023	狞	1
2024	凝	9
2025	泞	1
2026	牛	10
2027	扭	4
2028	纽	3
2029	钮	1
2030	农	22
2031	浓	10
2032	脓	2
2033	弄	10
2034	奴	6
2035	努	1
2036	怒	10
2037	女	29
2038	疟	1
2039	虐	1
2040	暖	8
2041	挪	3
2042	诺	2
2043	懦	2

序号	汉字	次数	序号	汉字	次数	序号	汉字	次数
2044	糯	1	2083	陪	4	2122	偏	14
2045	讴*	1	2084	培	8	2123	篇	5
2046	欧	3	2085	赔	4	2124	骗	7
2047	殴	1	2086	裴*	1	2125	漂	8
2048	鸥	1	2087	沛	1	2126	飘	12
2049	呕	2	2088	佩	5	2127	瓢	1
2050	偶	8	2089	配	25	2128	瞟*	1
2051	藕	1	2090	喷	7	2129	票	11
2052	趴	1	2091	盆	6	2130	撇	3
2053	爬	2	2092	抨*	1	2131	瞥*	3
2054	耙	2	2093	烹	2	2132	拼	6
2055	琶*	1	2094	朋	3	2133	贫	10
2056	帕	2	2095	彭	1	2134	频	4
2057	怕	6	2096	棚	2	2135	品	39
2058	拍	8	2097	硼	1	2136	聘	3
2059	排	18	2098	蓬	4	2137	乒	1
2060	牌	9	2099	篷	2	2138	平	45
2061	派	20	2100	膨	2	2139	评	20
2062	潘	1	2101	捧	2	2140	凭	7
2063	攀	4	2102	碰	5	2141	坪	2
2064	盘	16	2103	批	9	2142	苹	1
2065	槃#	1	2104	坯	1	2143	屏	8
2066	判	14	2105	披	2	2144	瓶	5
2067	叛	7	2106	劈	2	2145	萍	1
2068	盼	3	2107	霹	1	2146	坡	5
2069	畔	1	2108	皮	28	2147	泼	3
2070	乓	1	2109	吡*	1	2148	颇	2
2071	庞	4	2110	疲	5	2149	婆	6
2072	旁	9	2111	啤	1	2150	迫	11
2073	胖	3	2112	琵*	1	2151	破	22
2074	抛	2	2113	脾	4	2152	粕*	1
2075	刨	2	2114	匹	4	2153	魄	5
2076	咆	1	2115	痞*	1	2154	剖	4
2077	狍*	1	2116	癖*	1	2155	仆	7
2078	炮	15	2117	屁	2	2156	扑	5
2079	袍	3	2118	媲*	1	2157	铺	7
2080	跑	8	2119	僻	4	2158	匍*	1
2081	泡	7	2120	譬	1	2159	菩	1
2082	胚	3	2121	片	25	2160	葡	3

序号	汉字	次数	序号	汉字	次数	序号	汉字	次数
2161	蒲	2	2200	砌	2	2239	桥	4
2162	朴	7	2201	器	25	2240	瞧	2
2163	圃	3	2202	掐	1	2241	巧	12
2164	浦	1	2203	恰	6	2242	俏	4
2165	普	10	2204	洽	4	2243	峭	2
2166	谱	6	2205	千	9	2244	窍	4
2167	瀑	2	2206	扦*	1	2245	翘	2
2168	七	1	2207	迁	7	2246	撬	1
2169	沏*	1	2208	牵	7	2247	鞘*	1
2170	妻	2	2209	铅	2	2248	切	28
2171	凄	5	2210	谦	2	2249	茄	3
2172	栖	2	2211	签	10	2250	且	8
2173	戚	2	2212	前	48	2251	妾*	1
2174	期	38	2213	虔*	1	2252	怯	4
2175	欺	7	2214	钱	10	2253	窃	4
2176	漆	4	2215	钳	2	2254	惬*	1
2177	齐	8	2216	乾	2	2255	亲	36
2178	其	14	2217	潜	10	2256	侵	11
2179	奇	16	2218	黔	1	2257	钦	2
2180	歧	4	2219	浅	7	2258	秦	1
2181	祈	3	2220	遣	4	2259	琴	5
2182	崎	1	2221	谴	1	2260	禽	4
2183	畦	1	2222	欠	3	2261	勤	10
2184	骑	3	2223	嵌	2	2262	噙*	1
2185	棋	5	2224	歉	5	2263	擒	1
2186	旗	9	2225	呛	2	2264	寝	2
2187	鳍	1	2226	枪	10	2265	沁*	1
2188	乞	3	2227	跄*	1	2266	青	18
2189	企	3	2228	腔	8	2267	氢	3
2190	岂	1	2229	锵*	1	2268	轻	24
2191	启	9	2230	强	35	2269	倾	15
2192	起	41	2231	墙	7	2270	卿	1
2193	绮*	1	2232	抢	9	2271	清	39
2194	气	103	2233	悄	4	2272	蜻	1
2195	迄	2	2234	跷	1	2273	情	68
2196	弃	10	2235	敲	3	2274	晴	3
2197	汽	10	2236	锹	1	2275	擎	2
2198	泣	4	2237	乔	2	2276	顷	2
2199	契	4	2238	侨	6	2277	请	12

序号	汉字	次数
2278	庆	7
2279	磬*	1
2280	穷	8
2281	穹*	1
2282	琼	1
2283	丘	2
2284	邱*	1
2285	秋	9
2286	鳅*	1
2287	囚	4
2288	求	35
2289	酋*	1
2290	球	24
2291	裘*	2
2292	区	25
2293	曲	27
2294	岖	1
2295	驱	8
2296	屈	6
2297	祛*	1
2298	蛆	1
2299	躯	5
2300	趋	4
2301	渠	4
2302	取	42
2303	娶	1
2304	去	16
2305	趣	10
2306	圈	10
2307	全	23
2308	权	32
2309	泉	6
2310	拳	4
2311	痊	1
2312	蜷*	2
2313	犬	4
2314	劝	8
2315	券	4
2316	缺	13
2317	瘸	1
2318	却	4
2319	雀	3
2320	确	15
2321	阙*	1
2322	鹊	1
2323	榷*	1
2324	裙	4
2325	群	9
2326	然	69
2327	燃	5
2328	冉*	2
2329	染	11
2330	嚷	3
2331	壤	2
2332	让	7
2333	饶	3
2334	扰	8
2335	绕	7
2336	惹	1
2337	热	43
2338	人	161
2339	仁	4
2340	忍	8
2341	刃	1
2342	认	16
2343	任	31
2344	纫	1
2345	妊*	1
2346	韧	4
2347	饪*	1
2348	扔	1
2349	仍	3
2350	日	46
2351	绒	6
2352	荣	7
2353	容	26
2354	溶	7
2355	蓉	1
2356	熔	3
2357	融	9
2358	冗	1
2359	柔	10
2360	揉	2
2361	蹂	1
2362	肉	10
2363	如	24
2364	儒	3
2365	蠕	1
2366	汝*	1
2367	乳	6
2368	辱	6
2369	入	26
2370	褥	2
2371	软	9
2372	蕊	4
2373	锐	6
2374	瑞	1
2375	闰	1
2376	润	8
2377	若	6
2378	弱	16
2379	仨*	1
2380	撒	5
2381	洒	4
2382	卅*	1
2383	萨	1
2384	塞	11
2385	腮	1
2386	鳃*	1
2387	赛	12
2388	三	5
2389	伞	2
2390	散	30
2391	桑	3
2392	嗓	4
2393	丧	7
2394	搔	1

序号	汉字	次数	序号	汉字	次数	序号	汉字	次数
2395	骚	4	2434	赏	9	2473	升	12
2396	缫*	1	2435	上	60	2474	生	95
2397	臊	2	2436	尚	7	2475	声	46
2398	扫	13	2437	捎	1	2476	牲	3
2399	嫂	2	2438	梢	2	2477	胜	9
2400	色	43	2439	烧	14	2478	笙	2
2401	涩	3	2440	稍	4	2479	绳	5
2402	啬*	1	2441	勺	2	2480	省	11
2403	瑟	1	2442	少	17	2481	圣	8
2404	森	3	2443	绍	1	2482	盛	19
2405	僧	3	2444	哨	7	2483	剩	3
2406	杀	16	2445	奢	1	2484	尸	4
2407	沙	9	2446	舌	4	2485	失	45
2408	纱	5	2447	蛇	2	2486	师	26
2409	刹	4	2448	舍	10	2487	虱	1
2410	砂	1	2449	设	20	2488	诗	9
2411	傻	3	2450	社	11	2489	施	12
2412	煞	2	2451	射	22	2490	狮	1
2413	霎	1	2452	涉	8	2491	湿	5
2414	筛	2	2453	赦	3	2492	十	2
2415	晒	1	2454	摄	6	2493	什	2
2416	山	47	2455	麝*	1	2494	石	33
2417	杉	2	2456	申	7	2495	时	52
2418	衫	5	2457	伸	6	2496	识	15
2419	珊	1	2458	身	52	2497	实	58
2420	煽*	1	2459	呻	1	2498	拾	3
2421	闪	7	2460	绅	1	2499	蚀	4
2422	陕	1	2461	娠*	1	2500	食	31
2423	讪*	1	2462	砷*	1	2501	史	11
2424	扇	7	2463	深	28	2502	矢	2
2425	善	12	2464	神	41	2503	使	27
2426	缮*	1	2465	沈	1	2504	始	8
2427	擅	2	2466	审	16	2505	驶	3
2428	膳	2	2467	婶	3	2506	屎	1
2429	赡	1	2468	肾	2	2507	士	25
2430	伤	27	2469	甚	3	2508	氏	3
2431	商	28	2470	渗	3	2509	世	29
2432	裳	1	2471	慎	4	2510	仕*	1
2433	晌	2	2472	蜃*	1	2511	市	17

序号	汉字	次数
2512	示	20
2513	式	16
2514	事	81
2515	侍	6
2516	势	29
2517	视	36
2518	试	20
2519	饰	8
2520	室	16
2521	恃	1
2522	拭	2
2523	是	13
2524	柿	2
2525	适	13
2526	舐*	1
2527	逝	4
2528	释	6
2529	嗜	2
2530	誓	4
2531	噬*	2
2532	螫*	1
2533	收	41
2534	手	73
2535	守	24
2536	首	22
2537	寿	3
2538	受	35
2539	狩*	1
2540	兽	5
2541	售	5
2542	授	9
2543	瘦	5
2544	书	42
2545	抒	2
2546	叔	3
2547	枢	3
2548	倏*	1
2549	殊	2
2550	梳	3
2551	疏	9
2552	舒	7
2553	输	7
2554	蔬	2
2555	孰*	1
2556	赎	2
2557	塾*	1
2558	熟	10
2559	暑	4
2560	署	4
2561	鼠	5
2562	蜀	1
2563	薯	3
2564	曙	1
2565	术	14
2566	束	7
2567	述	18
2568	树	12
2569	竖	2
2570	恕	3
2571	庶	2
2572	数	37
2573	墅	1
2574	刷	6
2575	耍	2
2576	衰	11
2577	摔	2
2578	甩	1
2579	帅	4
2580	拴	1
2581	栓	1
2582	涮	1
2583	双	7
2584	霜	3
2585	爽	7
2586	谁	2
2587	水	91
2588	税	12
2589	睡	12
2590	吮	2
2591	顺	16
2592	舜*	1
2593	瞬	4
2594	说	27
2595	烁	1
2596	硕	3
2597	嗽	1
2598	丝	12
2599	司	8
2600	私	20
2601	思	24
2602	斯	7
2603	厮*	1
2604	嘶	1
2605	撕	2
2606	死	18
2607	四	11
2608	寺	5
2609	伺	1
2610	似	11
2611	祀*	2
2612	饲	3
2613	俟*	1
2614	嗣*	1
2615	肆	4
2616	松	11
2617	怂*	1
2618	悚*	1
2619	耸	3
2620	讼	2
2621	宋	1
2622	诵	5
2623	送	19
2624	颂	5
2625	搜	8
2626	艘	1
2627	擞*	1
2628	苏	3

序号	汉字	次数	序号	汉字	次数	序号	汉字	次数
2629	酥	1	2668	塌	3	2707	螳*	1
2630	稣*	1	2669	塔	5	2708	倘	2
2631	俗	13	2670	獭*	1	2709	淌	2
2632	诉	13	2671	榻*	2	2710	躺	1
2633	肃	3	2672	踏	3	2711	烫	3
2634	素	21	2673	蹋	1	2712	趟	1
2635	速	21	2674	胎	7	2713	涛	3
2636	宿	7	2675	台	28	2714	绦*	1
2637	粟	1	2676	抬	3	2715	掏	1
2638	塑	7	2677	苔	2	2716	滔	2
2639	溯	2	2678	太	13	2717	逃	12
2640	酸	10	2679	汰	2	2718	桃	5
2641	蒜	1	2680	态	21	2719	陶	7
2642	算	25	2681	钛*	1	2720	啕*	1
2643	虽	3	2682	泰	2	2721	淘	3
2644	绥*	1	2683	坍*	1	2722	萄	3
2645	隋*	1	2684	贪	4	2723	讨	11
2646	随	16	2685	摊	5	2724	套	7
2647	髓	5	2686	滩	6	2725	特	30
2648	岁	6	2687	瘫	1	2726	疼	5
2649	祟	1	2688	坛	8	2727	腾	11
2650	遂	3	2689	谈	19	2728	滕*	1
2651	碎	6	2690	痰	1	2729	藤	2
2652	隧	1	2691	谭	1	2730	剔	2
2653	穗	2	2692	潭	1	2731	梯	7
2654	邃*	1	2693	坦	6	2732	踢	1
2655	孙	5	2694	毯	3	2733	啼	3
2656	损	10	2695	叹	9	2734	提	30
2657	笋	3	2696	炭	5	2735	题	15
2658	唆	1	2697	探	20	2736	蹄	4
2659	梭	2	2698	碳	1	2737	体	86
2660	蓑*	1	2699	汤	1	2738	屉	1
2661	缩	15	2700	唐	2	2739	剃	2
2662	所	18	2701	堂	15	2740	涕	1
2663	索	13	2702	棠	1	2741	惕	1
2664	琐	3	2703	塘	2	2742	替	8
2665	锁	5	2704	搪	2	2743	嚏*	1
2666	他	6	2705	膛	1	2744	天	72
2667	它	2	2706	糖	7	2745	添	3

序号	汉字	次数	序号	汉字	次数	序号	汉字	次数
2746	田	17	2785	秃	1	2824	外	74
2747	恬	1	2786	突	10	2825	弯	5
2748	甜	5	2787	图	30	2826	剜*	1
2749	填	6	2788	徒	16	2827	湾	3
2750	舔	1	2789	涂	6	2828	丸	1
2751	挑	8	2790	途	13	2829	完	12
2752	条	19	2791	屠	4	2830	玩	12
2753	窕*	1	2792	土	24	2831	顽	3
2754	眺*	1	2793	吐	8	2832	宛	1
2755	跳	10	2794	兔	1	2833	挽	4
2756	贴	8	2795	湍*	2	2834	晚	14
2757	铁	13	2796	团	17	2835	婉	2
2758	帖	2	2797	推	28	2836	惋	1
2759	厅	8	2798	颓	3	2837	皖*	1
2760	听	23	2799	腿	6	2838	碗	2
2761	廷	3	2800	退	23	2839	万	9
2762	亭	2	2801	蜕	4	2840	腕	2
2763	庭	6	2802	褪	1	2841	汪	2
2764	停	15	2803	吞	8	2842	亡	14
2765	蜓	1	2804	屯	1	2843	王	19
2766	挺	5	2805	豚*	2	2844	网	9
2767	艇	6	2806	臀	1	2845	往	19
2768	通	49	2807	托	11	2846	枉	2
2769	同	49	2808	拖	7	2847	惘*	2
2770	佟*	1	2809	脱	16	2848	妄	5
2771	桐	1	2810	驮	1	2849	忘	8
2772	铜	5	2811	陀*	1	2850	旺	4
2773	童	8	2812	驼	3	2851	望	27
2774	瞳	1	2813	妥	5	2852	危	9
2775	统	19	2814	椭	1	2853	威	11
2776	捅	1	2815	拓	3	2854	偎	1
2777	桶	2	2816	唾	3	2855	微	23
2778	筒	5	2817	挖	4	2856	巍	1
2779	痛	18	2818	洼	3	2857	为	24
2780	偷	7	2819	蛙	2	2858	韦*	1
2781	头	94	2820	娃	2	2859	围	18
2782	投	21	2821	瓦	5	2860	违	9
2783	透	11	2822	袜	2	2861	桅	1
2784	凸	1	2823	歪	2	2862	唯	1

序号	汉字	次数	序号	汉字	次数	序号	汉字	次数
2863	帷*	1	2902	卧	3	2941	息	19
2864	惟*	4	2903	握	4	2942	牺	1
2865	维	10	2904	乌	6	2943	悉	4
2866	伟	5	2905	污	7	2944	惜	6
2867	伪	5	2906	呜	1	2945	晰	2
2868	尾	8	2907	巫	2	2946	犀	1
2869	纬	3	2908	屋	7	2947	稀	11
2870	苇	2	2909	诬	3	2948	溪	2
2871	委	12	2910	无	55	2949	晳#	1
2872	萎	3	2911	毋*	1	2950	锡	1
2873	卫	15	2912	吴	1	2951	熄	3
2874	未	8	2913	吾*	1	2952	蜥*	1
2875	位	30	2914	芜	1	2953	嬉	1
2876	味	16	2915	梧	2	2954	膝	1
2877	畏	5	2916	五	4	2955	曦*	1
2878	胃	5	2917	午	11	2956	习	14
2879	谓	6	2918	伍	6	2957	席	11
2880	喂	2	2919	武	16	2958	袭	11
2881	猬	1	2920	侮	2	2959	媳	2
2882	蔚	1	2921	捂	1	2960	洗	7
2883	慰	8	2922	鹉	1	2961	铣	1
2884	魏	1	2923	舞	22	2962	喜	21
2885	温	23	2924	勿	1	2963	戏	17
2886	瘟	2	2925	务	33	2964	系	16
2887	文	62	2926	物	53	2965	细	21
2888	纹	9	2927	误	11	2966	隙	5
2889	闻	6	2928	悟	6	2967	虾	2
2890	蚊	3	2929	晤	2	2968	瞎	2
2891	吻	5	2930	雾	5	2969	匣	2
2892	紊	1	2931	夕	5	2970	峡	3
2893	稳	11	2932	兮*	1	2971	狭	6
2894	问	26	2933	汐*	1	2972	遐*	1
2895	翁	3	2934	西	17	2973	暇	2
2896	瓮	1	2935	吸	10	2974	辖	5
2897	涡	3	2936	希	2	2975	霞	3
2898	窝	4	2937	昔	3	2976	下	55
2899	蜗	1	2938	析	3	2977	吓	6
2900	我	4	2939	唏*	1	2978	夏	7
2901	沃	1	2940	奚*	1	2979	厦	1

序号	汉字	次数	序号	汉字	次数	序号	汉字	次数
2980	仙	8	3019	响	12	3058	携	4
2981	先	25	3020	饷*	1	3059	鞋	5
2982	纤	6	3021	想	32	3060	写	20
2983	掀	2	3022	向	30	3061	泄	7
2984	锨	1	3023	巷	2	3062	泻	3
2985	鲜	11	3024	项	6	3063	卸	4
2986	闲	12	3025	象	20	3064	屑	2
2987	弦	3	3026	像	17	3065	械	5
2988	贤	1	3027	橡	2	3066	亵*	1
2989	咸	2	3028	削	6	3067	谢	9
2990	涎	1	3029	宵	2	3068	懈	2
2991	娴*	1	3030	消	27	3069	蟹	1
2992	舷	2	3031	逍*	1	3070	心	124
2993	衔	3	3032	萧	2	3071	芯	1
2994	嫌	3	3033	硝	3	3072	辛	7
2995	显	14	3034	销	24	3073	欣	5
2996	险	16	3035	潇*	2	3074	锌	1
2997	县	2	3036	箫	1	3075	新	37
2998	现	30	3037	嚣	3	3076	薪	3
2999	线	50	3038	淆	1	3077	馨*	1
3000	限	15	3039	小	57	3078	信	40
3001	宪	5	3040	晓	7	3079	衅	1
3002	陷	12	3041	孝	5	3080	兴	22
3003	馅	1	3042	肖	4	3081	星	31
3004	羡	1	3043	哮	2	3082	猩	2
3005	献	5	3044	效	28	3083	腥	2
3006	腺	3	3045	校	15	3084	刑	12
3007	霰*	1	3046	笑	24	3085	行	89
3008	乡	17	3047	啸	3	3086	邢	1
3009	相	49	3048	些	4	3087	形	33
3010	香	12	3049	楔	1	3088	型	16
3011	厢	3	3050	歇	4	3089	醒	9
3012	湘	1	3051	协	14	3090	杏	3
3013	箱	6	3052	邪	4	3091	姓	8
3014	镶	2	3053	胁	3	3092	幸	12
3015	详	6	3054	挟	2	3093	性	62
3016	祥	4	3055	偕*	1	3094	凶	9
3017	翔	3	3056	斜	4	3095	兄	4
3018	享	7	3057	谐	3	3096	匈	1

序号	汉字	次数	序号	汉字	次数	序号	汉字	次数
3097	汹	1	3136	眩*	1	3175	咽	6
3098	胸	10	3137	渲*	1	3176	烟	20
3099	雄	12	3138	靴	2	3177	胭*	1
3100	熊	3	3139	薛	1	3178	淹	2
3101	休	12	3140	穴	4	3179	焉*	2
3102	修	29	3141	学	72	3180	湮*	1
3103	羞	7	3142	雪	14	3181	腌	1
3104	朽	3	3143	血	33	3182	蔫	1
3105	秀	8	3144	谑*	1	3183	延	13
3106	绣	4	3145	勋	2	3184	严	20
3107	袖	5	3146	熏	2	3185	言	30
3108	锈	2	3147	薰*	1	3186	岩	6
3109	戌*	1	3148	寻	10	3187	沿	10
3110	须	8	3149	巡	5	3188	炎	4
3111	虚	17	3150	旬	4	3189	研	8
3112	嘘*	3	3151	驯	5	3190	盐	6
3113	需	9	3152	询	5	3191	阎	1
3114	徐	1	3153	峋*	1	3192	筵*	1
3115	许	14	3154	循	3	3193	颜	5
3116	旭	1	3155	训	9	3194	檐	2
3117	序	11	3156	讯	7	3195	俨*	1
3118	叙	4	3157	汛	3	3196	衍	3
3119	畜	7	3158	迅	3	3197	掩	8
3120	绪	6	3159	逊	3	3198	眼	42
3121	续	8	3160	丫*	1	3199	演	26
3122	婿	1	3161	压	21	3200	厌	6
3123	絮	2	3162	押	6	3201	砚	1
3124	嗅	2	3163	鸦	2	3202	宴	3
3125	蓄	7	3164	鸭	2	3203	艳	4
3126	宣	12	3165	牙	9	3204	验	12
3127	喧	4	3166	芽	5	3205	谚	1
3128	暄*	1	3167	蚜	1	3206	堰	1
3129	玄	1	3168	崖	3	3207	焰	4
3130	悬	7	3169	涯	2	3208	雁	2
3131	旋	14	3170	衙	1	3209	燕	4
3132	选	24	3171	哑	5	3210	央	2
3133	癣	1	3172	雅	8	3211	殃	1
3134	炫	1	3173	亚	4	3212	秧	5
3135	绚*	1	3174	讶	1	3213	鸯	1

序号	汉字	次数	序号	汉字	次数	序号	汉字	次数
3214	扬	14	3253	野	19	3292	异	26
3215	羊	7	3254	业	41	3293	呓*	1
3216	阳	13	3255	叶	11	3294	役	10
3217	杨	3	3256	曳*	2	3295	抑	6
3218	佯*	1	3257	页	1	3296	译	5
3219	疡*	1	3258	夜	24	3297	邑	1
3220	洋	9	3259	掖	2	3298	易	9
3221	仰	6	3260	液	12	3299	绎	1
3222	养	32	3261	腋	1	3300	诣*	1
3223	氧	4	3262	一	54	3301	驿*	1
3224	痒	1	3263	伊	2	3302	疫	6
3225	样	26	3264	衣	23	3303	益	16
3226	漾	2	3265	医	15	3304	谊	2
3227	夭	1	3266	依	18	3305	翌*	1
3228	吆	1	3267	漪*	1	3306	逸	3
3229	妖	3	3268	仪	5	3307	意	76
3230	腰	7	3269	夷	2	3308	溢	3
3231	邀	3	3270	宜	8	3309	裔*	1
3232	尧*	1	3271	怡*	1	3310	蜴*	1
3233	肴	2	3272	姨	3	3311	毅	3
3234	姚	1	3273	贻*	1	3312	熠*	2
3235	窑	2	3274	胰	2	3313	翼	4
3236	谣	3	3275	移	13	3314	臆*	1
3237	徭*	1	3276	遗	19	3315	因	17
3238	摇	8	3277	疑	16	3316	阴	20
3239	遥	5	3278	乙	1	3317	姻	3
3240	瑶*	1	3279	已	8	3318	荫*	1
3241	咬	1	3280	以	28	3319	音	42
3242	窈*	1	3281	矣*	1	3320	殷	4
3243	舀	1	3282	蚁	3	3321	吟	3
3244	药	18	3283	倚	2	3322	垠*	1
3245	要	33	3284	椅	2	3323	寅*	1
3246	耀	7	3285	义	28	3324	淫	2
3247	椰	1	3286	亿	1	3325	银	9
3248	噎*	1	3287	忆	6	3326	龈*	2
3249	爷	7	3288	艺	13	3327	尹*	1
3250	耶*	1	3289	议	26	3328	引	18
3251	也	2	3290	亦	1	3329	饮	6
3252	冶	4	3291	屹	1	3330	隐	10

序号	汉字	次数	序号	汉字	次数	序号	汉字	次数
3331	瘾	2	3370	优	18	3409	舆	1
3332	印	13	3371	忧	8	3410	与	5
3333	应	32	3372	幽	6	3411	宇	4
3334	英	10	3373	悠	6	3412	屿	1
3335	莺	1	3374	尤	3	3413	羽	4
3336	婴	2	3375	由	9	3414	雨	15
3337	樱	2	3376	犹	4	3415	禹*	1
3338	鹦	1	3377	邮	8	3416	语	38
3339	膺*	1	3378	油	24	3417	玉	2
3340	鹰	3	3379	柚*	1	3418	驭*	1
3341	迎	9	3380	铀*	1	3419	吁	1
3342	盈	5	3381	游	28	3420	育	19
3343	荧	3	3382	友	13	3421	郁	7
3344	莹	1	3383	有	41	3422	狱	4
3345	萤	1	3384	酉*	1	3423	浴	5
3346	营	19	3385	黝*	1	3424	预	20
3347	萦*	1	3386	又	1	3425	域	9
3348	蝇	2	3387	右	7	3426	欲	8
3349	赢	3	3388	幼	9	3427	谕*	1
3350	颖	1	3389	佑	2	3428	喻	4
3351	影	20	3390	诱	6	3429	寓	6
3352	映	6	3391	釉*	1	3430	御	3
3353	硬	11	3392	迂	2	3431	裕	3
3354	佣	2	3393	淤	3	3432	遇	8
3355	拥	7	3394	于	34	3433	愈	5
3356	痈*	1	3395	予	8	3434	誉	6
3357	庸	4	3396	余	15	3435	豫	2
3358	壅*	1	3397	臾*	1	3436	冤	3
3359	臃*	1	3398	鱼	8	3437	鸳	1
3360	永	6	3399	俞*	1	3438	渊	4
3361	甬*	1	3400	娱	2	3439	元	17
3362	咏	3	3401	渔	7	3440	员	32
3363	泳	2	3402	隅	1	3441	园	19
3364	勇	8	3403	愉	2	3442	垣*	1
3365	涌	5	3404	腴*	1	3443	原	40
3366	恿*	1	3405	逾	3	3444	圆	16
3367	蛹	1	3406	愚	4	3445	袁	1
3368	踊	1	3407	榆	1	3446	援	9
3369	用	61	3408	虞*	1	3447	缘	10

序号	汉字	次数
3448	源	19
3449	猿	4
3450	远	19
3451	苑*	1
3452	怨	6
3453	院	22
3454	愿	14
3455	曰*	1
3456	约	23
3457	月	19
3458	岳	4
3459	钥	1
3460	悦	5
3461	阅	9
3462	跃	5
3463	粤	1
3464	越	12
3465	云	15
3466	匀	3
3467	纭*	1
3468	耘	1
3469	允	3
3470	陨	1
3471	孕	4
3472	运	30
3473	晕	4
3474	酝	1
3475	韵	7
3476	蕴	5
3477	咂*	1
3478	杂	19
3479	砸	1
3480	灾	14
3481	哉*	1
3482	栽	5
3483	宰	5
3484	载	10
3485	崽*	1
3486	再	8
3487	在	25
3488	咱	2
3489	攒	2
3490	暂	5
3491	赞	13
3492	脏	9
3493	葬	10
3494	遭	4
3495	糟	4
3496	凿	3
3497	早	22
3498	枣	2
3499	蚤	1
3500	澡	2
3501	藻	1
3502	灶	3
3503	皂	1
3504	造	26
3505	噪	3
3506	燥	3
3507	躁	4
3508	则	9
3509	择	5
3510	泽	4
3511	责	15
3512	啧*	2
3513	仄*	1
3514	贼	3
3515	怎	4
3516	曾	5
3517	增	20
3518	憎	3
3519	赠	3
3520	渣	2
3521	楂*	1
3522	扎	6
3523	轧	2
3524	闸	4
3525	铡	1
3526	眨	3
3527	乍	1
3528	诈	3
3529	栅	1
3530	炸	6
3531	蚱*	1
3532	榨	3
3533	斋	1
3534	摘	4
3535	宅	3
3536	窄	2
3537	债	7
3538	寨	3
3539	沾	2
3540	毡	1
3541	粘	3
3542	瞻	2
3543	斩	1
3544	展	18
3545	盏	1
3546	崭	1
3547	辗*	1
3548	占	13
3549	战	48
3550	站	7
3551	绽	1
3552	湛*	1
3553	蘸	1
3554	张	14
3555	章	15
3556	彰	2
3557	樟	1
3558	涨	7
3559	掌	11
3560	丈	4
3561	仗	5
3562	帐	4
3563	杖	3
3564	胀	3

序号	汉字	次数	序号	汉字	次数	序号	汉字	次数
3565	账	5	3604	震	8	3643	制	55
3566	障	5	3605	争	20	3644	帜	2
3567	招	13	3606	征	17	3645	治	18
3568	昭	1	3607	挣	2	3646	炙*	2
3569	找	4	3608	睁	1	3647	质	29
3570	沼	2	3609	筝	1	3648	峙*	1
3571	召	6	3610	蒸	8	3649	挚	2
3572	兆	3	3611	拯	1	3650	桎*	1
3573	诏*	2	3612	整	19	3651	秩	1
3574	赵	1	3613	正	44	3652	致	20
3575	照	32	3614	证	29	3653	掷	2
3576	罩	3	3615	郑	2	3654	窒	1
3577	肇*	1	3616	政	28	3655	智	9
3578	蜇*	1	3617	症	5	3656	滞	5
3579	遮	5	3618	之	8	3657	稚	4
3580	折	20	3619	支	17	3658	置	16
3581	哲	4	3620	汁	4	3659	中	57
3582	辄*	1	3621	芝	2	3660	忠	7
3583	辙	1	3622	枝	4	3661	终	20
3584	者	15	3623	知	21	3662	盅	1
3585	褶*	2	3624	织	7	3663	钟	6
3586	这	7	3625	肢	6	3664	衷	3
3587	浙	1	3626	脂	7	3665	肿	6
3588	蔗	3	3627	执	13	3666	种	29
3589	贞	4	3628	侄	3	3667	冢*	1
3590	针	9	3629	直	23	3668	仲	2
3591	侦	5	3630	值	11	3669	众	14
3592	珍	11	3631	职	24	3670	重	67
3593	真	25	3632	植	9	3671	州	2
3594	砧*	1	3633	殖	7	3672	舟	1
3595	斟	2	3634	止	18	3673	周	17
3596	臻*	1	3635	只	13	3674	洲	3
3597	诊	5	3636	旨	6	3675	粥	1
3598	枕	2	3637	址	6	3676	轴	4
3599	疹	1	3638	纸	12	3677	肘	1
3600	阵	8	3639	指	28	3678	帚	1
3601	振	7	3640	趾	2	3679	咒	3
3602	朕*	1	3641	至	15	3680	宙	1
3603	镇	13	3642	志	14	3681	昼	3

序号	汉字	次数
3682	皱	3
3683	骤	3
3684	朱	1
3685	诛*	1
3686	株	3
3687	珠	7
3688	诸	5
3689	猪	1
3690	蛛	1
3691	竹	6
3692	烛	2
3693	逐	7
3694	主	60
3695	拄	1
3696	属	16
3697	煮	1
3698	嘱	5
3699	瞩*	1
3700	伫*	1
3701	住	15
3702	助	17
3703	注	17
3704	贮	4
3705	驻	7
3706	柱	5
3707	祝	5
3708	著	14
3709	蛀	1
3710	筑	4
3711	铸	2
3712	抓	3
3713	爪	5
3714	拽*	1
3715	专	27
3716	砖	3
3717	转	48
3718	赚	1
3719	撰	3
3720	篆*	2
3721	妆	4
3722	庄	8
3723	桩	1
3724	装	28
3725	壮	18
3726	状	14
3727	幢	2
3728	撞	4
3729	追	17
3730	椎	3
3731	锥	3
3732	坠	2
3733	缀	2
3734	赘	3
3735	准	14
3736	卓	3
3737	拙	2
3738	捉	4
3739	桌	8
3740	灼	3
3741	茁	1
3742	浊	4
3743	酌	2
3744	啄	2
3745	着	20
3746	琢	3
3747	仔	2
3748	兹*	1
3749	咨	1
3750	姿	6
3751	资	23
3752	滋	7
3753	籽	1
3754	子	248
3755	姊	1
3756	紫	4
3757	滓	1
3758	字	24
3759	自	65
3760	渍*	1
3761	宗	10
3762	综	2
3763	棕	3
3764	踪	6
3765	鬃*	1
3766	总	20
3767	纵	11
3768	粽*	1
3769	走	11
3770	奏	12
3771	揍	1
3772	租	9
3773	足	18
3774	卒	1
3775	族	9
3776	诅	1
3777	阻	14
3778	组	9
3779	祖	10
3780	纂*	1
3781	钻	6
3782	攥*	1
3783	嘴	8
3784	最	6
3785	罪	16
3786	醉	6
3787	尊	7
3788	遵	5
3789	昨	1
3790	左	7
3791	佐*	1
3792	作	48
3793	坐	7
3794	座	10
3795	做	12

普通话水平测试用必读轻声词语表

说　明

1.本表根据《普通话水平测试用普通话词语表》编制。

2.本表供普通话水平测试第二项——读多音节词语(100个音节)测试使用。

3.本表共收词546条(其中“子”尾词206条),按汉语拼音字母顺序排列。

4.条目中的非轻声音节只标本调,不标变调;条目中的轻声音节,注音不标调号,如:“明白 míngbai”。

1	爱人	àiren
2	案子	ànzi
3	巴掌	bāzhang
4	把子	bǎzi
5	把子	bàzi
6	爸爸	bàba
7	白净	báijing
8	班子	bānzi
9	板子	bǎnzi
10	帮手	bāngshou
11	梆子	bāngzi
12	膀子	bǎngzi
13	棒槌	bàngchui
14	棒子	bàngzi
15	包袱	bāofu
16	包涵	bāohan
17	包子	bāozi
18	豹子	bàozi
19	杯子	bēizi
20	被子	bèizi
21	本事	běnshi
22	本子	běnzi
23	鼻子	bízi
24	比方	bǐfang
25	鞭子	biānzi
26	扁担	biǎndan
27	辫子	biànzi
28	别扭	bièniu
29	饼子	bǐngzi
30	拨弄	bōnong
31	脖子	bózi
32	簸箕	bòji
33	补丁	bǔding
34	不由得	bùyóude

35　不在乎　bùzàihu
36　步子　bùzi
37　部分　bùfen
38　财主　cáizhu
39　裁缝　cáifeng
40　苍蝇　cāngying
41　差事　chāishi
42　柴火　cháihuo
43　肠子　chángzi
44　厂子　chǎngzi
45　场子　chǎngzi
46　车子　chēzi
47　称呼　chēnghu
48　池子　chízi
49　尺子　chǐzi
50　虫子　chóngzi
51　绸子　chóuzi
52　除了　chúle
53　锄头　chútou
54　畜生　chùsheng
55　窗户　chuānghu
56　窗子　chuāngzi
57　锤子　chuízi
58　刺猬　cìwei
59　凑合　còuhe
60　村子　cūnzi
61　耷拉　dāla
62　答应　dāying
63　打扮　dǎban
64　打点　dǎdian
65　打发　dǎfa
66　打量　dǎliang
67　打算　dǎsuan
68　打听　dǎting
69　大方　dàfang
70　大爷　dàye
71　大夫　dàifu
72　带子　dàizi
73　袋子　dàizi
74　单子　dānzi
75　耽搁　dānge
76　耽误　dānwu
77　胆子　dǎnzi
78　担子　dànzi
79　刀子　dāozi
80　道士　dàoshi
81　稻子　dàozi
82　灯笼　dēnglong
83　凳子　dèngzi
84　提防　dīfang
85　笛子　dízi
86　底子　dǐzi
87　地道　dìdao
88　地方　dìfang
89　弟弟　dìdi
90　弟兄　dìxiong
91　点心　diǎnxin
92　调子　diàozi
93　钉子　dīngzi
94　东家　dōngjia
95　东西　dōngxi
96　动静　dòngjing
97　动弹　dòngtan
98　豆腐　dòufu

99	豆子	dòuzi	131	胳膊	gēbo
100	嘟囔	dūnang	132	鸽子	gēzi
101	肚子	dǔzi	133	格子	gézi
102	肚子	dùzi	134	个子	gèzi
103	缎子	duànzi	135	根子	gēnzi
104	队伍	duìwu	136	跟头	gēntou
105	对付	duìfu	137	工夫	gōngfu
106	对头	duìtou	138	弓子	gōngzi
107	多么	duōme	139	公公	gōnggong
108	蛾子	ézi	140	功夫	gōngfu
109	儿子	érzi	141	钩子	gōuzi
110	耳朵	ěrduo	142	姑姑	gūgu
111	贩子	fànzi	143	姑娘	gūniang
112	房子	fángzi	144	谷子	gǔzi
113	废物	fèiwu	145	骨头	gǔtou
114	份子	fènzi	146	故事	gùshi
115	风筝	fēngzheng	147	寡妇	guǎfu
116	疯子	fēngzi	148	褂子	guàzi
117	福气	fúqi	149	怪物	guàiwu
118	斧子	fǔzi	150	关系	guānxi
119	盖子	gàizi	151	官司	guānsi
120	甘蔗	gānzhe	152	罐头	guàntou
121	杆子	gānzi	153	罐子	guànzi
122	杆子	gǎnzi	154	规矩	guīju
123	干事	gànshi	155	闺女	guīnü
124	杠子	gàngzi	156	鬼子	guǐzi
125	高粱	gāoliang	157	柜子	guìzi
126	膏药	gāoyao	158	棍子	gùnzi
127	稿子	gǎozi	159	锅子	guōzi
128	告诉	gàosu	160	果子	guǒzi
129	疙瘩	gēda	161	蛤蟆	háma
130	哥哥	gēge	162	孩子	háizi

163	含糊	hánhu	195	剪子	jiǎnzi
164	汉子	hànzi	196	见识	jiànshi
165	行当	hángdang	197	毽子	jiànzi
166	合同	hétong	198	将就	jiāngjiu
167	和尚	héshang	199	交情	jiāoqing
168	核桃	hétao	200	饺子	jiǎozi
169	盒子	hézi	201	叫唤	jiàohuan
170	红火	hónghuo	202	轿子	jiàozi
171	猴子	hóuzi	203	结实	jiēshi
172	后头	hòutou	204	街坊	jiēfang
173	厚道	hòudao	205	姐夫	jiěfu
174	狐狸	húli	206	姐姐	jiějie
175	胡萝卜	húluóbo	207	戒指	jièzhi
176	胡琴	húqin	208	金子	jīnzi
177	糊涂	hútu	209	精神	jīngshen
178	护士	hùshi	210	镜子	jìngzi
179	皇上	huángshang	211	舅舅	jiùjiu
180	幌子	huǎngzi	212	橘子	júzi
181	活泼	huópo	213	句子	jùzi
182	火候	huǒhou	214	卷子	juànzi
183	伙计	huǒji	215	咳嗽	késou
184	机灵	jīling	216	客气	kèqi
185	脊梁	jǐliang	217	空子	kòngzi
186	记号	jìhao	218	口袋	kǒudai
187	记性	jìxing	219	口子	kǒuzi
188	夹子	jiāzi	220	扣子	kòuzi
189	家伙	jiāhuo	221	窟窿	kūlong
190	架势	jiàshi	222	裤子	kùzi
191	架子	jiàzi	223	快活	kuàihuo
192	嫁妆	jiàzhuang	224	筷子	kuàizi
193	尖子	jiānzi	225	框子	kuàngzi
194	茧子	jiǎnzi	226	阔气	kuòqi

227	喇叭	lǎba
228	喇嘛	lǎma
229	篮子	lánzi
230	懒得	lǎnde
231	浪头	làngtou
232	老婆	lǎopo
233	老实	lǎoshi
234	老太太	lǎotàitai
235	老头子	lǎotóuzi
236	老爷	lǎoye
237	老子	lǎozi
238	姥姥	lǎolao
239	累赘	léizhui
240	篱笆	líba
241	里头	lǐtou
242	力气	lìqi
243	厉害	lìhai
244	利落	lìluo
245	利索	lìsuo
246	例子	lìzi
247	栗子	lìzi
248	痢疾	lìji
249	连累	liánlei
250	帘子	liánzi
251	凉快	liángkuai
252	粮食	liángshi
253	两口子	liǎngkǒuzi
254	料子	liàozi
255	林子	línzi
256	翎子	língzi
257	领子	lǐngzi
258	溜达	liūda
259	聋子	lóngzi
260	笼子	lóngzi
261	炉子	lúzi
262	路子	lùzi
263	轮子	lúnzi
264	萝卜	luóbo
265	骡子	luózi
266	骆驼	luòtuo
267	妈妈	māma
268	麻烦	máfan
269	麻利	máli
270	麻子	mázi
271	马虎	mǎhu
272	码头	mǎtou
273	买卖	mǎimai
274	麦子	màizi
275	馒头	mántou
276	忙活	mánghuo
277	冒失	màoshi
278	帽子	màozi
279	眉毛	méimao
280	媒人	méiren
281	妹妹	mèimei
282	门道	méndao
283	眯缝	mīfeng
284	迷糊	míhu
285	面子	miànzi
286	苗条	miáotiao
287	苗头	miáotou
288	名堂	míngtang
289	名字	míngzi
290	明白	míngbai

291	模糊	móhu	323	屁股	pìgu
292	蘑菇	mógu	324	片子	piānzi
293	木匠	mùjiang	325	便宜	piányi
294	木头	mùtou	326	骗子	piànzi
295	那么	nàme	327	票子	piàozi
296	奶奶	nǎinai	328	漂亮	piàoliang
297	难为	nánwei	329	瓶子	píngzi
298	脑袋	nǎodai	330	婆家	pójia
299	脑子	nǎozi	331	婆婆	pópo
300	能耐	néngnai	332	铺盖	pūgai
301	你们	nǐmen	333	欺负	qīfu
302	念叨	niàndao	334	旗子	qízi
303	念头	niàntou	335	前头	qiántou
304	娘家	niángjia	336	钳子	qiánzi
305	镊子	nièzi	337	茄子	qiézi
306	奴才	núcai	338	亲戚	qīnqi
307	女婿	nǚxu	339	勤快	qínkuai
308	暖和	nuǎnhuo	340	清楚	qīngchu
309	疟疾	nüèji	341	亲家	qìngjia
310	拍子	pāizi	342	曲子	qǔzi
311	牌楼	páilou	343	圈子	quānzi
312	牌子	páizi	344	拳头	quántou
313	盘算	pánsuan	345	裙子	qúnzi
314	盘子	pánzi	346	热闹	rènao
315	胖子	pàngzi	347	人家	rénjia
316	狍子	páozi	348	人们	rénmen
317	盆子	pénzi	349	认识	rènshi
318	朋友	péngyou	350	日子	rìzi
319	棚子	péngzi	351	褥子	rùzi
320	脾气	píqi	352	塞子	sāizi
321	皮子	pízi	353	嗓子	sǎngzi
322	痞子	pǐzi	354	嫂子	sǎozi

355	扫帚	sàozhou	387	事情	shìqing
356	沙子	shāzi	388	柿子	shìzi
357	傻子	shǎzi	389	收成	shōucheng
358	扇子	shànzi	390	收拾	shōushi
359	商量	shāngliang	391	首饰	shǒushi
360	晌午	shǎngwu	392	叔叔	shūshu
361	上司	shàngsi	393	梳子	shūzi
362	上头	shàngtou	394	舒服	shūfu
363	烧饼	shāobing	395	舒坦	shūtan
364	勺子	sháozi	396	疏忽	shūhu
365	少爷	shàoye	397	爽快	shuǎngkuai
366	哨子	shàozi	398	思量	sīliang
367	舌头	shétou	399	算计	suànji
368	身子	shēnzi	400	岁数	suìshu
369	什么	shénme	401	孙子	sūnzi
370	婶子	shěnzi	402	他们	tāmen
371	生意	shēngyi	403	它们	tāmen
372	牲口	shēngkou	404	她们	tāmen
373	绳子	shéngzi	405	台子	táizi
374	师父	shīfu	406	太太	tàitai
375	师傅	shīfu	407	摊子	tānzi
376	虱子	shīzi	408	坛子	tánzi
377	狮子	shīzi	409	毯子	tǎnzi
378	石匠	shíjiang	410	桃子	táozi
379	石榴	shíliu	411	特务	tèwu
380	石头	shítou	412	梯子	tīzi
381	时候	shíhou	413	蹄子	tízi
382	实在	shízai	414	挑剔	tiāoti
383	拾掇	shíduo	415	挑子	tiāozi
384	使唤	shǐhuan	416	条子	tiáozi
385	世故	shìgu	417	跳蚤	tiàozao
386	似的	shìde	418	铁匠	tiějiang

419	亭子	tíngzi	451	小伙子	xiǎohuǒzi
420	头发	tóufa	452	小气	xiǎoqi
421	头子	tóuzi	453	小子	xiǎozi
422	兔子	tùzi	454	笑话	xiàohua
423	妥当	tuǒdang	455	谢谢	xièxie
424	唾沫	tuòmo	456	心思	xīnsi
425	挖苦	wāku	457	星星	xīngxing
426	娃娃	wáwa	458	猩猩	xīngxing
427	袜子	wàzi	459	行李	xíngli
428	晚上	wǎnshang	460	性子	xìngzi
429	尾巴	wěiba	461	兄弟	xiōngdi
430	委屈	wěiqu	462	休息	xiūxi
431	为了	wèile	463	秀才	xiùcai
432	位置	wèizhi	464	秀气	xiùqi
433	位子	wèizi	465	袖子	xiùzi
434	蚊子	wénzi	466	靴子	xuēzi
435	稳当	wěndang	467	学生	xuésheng
436	我们	wǒmen	468	学问	xuéwen
437	屋子	wūzi	469	丫头	yātou
438	稀罕	xīhan	470	鸭子	yāzi
439	席子	xízi	471	衙门	yámen
440	媳妇	xífu	472	哑巴	yǎba
441	喜欢	xǐhuan	473	胭脂	yānzhi
442	瞎子	xiāzi	474	烟筒	yāntong
443	匣子	xiázi	475	眼睛	yǎnjing
444	下巴	xiàba	476	燕子	yànzi
445	吓唬	xiàhu	477	秧歌	yāngge
446	先生	xiānsheng	478	养活	yǎnghuo
447	乡下	xiāngxia	479	样子	yàngzi
448	箱子	xiāngzi	480	吆喝	yāohe
449	相声	xiàngsheng	481	妖精	yāojing
450	消息	xiāoxi	482	钥匙	yàoshi
			483	椰子	yēzi

484	爷爷	yéye
485	叶子	yèzi
486	一辈子	yībèizi
487	衣服	yīfu
488	衣裳	yīshang
489	椅子	yǐzi
490	意思	yìsi
491	银子	yínzi
492	影子	yǐngzi
493	应酬	yìngchou
494	柚子	yòuzi
495	冤枉	yuānwang
496	院子	yuànzi
497	月饼	yuèbing
498	月亮	yuèliang
499	云彩	yúncai
500	运气	yùnqi
501	在乎	zàihu
502	咱们	zánmen
503	早上	zǎoshang
504	怎么	zěnme
505	扎实	zhāshi
506	眨巴	zhǎba
507	栅栏	zhàlan
508	宅子	zháizi
509	寨子	zhàizi
510	张罗	zhāngluo
511	丈夫	zhàngfu
512	帐篷	zhàngpeng
513	丈人	zhàngren
514	帐子	zhàngzi
515	招呼	zhāohu
516	招牌	zhāopai
517	折腾	zhēteng
518	这个	zhège
519	这么	zhème
520	枕头	zhěntou
521	芝麻	zhīma
522	知识	zhīshi
523	侄子	zhízi
524	指甲	zhǐjia(zhījia)
525	指头	zhǐtou(zhítou)
526	种子	zhǒngzi
527	珠子	zhūzi
528	竹子	zhúzi
529	主意	zhǔyi(zhúyi)
530	主子	zhǔzi
531	柱子	zhùzi
532	爪子	zhuǎzi
533	转悠	zhuànyou
534	庄稼	zhuāngjia
535	庄子	zhuāngzi
536	壮实	zhuàngshi
537	状元	zhuàngyuan
538	锥子	zhuīzi
539	桌子	zhuōzi
540	字号	zìhao
541	自在	zìzai
542	粽子	zòngzi
543	祖宗	zǔzong
544	嘴巴	zuǐba
545	作坊	zuōfang
546	琢磨	zuómo

普通话水平测试用儿化词语表

说　　明

1．本表参照《普通话水平测试用普通话词语表》及《现代汉语词典》编制。加 * 的是以上二者未收，根据测试需要而酌增的条目。

2．本表仅供普通话水平测试第二项——读多音节词语（100 个音节）测试使用。本表儿化音节，在书面上一律加“儿”，但并不表明所列词语在任何语用场合都必须儿化。

3．本表共收词 189 条，按儿化音节的汉语拼音声母顺序排列。

4．本表列出原形韵母和所对应的儿化韵，用＞表示条目中儿化音节的注音，只在基本形式后面加 r，如：“一会儿 yīhuìr”，不标语音上的实际变化。

一

a＞ar	刀把儿 dāobàr	号码儿 hàomǎr
	戏法儿 xìfǎr	在哪儿 zàinǎr
	找茬儿 zhǎochár	打杂儿 dǎzár
	板擦儿 bǎncār	
ai＞ar	名牌儿 míngpáir	鞋带儿 xiédàir
	壶盖儿 húgàir	小孩儿 xiǎoháir
	加塞儿 jiāsāir	
an＞ar	快板儿 kuàibǎnr	老伴儿 lǎobànr
	蒜瓣儿 suànbànr	脸盘儿 liǎnpánr
	脸蛋儿 liǎndànr	收摊儿 shōutānr
	栅栏儿 zhàlanr	包干儿 bāogānr
	笔杆儿 bǐgǎnr	门槛儿 ménkǎnr

二

ang＞ar（鼻化）	药方儿 yàofāngr	赶趟儿 gǎntàngr

	香肠儿 xiāngchángr	瓜瓤儿 guārángr

三

ia＞iar	掉价儿 diàojiàr	一下儿 yīxiàr
	豆芽儿 dòuyár	
ian＞iar	小辫儿 xiǎobiànr	照片儿 zhàopiānr
	扇面儿 shànmiànr	差点儿 chàdiǎnr
	一点儿 yīdiǎnr	雨点儿 yǔdiǎnr
	聊天儿 liáotiānr	拉链儿 lāliànr
	冒尖儿 màojiānr	坎肩儿 kǎnjiānr
	牙签儿 yáqiānr	露馅儿 lòuxiànr
	心眼儿 xīnyǎnr	

四

iang＞iar(鼻化)	鼻梁儿 bíliángr	透亮儿 tòuliàngr
	花样儿 huāyàngr	

五

ua＞uar	脑瓜儿 nǎoguār	大褂儿 dàguàr
	麻花儿 máhuār	笑话儿 xiàohuar
	牙刷儿 yáshuār	
uai＞uar	一块儿 yīkuàir	
uan＞uar	茶馆儿 cháguǎnr	饭馆儿 fànguǎnr
	火罐儿 huǒguànr	落款儿 luòkuǎnr
	打转儿 dǎzhuànr	拐弯儿 guǎiwānr
	好玩儿 hǎowánr	大腕儿 dàwànr

六

uang＞uar(鼻化)	蛋黄儿 dànhuángr	打晃儿 dǎhuàngr
	天窗儿 tiānchuāngr	

七

üan＞üar	烟卷儿 yānjuǎnr	手绢儿 shǒujuànr
	出圈儿 chūquānr	包圆儿 bāoyuánr
	人缘儿 rényuánr	绕远儿 ràoyuǎnr
	杂院儿 záyuànr	

八

ei＞er	刀背儿 dāobèir	摸黑儿 mōhēir
en＞er	老本儿 lǎoběnr	花盆儿 huāpénr
	嗓门儿 sǎngménr	把门儿 bǎménr
	哥们儿 gēmenr	纳闷儿 nàmènr
	后跟儿 hòugēnr	高跟儿鞋 gāogēnrxié
	别针儿 biézhēnr	一阵儿 yīzhènr
	走神儿 zǒushénr	大婶儿 dàshěnr
	小人儿书 xiǎorénrshū	杏仁儿 xìngrénr
	刀刃儿 dāorènr	

九

eng＞er(鼻化)	钢镚儿 gāngbèngr	夹缝儿 jiāfèngr
	脖颈儿 bógěngr	提成儿 tíchéngr

十

ie＞ier	半截儿 bànjiér	小鞋儿 xiǎoxiér
üe＞üer	旦角儿 dànjuér	主角儿 zhǔjuér

十一

uei＞uer	跑腿儿 pǎotuǐr	一会儿 yīhuìr
	耳垂儿 ěrchuír	墨水儿 mòshuǐr
	围嘴儿 wéizuǐr	走味儿 zǒuwèir
uen＞uer	打盹儿 dǎdǔnr	胖墩儿 pàngdūnr
	砂轮儿 shālúnr	冰棍儿 bīnggùnr
	没准儿 méizhǔnr	开春儿 kāichūnr
ueng＞uer(鼻化)	*小瓮儿 xiǎowèngr	

十二

-i(前)＞er	瓜子儿 guāzǐr	石子儿 shízǐr
	没词儿 méicír	挑刺儿 tiāocìr
-i(后)＞er	墨汁儿 mòzhīr	锯齿儿 jùchǐr
	记事儿 jìshìr	

十三

i＞i：er	针鼻儿 zhēnbír	垫底儿 diàndǐr
	肚脐儿 dùqír	玩意儿 wányìr

in>i:er	有劲儿 yǒujìnr	送信儿 sòngxìnr
	脚印儿 jiǎoyìnr	
十四		
ing>i:er(鼻化)	花瓶儿 huāpíngr	打鸣儿 dǎmíngr
	图钉儿 túdīngr	门铃儿 ménlíngr
	眼镜儿 yǎnjìngr	蛋清儿 dànqīngr
	火星儿 huǒxīngr	人影儿 rényǐngr
十五		
ü>ü:er	毛驴儿 máolǘr	小曲儿 xiǎoqǔr
	痰盂儿 tányúr	
ün>ü:er	合群儿 héqúnr	
十六		
e>er	模特儿 mótèr	逗乐儿 dòulèr
	唱歌儿 chànggēr	挨个儿 āigèr
	打嗝儿 dǎgér	饭盒儿 fànhér
	在这儿 zàizhèr	
十七		
u>ur	碎步儿 suìbùr	没谱儿 méipǔr
	儿媳妇儿 érxífur	梨核儿 líhúr
	泪珠儿 lèizhūr	有数儿 yǒushùr
十八		
ong>or(鼻化)	果冻儿 guǒdòngr	门洞儿 méndòngr
	胡同儿 hútòngr	抽空儿 chōukòngr
	酒盅儿 jiǔzhōngr	小葱儿 xiǎocōngr
iong>ior(鼻化)	*小熊儿 xiǎoxióngr	
十九		
ao>aor	红包儿 hóngbāor	灯泡儿 dēngpàor
	半道儿 bàndàor	手套儿 shǒutàor
	跳高儿 tiàogāor	叫好儿 jiàohǎor
	口罩儿 kǒuzhàor	绝着儿 juézhāor
	口哨儿 kǒushàor	蜜枣儿 mìzǎor

二十

iao＞iaor	鱼漂儿 yúpiāor	火苗儿 huǒmiáor
	跑调儿 pǎodiàor	面条儿 miàntiáor
	豆角儿 dòujiǎor	开窍儿 kāiqiàor

二十一

ou＞our	衣兜儿 yīdōur	老头儿 lǎotóur
	年头儿 niántóur	小偷儿 xiǎotōur
	门口儿 ménkǒur	纽扣儿 niǔkòur
	线轴儿 xiànzhóur	小丑儿 xiǎochǒur

二十二

iou＞iour	顶牛儿 dǐngniúr	抓阄儿 zhuājiūr
	棉球儿 miánqiúr	加油儿 jiāyóur

二十三

uo＞uor	火锅儿 huǒguōr	做活儿 zuòhuór
	大伙儿 dàhuǒr	邮戳儿 yóuchuōr
	小说儿 xiǎoshuōr	被窝儿 bèiwōr
(o)＞or	耳膜儿 ěrmór	粉末儿 fěnmòr

第三部分

普通话水平测试用
普通话与方言词语对照表

说　　明

1.本表供普通话水平测试第三项——选择、判断测试使用。

2.本表共收条目 945 条，按汉语拼音字母顺序排列。

3.本表根据测试需要，仅列与普通话同义异形的方言词语，与普通话同形异义的词语（如厦门话的“大官”义同普通话的“公公”）不予收列。

4.条目的注音，参见《普通话水平测试用普通话词语表》的相关说明。

普通话水平测试用普通话与方言词语对照表

	普通话		上海	厦门	广州	南昌	长沙	梅州
1	按	àn	揿		揿		揿	揿
2	暗中	ànzhōng	暗头里/背后头			暗肚里/暗下里		
3	袄	ǎo		棉衲	裘	袄子	袄子	
4	拔	bá			搣	扚		揶
5	把儿	bàr	柄头				把把子	
6	爸爸	bàba		老爸	阿爸		爷/爷老子/爹爹	阿爸/阿伯
7	掰	bāi		擘		搣	搣	擘
8	白白地	báibáide	白白里	干焦		白白里		
9	白菜	báicài	黄芽菜				芽白/黄芽白	
10	白天	bái·tiān	日里向	日时	日头	日上	日里	日辰头
11	板凳	bǎndèng	矮凳	椅条				长凳敹
12	半天	bàntiān	半日天	半工				
13	半夜	bànyè	半夜天	半暝		半日夜里	半夜间子	
14	帮忙	bāngmáng		斗骹手				邓手
15	棒子	bàngzi	棒头	槌杖		棍里		棍敹
16	傍晚	bàngwǎn	夜快/夜快头/黄昏头	暗晡	挨晚	挨夜边子	断黑/煞黑/晚边子	临暗晡/临断夜/临夜
17	包子	bāozi		包仔	包仔			包敹
18	爆竹	bàozhú	炮仗	炮仔			炮竹	纸爆敹
19	杯子	bēizi		瓯仔				杯敹
20	背	bèi		巴脊				背脊
21	北边	běi·biān		北爿	北便	北背		北片爿
22	北部	běibù		北顶	北便	北背		北片爿
23	背后	bèihòu	背后头	巴脊后				
24	背心	bèixīn		裀仔		背褡子		背心敹/袜衫敹

	普通话		上海	厦门	广州	南昌	长沙	梅州
25	本来	běnlái	本生	本底	原底			
26	本子	běnzi		簿仔				本敹/簿敹
27	笨	bèn	戆		戆居			戆
28	笨蛋	bèndàn	戆大		戆居	木端里	蠢人子	戆古
29	鼻孔	bíkǒng		鼻空	鼻哥窿			鼻公窟
30	鼻涕	bí•tì	鼻头涕				鼻窦浓	鼻水
31	鼻子	bízi		鼻囊/鼻漉	鼻哥	鼻公		鼻公
32	必定	bìdìng	板/板定	定着			呆的	定着
33	边缘	biānyuán		边墘			边头	边唇
34	鞭子	biānzi		箠				鞭敹
35	便条	biàntiáo		条仔				纸条敹
36	遍地	biàndì	一无世界	蜀世界				认滚
37	辫子	biànzi		髻仔				毛辫敹
38	憋	biē			揦气			敹/焗
39	别	bié	勿要	唔通	咪			唔爱/唔好
40	别处	biéchù	别个地方	别位/别沓	第二度	别哪里		别何敹
41	别的	biéde	别个/另外个	别么	第二啲	别个		别个
42	别人	bié•rén	别人家	别侬			别个	别个
43	冰	bīng					凌冰	溹
44	冰棍儿	bīnggùnr	棒冰	霜条	雪条	冰棒		雪枝/雪条
45	并非	bìngfēi	并勿是	并唔是				并唔系
46	并排	bìngpái					品排	平排
47	病	bìng	生毛病	破病				
48	病人	bìngrén	生病人	病侬		病人里	病人子	
49	菠菜	bōcài		菠薐菜				角菜敹
50	伯父	bófù		阿伯	伯爷			阿伯
51	伯母	bómǔ		阿姆	伯娘		伯妈	伯姆
52	脖子	bózi	头颈	脰允			颈根	颈茎

	普通话		上海	厦门	广州	南昌	长沙	梅州
53	不安	bù'ān	心勿定/勿安定/过意勿去	唔安稳	唔安			唔定
54	不必	bùbì	用勿着/勿要	唔免	唔使			唔使
55	不便	bùbiàn	勿方便/勿便当	无利便	唔方便			唔方便
56	不曾	bùcéng	呒没/勿曾	唔八	唔曾		冇	唔田
57	不错	bùcuò	勿错	无唊	唔错			唔差
58	不但	bùdàn	勿但	唔若	唔单只			唔单净/唔单止
59	不当	bùdàng	勿当	无着	唔妥			唔当/唔啱
60	不得了	bù déliǎo	勿得了		唔得了		下不得地	唔得了
61	不得已	bùdéyǐ	呒没办法					唔得已
62	不等	bùděng	勿等/勿一样	无堵好	唔等			唔一样
63	不定	bùdìng	勿晓得	无定着	讲唔定		讲不定	讲唔定/话唔定
64	不断	bùduàn	勿断	无停				么断/么停
65	不对	bùduì	勿对/勿对头/勿好	唔着	唔啱			唔着
66	不服	bùfú	勿服	唔服	唔服			唔服
67	不敢当	bù gǎndāng	勿敢当	当赊起	唔敢当			唔敢当
68	不够	bùgòu	勿够	无够	唔够			唔够
69	不顾	bùgù	勿管/勿顾	无顾	唔顾			唔顾
70	不管	bùguǎn	勿管	无管	唔管			唔管
71	不光	bùguāng	勿光/勿光光/勿单	唔止	唔单只			唔单净/唔单止
72	不过	bùguò	勿过	不二过				
73	不好意思	bù hǎoyì•sī	勿好意思/意勿过	歹神气	唔好意思			唔好意思
74	不合	bùhé	勿符合	无合	唔啱			唔合/唔啱
75	不及	bùjí	勿及/比勿上	无遘	唔及			唔当/当唔得
76	不解	bùjiě	勿懂	赊晓得	唔明			想唔解/想唔通
77	不禁	bùjīn	熬勿牢	赊挡得	忍唔住			忍唔住
78	不仅	bùjǐn	勿仅/勿仅仅/勿单单	唔若	唔净只			唔仅仅/唔单止
79	不久	bùjiǔ	呒没多少辰光	无久	冇几耐		冇好久	唔久/么几久

	普通话		上海	厦门	广州	南昌	长沙	梅州
80	不觉	bùjué	勿知勿觉		唔经唔觉	不警不觉		唔知唔觉
81	不堪	bùkān	吃勿消	袂堪得				顶唔得
82	不可	bùkě	勿可以/勿可	袂使得	唔可以			唔做得
83	不良	bùliáng	勿良/勿好	无好				唔好
84	不料	bùliào	呒没想到	无想着	估唔到		冇想到	想唔倒/么想倒
85	不论	bùlùn	勿论/勿管	唔是	唔论			唔论
86	不满	bùmǎn	勿满意	唔愿	唔满			唔满/唔满意
87	不免	bùmiǎn	免勿了	定着				定着
88	不怕	bùpà	勿怕	唔惊	唔怕			唔怕
89	不平	bùpíng	勿公平	无公平	唔公平			唔公平
90	不然	bùrán	勿然	若无				唔系咹敆(个话)
91	不容	bùróng	勿可以/勿好	袂容得				唔做得
92	不如	bùrú	勿如					唔当/比唔上
93	不少	bùshǎo	勿少	袂少	唔少			唔少
94	不时	bùshí	时勿时		耐唔耐/久不久		时刻子	久不久
95	不停	bùtíng	勿停	无停				么停
96	不同	bùtóng	勿一样	无同	唔同			唔同
97	不想	bùxiǎng	呒没想到	无想	唔想			么想倒
98	不像话	bù xiànghuà	勿像闲话	无亲像款	唔似样		不庄相	唔像话
99	不行	bùxíng	勿可以	袂使得	唔得			唔做得/唔得
100	不幸	bùxìng		衰/歹运				唔好彩
101	不许	bùxǔ	勿许	唔准	唔准			唔准/唔做得
102	不要	bùyào	勿要	唔挃	唔要			唔爱/唔好
103	不要紧	bù yàojǐn	勿要紧	袂要紧	唔要紧			么脉个紧要/么脉个相干
104	不宜	bùyí	勿可以/勿好	无好				唔做得/唔得
105	不用	bùyòng	用勿着	唔免	唔使			唔使
106	不怎么样	bù zěnmeyàng	勿哪能	知知其事			不算么子/并不何里	么太过
107	不止	bùzhǐ	勿罢	无停	唔止			唔止

	普通话		上海	厦门	广州	南昌	长沙	梅州
108	不只	bùzhǐ	勿但	唔若	唔只			唔单
109	不至于	bùzhìyú	勿至于		唔至到			唔至到/唔至当
110	不住	bùzhù	勿停	无停	无停			唔住
111	不足	bùzú	勿满/勿到	无足	唔够			唔足/唔够
112	蚕	cán		娘仔	蚕虫		蚕子	蚕欸
113	惭愧	cánkuì	勿好意思		唔好意思	羞人		唔好意思
114	苍白	cāngbái		黄酸			嘎白	觌白
115	苍蝇	cāngying		胡蝇	乌蝇	苍蝇里	饭蚊子/青头蚊	乌蝇
116	藏	cáng	园	园	收埋	弆	弆	匿
117	厕所	cèsuǒ		屎岩	屎坑	茅厕	茅厕/茅厕屋	屎窖
118	插秧	chāyāng	莳秧/摆散	播田		栽禾	插田	莳田
119	茶叶	cháyè		茶箬		茶叶里		
120	刹那	chànà	一霎眼	蜀步仔	一阵间		一下下	一下欸
121	差不多	chà ·bù duō	差勿多		差唔多			差唔多
122	差点儿	chàdiǎnr	差一眼/推扳一眼	差淡薄	差啲	差滴子	差点咖子	差一滴/差滴
123	馋	chán	馋痨	重食				
124	蝉	chán		奄埔蛴			蟑良子	呀咦欸
125	颤抖	chàndǒu		抖颤			打抖/打噤	�/打憆
126	常	cháng	常桩	四常				贴常
127	常常	chángcháng	常桩	四常/常时		经常子	链常/打常	长时/贴常
128	钞票	chāopiào	铜钿	纸字	银纸			银纸
129	吵架	chǎojià	吵相骂/寻相骂		嗌交		闹夹绊/扯夹绊	吵交欸/吵嚎
130	吵嘴	chǎozuǐ	争嘴	相骂	嗌交		觉嘴	吵交欸/吵嚎
131	尘土	chéntǔ	埲尘	涂粉	尘			尘灰
132	沉淀	chéndiàn	滬	沉底			澄子	停脚
133	衬衫	chènshān		云衫	恤衫	汗褂子		
134	成天	chéngtiān	一日到夜/一天到夜	归日		一日到夜	整天子	
135	成心	chéngxīn	特为			故意子		断故意

	普通话		上海	厦门	广州	南昌	长沙	梅州
136	乘客	chéngkè	趁客		搭客	坐车个		搭车个
137	吃惊	chījīng		食惊/着惊			受吓	着惊/着吓
138	吃力	chīlì		食力			费累	
139	迟疑	chíyí		尧疑			打厄震	
140	尺子	chǐzi		尺仔				尺欸
141	翅膀	chìbǎng		翼股		翅翻	翼胛	翼胛
142	抽屉	chōuti	抽斗		柜桶			书桌隔
143	绸子	chóuzi		绸仔				绸欸
144	出洋相	chū yángxiàng		落脸	甩须		出宝	出六
145	出租汽车	chūzū qìchē	叉头	的士	的士		的士	的士
146	初期	chūqī	开始辰光/开头辰光	初头	初时			
147	除了	chúle	除脱		除咗		除哒	除撇
148	除夕	chúxī	年三十夜	二九下昏	年卅晚	三十夜里	三十夜间子	年三十夜晡
149	厨房	chúfáng	厨房间/灶披间	灶骹		灶屋下里	灶屋	灸下
150	厨师	chúshī	饭司务/烧饭个	馆夫				煑食个师傅
151	处处	chùchù	各到各处	逐位				奈欸都/认滚
152	窗户	chuānghu		窗仔门			亮窗	窗欸
153	窗口	chuāngkǒu	窗口头	窗仔口		窗子口里		
154	窗帘	chuānglián		窗仔布			亮窗布	
155	床单	chuángdān		床巾		床单里	垫单	
156	吹牛	chuīniú	吹牛三	吹大炮	车大炮	戮口		车大炮
157	炊事员	chuīshìyuán		馆夫	伙头		—	煑饭个/火头
158	磁铁	cítiě		吸石	吸石		磁铁石	挟铁
159	此地	cǐdì		即搭	呢处			吖个地方
160	此刻	cǐkè	个个辰光	即阵	呢阵	这场中	咯气子	吖个时候
161	从前	cóngqián	先头/老早子	往摆/旧底	旧阵时	从来冒		往摆
162	从未	cóngwèi	从来呒没				从有	从来么过
163	从小	cóngxiǎo		自细	从细	从细大子		从细

	普通话		上海	厦门	广州	南昌	长沙	梅州
164	凑巧	còuqiǎo		碰嘟巧	撞啱	撞巧		啱啱/啱啱好
165	翠绿	cuìlǜ	滴滴绿/碧碧绿			吉绿		浸青
166	村子	cūnzi		乡社				村敹
167	搓	cuō		挲				挼
168	打败	dǎbài	打败脱	拍败	打输			
169	打架	dǎjià	打相打	相拍	打交			打交敹
170	打量	dǎliang	当仔	相				睨
171	打扰	dǎrǎo	惊吵	搅吵	滚搅			搅噪
172	大便	dàbiàn	屙	放屎	屙屎	屙屎	屙屎	屙屎
173	大哥	dàgē	大阿哥/阿哥	大兄		大老兄		
174	大伙儿	dàhuǒr		大家侬				大齐家/大家人
175	大姐	dàjiě	大阿姐/阿姐	大姊				大姊
176	大妈	dàmā		阿婆	阿婆		伯妈	伯姆
177	大拇指	dà·mǔzhǐ	大节头/大手节头	大缚母	手指公		大指脑/大指拇	手指公
178	大娘	dàniáng		阿婆	阿婆		伯妈	伯姆
179	大人	dàrén		大侬			大人子	
180	大婶儿	dàshěnr		阿婶	阿婶			叔姆/叔姆敹
181	大事	dàshì	大事体	大事志				
182	大叔	dàshū	爷叔	阿叔	阿叔			阿叔
183	大雁	dàyàn	雁鹅			雁鹅	雁鹅/雁子	雁鹅
184	大衣	dàyī			褛			大褛
185	袋子	dàizi	袋袋	袋仔				袋敹
186	担子	dànzi		担头				担敹
187	胆量	dǎnliàng		胆头				胆水
188	胆子	dǎnzi		胆头				胆水
189	但是	dànshì		唔句	但系			但系
190	当初	dāngchū		当初时	初时		开初/开先	
191	当今	dāngjīn		现主时			如至今	今下

	普通话		上海	厦门	广州	南昌	长沙	梅州
192	当中	dāngzhōng	当中横里	里中	入便	中中间间		
193	刀子	dāozi		刀仔	刀仔			刀敘
194	倒闭	dǎobì	倒脱	倒去	执笠			
195	倒霉	dǎoméi	触霉头	衰	衰		背时	遇倒鬼/行衰运/衰
196	到处	dàochù	各到各处	四界/逐位		看哪里	四路里	奈敘都/认滚
197	灯泡儿	dēngpàor		电珠		灯泡子	泡子	电灯胆
198	凳子	dèngzi		椅条/椅头/椅团	凳仔			凳敘
199	低劣	dīliè	推扳	差气				差斗
200	笛子	dízi		品箫				箫敘
201	底下	dǐ•xià	下底头	下底		屋下		
202	地板	dìbǎn		涂骹地				地泥
203	地下	dìxià	地浪向/地浪	涂骹底		地下里		地泥下背/地泥底下
204	弟弟	dìdi	阿弟	小弟仔	细佬			老弟敘
205	颠倒	diāndǎo	丁倒	倒吊	倒转头			瘌翻/瘌瘌翻
206	点头	diǎntóu					锁脑壳	颔头
207	电池	diànchí		电涂		电油	电药	电泥
208	掉	diào	落脱/漏脱					跌撇
209	跌	diē	掼				跕	
210	钉子	dīngzi	洋钉					钉敘
211	顶端	dǐngduān	最高个地方				顶高头	顶高
212	丢	diū	落脱/氹	唔见	唔见			跌撇
213	丢人	diūrén	坍招势		丢架	跌脸	丢格/失格	出六
214	东边	dōng•biān				东背		东片爿
215	东西	dōngxi	物事		嘢			
216	冬瓜	dōngguā		冬瓜瓠				猪敘冬瓜
217	动手	dòngshǒu		起手	郁手			起手
218	洞	dòng			窿		洞子/洞眼	窿敘
219	兜儿	dōur	袋袋	袋仔				袋敘

	普通话		上海	厦门	广州	南昌	长沙	梅州
220	豆子	dòuzi		豆团				豆敧
221	肚子	dùzi		腹肚				肚屎
222	渡口	dùkǒu		渡船头		渡船口里		
223	对不起	duì ·bù qǐ	对勿起		对唔住			对唔住
224	对联	duìlián		联对				对敧
225	蹲	dūn		跔	踎	跍	跍	跻/踊
226	多亏	duōkuī	亏煞	该哉			搭帮	好得
227	多么	duōme	几许	偌	几咁		几多	
228	多少	duō•shǎo	几许	偌	几多	几多		几多
229	哆嗦	duō•suō			打震	抖震	打噤/打抖	打愽
230	躲	duǒ	蟠	覕	匿			匢
231	躲藏	duǒcáng	蟠		匿埋			匢
232	蛾子	ézi	灯蛾/扑灯虫	页仔		叶飞子	飞蛾子	白翼敧
233	额头	étóu	额角头	头额			额壳	
234	恶心	ěxin		卜吐			作腻/作涌	想翻/想呕
235	饿	è		枵			膹	
236	儿女	érnǚ	儿子囡儿	团儿	仔女		崽女	子女/赖敧妹敧
237	儿童	értóng	小囡	团仔	细佬哥	细人子	细伢子	细人敧
238	儿子	érzi		团	仔	崽	崽	赖敧
239	耳朵	ěrduo		耳仔	耳仔	耳刀		耳公
240	发抖	fādǒu			打震	抖震	打噤/打抖	打愽
241	发火	fāhuǒ	光火	起毛		发气	发气	
242	发誓	fāshì	罚咒	咒誓		发誓言		
243	帆船	fānchuán	扯篷船/行篷船	篷船			风篷船	
244	反正	fǎn•zhèng		横直	横掂		横直/横去/纯去	
245	返回	fǎnhuí		转倒来			打转	到转
246	方才	fāngcái	刚刚再	头先/即久	啱先	将脚	才刚	头先
247	房东	fángdōng		厝主	屋主			屋主

普通话		上海	厦门	广州	南昌	长沙	梅州
248 房子	fángzi		厝				屋敎
249 房租	fángzū		厝租	屋租			屋租
250 仿佛	fǎngfú	像煞	亲像				
251 飞快	fēikuài	老快/老老快					飞趟/飞捋使
252 非常	fēicháng	老老/交关	野诚			蛮	异
253 肥皂	féizào		雪文	番枧		胰子油	番枧
254 诽谤	fěibàng	戳壁脚	谤				讲衰
255 费力	fèilì		食力	嗻力气		费累	
256 粉末	fěnmò	粉子			末末子	粉子	
257 风筝	fēngzheng	鹞子	风吹	纸鹞			纸鹞敎
258 疯子	fēngzi		痟侬	癫佬			癫敎
259 蜂	fēng					蜂子	蜂敎
260 否则	fǒuzé	勿然	若无				唔系就
261 夫妻	fūqī		翁姥	两公婆	两马老子	两公婆	两公婆
262 父母	fùmǔ	爷娘	爸母	老豆老母	爷娘	爷娘	爷嫉
263 父亲	fù•qīn	爷	老爸	老豆	爷	爷老子/爹爹	阿爸/阿伯
264 付款	fùkuǎn	付钞票		畀钱		把钱	
265 妇女	fùnǚ	女个	查某/妇人侬			堂客们	妇人家
266 覆盖	fùgài		敷	冚			冚
267 干净	gān•jìng		清气			索利	零俐
268 甘蔗	gānzhe		蔗	蔗	甘菜		蔗
269 赶紧	gǎnjǐn			快啲			撞快
270 赶快	gǎnkuài			快啲			撞快
271 赶忙	gǎnmáng			拿拿声			撞快
272 干活儿	gànhuór	做生活	作鬼	做嘢			做细
273 干吗	gànmá		创啥	做乜嘢	做什里	做么子	做脉个
274 刚	gāng		堵堵	啱			
275 刚才	gāngcái		堵则	啱先	将脚	才刚	头先

普通话		上海	厦门	广州	南昌	长沙	梅州
276 刚刚	gānggāng			啱啱	将将	刚合/严刚	啱啱
277 高低	gāodī	清头	悬下				
278 高粱	gāoliang		番黍		芦粟		高粱粟
279 告诉	gàosu			话畀		告兴	话分……知
280 疙瘩	gēda		粒仔				勃敓
281 哥哥	gēge	阿哥	阿兄				阿哥
282 胳膊	gēbo	臂把/手臂把	手肚		胳古里	手把子	
283 鸽子	gēzi				鸽里		月鸽敓
284 隔壁	gébì	隔壁头		隔篱	间壁		
285 各自	gèzì	各人自家	古侬古				各人自家
286 跟随	gēnsuí			跟住	跟倒		腾等/跟等
287 跟头	gēntou	跟斗	车奶	跟斗	跟斗里		跟斗/劲斗
288 更	gèng	因加	固恰			更经	又过
289 更加	gèngjiā		搁卡			更发/更经	又过
290 工具	gōngjù	家生	傢私头				家生
291 公公	gōnggong			家公		家爷	家官/阿公
292 共	gòng	享孛冷打		冚唪呤			捞秋/捞总/捞等
293 共计	gòngjì			合埋	佮拢	劳总/劳共	捞秋/捞总/捞等
294 钩子	gōuzi	扎钩/搭钩					钩敓
295 姑姑	gūgu		阿姑	姑姐		姑子	阿姑
296 姑娘	gūniang	囡儿	查某囝仔		女崽子	妹子	细妹敓/妹敓人
297 故意	gùyì	特为	刁故意	特登/专登	特事	罢是	断故意
298 顾不得	gù·bù·dé	顾勿得	袷顾得	顾唔得			顾唔得/唔顾得
299 顾客	gùkè	买客			买东西个		买东西个
300 拐弯	guǎiwān		斡弯			蹀弯	
301 怪不得	guàibude	怪勿得	袷怪得	怪唔得			怪唔得/唔怪得
302 光棍儿	guānggùnr			寡佬		光裤带	
303 闺女	guīnü	囡儿	查某团			妹子	妹敓人/妹敓

普通话		上海	厦门	广州	南昌	长沙	梅州
304 柜子	guìzi		厨仔				柜欸
305 锅	guō	镬子	鼎	镬			镬头/镬欸
306 果树	guǒshù		果子树				果欸树
307 过后	guòhòu	后首来	了后				
308 过去	guò•qù	老早子	往摆				往摆
309 过失	guòshī		唔着	错失			唔着
310 还是	háishi		阿是	重系			闲系
311 孩子	háizi	小囡	囝仔	细佬哥	细鬼	细伢子	细人欸
312 害羞	hàixiū		惊见笑	怕丑	着羞	怕丑	
313 汉子	hànzi	男个	大夫侬		男个		男欸人
314 毫不	háobù	一眼也勿	总无	一啲都唔			一滴也唔
315 好多	hǎoduō	交关	好侪				异多
316 好好儿	hǎohāor	好好叫		好哋哋	好好里	好生	好的的欸
317 好久	hǎojiǔ	交关辰光	野久	好耐			异久
318 好看	hǎokàn			好睇			异嬻看
319 好玩儿	hǎowánr	好孛相	好七跎				异好搞
320 好像	hǎoxiàng	像煞	亲像				
321 好些	hǎoxiē	交关	诚侪				异多
322 好样的	hǎoyàngde			好叻嘅	要得		
323 好在	hǎozài	好得/亏煞	该哉				好得
324 喝	hē	呷	啉				
325 合伙	héhuǒ	佮伙	斗伙		佮伙	扯伙/交伙/斗伙	合本欸
326 黑人	hēirén		乌侬		黑人里		
327 黑夜	hēiyè	夜里向	冥时	夜晚黑		夜间子	夜晡头/暗晡头
328 恨不得	hènbude	恨勿得	苦唔	恨唔得			
329 喉咙	hóu•lóng	胡咙	咙喉				喉连
330 猴子	hóuzi	猢狲	老猴	马骝			猴哥
331 后背	hòubèi		巴脊				背囊

	普通话		上海	厦门	广州	南昌	长沙	梅州
332	后悔	hòuhuǐ		退悔			失悔	
333	胡同儿	hútòngr	弄堂	巷仔		巷子	巷子	巷欸
334	胡子	húzi	胡苏/牙苏	喙须	卷须			须菇
335	蝴蝶	húdié		尾页		叶飞子	蝴蝶子	
336	花生	huāshēng	长生果	涂豆		瓜生		番豆
337	怀孕	huáiyùn	拖身体	带腹肚	有身已	驮肚	怀肚/擓肚/驮肚	掼大肚
338	还	huán			畀返			分转
339	缓缓	huǎnhuǎn	慢慢叫	慢慢仔	慢慢仔/缓缓仔	缓缓子	慢慢子	闹闹欸
340	黄昏	huánghūn	夜快头/夜快/黄昏头	暗头	挨晚	挨夜边子	断黑/煞黑/晚边子	临夜/临暗/临断夜/临暗晡
341	黄金	huángjīn		金仔				金欸
342	蝗虫	huángchóng		草蜢	草蜢	蚱蚂/蝇里		草蜢欸
343	灰尘	huīchén	埲尘	涂粉				尘灰
344	回避	huíbì		走闪				闪阿开/闪走
345	回来	huí•lái		倒来	返嚟	来归	转来	转来
346	回去	huí•qù		倒去	返去		转去	转去
347	回头	huítóu		越头	返转头		斢头	傲转头
348	火柴	huǒchái	自来火	火擦/火拭		洋火	洋火	自来火
349	伙伴	huǒbàn	淘伴			伴当		同阵个/共阵个
350	几乎	jīhū	几几乎/差一眼			差滴子		差滴
351	饥饿	jī'è		枵饿				肚饥
352	嫉妒	jídù		怨妒	妬忌			
353	给予	jǐyǔ	拨伊	护伊	畀			
354	脊梁	jǐliang	背脊骨	巴脊骨		背脊骨	背脊骨	腰骨
355	家畜	jiāchù		精牲		头牲		头牲
356	家伙	jiāhuo	家生	家私	架鑏			
357	家具	jiā•jù		房内	家俬			家俬

普通话		上海	厦门	广州	南昌	长沙	梅州
358 家人	jiārén		家里侬	屋企人	屋里人	屋里人	家肚敆个人
359 假若	jiǎruò		若卜	若果/若然			假设使
360 坚实	jiānshí		樸实			硬扎	硬程/主固
361 坚硬	jiānyìng		樸			硬扎	
362 监狱	jiānyù	牢监		监仓			
363 剪刀	jiǎndāo		铰剪	铰剪	剪里		
364 渐渐	jiànjiàn	慢慢叫	慢慢仔		慢慢子		慢慢敆
365 将要	jiāngyào		得卜	就嚟			就爱
366 交谈	jiāotán			倾偈	谈驮	打讲	
367 焦急	jiāojí			喉急	着革		拓急
368 嚼	jiáo		哺	噍			噍
369 角落	jiǎoluò	角落头	角头	角落头	角下里	角弯	角头/角落头
370 脚印	jiǎoyìn		骹印		脚迹		脚迹
371 叫做	jiàozuò		号做			喊做	喊做
372 轿车	jiàochē		小包车		包车子		细汽车
373 结实	jiē•shi	结足/扎致/硬扎	勇壮	实净		硬扎	硬程/主固
374 接连	jiēlián	连牢/连了	连世				接等/跟等
375 洁白	jiébái	雪雪白	白脱				碰白
376 姐姐	jiějie	阿姐	大姊	家姐			阿姊
377 今天	jīntiān	今朝子	今旦日			今日子/今朝子	今晡日
378 金鱼	jīnyú	金睛鱼			金鱼子		金鱼敆
379 尽快	jǐnkuài		尽紧	快快脆脆			擅快
380 进来	jìn•lái		入来	入嚟			入来
381 近来	jìnlái	𥸩呛	者久	呢牌			得人惊
382 经常	jīngcháng	常桩	常时				贴常/长时
383 惊人	jīngrén	吓煞人	惊依				
384 精子	jīngzǐ		韶		卵熊	卵浆	

	普通话		上海	厦门	广州	南昌	长沙	梅州
385	警察	jǐngchá		马达仔/马达仔的	差佬			差哥伯
386	静悄悄	jìngqiāoqiāo	静静叫	静参参	静因因			
387	镜子	jìngzi				镜里		镜欸
388	就是说	jiùshìshuō			就系话	就是话		就系讲
389	舅舅	jiùjiu	娘舅	阿舅		母舅		阿舅
390	舅母	jiùmu		阿妗	妗母			舅姆
391	橘子	júzi		柑仔				柑欸/橘欸
392	咀嚼	jǔjué		哺	噍	噍		噍
393	据说	jùshuō	据说讲/听说讲	据讲		听倒话		
394	锯	jù		锯仔				锯欸
395	决不	juébù	决勿/绝对勿	定着唔				定着唔/咩欸也唔
396	均匀	jūnyún	牵均	糟			匀净	匀
397	菌	jūn				菇里	菌子	菌欸
398	开水	kāishuǐ		滚水/滚汤	滚水			滚水
399	开玩笑	kāi wánxiào		滚笑	讲笑		逗勒/逗伙子	讲笑
400	看	kàn			睇			睐
401	看不起	kàn ·bù qǐ	看勿起	看唔起	睇唔起			看唔起
402	看见	kàn•jiàn			睇见			看倒
403	看样子	kànyàngzi		看款	睇样			看样欸
404	看作	kànzuò	看成功		睇做			
405	可爱	kě'ài	好孛相	好疼			逗人爱	得人惜
406	可口	kěkǒu	上口	醒喙	好味			
407	可巧	kěqiǎo		嘟仔	碰啱		刚合	啱啱
408	可是	kěshì		唔久	但系			但系
409	可恶	kěwù	触气					得人恼
410	可以	kěyǐ		会使得			要得	做得
411	渴	kě		喙燋	颈渴			喙燋

	普通话		上海	厦门	广州	南昌	长沙	梅州
412	客人	kè•rén		依客		人客	人客	人客
413	恐怕	kǒngpà	恐防	惊了			怕莫	惊怕
414	空隙	kòngxì		隙	罅			罅欸
415	口袋	kǒudai	袋袋	袋仔			㧐	袋欸/鸭嫲袋
416	跨	kuà		伐	躐			跃
417	筷子	kuàizi		箸				筷只
418	垃圾	lājī		粪扫	攋㩒	屑里	屑子	攋涩
419	喇叭	lǎba		洋号				叭哈
420	来不及	lái •bù jí	来勿及	袂赴	嚟唔切			来唔察
421	来得及	láide jí		会赴				来得察
422	来年	láinián	开年	下年	出年	下年子		出年
423	篮子	lánzi	篮头	篮仔				篮欸
424	浪费	làngfèi		灭脱	嘥			瀼撇欸
425	老板	lǎobǎn		头家	老细			
426	老大妈	lǎodàmā	老阿婆	老阿婆	亚婆		娭毑	老阿婆
427	老大爷	lǎodà•yé	老阿爹	老阿公	亚伯		爹爹	老阿公/老阿伯
428	老汉	lǎohàn		老伙仔			老倌子	老阿公/老阿伯
429	老人家	lǎo•rén•jiā		老侬	伯爷公			
430	老鼠	lǎo•shǔ	老虫	乌鼠		老虫	老鼠子/高客子	
431	老太太	lǎotàitai		老阿婆	伯爷婆		娭毑/婆婆子	老阿婆
432	老头子	lǎotóuzi		老阿伯	伯爷公		老倌子	老货
433	泪水	lèishuǐ	眼泪水	目屎			眼泪水	目汁
434	累	lèi			攰			㾗
435	梨	lí	生梨	梨仔		梨里	梨子	梨欸
436	黎明	límíng	清早晨	天光早	天蒙光	天光边子	一黑早	临天光
437	篱笆	líba	枪篱笆	�篱				
438	里边	lǐ•biān	里向头/里向	里爿	入便/里便			底背/肚欸/底肚欸
439	里面	lǐ•miàn	里向头/里向		入便			底背/肚欸/知肚欸

	普通话		上海	厦门	广州	南昌	长沙	梅州
440	力气	lìqi	力道	力草				力水
441	历来	lìlái		落底	不溜		一路来	一溜来
442	厉害	lìhai	结棍			结棍		得人畏
443	栗子	lìzi			风栗			栗敹
444	俩	liǎ	两家头	两其				
445	连忙	liánmáng					流些/流时	撞快
446	连年	liánnián	连牢几年	几落年				连等几年
447	连续	liánxù	连牢仔	相世				连等
448	镰刀	liándāo		镙仔		镰里	镰子/禾镰子	镰敹
449	恋爱	liàn'ài			拍拖		谈爱	
450	凉水	liángshuǐ		清水	冻水			
451	两边	liǎngbiān	两旁边	两爿				两片爿
452	两口子	liǎngkǒuzi	夫妻两家头	翁某仔		两马老子		两公婆
453	两旁	liǎngpáng	两旁边	两爿	两便			两片爿
454	聊	liáo		化仙	打牙较		打讲	打牙告
455	聊天儿	liáotiānr	讲张	化古	倾偈/打牙较	谈驮	扯栗壳/扯经	打牙告
456	邻居	lín·jū		厝边	隔篱			隔篱
457	凌晨	língchén	天快亮个辰光	天光早	天蒙光		一黑早	临天光
458	零碎	língsuì		碎类	湿碎			
459	流氓	liúmáng		歹囝				烂哉
460	聋	lóng	聋膨	臭耳	臭耳聋			
461	路口	lùkǒu	路口头	路头				路头上/路头径上
462	路上	lùshang	路浪/路高头	路顶				路头上/路头径上
463	萝卜	luóbo		菜头	萝白			萝帛
464	抹布	mābù	揩布/揩台布	桌布巾	抹台布			
465	妈妈	māma	姆妈	阿母		姆妈	娘老子/姆妈	阿嫲/阿姆
466	麻雀	máquè		粟鸟仔		奸雀子	麻雀子	禾必敹
467	马铃薯	mǎlíngshǔ	洋山芋	番仔番薯	薯仔		洋芋头/洋芋子	荷兰薯

	普通话		上海	厦门	广州	南昌	长沙	梅州
468	蚂蚁	mǎyǐ		狗蚁	蚁	蚂蝇里	蚂蚁子	蚁公
469	馒头	mántou		面头		馍馍		包敆
470	忙	máng		无闲	唔得闲			唔得闲
471	盲人	mángrén		青盲的	盲公			摸目敆
472	毛巾	máojīn		面巾	面巾			面帕
473	毛线	máoxiàn				头绳子	洋绳子	绒敆
474	毛衣	máoyī	绒线衫		冷衫		绳子衣/洋绳子衣	
475	帽子	màozi		头帽				帽敆
476	没错	méicuò	呒没错	无咳	无错	冒错	冇错	么差
477	没关系	méi guānxi	呒没关系	无要紧	唔要紧/唔紧要	冒关系	现话得	么相干
478	没什么	méi shénme	呒没啥	无要紧	无乜嘢	冒什里	现话得	么脉个
479	没事	méishì	呒没事体	无事济	无事	冒有事	冇事	么事
480	没说的	méishuōde	呒没闲话	无通讲		冒什里话得	冇得讲的	么得讲/么嫌
481	没意思	méi yìsi	呒没意思		无意思	冒意思	冇搞手	么意思
482	没用	méiyòng	呒没用场/呒没用	无路用		冒用	冇用	么用
483	没有	méi·yǒu	呒没				冇	么
484	没辙	méizhé	呒没办法	无法度		冒办法	冇得法	么办法/么法
485	眉	méi		目眉				目眉毛
486	妹妹	mèimei	阿妹		细妹	妹子	老妹	老妹敆
487	迷失	míshī	搞勿清爽		荡失			荡走/荡路
488	谜	mí	枚枚子				谜子	靓敆
489	谜语	míyǔ	枚枚子			谜里	谜子	靓敆
490	棉衣	miányī		棉裘/棉衫	棉衲	袄子		
491	面前	miànqián	眼门前	面头前			眼门口	
492	明年	míngnián			出年		明年子	出年
493	明天	míngtiān	明朝子	明旦日	听日		明日子	晨朝日
494	命运	mìngyùn		字运				命水

普通话			上海	厦门	广州	南昌	长沙	梅州
495	蘑菇	mógu		菇		菇菇里	菌子	菇欸/菌欸
496	模样	múyàng		样相			样范	样欸
497	母亲	mǔ•qīn				姆妈	姆妈/娘老子	阿姆/阿嫲
498	木材	mùcái		柴料				树欸
499	木匠	mùjiang		木师	斗木佬			整房桶个
500	哪	nǎ	何里	底落				奈
501	哪个	nǎge	何里个	倒蜀其	边个			奈个
502	哪里	nǎ•lǐ	何里/啥地方	底落	边处/边度			奈欸
503	哪儿	nǎr	何里/啥地方	底落	边度		哪块子	奈欸
504	哪些	nǎxiē	何里点/何里眼	倒蜀仔	边啲			奈兜
505	那	nà	哀个/伊个	许个	吓			
506	那边	nà•biān	哀面/哀搭/伊面	许爿	便	许边		个边
507	那个	nàge	哀个/伊个	许其	吓个	许个		
508	那里	nà•lǐ	哀面搭/哀面/伊面	许搭	吓处	许里		个欸
509	那么	nàme	哀能/哀能介/格末	许呢	咁	许		咹/咹欸/个咹欸
510	那儿	nàr	哀面搭/哀面	许位	吓度	许里	那块子	个欸
511	那时	nàshí	哀个辰光	许时	吓阵时			个时
512	那些	nàxiē	哀点/哀眼	许其	吓啲	许些		个兜
513	那样	nàyàng	哀能/哀能介/能介	许款	咁样	许样		咹样/个咹样/个咹样欸
514	纳闷儿	nàmènr	想勿通	唔得决				想唔讲/想唔通
515	奶奶	nǎinai		咹妈	阿嫲/嫲嫲		娭毑	阿婆
516	男人	nánrén	男个	大夫侬	男仔	男个	男人家	男欸人/男子人
517	南边	nánbian		南爿	南便	南背		南片爿
518	难过	nánguò		艰苦心			过不得	
519	难堪	nánkān	吃勿消	否势				
520	难看	nánkàn		否看	丑怪/恶睇			
521	恼火	nǎohuǒ	光火		激气			火滚/火着
522	脑袋	nǎodai		头壳	头壳	脑壳	脑壳	头拿

	普通话		上海	厦门	广州	南昌	长沙	梅州
523	脑子	nǎozi		头壳			脑壳	脑屎
524	闹着玩儿	nàozhe wánr	吵孛相	滚笑			逗勒	搞得欸个
525	内心	nèixīn	心里向	里心				心肚欸
526	能干	nénggàn	来三	勢蠌	叻			叻
527	能够	nénggòu	会得	会通				
528	泥土	nítǔ	烂污泥	涂				
529	你	nǐ	侬	汝		尔		
530	你们	nǐmen	倷	恁	你哋	尔人	段	你等人
531	纽扣	niǔkòu	纽子	纽仔				扣欸
532	农民	nóngmín		作塍侬	耕田佬		作田的	耕田蛇
533	女儿	nǚ'ér	囡儿	查某囝			妹子	妹欸
534	女人	nǚrén	女个	查某侬			堂客们/堂客	妇人家
535	女性	nǚxìng	女个	查某侬		女个		女个
536	女婿	nǚxu		囝婿		郎	郎崽子/郎	婿郎
537	女子	nǚzǐ	女个	查某	女仔	女个		女子人/女欸人
538	暖	nuǎn	暖热	烧罗			热和	烧暖
539	暖和	nuǎnhuo	暖热	烧罗		热沸	热和	烧暖
540	偶尔	ǒu'ěr	难扳	有时仔	间中			
541	拍照	pāizhào		熗相	影相			影相
542	牌子	páizi		目头	唛头			牌欸
543	旁边	pángbiān	边浪	边仔/边头	侧边		边头/侧边	侧角
544	胖子	pàngzi		阿肥	肥佬			肥古佬
545	抛弃	pāoqì	掼/厾	献索	掉咗			丢撇
546	泡沫	pàomò				泡泡子	泡子	
547	碰钉子	pèng dīngzi			撞板			撞板/碰钉欸
548	疲倦	píjuàn		瘖	瘔			瘆
549	屁股	pìgu		尻川	屎忽/啰柚			屎朒
550	片刻	piànkè	一歇歇	一步仔久	一阵间			一下欸

普通话		上海	厦门	广州	南昌	长沙	梅州
551 骗	piàn			呃		走/走骗	嘱/撮
552 拼搏	pīnbó		拍拼	搏命			杀猛/搏命
553 拼命	pīnmìng		併命	搏命			搏命
554 乒乓球	pīngpāngqiú		桌球	乒乓波		蛋壳子球	
555 平常	píngcháng	平常辰光				大套子	平常时
556 平日	píngrì	平常辰光	平常时				平常时
557 瓶子	píngzi		矸	樽			罂欸/瓶欸
558 婆婆	pópo	阿婆/婆阿妈				家娘	家婆/家娘/阿婆
559 仆人	púrén	帮人/帮人家	粗差				
560 葡萄	pú·táo			菩提子			涂提欸
561 妻子	qīzǐ	女个			堂客	堂客	屋家个
562 凄凉	qīliáng		青清	阴功			炊过
563 漆黑	qīhēi	墨�黑/墨墨黑	乌趖趖			密黑的	妒乌/乌妒妒
564 旗子	qízi		旗团				旗欸
565 起初	qǐchū	开始辰光/开头 辰光/先起头	初头	初时	初头子		
566 起来	qǐ·lái			起嚟		起去	跷起来
567 汽油	qìyóu	戤斯林	电油				电油
568 恰好	qiàhǎo		堵好	啱好	将好	刚合/严刚/严合	啱啱好
569 前面	qián·miàn		头前			头前	前背
570 前年	qiánnián	前年子				前去年	前年欸
571 前天	qiántiān	前日子/前天子					前日欸
572 前头	qiántou		头前			头前	前背
573 强盗	qiángdào		强贡	贼佬		抢犯	抢劫贼/打劫贼
574 悄悄	qiāoqiāo	偷偷叫	静静仔	静鸡鸡			么声么息
575 敲	qiāo					敤	権
576 茄子	qiézi	落苏		茄瓜	茄里		茄欸
577 勤俭	qínjiǎn		虬守	悭			

	普通话		上海	厦门	广州	南昌	长沙	梅州
578	勤劳	qínláo		骨力	勤力			
579	青年	qīngnián		后生家	后生仔	后生子	后生子/青年伢子	后生欸
580	青蛙	qīngwā		水蛙			蛤蟆子/麻拐/水鸡	拐欸
581	轻视	qīngshì	看勿起/勿重视	看无	睇唔起		奋视	看唔起
582	清晨	qīngchén	清早晨	透早	朝头早/晨早			朝晨头
583	清洁	qīngjié		清气				零利
584	蜻蜓	qīngtíng		田婴	塘蝇	吊颈鬼里	旸咩咩	揍你欸
585	穷人	qióngrén		穷侬			穷人子	
586	渠道	qúdào		圳沟				圳坜
587	去年	qùnián	旧年/旧年子/去年子	旧年	旧年	旧年	去年子	旧年欸
588	全都	quándōu	侪		冚巴郎都			
589	拳头	quán•tóu		拳头母			拳头骨	
590	然而	rán'ér		唔句				但系
591	热闹	rènao	闹猛	闹热		闹热		闹热
592	热水瓶	rèshuǐpíng		电瓶	热水壶			电壶
593	人家	rénjia		侬			别个	
594	人们	rénmen		侬	人哋			
595	忍不住	rěn •bù zhù	熬勿牢	鱠忍咧	忍唔住			忍唔住
596	仍旧	réngjiù	原旧	照原				闲系
597	仍然	réngrán	原旧	照原			原至	闲系
598	日子	rìzi	日脚					日欸
599	容易	róng•yì		桧	易		易得	
600	柔软	róuruǎn	软熟		软熟		软心	软熟
601	如此	rúcǐ	个能/迭能	即款			咯样	咹/咹欸/咹样欸
602	如何	rúhé	哪能介	安怎	点样		何是/何里	咩欸
603	如今	rújīn		现主时	而家		如至今/如崭	今下
604	撒谎	sāhuǎng		骗侬/讲白贼	呃大话	打谎	捏白/扯白	噶人
605	撒	sǎ		曳			撒	撒

普通话		上海	厦门	广州	南昌	长沙	梅州
606 腮	sāi	蛤腮	喙顿		脸都里	腮巴子	喙角
607 塞	sāi		窒		箏	筑	
608 散步	sànbù		行踮		荡下子/荡路		
609 桑树	sāngshù		桑材		香公子树		桑欸树
610 嗓子	sǎngzi	胡咙	咙喉				喉连
611 丧失	sàngshī	呒没	无去	冇咗			么撇
612 嫂子	sǎozi	阿嫂	兄嫂				阿嫂
613 杀害	shāhài	杀脱	刣死				
614 沙土	shātǔ	沙泥地	涂沙				
615 沙子	shāzi					沙婆/沙婆子	细砂欸
616 傻子	shǎzi	戆大	戆的	傻佬		哈宝/癫呆子	戆古
617 筛子	shāizi			仔	筛里		筛欸
618 山谷	shāngǔ		山空			山冲里	山坑
619 闪	shǎn	豁闪					䁯
620 闪电	shǎndiàn	豁闪	薛那		现霍	扯闪	火蛇欸
621 扇子	shànzi		夏扇		扇里		扇欸
622 商标	shāngbiāo		目头	唛			牌欸
623 商店	shāngdiàn		店头	铺头			店欸
624 商人	shāngrén	做生意个	生理侬	生意佬/商家佬			做生理个
625 上边	shàng•biān	高头	顶面/面顶	上便		高头	上背
626 上空	shàngkōng	天浪	头壳顶				头顶巷
627 上面	shàng•miàn		顶面	上便		高头	上背
628 上述	shàngshù	上面讲个					上背讲个
629 上午	shàngwǔ	上半日	顶昼	上昼	上昼/上间里	上昼	上昼
630 勺子	sháozi		勺仔				勺欸/勺嫲
631 少量	shǎoliàng	一眼眼	淡薄	些少			少少欸
632 少年	shàonián		团仔头	细佬仔	崽里子	伢子	细人欸
633 少女	shàonǚ		查某囝仔	细佬女	女崽子	妹子	细妹欸

普通话		上海	厦门	广州	南昌	长沙	梅州
634 舌头	shétou		舌仔	脷		舌子	舌嫲
635 蛇	shé					臭溜子	蛇哥
636 舍不得	shě ·bù ·dé	舍勿得	鱠舍得	唔舍得			唔办得/唔舍得/舍唔得
637 摄影	shèyǐng		熻像	影相			影相
638 身材	shēncái	码子	生做		身架子	身材子	
639 深夜	shēnyè		半暝后			半夜间子	
640 什么	shénme	啥/啥物事	啥么	乜嘢	什里	么子	脉个
641 婶子	shěnzi	婶妈	阿妗	阿婶			叔姆/叔姆欸
642 生病	shēngbìng	生毛病	破病	唔舒服/病咗			
643 生怕	shēngpà	常怕/恐防	惊	惊住			惊怕
644 生气	shēngqì			发嬲	着气	发气	哏/发哏
645 生前	shēngqián	活辣海个辰光	在生				
646 牲畜	shēngchù	众牲	牲牲				头牲
647 牲口	shēngkou	众牲	牲牲/精牲		头牲		头牲
648 绳子	shéngzi		索仔			索子	索欸
649 剩余	shèngyú		有伸	剩落			賸下
650 尸体	shītǐ		身尸				死佬
651 失掉	shīdiào	呒没	无去	失咗	落巴		失撇/么撇
652 失去	shīqù		无去				失撇/么撇
653 施肥	shīféi		落肥		下肥/敹肥		淋肥
654 时常	shícháng	常桩	常时			练常/打常/扯常	长时/贴常
655 时而	shí'ér	一歇	有时仔	有阵时			一时时
656 时髦	shímáo	台型	行时				行时
657 食堂	shítáng			膳堂	吃个		饭堂
658 使劲	shǐjìn	用力气		落力	攒劲	攒劲	异扎/落力
659 式样	shìyàng			花臣			样欸
660 事情	shìqing	事体	事际			路子径	
661 是否	shìfǒu	是勿是	是唔是	係唔係		是啵	系唔系

普通话		上海	厦门	广州	南昌	长沙	梅州
662 适宜	shìyí		合式	啱		合式/合抠	
663 收拾	shōushi	收捉		执拾		检场	检秋
664 手臂	shǒubì		手肚		胳古里	手把子	
665 手绢	shǒujuàn	绢头	手巾仔	手巾仔	手捏子		手巾敆
666 手套	shǒutào		手囊	手袜	手套子		
667 手指	shǒuzhǐ	手节头/节头官	掌头仔	手指脑/手指拇	指头子	手指脑/手指拇	
668 首领	shǒulǐng		头依			头头子	头敆
669 售货	shòuhuò	卖物事		卖嘢			
670 书包	shūbāo		册袋/册包			书包袋子	
671 叔叔	shūshu	爷叔/阿叔	阿叔	亚叔			阿叔
672 梳子	shūzi		捋仔		梳里		梳敆
673 疏忽	shūhu				冒注意	失塌	
674 竖	shù		徛		敦	敦	
675 刷子	shuāzi		抿仔				刷敆
676 耍	shuǎ	孛相	七桃				
677 摔	shuāi	掼		掟			
678 谁	shuí	啥人	是蜀位/啥么侬	边个			瞒人
679 水泥	shuǐní	水门汀	覇灰/乌灰	士敏土		洋泥巴	红毛泥/士敏土
680 睡觉	shuìjiào	睏觉	睏	瞓觉	睏觉	困觉	睡目
681 睡眠	shuìmián		睏眠	瞓			睡目
682 瞬间	shùnjiān		一步仔久	一阵间			一转背
683 说不定	shuō ·bù dìng	说勿定/讲勿定	袂讲得	讲唔定/话唔定	话不定	讲不死/讲不定	讲唔定/话唔定
684 说话	shuōhuà			讲说话	话事		
685 说谎	shuōhuǎng		讲白贼		打谎	扯谎/捏白/扯白	噶人
686 四处	sìchù	各到各处	四界			四路里	认滚
687 似乎	sìhū	像煞	那亲像			似如	

普通话		上海	厦门	广州	南昌	长沙	梅州
688 饲养	sìyǎng		养饲				畜
689 蒜	suàn		蒜仔		蒜子里		蒜敹
690 随便	suíbiàn		清采	是但/求其			
691 随后	suíhòu	跟了	蹄尾	跟住			跟等
692 穗	suì	穗头	穗头		禾索	禾线子	灿
693 孙女	sūn•nǚ	孙囡	查某孙		孙女子	孙女子	
694 孙子	sūnzi				孙里	孙伢子/孙崽子	孙敹
695 索性	suǒxìng	索介	归气			以莫/左莫/巡经	
696 他	tā	渠	伊	佢	渠		佢
697 他们	tāmen	渠拉		佢哋	渠个里		佢等人
698 他人	tārén	别人家	别侬		别个	别个	别个/别个人
699 她	tā	渠	伊	佢	渠		佢
700 她们	tāmen	渠拉		佢哋	渠个里		佢等人
701 台阶	táijiē	阶沿/阶沿石	踏栈		踏步子	阶基	磴
702 抬头	táitóu		搟头			觇起脑壳	担起头来
703 太阳	tài•yáng			热头	日头	日头	日头
704 谈话	tánhuà			倾偈	谈驮	打讲	
705 糖果	tángguǒ		糖仔		糖子里	糖粒子	糖敹
706 倘若	tǎngruò		若敢	若果			假设使
707 烫	tàng		燫	淥	烧人	煒	淥
708 淘气	táoqì		孽韶	百厌			翻灿
709 讨厌	tǎoyàn	嫌之/嫌比	忓神			厌眼	
710 特地	tèdì		超工	特登	特事	罢是/特事	特钉
711 特意	tèyì	特为/特诚	超故意	特登	特事	罢是/特事	特钉
712 蹄子	tízi		骹蹄		脚古里		
713 田间	tiánjiān	田里向	田哩				田肚敹
714 调皮	tiáopí		刁皮	跳皮		跳皮	翻灿
715 通常	tōngcháng		平常日				贴常

普通话			上海	厦门	广州	南昌	长沙	梅州
716	通红	tōnghóng	血血红/通通红	红贡贡		掀红		瞅红/红豺豺
717	同伴	tóngbàn	淘伴		拍挡	伴当		同阵个/共阵个
718	同年	tóngnián		平岁	细个时		老同/老庚	
719	同屋	tóngwū	一个房间个	同房间				共屋/共间
720	童年	tóngnián	小辰光	细汉时		细大子	细时候	细时候
721	头发	tóufa		头毛		头翻		头拿毛
722	头脑	tóunǎo	头脑子					脑屎
723	徒弟	tú·dì		师仔			徒弟伢子	
724	土豆	tǔdòu	洋山芋	番仔番薯	薯仔		洋芋头	荷兰薯
725	兔子	tùzi		兔仔				兔欸
726	唾沫	tuòmo	馋唾水	嘲				口懒
727	推	tuī		嘟	孭			
728	腿	tuǐ		骹腿	髀		腿把子	
729	脱落	tuōluò	褪脱/落脱			脱巴/落巴	掉咖哒	脱撇欸/掉撇欸
730	娃娃	wáwa	小囡	婴仔	细蚊仔	细人子/细伢子	细伢子	细人欸/细腻欸
731	歪	wāi					捩	敧
732	外边	wài·biān		外口/外爿	外便	外备		外背
733	外衣	wàiyī	罩衫	外衫		罩面褂子	罩褂子	面衫
734	外祖父	wàizǔfù		外家公		丫公		外阿公
735	外祖母	wàizǔmǔ		外家妈		丫婆		外阿婆
736	豌豆	wāndòu	小寒豆			官豆子	麦豌子/川豆子	雪豆/麦豆
737	玩	wán	孛相	七桃		音业		嫐
738	玩具	wánjù	孛相干	七桃物				
739	玩笑	wánxiào		滚笑			逗勒/逗仉子	搞得欸个
740	晚饭	wǎnfàn	夜饭	暗顿	夜晚饭	夜饭	夜饭	
741	晚上	wǎnshang	夜里向/夜到头/夜到	下昏	晚黑		夜间子	夜晡/夜晡头/暗晡/暗晡头
742	往常	wǎngcháng		往常时	往时			平常时/往摆

普通话			上海	厦门	广州	南昌	长沙	梅州
743	忘	wàng		赊记				添忘
744	忘记	wàngjì		赊记得	唔记得	丢巴		添忘
745	微小	wēixiǎo		微末	微细			微细
746	围巾	wéijīn		领巾	颈巾	围领		颈围
747	为何	wèihé	为啥	为怎样	为乜嘢/点解	为什里	为么子	做脉个
748	为了	wèile			为咗		为哒	
749	未必	wèibì	勿一定/勿板定	无定着				唔一定
750	未曾	wèicéng	呒没/勿曾		唔曾	还冒	冇	唔田
751	温暖	wēnnuǎn	暖热	烧啰		热沸	热和	烧暖
752	蚊子	wénzi		蠓仔		蚊里	夜蚊子	蚊敹
753	吻	wěn					打啵	斟喙
754	我们	wǒmen	阿拉	阮	我哋	我个里		倨等人/倨兜人
755	乌鸦	wūyā	老鸦			老鸦	老哇子	劳鸦
756	无可奈何	wúkě-nàihé		无奈何			冇得法	么办法
757	无数	wúshù	数勿清/呒没底	无千带万				
758	午饭	wǔfàn		日昼顿	晏昼饭			昼
759	勿	wù	勿要	唔通	咪			唔好
760	雾	wù	雾露			濛		濛沙
761	西红柿	xīhóngshì		臭柿仔				番茄敹
762	西面	xī•miàn		西爿	西便	西背		西片爿
763	吸烟	xīyān	吃香烟	食熏	食烟	吃烟	吃烟	食烟
764	熄灭	xīmiè	隐脱/灭脱	熄去	熄咗			乌撇
765	膝盖	xīgài	脚馒头	骹头坞	膝头哥	虱头	膝头骨/髂膝骨	膝头
766	媳妇	xífu	新妇	新妇	心抱	新妇	媳妇妹子	心舅
767	洗澡	xǐzǎo	汏浴	洗身躯	冲凉			洗身
768	喜鹊	xǐquè				丫鹊	喜鹊子	阿鹊敹
769	细小	xìxiǎo		幼细	幼细			异细
770	虾	xiā				虾里	虾公子	虾公

普通话		上海	厦门	广州	南昌	长沙	梅州
771 下来	xià·lái		落来	落嚟			落来
772 下面	xià·miàn	下底头/下底	下底/下爿	下便	下背		下背
773 下午	xiàwǔ	下半日	下晡	下昼	下昼/下间里	下昼	下昼
774 夏天	xiàtiān	热天家	热天时		热天里	热天子	热天头
775 先前	xiānqián	老早子	旧底/本底				往摆
776 掀起	xiānqǐ	搡开					援开
777 鲜红	xiānhóng	血血红			旋红/掀红		瞅红
778 现在	xiànzài	难朝	现主时	现时		如至今	今下
779 馅儿	xiànr	馅头/心子			馅子	心子	心欸
780 相继	xiāngjì	跟辣	相世			接哒	接等
781 相连	xiānglián	连辣一道	厮连			连哒	连等
782 香肠	xiāngcháng		烟肠				酿肠
783 香蕉	xiāngjiāo		芎蕉				弓蕉
784 香味	xiāngwèi	香味道	芳味				
785 香烟	xiāngyān		薰	烟仔			烟仔
786 香皂	xiāngzào	香肥皂	芳雪文	香枧	香肥皂	香肥皂	香枧
787 想	xiǎng			谂			愐
788 向来	xiànglái		落底	不溜		一路来	一溜来
789 像样	xiàngyàng		亲像样	似样			
790 橡胶	xiàngjiāo		树枧				树仁欸
791 橡皮	xiàngpí		树枧			橡皮凑子	树仁欸
792 小孩儿	xiǎoháir	小囡	细囝/囝仔	细蚊仔/细佬	细人子	细伢子	细人欸/细腻欸
793 小伙子	xiǎohuǒzi		后生家	后生仔	后生崽里	后生子/青年伢子	后生哥/后生欸
794 小朋友	xiǎopéngyǒu		小窕	细佬哥			细人欸
795 小时候	xiǎoshíhou	小辰光	细汉时	细个时	细大子	细时候	细时候
796 小子	xiǎozi	男囡头/男小囡	小囝			伢子	细哥欸/细鬼欸
797 斜	xié	笪			笪	戗	敧
798 蟹	xiè				蟹子		老蟹

普通话		上海	厦门	广州	南昌	长沙	梅州
799 心底	xīndǐ	心里向		心入便			心肚敹
800 心里	xīn•lǐ	心里向	腹里	心入便			心肚敹
801 心头	xīntóu	心里向	心肝头				心肚敹
802 新郎	xīnláng	新官人	新侬官			新郎公	
803 信封	xìnfēng	信壳	批壳		信封子		信封敹
804 星星	xīngxing					星子	星敹
805 行人	xíngrén	走路个人	过路侬		过路个人		
806 幸好	xìnghǎo	亏煞/好得	该哉	好彩		得幸/得喜/喜得	好彩/好得
807 幸亏	xìngkuī	亏煞/好得	该哉			搭帮	好彩/好得
808 幸运	xìngyùn	运道好	好字运	好彩			好彩
809 兄弟	xiōngdi	阿弟	兄弟囝	细佬			老弟敹
810 袖子	xiùzi	袖子管	手裰	衫袖	衫袖		袖敹
811 徐徐	xúxú	慢慢叫	慢慢仔		慢慢子	慢慢子	慢慢敹
812 许多	xǔduō	交关	真侪				异多
813 絮叨	xùdao		念罗	吟沈			岩岩蚕蚕
814 旋转	xuánzhuǎn		踅环		打转转里	打转转	打盯盯/盯盯敹转
815 学生	xuésheng	学生子				学生伢子	学生敹
816 学徒	xuétú	学生意	师仔			学徒伢子	
817 雪白	xuěbái	雪雪白					碰白
818 迅速	xùnsù			快脆			抢快
819 牙刷	yáshuā		齿抿		牙刷子		
820 烟囱	yān•cōng		烟筒/薰簭		烟筒		
821 烟卷儿	yānjuǎnr		薰支	烟仔			烟仔
822 炎热	yánrè		大热				异热
823 颜色	yánsè		色致			色气	
824 眼睛	yǎnjing	眼乌珠	目珠				
825 眼泪	yǎnlèi	眼泪水	目屎			眼泪水	目汁
826 眼力	yǎnlì	眼火	目色				眼水

普通话		上海	厦门	广州	南昌	长沙	梅州
827 厌恶	yànwù	惹气/触气	忤			厌眼	
828 阳光	yángguāng		日头花		日头		日头
829 样子	yàngzi		样相			样范	样欸
830 要不	yàobù		若无	唔啱			唔系就
831 要好	yàohǎo				佮得	合事	
832 要么	yàome		若无	一系			唔系就/唔系……
833 要命	yàomìng		卜死	命			爱死
834 要是	yàoshi		卜是	若然			如果系
835 耀眼	yàoyǎn		晟目				煋眼
836 爷爷	yéye	老爹	咬公	阿公	爹爹	爹爹	阿公
837 也许	yěxǔ	说勿定	无定着				
838 叶子	yèzi		箬		叶里		叶欸
839 夜间	yèjiān	夜里向/夜到头/夜到	暝时	夜晚黑		夜间子	夜晡/夜晡头/夜肚欸
840 夜里	yè·lǐ	夜里向/夜到头/夜到	暝时	夜晚黑		夜间子/夜里	夜晡/夜晡头/夜肚欸
841 夜晚	yèwǎn	夜里向/夜到头	下昏时	晚头黑		夜间子	夜晡/夜晡头/暗晡/暗晡头
842 一辈子	yībèizi		一世侬	一世人			一生人
843 一边	yībiān	一旁边	蜀面/蜀边				
844 一点儿	yīdiǎnr	一眼眼	蜀点仔	一啲多	一滴子	一点咖子/一滴咖子	一滴欸
845 一定	yīdìng		定着	一于		定是	定着
846 一度	yīdù	有段辰光	有蜀站				
847 一共	yīgòng	共总/一总				劳共/劳总	捞秋/捞捞秋秋/捞总
848 一贯	yīguàn		透底				一溜来/一溜欸
849 一会儿	yīhuìr	一歇/一歇歇/等一歇	一步仔	一阵间		一下下子	一下欸
850 一旁	yīpáng	一旁边	蜀边				
851 一生	yīshēng		蜀世侬				一生人
852 一下儿	yīxiàr	一记头	蜀下				一下欸

普通话		上海	厦门	广州	南昌	长沙	梅州
853 一向	yīxiàng		落底	不溜		一路来	一溜来/一溜敆
854 一些	yīxiē	一眼	淡薄仔	一啲			啲
855 衣裳	yīshang		衫裤	衫			衫裤
856 依旧	yījiù	原旧	照原			原至	闲系
857 依然	yīrán	原旧	照原			原至	闲系
858 遗失	yíshī	落脱	拍唔见	唔见		跌咖哒	唔见撇敆/跌撇敆
859 已经	yǐjīng		往经	经已			既经
860 以往	yǐwǎng	老早子	往摆	旧阵时			往摆
861 饮水	yǐnshuǐ	吃个水					食个水
862 婴儿	yīng'ér	小毛头	婴仔	苏虾仔	冒牙子	毛它/毛毛它	啊伢敆
863 鹰	yīng		觅鹞			鹰婆子	鹞婆
864 影子	yǐngzi		依影		影里		影敆
865 拥挤	yōngjǐ		扗	挤拥			挤拥/挟
866 用不着	yòng ·bùzháo	用勿着	唔免	唔使			唔使
867 犹如	yóurú	赛过	亲像	犹之乎			
868 有点儿	yǒudiǎnr	有一眼	有淡薄	有啲多	有滴子	有点咖子	有滴
869 有时	yǒushí	有辰光	有时竣	有阵时			
870 有些	yǒuxiē	有一眼	有淡薄	有啲			有兜
871 又	yòu	夷	阁再				
872 右边	yòu·biān		右爿	右便			右片爿
873 幼儿	yòu'ér	小小囡	幼囝/细囝	细佬哥	细人子	毛伢子	细人敆/细腻敆
874 玉米	yùmǐ	珍珠米		包粟/粟米	金豆	包谷	包粟
875 浴室	yùshì		洗身间	冲凉房			浴堂
876 遇见	yù·jiàn		堵着			碰哒	碰倒/遇倒
877 元宵	yuánxiāo	汤团	上元		圆子	元宵它	正月半
878 月初	yuèchū	月头	月头		月初头子		月头
879 匀	yún	扯牵匀/扯扯匀	偏铺/禮	匀存			
880 运气	yùnqi	运道	字运			气运	

普通话			上海	厦门	广州	南昌	长沙	梅州
881	砸	zá	敲脱	揁				
882	在	zài	辣辣	伫	喺			嗨
883	在家	zàijiā	辣屋里	伫厝里	喺屋企			嗨屋家
884	咱	zán	阿拉		我哋			俚等人/俚兜人
885	咱们	zánmen	阿拉		我哋	我人		俚等人/俚兜人
886	脏	zāng		流松		腌臜		沤耨
887	糟糕	zāogāo	推扳	露灾	弊家伙		拐场/凹苕	坏欸
888	早晨	zǎochen	早上头/早上向	天光早	朝头早	早间里		朝晨/ 朝晨头
889	早饭	zǎofàn		早顿	朝早饭			
890	早上	zǎoshang	早上头/早浪向		朝早	早间里		朝晨/ 朝晨头
891	早晚	zǎowǎn	早上夜到/早晏	早晏		早晏		朝暗
892	贼	zéi	贼骨头				贼老倌/贼牯子	贼欸/贼古
893	怎么	zěnme	哪能介				何是/何解	咩欸
894	怎么样	zěnmeyàng	哪能介		点样	聋样	何是	咩欸/咩般/咩般样
895	怎样	zěnyàng	哪能样子		点样	聋样	何是	咩欸/咩般/咩般样
896	眨	zhǎ		阙				睱
897	站	zhàn		徛	企	徛	徛	企
898	丈夫	zhàngfu	男个	翁/丈夫侬	老公	老公	老倌子	
899	着凉	zháoliáng	着冷	寒去	冷亲	冷倒		冷倒欸
900	照片	zhàopiàn		像头		相片子		
901	照相	zhàoxiàng		翕相	影相			映相
902	照相机	zhàoxiàngjī			影相机			映相机
903	这	zhè	迭个			个	咯	吤
904	这儿	zhèr	个搭/迭搭块/迭搭	即搭	呢处	个里	咯里	吤欸/吤个时候
905	这边	zhè•biān	个面/迭面	即爿	呢便	个边	咯边	吤片爿
906	这个	zhège	迭个/个个	即个	呢	个只	咯只	吤只/吤个
907	这里	zhè•lǐ	个搭/迭搭块	即搭	呢处	个里	咯里	吤欸
908	这么	zhème	介/个能	者呢	咁	个样	咯	咹/咹样/咹欸

普通话		上海	厦门	广州	南昌	长沙	梅州
909 这些	zhèxiē	个点/个眼/迭点/迭眼	又者	呢啲	个些	咯些	吖兜
910 这样	zhèyàng	个能/个能样子/迭能/迭能样子	即款/安呢	咁样	个样	咯样	咹敆/吖咹敆/咹样/吖咹样/咹样敆/吖咹样敆
911 针灸	zhēnjiǔ	打金针			扎干针		
912 争吵	zhēngchǎo	相争	相诤	争拗			拗事
913 整个	zhěnggè		归两个	成个			完个
914 整洁	zhěngjié		清气相			索利	又齐整又零利
915 整天	zhěngtiān	一日到夜	归两日		一日到夜	整天子	
916 正好	zhènghǎo		拄仔好	啱好			啱啱好
917 正巧	zhèngqiǎo		拄仔好	啱交		正满/恰合	啱啱好
918 正在	zhèngzài	刚刚辣辣/刚刚辣海	在咧	啱嘑度			等敆
919 芝麻	zhīma		油蒜				麻敆
920 知道	zhī•dào		知影	知			知得
921 蜘蛛	zhīzhū	结蛛			决蛛子	蜘蛛子	蝲蛴
922 侄子	zhízi	阿侄	孙仔			侄儿子	侄敆
923 指甲	zhǐjia	指掐/节掐	掌甲		指生	指甲子	
924 指头	zhǐtou	手节头/节头官	掌头仔		指头子	指脑子/指拇子	
925 至此	zhìcǐ	到个搭/到个个辰光/个能	遘者				到吖敆/到吖个时候/到吖种地步
926 至今	zhìjīn	到难	遘今				到今
927 中途	zhōngtú	半当中/中浪	半路顶			半路里	
928 中午	zhōngwǔ	中浪向/中浪/中浪头	日昼/日卜昼	晏昼	当昼		当昼/昼边
929 终身	zhōngshēn		终死				一生人
930 竹子	zhúzi	竹头			竹里		竹敆
931 砖	zhuān	碌砖	砖仔				砖敆
932 子女	zǐnǚ	儿子囡儿	囝儿	仔女			
933 子孙	zǐsūn		囝孙	仔孙			

普通话		上海	厦门	广州	南昌	长沙	梅州
934 自己	zìjǐ	自家	家自/家己		自拣	自家	自家
935 自行	zìxíng		家自				自家
936 自行车	zìxíngchē	脚踏车	骹踏车	单车	脚踏车	单车/线车	脚车/单车
937 足球	zúqiú		骹球		脚球		
938 祖父	zǔfù		咹公	阿爷	爹爹	爹爹	阿公
939 祖母	zǔmǔ		咹妈	阿嫲		娭毑	阿婆
940 嘴巴	zuǐba		喙		嘴筒		喙角
941 嘴唇	zuǐchún	嘴唇皮	喙唇		嘴舷子	嘴唇子/嘴巴皮子	喙唇
942 昨天	zuótiān	昨日子	昨昏	琴日		昨日子	秋晡日
943 左边	zuǒ•biān		细爿/倒手爿	左便			左片爿
944 做客	zuòkè	做人客	做侬客				去食酒/去人家个敆
945 做梦	zuòmèng		眠梦		连梦	走浏阳/走混路子	发梦

第四部分

普通话水平测试用
普通话与方言常见语法差异对照表

说　明

1. 本材料供普通话水平测试第三项——选择判断测试使用。

2. 内容大致按词法和句法分类排列，词法在前，句法在后。量词、名词搭配表附列在最后。

3. 本材料各语法类别下所列若干组句子，仅为举例性质，远非普通话与方言语法差异的全部，而且同一格式的句子（或词语）尽量不多举，测试命题时可按同格式替换、类推。

4. 所列句子采用单一的选择题型，答案一般是普通话说法（题号右上角标注*）放在前边，方言说法（题号后标“方”）放在后边，命题时排列顺序可随机变动。

5. a≠b* ，表示当 a b 两句表达的意思不同时，两句都是普通话的说法。a = b 方，表示 a b 两句表达的意思相同时，b 句是方言说法。

汉语普通话与各方言之间的差别，总的来说语音方面表现最突出，因此，在进行普通话教学和训练的过程中，首先抓住方言区语音上的难点是完全正确的。其次是词汇，这一部分要比语音上的差别小一些。相对前两者而言，普通话与方言在语法上的差别显得小得多，不过，决不能因此而忽视语法上的差别。事实上，语法上的差别虽然小些，某些突出的现象却非格外留心不可。例如有些方言区的人学说普通话很容易就会说出“你走先”“我有看”“你讲少两句”一类的句子来。这些句子格式都不合乎普通话语法规范，直接影响表达效果。

这里说的方言和普通话的差异，实际上主要是指在测试中表现出来的地方普通话（指处于方言向普通话过渡中的一种“中介状态”）和标准普通话之间的差别。同是差异和问题，在语音和语法上的表现又有不同。语音上的差异主要表现在地区上，不同的地区有不同的差别和问题，主要是带着不同口音的地方腔。而语法差异则不同，有时不同方言区之间会相互渗透一些方言的句式或表达习惯，几个不同方言区可能存在同样的语法问题，所以我们在做语法差异对比时，不以地区分类，而是按不同问题的类型进行分类。

方言中有一些句式，似乎和普通话一样，比如广西方言说“我不比他好”，意思是“我没有他好”。孤立地看，这句话没有语法错误，因为普通话中也有这样的句式。但是普通话中“我不比他好”包含两层意思：一是“我没有他好”，二是“我和他一样”。广西话“我不比他好”只能表达前一层意思，如果要表达的是后一层意思，这种说法就错了。所以对于这一类句式，只有在一定的语言环境中才能判断出正误来。

一 词尾

普通话和各方言都有一些词尾，最常见的如“子、儿、头”等，但这些词尾用在什么词语里，普通话和方言有所不同。最常见的是“子”尾，但普通话说“虾”，不带“子”，江苏很多地方都说“虾子”。与此相反，普通话中的“袜子”，在吴方言大都说“袜 ”或“洋袜”。普通话的“鼻子”，吴方言说成“鼻头”。江淮方言中名词的“子”尾特别多，儿化普遍比普通话少，甚至完全没有儿化。普通话中的“明年、麦穗儿、豆角儿、鸡、蝴蝶、脸盆、嘴唇、脚底板儿、肚脐眼儿、裤头儿、面条儿”等，在江淮方言中说成“明年子、麦穗子、豆角子、鸡子、蝴蝶子、脸盆子、嘴唇子、脚底板子、肚脐眼子、裤头子、面条子”。“裤子”“帽子”，山西某些地区说成“帽的”“裤的”或“帽儿”“裤儿”，“狐狸”说成“狐的”“狐子”。山西方言还往往把儿化词语的“儿”尾去掉，前边的词语重叠。各方言区还有一些普通话中没有的词尾，如吴方言普遍有“厨房间、厕所间、客堂间”的说法，普通话都不带“间”字。南昌话中重叠副词的词尾“子”，相当于北京话的“儿”。总体上说，方言中的词尾比普通话用得多些。我们说普通话时，要多加注意，去掉这些词尾，或改用普通话的词尾。

a．腿变粗了。
b．腿子变粗了。

（选对 a* b 方）

a．我买了一顶帽子、一条裤子。
b．我买了一顶帽的、一条裤的。
c．我买了一顶帽儿、一条裤儿。

（选对 a* b c 方）

a．有一窝鸡都让狐狸吃了。
b．有一窝鸡都让狐的吃了。
c．有一窝鸡都让狐子给吃了。

（选对 a* b c 方）

a．灯丝儿又断了。
b．灯丝的又断了。
c．灯丝子又断了。

（选对 a* b c 方）

a．门上有一个眼儿。
b．门上有一个眼眼。

（选对 a* b 方）

a．把瓶子上的盖儿拧开。
b．把瓶瓶上的盖盖拧开。

（选对 a* b 方）

a．我捉住它的小腿，把它带回去。
b．我捉住它的小腿子，把它带回去。

（选对 a* b 方）

a．我就这样度过了童年。
b．我就这样子度过了童年。

（选对 a* b 方）

二 这

普通话中，指示代词“这”用来指代人和事物，表示“近指”，与“那”（远指）相对。在一些方言里常常没有“这”。

a. 这支笔是谁的？
b. 支笔是谁的？

（选对 a* b方）

a. 这朵花真好看。
b. 朵花真好看。

（选对 a* b方）

a. 这本书是我的。
b. 本书是我的。

（选对 a* b方）

三 数 量

福建等一些方言的称数法与普通话说法不大一样，有的方言区的人说普通话往往在数量上加以替代或省略：

a. 他今年二十一岁。
b. 他今年二一岁。

（选对 a* b方）

a. 我有一百一十八块钱。
b. 我有百一八块钱。

（选对 a* b方）

a. 这大米有一千三百公斤。
b. 这大米有千三公斤。

（选对 a* b方）

a. 这座山有一千九百五十米高。
b. 这座山有千九五米高。
c. 这座山有一千九五米高。

(选对 a* b c 方)

a. 距离考试还有一个多月。
b. 距离考试还有月把天/月把日。

(选对 a* b 方)

a. 我们写作业用了一个半小时。
b. 我们写作业用了一点半钟。
c. 我们写作业用了点半钟。

(选对 a* b c 方)

a. 他审阅了二百一十三个方案。
b. 他审阅了二百十三个方案。

(选对 a* b 方)

四 二与两

在普通话里,“两”一般只作基数词,“二”除了作基数词,还可以作序数词,但在一般量词如“层”的前面,“二”只能作序数词,“二层楼”是第二层楼的意思。“二”与“两”都作基数词的时候,意思是一样的,但是根据普通话的习惯,用法也有许多不同。一些方言的习惯说法也与普通话不一样。

a. 二比二(竞赛比分)。
b. 两比两。

(选对 a* b 方)

a. 二比五。
b. 两比五。

(选对 a* b 方)

a. 他大约要两三个月才能回来。

b. 他大约要二三个月才能回来。

（选对 a* b方）

a. 还有二两油。
b. 还有两两油。

（选对 a* b方）

a. 下午两点多。
b. 下午二点多。

（选对 a* b方）

a. 我家住在二层。
b. 我家住在两层。

（选对 a* b方）

a. 两个人的世界。
b. 二个人的世界。

（选对 a* b方）

五 给

动词“给”在湖北、湖南等地常说成“把”，南昌话把“给”说成“到”，在结构上也有不同。

a. 把书给他。
b. 把书把给他。
c. 把书把他。

（选对 a* b c方）

a. 给我一本书。
b. 拿一本书到我。

（选对 a* b方）

六 能（善于）

“能”在普通话里一种意思是表示“善于”，前边可以有程度副词“很”“非常”修饰。有些方言区用“会”代替“能”，普通话“程度副词 + 会”也有“善于”的意义，所以在这种情况下“能”和“会”通用。“程度副词 + 不会”表示不善于，但“不能”的前面不可以用程度副词。前面没有程度副词的“不会”和“不能”意义不同。

a. 他很能说。
b. 他很会说。
c. 他很不会说话。
d. 他很不能说话。

（选对 a* b* c* d 方）

a. 妈妈很能干活。
b. 妈妈很会干活。
c. 妈妈很不会干活。
d. 妈妈很不能干活。

（选对 a* b* c* d 方）

a. 他不会不来。（一定会来）
b. 他不能不来。（一定要来）

（选择 a≠b* a = b 方）

七 能（可以）

“能”在普通话中，还有“可以”的意思。四川等地在句中动词的后面加“得”表示可以、可能做某种动作。闽南方言也用“会”来表示可以、可能做某种动作。

a. 这凳子能坐三个人。
b. 这凳子坐得三个人。
c. 这凳子会坐得三个人。
d. 这凳子会坐三个人。

（选对 a* b c d 方）

a. 你能走吗？能走。
b. 你会走吗？会。

c. 你走得不？走得。

（选对 a* a＝b 方 c 方）

a. 这条裤子你能穿。

b. 这条裤子你会穿。

c. 这条裤子你穿得。

（选对 a* a＝b 方 c 方）

a. 开了刀，他笑都不能笑。

b. 开了刀，他笑都笑不得。

（选对 a* b 方）

a. 他伤好了，能走路了。

b. 他伤没好，不能走路。

c. 他伤好了，会走路了。

d. 他伤没好，不会走路。

（选对 a* a＝c 方 b＝d 方）

a. 可以看，不可以摸。

b. 会看得，不会摸得。

（选对 a* b 方）

a. 路太滑，我不能开快车。

b. 路太滑，我不敢开快车。

（选择 a≠b* a＝b 方）

a. 他能听得懂。

b. 他会听得来。

c. 他听会来。

d. 他能听得知。

e. 他晓得听。

（选对 a* b c d e 方）

八　来、去

“来”“去”在普通话句子中都有两种功能：一个是实意动词，一个是意义虚化，在动词后只表示一种趋向；但“来”“去”所表示的趋向相反。在一些方言区中常常在“去”之前衍生出一个“来”字。有的动词后的“去”又说成“来”。闽南话中“来去”还有“将要”的意思，表示一种意向，指现在正开始行动。

a. 我正要吃饭去。
b. 我正要去吃饭。
c. 我来去吃饭。

（选对 a* b* c 方）

a. 我告诉他。
b. 我去告诉他。
c. 我来去告诉他。

（选对 a* b* c 方）

a. 咱们逛街去。
b. 咱们去逛街。
c. 咱们来去行街。

（选对 a* b* c 方）

a. 我们去问他。
b. 我们来问他。
c. 我们问他去。
d. 我们去问他来。

（选对 a≠b* “趋向不同”c* a = b 方 d 方）

a. 我们一起去看电影好吗？
b. 我们一起来去看电影好吗？

（选对 a* b 方）

九　起　来

普通话里趋向动词“起来”常放在动词或形容词之后，表示动作或状态的开始，格式有“动词 + 起 + 宾语 + 来”，有时也可以说成“宾语 + 动词 + 起来”。有些方言把“起来”放在宾语之后。

a. 下起雨来了。
b. 下雨开了。

(选对 a* b 方)

a. 说起话来没个完。
b. 话说起来没个完。
c. 说话起来没个完。

(选对 a* b* c 方)

十 形容词重叠

形容词在普通话中可以重叠,但单音节重叠一般要在后面加上“的”字,如“红”重叠为“红红的”。但在湖北、浙江等一些方言里常常没有“的”。有的方言里有三叠。状态形容词及其重叠形式和某些方言中的表示法也不同。另外要注意,性质形容词的重叠式和状态形容词不再受程度副词的修饰。

a. 他的手洗得很白。
b. 他的手洗得白白。
c. 他的手洗得白白白。

(选对 a* b c 方)

a. 他穿着淡红色衣服。
b. 他穿着浅红色衣服。
c. 他穿着红红的衣服。

(普通话“红红”是“很红”,闽南话“红红”是“有点儿红”)

(选对 a* b* c 方)

a. 血红血红的
b. 血红红的
c. 红蛮红的
d. 红红哇的

(选对 a* b c d 方)

a. 冷冰冰
b. 冰冰冷
c. 冷冰哒
d. 冰嘎凉

（选对 a* b c d 方）

a. 雪白雪白的
b. 雪雪白的
c. 雪白白的

（选对 a* b c 方）

a. 喷喷香
b. 香喷喷
c. 喷香香

（选对 a* b* c 方）

a. 清清白白
b. 清清白
c. 清白清白

（选对 a* b c 方）

a. 认认真真
b. 认认真

（选对 a* b 方）

a. 高高兴兴
b. 高高兴

（选对 a* b 方）

a. 大大方方
b. 大大方
c. 大方大方

（选对 a* b a≠c*）

a. 普普通通
b. 普普通

（选对 a* b 方）

十一　程度副词

普通话里“很、太、非常”等程度副词可以直接放在动词、形容词之前表示动作、性状的程度，不能直接放在动词、形容词之后。有些方言（如四川话）里却常把“很”直接放在动词、形容词之后表示程度。有些方言虽然程度副词也可直接放在动词、形容词之前，但所用的是不同于普通话的方言副词，如“好、好好、忒、过、老、异”等。

a. 菜太老了，不能吃了。
b. 菜老很啰，吃不得啰。

（选对 a* b方）

a. 这花儿多好看啊！
b. 这花儿好好看啊！

（选对 a* b方）

a. 这天真蓝啊！
b. 这天好好蓝啊！

（选对 a* b方）

a. 冬天北方非常冷。
b. 冬天北方过冷。
c. 冬天北方老冷。
d. 冬天北方异冷。

（选对 a* b c d方）

a. 我太紧张了。
b. 我过紧张了。
c. 我忒紧张了。
d. 我太过紧张了。

（选对 a* b c d方）

a. 他非常可爱。
b. 他好好可爱。

c．他上可爱。

（选对 a* b c 方）

a．这朵花真香。
b．这朵花几香啊。
c．这朵花老香。

（选对 a* b c 方）

a．这菜太咸。
b．这菜𫈗咸。
c．这菜伤咸。
d．这菜咸伤了。
e．这菜老咸。

（选对 a* b c d e 方）

十二　范围副词

范围副词“都”“全”在普通话中表意基本相同，在“都/全＋动词＋补语”的格式中，表示“全部”。一些方言表示该意义往往用“动＋动＋补语”的格式。

a．你们都出去。
b．你们全出去。
c．你们全都出去。
d．你们出出去。

（选对 a* b* c* d 方）

a．都收起来。
b．收收起来。

（选对 a* b 方）

十三　否定副词“不”

普通话里表示否定的副词“不”，在福建等一些方言中常常说成“没、没有”。

普通话中表示“完成、存在状态”，一般在动词后带助词“了 le、着 zhe”。四川等地方言中经常在动词后带“得有”或“有”再带宾语，表示事物的存在，即“(动)得有(宾语)”。有时普通话中需要用“有”来表示的，方言里也用“得有”来表示。有的方言里用“有”表示曾经等，直接放在动词前面。

a. 他手表丢了找不到。
b. 他手表丢了没有地方找。

(选择 a≠b* a=b 方)

a. 你去，我不去。
b. 你去，我没有去。

(选对 a* b 方)

a. 不，他不是这样唱的。
b. 没有，他不是这样唱的。

(选对 a* b 方)

a. 这菜不咸。
b. 这菜没有咸。

(选对 a* b 方)

a. 他不回家。
b. 他没有回家。

(选择 a≠b* a=b 方)

a. 我吃不到荔枝。
b. 我吃没有荔枝。

(选对 a* b 方)

a. 妈妈说红的花多半不香。
b. 妈妈说红的花多半没有香。

(选对 a* b 方)

a. 他脑子不笨。
b. 他脑子没有笨。

(选对 a* a=b 方)

十四　介词：被

普通话里常用介词“被”(口语里常用“叫、让”等)或者用“被”引进施事宾语，放在谓语动词前，构成表示被动意义的“被字句”。一些方言里表示被动意义的介词的位置跟普通话相同，但所用介词与普通话不同。如湖南长沙把“被”说成“捞”，临武把“被”说成“阿”。山西把“被”说成“招”“得”。四川等地把“被”说成“遭”“拿给”等。湖北等方言区把“让”说成“尽”“把”等。甚至用“把”兼当“把字句”和“被字句”的公词，如“弟弟把他哥哥打了”。福建等地区口语里还常用“给”表示被动意义，有时会造成歧义。

a．书被弟弟撕坏了。
b．书阿弟弟撕坏了。

(选对 a* b方)

a．妹妹的书包被树枝挂破了。
b．妹妹的书包遭树枝枝挂破啰。

(选对 a* b 方)

a．我的书被别人借走了。
b．我的书遭别人借走啰。
c．我的书拿给别人借走了。

(选对 a* b c 方)

a．我们被他骂了一顿。
b．我们遭他骂了一顿。
c．我们招他骂了一顿。

(选对 a* b c 方)

a．大家都被他说乐了。
b．大家都叫他说乐了。
c．大家都招他说乐了。
d．众人都得他说乐了。

(选对 a* b* c d 方)

a．别让他跑了。

b. 别尽他跑了。

c. 别被他跑了。

（选对 a* b c 方 ）

十五 介词：从、在、到、向、往

“从”在普通话里是表示动作起始点的介词，常带宾语构成介词短语作状语。福建常把“从”说成“对”“走”等。山西地区说成“朝”“赶”“迎”“假”“跟”“以”“拿”“到”等。

普通话里常用介词“在、到”构成介词短语作谓语动词的状语或补语表示处所。有些方言区把“在、到”说成“咧、搿、搁”等，有的干脆省略掉介词，让谓语动词与后面的处所名词直接组合。

表示方向的介词“往”山西地区说成“去”。“向”福建地区说成“给”。

a. 从杭州出发。

b. 对杭州出发。

c. 起杭州出发。

（选对 a* b c 方）

a. 从这儿离开。

b. 走这儿离开。

c. 起这儿离开。

（选对 a* b c 方）

a. 我从太原来。

b. 我朝太原来。

c. 我赶太原来。

d. 我迎太原来。

e. 我假太原来。

f. 我以太原来。

g. 我拿太原来。

（选对 a* b c d e f g 方）

a. 面包掉在地上了。

b. 面包掉咧地上了。

c. 面包掉摺地上了。

（选对 a* b c 方）

a. 把花放到窗台上吧。

b. 把花放咧窗台上吧。

c. 把花放摺窗台上吧。

（选对 a* b c 方）

a. 你把钱放在桌子上吧！

b. 你把钱放桌子吧！

c. 你把钱稳儿桌子上吧！

（选对 a* b c 方）

a. 在黑板上写字。

b. 搁黑板上写字。

c. 跟黑板上写字。

（选对 a* b c 方）

a. 你往东走，我往西走。

b. 你去东走，我去西走。

（选对 a* b 方）

a. 向老师借书。

b. 给老师借书。

（选择 a≠b* a=b 方）

十六　动态助词：着、了、过

普通话里表示动态的助词主要有“着、了、过”三个，附着在动词或形容词之后表示动词、形容词的某种语法意义。动态助词“着”用在动词、形容词后面，主要表示动作在进行或状态在持续，有时表示动作进行后的存在状态。“了”主要表示动作行为的完成。四川、湖北等地常把“着”或“了”说成“得有”，把“着”说成“倒”“起”等 。四川话还可以在动词后面带“起在”“倒起”等，表示普通话里“着”的意思。福建方言区有些地方还把“了”说成“掉”。有的方言里把“着”放在宾语之后。

普通话动态助词“过”用在动词、形容词后面，主要表示动作的完成，或者表示曾经发生这样的动作、曾经具有这样的状态。有些方言区（如广东、福建）则常用“有＋动”或“有＋动＋过”的格式来表示。“有”字跟其他动词连用，在普通话里仅限于一些来自文言的客套话，例如：“有请”“有劳”“有待”“有赖”。

a．我带着钱呢。
b．我带得有钱。

（选对 a* b 方）

a．他额头上又没有刻着字。
b．他额头上又没有刻得有字。

（选对 a* b 方）

a．他带着火柴呢。
b．他带得有火柴呢。

（选对 a* b 方）

a．给你留了包子。
b．给你留得有包子。

（选对 a* b 方）

a．今天走了五十里路。
b．今天走得有五十里路。

（选对 a* b 方）

a．他看着看着就睡着(zháo)了。
b．他看倒看倒就睡着了。

（选对 a* b 方）

a．我们都等着你呢！
b．我们都在等倒你在！

（选对 a* b 方）

a．他要做，你也只好看着。
b．他要做，你也只好看起。
c．他要做，你也只能看倒。

（选对 a* b c 方）

a．师傅把着手教我。

b. 师傅把倒手教我。

（选对 a* b 方）

a. 坐着说不如站着干。
b. 坐起说不如站起干。

（选对 a* b 方）

a. 他还玩着呢。
b. 他还耍起在。

（选对 a* b 方）

a. 提包在墙上挂着呢。
b. 包包在墙壁上挂起在。

（选对 a* b 方）

a. 气死了。
b. 气死掉。

（选对 a* b 方）

a. 妈妈在家等着你呢。
b. 妈妈在家等你着呢。

（选对 a* b 方）

a. 这件事我说过。
b. 这件事我有说。
c. 这件事我有说过。

（选对 a* b c 方）

a. 今天上午他来过。
b. 今天上午他有来。
c. 今天上午他有来过。

（选对 a* b c 方）

a. 他读过书。
b. 他有读书。

（选对 a* b 方）

a. 我写过一篇关于妈妈的作文。
b. 我有写过一篇关于妈妈的作文。

（选对 a* b 方）

a. 我来过福州。
b. 我有来过福州。
c. 福州我有来。

(选对 a* b c 方)

a. 老师为此表扬过我。
b. 老师为此有表扬过我。

(选对 a* b 方)

a. 爸爸早年做过苦力。
b. 爸爸早年有做过苦力。

(选对 a* b 方)

a. 听说玛利亚到过长城。
b. 听说玛利亚有到过长城。

(选对 a* b 方)

十七 结构助词:的、地

普通话里的结构助词“的、地”,在有些方言里说成“葛、子”。另外,在测试中有的人普通话发音很好,但往往在某些助词上露出方言词来。比如吴方言有一个用在句末的助词“葛”,出现频率很高,它大体相当于普通话的“的”,人们在说普通话时,常常会不自觉地把它变为“的”。例如:“很好的。”“他会来的。”这似乎没什么问题,因为有时普通话里也这么说,但有时这种表达相对而言在交际中不够规范。

a. 这是你的字典。
b. 这是你葛字典。

(选对 a* b 方)

a. 我们慢慢地走。
b. 我们慢慢子走。

(选对 a* b 方)

a. 慢慢地吃。
b. 慢慢儿吃。

c．慢慢子吃。

（选对 a* b* c方）

十八　语气词

普通话里语气词用在句尾，表示种种语气，依据所表示的语气不同分为陈述语气、疑问语气、祈使语气和感叹语气。普通话里表陈述语气的“嘛”，湖北话中经常用“吵”“着”“子”等；表陈述语气的“呢”，内蒙古等地用“的嘞”。疑问语气词“吧”，内蒙古方言中常用“哇”。有时不需要句末语气词，有的地方却加上语气词“的”。有时应该用语气词“了”，有的地方却用了“的”。

a．先坐下，你别慌嘛。
b．先坐下，你别慌吵。
c．先坐下，你不慌着。

（选对 a* b c方）

a．你忙什么呀？
b．你忙什么子？

（选对 a* b方）

a．姐姐看孩子呢。
b．姐姐看孩子的嘞。
c．姐姐看孩子的哩。

（选对 a* b c方）

a．这是上次看的电影吧？
b．这是上次看的电影哇？

（选对 a* b方）

十九　前　缀

在普通话中没有前缀的地方，晋方言区一些地方会加上前缀。

a. 开了一朵红花。

b. 开了一圪朵红花。

（选对 a* b 方）

a. 他可会哄人呢。

b. 他可会日哄人哩。

（选对 a* b 方）

a. 那是个能人，要一套有一套。

b. 那是个日能人，要一套有一套。

（选对 a* b 方）

a. 溅了一地水。

b. 不溅了一地水。

（选对 a* b 方）

二十 动不动、形不形

“动不动”和“形不形”句式，是普通话的一种选择疑问句式，选择项是一件事物的肯定和否定，常说成“A 不 A、AB 不 AB”或“A 没 A、AB 没 AB”等形式。烟台（老派）、威海、荣成、文登、乳山、牟平等县市，说成“是不 A、是不 AB”或“是没 A、是没 AB”的形式。龙口、蓬莱、长岛等地说成“实 A、实 AB”等的格式。湖北和山东有些地区（招远、长岛等）用动词、形容词重叠的形式来表示反复问的意义，构成“AA、AAB”式。

山东潍坊、济宁等地常用简略的形式表示疑问，在动词、形容词后面加上“不”构成“A 不”或“AB 不”的格式，“不”后面的形容词和动词一般不再出现。

还有些地区（菏泽等地）则直接在动词 、形容词后加助词“啵”来表示疑问。淄博、青州、临朐、寿光等地通用的格式是“A 啊吧”或者“A 啊不”“AB 啊不”

a. 你看不看电影？

b. 你是不看电影？

（选对 a* b 方 ）

a. 你家里有没有人？

b. 你家里是没有人儿?

（选对 a* b 方 ）

a. 天黑没黑?
b. 天是没黑?

（选对 a* b 方 ）

a. 菜咸不咸?
b. 菜实咸?
c. 菜阿咸?

（选对 a* b c 方 ）

a. 电影好看不好看?
b. 电影儿实好看?

（选对 a* b 方 ）

a. 你去不去?
b. 你实去?

（选对 a* b 方 ）

a. 这菊花香不香?
b. 这菊花香香?

（选对 a* b 方 ）

a. 他聪明不聪明?
b. 他聪聪明?

（选对 a* b 方 ）

a. 你去不去逛街?
b. 你去去逛街?

（选对 a* b 方）

a. 你们来过没来过?
b. 你们来来没呐?

（选对 a* b 方 ）

a. 他们坐不坐?
b. 他们坐不?

（选对 a* b 方 ）

a．屋里热不热？

b．屋里热啵？

（选对 a* b方）

a．行不行？

b．中啊吧？

c．中啊不？

（选对 a* bc方）

a．你有没有钱？

b．你有钱啊吧？

c．你有钱啊不？

（选对 a* bc方）

a．那东西重不重？

b．那东西重咧不？

c．那东西重啊不？

d．那东西重咧不咧？

（选对 a* bcd方）

二十一 会不会、能不能、有没有

普通话里用来表示疑问的句式“会不会”，在四川等一些方言区中用“（动）得来（动）不来”“（动）得来不”（表有没有能力做某事）或“得不得（动）”（表可能）这样的句式。普通话回答是在动词前面加“会、不会”来表示，而四川等方言一般用“（动）得来”或“（动）不来”（表有没有能力做某事），或者用“不得（动）、不得会（动）”（表可能）。但像“合得来、合不来；谈得来、谈不来”等是一些方言和普通话里都有的说法，表达的意思也一样。普通话里表许可或可能的疑问句式“能不能（动）”“能（动）不能（动）”，在有些方言里用“（动）得不”来表示，回答一般用“（动）得”表示肯定或许可，用“（动）不得”表示否定或不许可。普通话中“有没有”的意思，有的方言区用“得不得”来表示。

a．这种舞你会不会跳？

b．你会跳这种舞吗？

c. 这种舞你会跳不会跳？
d. 这种舞你跳得来跳不来？
e. 你跳得来这起舞不？
f. 这种舞你跳得来不？

（选对 a* b* c* d e f 方）

a. 我们不会说谎。
b. 我们说不来谎。

（选对 a* b 方）

a. 我不喜欢闻烟味儿。
b. 我闻不来烟味儿。

（选对 a* b 方）

a. 他不吃辣椒。
b. 他吃不来辣椒。

（选对 a* b 方）

a. ——他会不会不理我？
——不会，他不会。
b. ——他得不得不理我？
——不得，他不得。

（选对 a* b 方）

a. ——他会不会来？
——他不会来。
b. ——他得不得来？
——他不得来。

（选对 a* b 方）

a. 他不会强迫我们走。
b. 他不得会强迫我们走。

（选对 a* b 方）

a. ——他行不行？
——不行，真的不行。
b. ——他得不得行？

——不得行，真的不得行。

（选对 a* b 方）

a. ——你能不能走？

——我能走。/我不能走。

b. ——你走得不？

——我走得。/我走不得。

（选对 a* b 方）

a. 这东西能不能吃？

b. 这东西能吃不能吃？

c. 这东西吃得不？

（选对 a* b* c 方）

二十二　不知道、不认得

普通话里的“不知道、不认得”等表示法，湖北有的地区说成“找不到”。有些地区把“不认得”说成“认不到”或“不会认得到”。有的地区还把否定词“不”移位到“知道”或“认得”之间，或者说成“晓不得”。

a. 这件事我不知道。

b. 这件事我知不道。

c. 这件事我晓不得。

（选对 a* b c 方）

a. 这个人我不认得。

b. 这个人我认不到。

c. 这个人我不会认得到。

（选对 a* b c 方）

a. 这道题怎么答，我不知道。

b. 这道题怎么答，我知不道。

c. 这道题怎么答，我找不到。

d. 这道题怎么答，我晓不得。

（选对 a* b c d 方）

a. 这事我真的不知道。

b. 这事我真的知不道。

c. 这事我真的找不到。

（选对 a* b c 方）

二十三　动＋宾＋补、动＋补＋宾

补语和宾语都在动词后面，两个成分同时出现时，涉及语序问题。这种顺序有的时候取决于补语，即不同的补语和中心语结合的紧密程度不同。有时候又取决于宾语，即不同的宾语要求有不同的位置。表示结果、程度、可能的补语跟动词关系密切，一般紧接动词谓语后，总是在宾语前面。有些方言把这个补语放在宾语之后（如粤、闽、客家等方言）。湖南方言有些也常在否定句中把宾语放在补语前边。

在一些方言里，否定副词和数量补语的语序也常有变化。作为数量补语，在普通话里一般既可放在宾语前，又可置于宾语后，形成"动宾补"和"动补宾"两种句式，但两者表示的意义稍有不同，"动补宾"中更强调"宾语"。

a. 我说（比、打、跑）得过他。

b. 我说（比、打、跑）他得过。

c. 我说（比、打、跑）得他过。

（选对 a* b c 方）

a. 我说（比、打、跑）不过他。

b. 我说（比、打、跑）他不过。

c. 我说（比、打、跑）不他过。

（选对 a* b c 方）

a. 我想看他一下。

b. 我想看一下他。

c. 我想看他下子。

（选择 a≠b* 其中 b 强调了"他"，a＝b 方 c 方）

a. 我找过他几次。

b. 我找过几次他。

（选择 a≠b* 其中 b 强调了“他”，a=b 方）

二十四 双宾语

普通话里有些作谓语的动词后面带两个宾语：一个指人，称间接宾语；一个指事物，称直接宾语。间接宾语紧跟在动词之后，离动词最近，也称近宾语。直接宾语一般位于间接宾语之后，也称远宾语。但在有些方言如闽、吴方言里，许多地方常把远宾语放在句首或动词之前，有时还会引起句子结构和其他句子成分位置的变化，比较特别。

a. 我给他三斤苹果。
b. 我给三斤苹果他。
c. 我苹果给他三斤。
d. 我给三斤苹果给他。
e. 我苹果三斤给他。

（选对 a* b c d e 方）

a. 送我一件衣服。
b. 送一件衣服我。
c. 送一件衣服给我。
d. 衣服一件送我。
e. 衣服送一件给我。

（选对 a* c* b d e 方）

二十五 状+动/形

普通话里，副词与动词、形容词组合时，副词放在被修饰、限制词语前作状语，而有些方言（如广东、广西、上海、福建一些地方）则把它们放在被修饰、限制词语后作补语。

a. 别客气，你先走（去、洗、说、看、睡、吃）。

b. 别客气，你走(去、洗、说、看、睡、吃)先。

c. 别客气，你走(去、洗、说、看、睡、吃)头先。

d. 别客气，你走(去、洗、说、看、睡、吃)在先。

（选对 a* b c d 方）

a. 注意，少喝点酒对身体有好处。

b. 注意，喝少点酒对身体有好处。

（选对 a* b 方）

a. 上海快到了。

b. 上海到快了。

（选对 a* b 方）

a. 汽车快来了。

b. 汽车来快了。

（选对 a* b 方）

a. 他快吃完饭了。

b. 他饭吃好快了。

（选对 a* b 方）

a. 你再吃一碗。

b. 你吃一碗添。

（选对 a* b 方）

a. 他们还没扫干净。

b. 他们扫还没干净。

（选对 a* b 方）

a. 这朵花儿很红。

b. 这朵花儿红极。

c. 这朵花红得极。

（选对 a* b c 方）

二十六　状＋动＋补

在普通话里这种句式中的状语多为“多”或“少”，补语一般都是数量补语。在广西等一些方言里常常把在动词前的状语“多”“少”放在动词后。这样，有的形成了不合普通话规范的句子，有的句子仍然是正确的，但是“多”“少”等词在功能上发生了变化，句子的意义也发生了变化。

a. 你少说两句。
b. 你说少两句。

（选对 a* b 方）

a. 你多吃一点。
b. 你吃多一点。

（选择 a≠b* a=b 方）

a. 多用一点时间来陪孩子。
b. 用多一点时间来陪孩子。

（选对 a* b 方）

a. 今天多送你一点礼物。
b. 今天给送多一点礼物。

（选对 a* b 方）

a. 请你多拿点儿。
b. 请你拿多点儿。

（选择 a≠b* a=b 方）

a. 请你多喝两杯。
b. 请你喝多两杯。

（选对 a* b 方）

二十七 形/动+补

普通话里“形/动+补”格式，在湖北、山西等一些方言里有不同的表示法，有的格式上有差别，有的补语用词有不同。

a. 衣服叫他弄脏了。
b. 衣服叫他弄脏了脏。

（选对 a* b 方）

a．这本书给他弄丢了。

b．这本书给他弄丢了丢。

（选对 a* b 方）

a．天气热得很。

b．天热得太太。

c．天热得来来。

（选对 a* b c 方）

a．他累得满头大汗。

b．他累得汗流。

c．他累得汗滴滴声。

（选对 a* b c 方）

a．把桌子搬开了。

b．把桌子搬转了。

（选对 a* b 方）

二十八　够＋形、动＋清楚＋了

普通话中有“够＋形”或“动＋清楚＋了”等格式，表示动作或状态达到一定程度。一些方言则用“有＋形”或“动＋有”的格式来表示这种意思。

a．菜够咸了。

b．菜有咸。

（选对 a* b 方）

a．我听清楚了。

b．我听有。

（选对 a* b 方）

二十九　补　语

普通话里表示可能或不可能的动补结构“动＋得/不＋了”，其中补语“了(liǎo)”在一些方言里说成“倒”或“脱”，有时也说成“起”。普通话里用趋向动词“上”“下”充当的补语，在四川方言中常用“起”。有些动补结构在吴方言和江淮方言中常常重复动词，然后加补语。

a. 你们来得了来不了？
b. 你们来得倒来不倒？

（选对 a* b 方 ）

a. 我们走不了啦。
b. 我们走不倒啰。

（选对 a* b 方 ）

a. 这件事现在还定不了。
b. 这个事情现在还定不倒。

（选对 a* b 方 ）

a. 妹妹只吃得了半碗饭。
b. 妹妹只吃得倒半碗饭。

（选对 a* b 方 ）

a. 没有准备，我发不了言。
b. 没有准备，我发不起言。

（选对 a* b 方 ）

a. 我们拿不走。
b. 我们拿不起。

（选对 a* b 方）

a. 快把你的东西弄走。
b. 快把你的东西弄起走。

（选对 a* b 方）

a. 这稿子明天写得完吗？

b. 这稿子明天写得起吗?

c. 这稿子明天写不完。

d. 这稿子明天写得完。

e. 这稿子明天写不起。

f. 这稿子明天写得起。

(选对 a* c* d* b e f 方)

a. 你躲得了和尚躲不了庙。

b. 你躲得脱和尚躲不脱庙。

(选对 a* b 方)

a. 你站好。

b. 你站站好。

(选对 a* b 方)

a. 我一定要弄清楚。

b. 我一定要弄弄清楚。

(选对 a* b 方)

三十　比较句

普通话里表示比较的句式中有一类是用“比”字构成的,其基本格式为“甲+比+乙+比较语”。广西等地有些方言不用“比”字,常用“过”字,其格式为“甲+比较语+过+乙”,或者不用“比、过”一类介词,格式为“甲+动词/形容词+乙”。青岛、烟台、威海、潍坊、淄博、新泰等有些地区常用的结构为“甲+形容词+起+乙”。而利津一带比较句常见的格式为“甲+比较语+的+乙”。

有些方言区,如济南、泰安、临沂等地,比较句式与普通话相当,但常用“伴”“给”“跟”等代替介词“比”,引进比较对象。还有些方言用“赶、跟、评、品、的”等引进比较对象。

普通话里表示比较的句式中还有一类是用动词“不如”构成的,格式为“甲不如乙+比较语”。有些方言区,如山东菏泽、青州、临朐等地,把“不如”说成“不跟”。

a. 牛比猪大很多。

b．牛大过猪很多。

（选对 a* b 方）

a．四川省比广东省大。
b．四川省大过广东省。

（选对 a* b 方）

a．我唱歌比他好。
b．我唱歌好过他。

（选对 a* b 方）

a．骑车比走路快。
b．骑车快过走路。

（选对 a* b 方）

a．兔子跑得比乌龟快。
b．兔子跑快乌龟。

（选对 a* b 方）

a．你比我矮。
b．你矮我。
c．你比我过矮。
d．你比较矮我。
e．你比我较矮。

（选对 a* b c d e 方）

a．我一米六，你一米八，我没有你高。
b．我一米六，你一米八，我不比你高。

（选对 a* b=a 方）

a．一天更比一天好。
b．一天强起一天。

（选对 a* b 方）

a．哥哥长的不比我高。
b．哥哥长得不高起我。
c．哥哥长得不高过我。

（选对 a* b c 方）

a. 这本书不比那本好看。
b. 这本书不好看起那本。
c. 这本书不好看过那本。

（选对 a* b c 方）

a. 全班没有比他再聪明的了。
b. 全班儿没聪明起他。

（选对 a* b 方）

a. 他比我高。
b. 他赶我高。
c. 他跟我高。
d. 他评我高。
e. 他品我高。

（选对 a* b c d e 方）

a. 这个不比那个更好。
b. 这个不更强的那个。

（选对 a* b 方）

a. 他跑得不比我快。
b. 他跑得不快的我。
c. 他跑得不快过我。

（选对 a* b c 方）

a. 你穿着它不比我穿着好看。
b. 你穿着它不好看的我穿着。

（选对 a* b 方）

a. 这件衣服不如那件漂亮。
b. 这件衣服不跟那件漂亮。

（选对 a* b 方）

a. 我不如他。
b. 我不值他。
c. 我没有他有料。

（选对 a* b c 方）

a. 他不会比你差。

b. 他不得比你差。

c. 差,他就不得来。

d. 他不会差过你。

(选对 a* b c d 方)

三十一 "把"字句

"把+宾语+谓语+补语"这种"把"字句是普通话里一种很常用的句型。它用介词"把"将谓语动词后的受事宾语提到动词之前,表示对一种事物或现象的处置,谓语动词后常带趋向补语或处所补语。但有些方言区(如山东西部)常常把代词宾语放在动词之后或复合趋向动词(如出来、起来)之间。

a. 我们把他抓起来。

b. 我们抓他起来。

(选对 a* b 方)

a. 我把他拉上去。

b. 我拉他上去。

c. 我拉上他去。

(选对 a* b* c 方)

a. 我把他推到地上。

b. 我推他地下。

(选对 a* b 方)

a. 他把我关在门外了。

b. 他关我门外了。

(选对 a* b 方)

三十二 并列关系复句和关联词语

复句是由两个或两个以上意义相关的分句组成的较复杂的句子。复句里各个分句之间都有一定的关系，这种关系常常通过一定的关联词语来表示。几个分句分别说明或描写几件事情、几种情况或同一事物的几个方面，分句间的关系是并举的或者是对举的，这就是并列关系。普通话常用的关联词是“也”“又”“还”“既……又……”“一边儿……一边儿……”“一方面……一方面……”等 。有些方言则不同。

a. 咱们一边吃饭，一边说话。
b. 咱赶着吃饭，赶着说话。
c. 咱们一抹儿吃饭，一抹儿说话。

（选对 a* b c 方）

a. 一边看电视，一边打毛衣。
b. 一不嘞看电视，一不嘞打毛衣。
c. 一不地瞧电视，一不地打毛衣。

（选对 a* b c 方）

三十三　取舍关系复句和关联词语

选择关系复句里有一类取舍复句，两个分句表示不同的事物，说话者已经决定选取其中一种，舍弃另一种，常用的关联词有“与其……不如……”“宁可……也不……”等。有些方言使用不同的手段表达这种取舍关系。

a. 宁肯我去，也不能叫你去。
b. 能我去，也不能叫你去。
c. 就算我去，也不能叫你去。
d. 就是我去，也不能叫你去。
e. 情愿我去，也不能叫你去。

（选对 a* b c d e 方）

三十四　假设关系复句和关联词语

假设关系复句是指，一个分句假设一种情况，另一分句说明假设的情况实现了就会有怎样的结果，常用“如果(假如、要是)……就……”等关联词语来表明这种关系。山东烟台、威海、荣成、牟平、龙口、蓬莱、长岛等地还有一种很独特的说法：“不着……就……”。它表达的含义比较复杂，相当于普通话的“如果不是因为……就……”。

a. 如果不是因为姐姐扶着我，我就跌倒在那儿了。

b. 不着姐姐扶着我，我就磕儿那去了。

(选对 a* b方)

a. 如果不是因为你，妈妈就不来了。

b. 不着你，妈妈就不来了。

(选对 a* b方)

a. 如果不是因为你碰它，盘子能打碎吗？

b. 不着你碰它，盘子能打了吗？

(选对 a* b方)

附：普通话水平测试用普通话常见量词、名词搭配表

说　明

本表以量词为条目，共选收常见量词45条。可与表中所列多个量词搭配的名词，以互见形式出现。

1. 把　bǎ　菜刀、剪刀、宝剑(口)、铲子、铁锨、尺子、扫帚、椅子、锁、钥匙
伞(顶)、茶壶、扇子、提琴、手枪(支)

2. 本　běn　书(部、套)、著作(部)、字典(部)、杂志(份)、账

3. 部　bù　书(本、套)、著作(本)、字典(本)
电影(场)、电视剧、交响乐(场)
电话机、摄像机(架、台)
汽车(辆、台)

4. 场　cháng　雨、雪、冰雹、大风
病、大战、官司

5. 场　chǎng　电影(部)、演出(台)、话剧(台)、杂技(台)、节目(台、套)、交响乐(部)、比赛(节、项)、考试(门)

6. 道　dào　河(条)、瀑布(条)
山(座)、山脉(条)、闪电、伤痕(条)
门(扇)、墙(面)
命令(项、条)、试题(份、套)、菜(份)

7. 滴	dī	水、血、油、汗水、眼泪
8. 顶	dǐng	伞(把)、轿子、帽子、蚊帐、帐篷
9. 对	duì	夫妻、舞伴、耳朵(双、只)、眼睛(双、只)、翅膀(双、只)、球拍(副、只)、沙发(套)、枕头、电池(节)
10. 朵	duǒ	花、云(片)、蘑菇
11. 份	fèn	菜(道)、午餐、报纸(张)、杂志(本)、文件、礼物(件)、工作(项)、事(件)、试题(道、套)
12. 幅	fú	布(块、匹)、被面、彩旗(面)、图画(张)、相片(张)
13. 副	fù	对联、手套(双、只)、眼镜、球拍(对、只) 脸(张)、扑克牌(张)、围棋、担架
14. 个	gè	人、孩子 盘子、瓶子 梨、桃儿、橘子、苹果、西瓜、土豆、西红柿 鸡蛋、饺子、馒头 玩具、皮球 太阳、月亮、白天、上午 国家、社会、故事
15. 根	gēn	草(棵)、葱(棵)、藕(节)、甘蔗(节) 胡须、头发、羽毛 冰棍儿、黄瓜(条)、香蕉、油条、竹竿 针、火柴、蜡烛(支)、香(支、盘)、筷子(双、支)、电线、绳子(条)、项链(条)、辫子(条)
16. 家	jiā	人家、亲戚(门)

工厂(座)、公司、饭店、商店、医院(所)、银行(所)

17. 架	jià	飞机、钢琴(台)、摄像机(部、台)、鼓(面)
18. 间	jiān	房子(所、套、座)、屋子、卧室、仓库
19. 件	jiàn	礼物(份)、行李、家具(套) 大衣、衬衣、毛衣、衣服(套)、西装(套) 工作(项)、公文、事(份)
20. 节	jié	甘蔗(根)、藕(根)、电池(对)、车厢、课(门)、比赛(场、项)
21. 棵	kē	树、草(根)、葱(根)、白菜
22. 颗	kē	种子(粒)、珍珠(粒)、宝石(粒)、糖(块)、星星、卫星 牙齿(粒)、心脏 子弹(粒)、炸弹 图钉、图章
23. 口	kǒu	人、猪(头) 大锅、大缸、大钟(座)、井、宝剑(把)
24. 块	kuài	糖(颗)、橡皮、石头、砖、肥皂(条)、手表(只) 肉(片)、蛋糕、大饼(张)、布(幅、匹)、绸缎(匹)、手绢(条)、地(片) 石碑(座)
25. 粒	lì	米、种子(颗)、珍珠(颗)、宝石(颗)、牙齿(颗)、子弹(颗)
26. 辆	liàng	汽车(部、台)、自行车、摩托车、三轮车
27. 门	mén	课(节)、课程、技术(项)、考试(场) 亲戚(家)、婚姻

		大炮
28. 名	míng	教师(位)、医生(位)、犯人
29. 面	miàn	墙(道)、镜子、彩旗(幅)、鼓(架)、锣
30. 盘	pán	磨(扇)、香(根、支) 磁带、录像带
31. 匹	pǐ	马 布(块、幅)、绸缎(块)
32. 片	piàn	树叶、药片、肉(块) 阴凉、阳光、云(朵)、地(块)
33. 扇	shàn	门(道)、窗户、屏风、磨(盘)
34. 双	shuāng	手(只)、脚(只)、耳朵(对、只)、眼睛(对、只)、翅膀(对、只) 鞋(只)、袜子(只)、手套(副、只)、筷子(根、支)
35. 所	suǒ	学校、医院(家)、银行(家)、房子(间、套、座)
36. 台	tái	计算机、医疗设备(套)、汽车(部、辆)、钢琴(架)、摄像机(部、架) 演出(场)、话剧(场)、杂技(场)、节目(场、套)
37. 套	tào	衣服(件)、西装(件)、房子(间、所、座)、家具(件)、沙发(对)、餐具、书(本、部)、邮票(张)、医疗设备(台) 节目(场、台)、试题(道、份)
38. 条	tiáo	绳子(根)、项链(根)、辫子(根)、裤子、毛巾、手绢儿(块)、肥皂(块)、船(只)、游艇(只) 蛇、鱼、狗(只)、牛(头、只)、驴(头、只)、黄瓜(根)

河（道）、瀑布（道）、山脉（道）、道路、胡同儿、伤痕（道）
新闻、信息、措施（项）、命令（道、项）

39. 头	tóu	牛（条、只）、驴（条、只）、骆驼（只）、羊（只）、猪（口） 蒜
40. 位	wèi	客人、朋友、作家（名）
41. 项	xiàng	措施（条）、制度、工作（份）、任务、技术（门）、运动、命令（道、条）、比赛（场、节）
42. 张	zhāng	报纸（份）、图画（幅）、相片（幅）、邮票（套）、扑克牌（副）、光盘 大饼（块）、脸（副）、嘴 网、弓 床、桌子
43. 只	zhī	鸟、鸡、鸭、老鼠、兔子、狗（条）、牛（头、条）、驴（头、条）、羊（头）、骆驼（头）、老虎、蚊子、苍蝇、蜻蜓、蝴蝶 手表（块）、杯子 船（条）、游艇（条） 鞋（双）、袜子（双）、手套（副、双）、袖子、球拍（对、副）、手（双）、脚（双）、耳朵（对、双）、眼睛（对、双）、翅膀（对、双）
44. 支	zhī	笔、手枪（把）、蜡烛（根）、筷子（根、双）、香（根、盘） 军队、歌
45. 座	zuò	山（道）、岛屿 城市、工厂（家）、学校（所）、房子（间、所、套）、桥 石碑（块）、雕塑、大钟（口）

第五部分

普通话水平测试用朗读作品

说　明

1. 60篇朗读作品供普通话水平测试第四项——朗读短文测试使用。为适应测试需要，必要时对原作品做了部分更动。

2. 朗读作品的顺序，按篇名的汉语拼音字母顺序排列。

3. 每篇作品采用汉字和汉语拼音对照的方式编排。

4. 每篇作品在第400个音节后用“//”标注。

5. 为适应朗读的需要，作品中的数字一律采用汉字的书写方式书写，如：“1998年”，写作“一九九八年”，“23%”，写作“百分之二十三”。

6. 加注的汉语拼音原则依据《汉语拼音正词法基本规则》拼写。

7. 注音一般只标本调，不标变调。

8. 作品中的必读轻声音节，拼音不标调号。一般轻读，间或重读的音节，拼音加注调号，并在拼音前加圆点提示，如：“因为”，拼音写作“yīn•wèi”，“差不多”，拼音写作“chà•bù duō”。

9. 作品中的儿化音节分两种情况。一是书面上加“儿”，拼音时在基本形式后加 r，如：“小孩儿”，拼音写作“xiǎoháir”；第二是书面上没有加“儿”，但口语里一般儿化的音节，拼音时也在基本形式后加 r，如：“胡同”，拼音写作“hútòngr”。

作品1号

那是力争上游的一种树，笔直的干，笔直的枝。它的干呢，通常是丈把高，像是加以人工似的，一丈以内，绝无旁枝；它所有的丫枝呢，一律向上，而且紧紧靠拢，也像是加以人工似的，成为一束，绝无横斜逸出；它的宽大的叶子也是片片向上，几乎没有斜生的，更不用说倒垂了；它的皮，光滑而有银色的晕圈，微微泛出淡青色。这是虽在北方的风雪的压迫下却保持着倔强挺立的一种树！哪怕只有碗来粗细罢，它却努力向上发展，高到丈许，两丈，参天耸立，不折不挠，对抗着西北风。

这就是白杨树，西北极普通的一种树，然而决不是平凡的树！

它没有婆娑的姿态，没有屈曲盘旋的虬枝，也许你要说它不美丽，——如果美是专指“婆娑”或“横斜逸出”之类而言，那么，白杨树算不得树中的好女子；但是它却是伟岸，正直，朴质，严肃，也不缺乏温和，更不用提它的坚强不屈与挺拔，它是树中的伟丈夫！当你在积雪初融的高原上走过，看见平坦的大地上傲然挺立这么一株或一排白杨树，难道你就只觉得树只是树，难道你就不想到它的朴质，严肃，坚强不屈，至少也象征了北方的农民；难道你竟一点儿也不联想到，在敌后的广大//土地上，到处有坚强不屈，就像这白杨树一样傲然挺立的守卫他们家乡的哨兵！难道你又不更远一点想到这样枝枝叶叶靠紧团结，力求上进的白杨树，宛然象征了今天在华北平原纵横决荡用血写出新中国历史的那种精神和意志。

节选自茅盾《白杨礼赞》

Zuòpǐn 1 Hào

Nà shì lìzhēng shàngyóu de yī zhǒng shù, bǐzhí de gàn, bǐzhí de zhī. Tā de gàn ne, tōngcháng shì zhàng bǎ gāo, xiàngshì jiāyǐ réngōng shìde, yī zhàng yǐnèi, juéwú pángzhī; tā suǒyǒu de yāzhī ne, yīlǜ xiàngshàng, érqiě jǐnjǐn kàolǒng, yě xiàngshì jiāyǐ réngōng shìde, chéngwéi yī shù, juéwú héng xié yì chū; tā de kuāndà de yèzi yě shì piànpiàn xiàngshàng, jīhū méi•yǒu xié shēng de, gèng bùyòng shuō dàochuí le; tā de pí, guānghuá ér yǒu yínsè de yùnquān, wēiwēi fànchū dànqīngsè. Zhè shì suī zài běifāng de fēngxuě de yāpò xià què bǎochízhe juéjiàng tǐnglì de yī zhǒng shù! Nǎpà zhǐyǒu wǎn lái cūxì ba, tā què nǔlì xiàngshàng fāzhǎn, gāo dào zhàng xǔ, liǎng zhàng, cāntiān sǒnglì, bùzhé-bùnáo, duìkàngzhe xīběifēng.

Zhè jiùshì báiyángshù, xīběi jí pǔtōng de yī zhǒng shù, rán'ér jué bù shì píngfán de shù!

Tā méi•yǒu pósuō de zītài, méi•yǒu qūqū pánxuán de qiúzhī, yěxǔ nǐ yào shuō tā bù měilì, ——rúguǒ měi shì zhuān zhǐ "pósuō" huò "héng xié yì chū" zhīlèi ér yán, nàme, báiyángshù suàn •bù •dé shù zhōng de hǎo nǚzǐ; dànshì tā què shì wěi'àn, zhèngzhí, pǔzhì, yánsù, yě bù quēfá wēnhé, gèng bùyòng tí tā de jiānqiáng bùqū yǔ tǐngbá, tā shì shù zhōng de wěizhàngfū! Dāng nǐ zài jīxuě chū róng de gāoyuán •shàng zǒuguò, kàn•jiàn píngtǎn de dàdì •shàng àorán tǐnglì zhème yī zhū huò yī pái báiyángshù, nándào nǐ jiù zhǐ jué•dé shù zhǐshì shù, nándào nǐ jiù bù xiǎngdào tā de pǔzhì, yánsù, jiānqiáng bùqū, zhìshǎo yě xiàngzhēngle běifāng de nóngmín; nándào nǐ jìng yīdiǎnr yě bù liánxiǎng dào, zài díhòu de guǎngdà // tǔdì •shàng, dàochù yǒu jiānqiáng bùqū, jiù xiàng zhè báiyángshù yīyàng àorán tǐnglì de shǒuwèi tāmen jiāxiāng de shàobīng! Nándào nǐ yòu bù gèng yuǎn yīdiǎnr xiǎngdào zhèyàng zhīzhī-yèyè kàojǐn tuánjié, lìqiú shàngjìn de báiyángshù, wǎnrán xiàngzhēngle jīntiān zài Huáběi Píngyuán zònghéng juédàng yòng xuè xiěchū xīn Zhōngguó lìshǐ de nà zhǒng jīngshén hé yìzhì.

Jiéxuǎn zì Máo Dùn《Báiyáng Lǐzàn》

作品2号

两个同龄的年轻人同时受雇于一家店铺，并且拿同样的薪水。

可是一段时间后，叫阿诺德的那个小伙子青云直上，而那个叫布鲁诺的小伙子却仍在原地踏步。布鲁诺很不满意老板的不公正待遇。终于有一天他到老板那儿发牢骚了。老板一边耐心地听着他的抱怨，一边在心里盘算着怎样向他解释清楚他和阿诺德之间的差别。

“布鲁诺先生，”老板开口说话了，“您现在到集市上去一下，看看今天早上有什么卖的。”

布鲁诺从集市上回来向老板汇报说，今早集市上只有一个农民拉了一车土豆在卖。

“有多少？”老板问。

布鲁诺赶快戴上帽子又跑到集上，然后回来告诉老板一共四十袋土豆。

“价格是多少？”

布鲁诺又第三次跑到集上问来了价格。

“好吧，”老板对他说，“现在请您坐到这把椅子上一句话也不要说，看看阿诺德怎么说。”

阿诺德很快就从集市上回来了。向老板汇报说到现在为止只有一个农民在卖土豆，一共四十口袋，价格是多少多少；土豆质量很不错，他带回来一个让老板看看。这个农民一个钟头以后还会弄来几箱西红柿，据他看价格非常公道。昨天他们铺子的西红柿卖得很快，库存已经不//多了。他想这么便宜的西红柿，老板肯定会要进一些的，所以他不仅带回了一个西红柿做样品，而且把那个农民也带来了，他现在正在外面等回话呢。

此时老板转向了布鲁诺，说：“现在您肯定知道为什么阿诺德的薪水比您高了吧！”

节选自张健鹏、胡足青主编《故事时代》中《差别》

Zuòpǐn 2 Hào

Liǎng gè tónglíng de niánqīngrén tóngshí shòugù yú yī jiā diànpù, bìngqiě ná tóngyàng de xīn•shuǐ.

Kěshì yī duàn shíjiān hòu, jiào Ānuòdé de nàge xiǎohuǒzi qīngyún zhíshàng, ér nàge jiào Bùlǔnuò de xiǎohuǒzi què réng zài yuándì tàbù. Bùlǔnuò hěn bù mǎnyì lǎobǎn de bù gōngzhèng dàiyù. Zhōngyú yǒu yī tiān tā dào lǎobǎn nàr fā láo•sāo le. Lǎobǎn yībiān nàixīn de tīngzhe tā de bào•yuàn, yībiān zài xīn•lǐ pánsuanzhe zěnyàng xiàng tā jiěshì qīngchu tā hé Ānuòdé zhījiān de chābié.

"Bùlǔnuò xiānsheng," Lǎobǎn kāikǒu shuōhuà le, "Nín xiànzài dào jíshì •shàng qù yīxià, kànkan jīntiān zǎoshang yǒu shénme mài de."

Bùlǔnuò cóng jíshì •shàng huí•lái xiàng lǎobǎn huìbào shuō, jīnzǎo jíshì •shàng zhǐyǒu yī gè nóngmín lāle yī chē tǔdòu zài mài.

" Yǒu duō•shǎo?" Lǎobǎn wèn.

Bùlǔnuò gǎnkuài dài•shàng màozi yòu pǎodào jí•shàng, ránhòu huí•lái gàosu lǎobǎn yīgòng sìshí dài tǔdòu.

" Jiàgé shì duō•shǎo?"

Bùlǔnuò yòu dì-sān cì pǎodào jí•shàng wènláile jiàgé.

"Hǎo ba," Lǎobǎn duì tā shuō," Xiànzài qǐng nín zuòdào zhè bǎ yǐzi•shàng yī jù huà yě bùyào shuō, kànkan Ānuòdé zěnme shuō."

Ānuòdé hěn kuài jiù cóng jíshì •shàng huí•lái le. Xiàng lǎobǎn huìbào shuō dào xiànzài wéizhǐ zhǐyǒu yī gè nóngmín zài mài tǔdòu, yīgòng sìshí kǒudai, jiàgé shì duō•shǎo duō•shǎo; tǔdòu zhìliàng hěn bùcuò, tā dài huí•lái yī gè ràng lǎobǎn kànkan. Zhège nóngmín yī gè zhōngtóu yǐhòu hái huì nònglái jǐ xiāng xīhóngshì, jù tā kàn jiàgé fēicháng gōng•dào. Zuótiān tāmen pùzi de xīhóngshì mài de hěn kuài, kùcún yǐ•jīng bù// duō le. Tā xiǎng zhème piányi de xīhóngshì, lǎobǎn kěndìng huì yào jìn yīxiē de, suǒyǐ tā bùjǐn dàihuíle yī gè xīhóngshì zuò yàngpǐn, érqiě bǎ nàge nóngmín yě dài•lái le, tā xiànzài zhèngzài wài•miàn děng huíhuà ne.

Cǐshí lǎobǎn zhuǎnxiàngle Bùlǔnuò, shuō: " Xiànzài nín kěndìng zhī•dào wèishénme Ānuòdé de xīn•shuǐ bǐ nín gāo le ba!"

Jiéxuǎn zì Zhāng Jiànpéng、Hú Zúqīng zhǔbiān《Gùshi Shídài》zhōng《Chābié》

作品3号

我常常遗憾我家门前那块丑石：它黑黝黝地卧在那里，牛似的模样；谁也不知道是什么时候留在这里的，谁也不去理会它。只是麦收时节，门前摊了麦子，奶奶总是说：这块丑石，多占地面呀，抽空把它搬走吧。

它不像汉白玉那样的细腻，可以刻字雕花，也不像大青石那样的光滑，可以供来浣纱捶布。它静静地卧在那里，院边的槐阴没有庇覆它，花儿也不再在它身边生长。荒草便繁衍出来，枝蔓上下，慢慢地，它竟锈上了绿苔、黑斑。我们这些做孩子的，也讨厌起它来，曾合伙要搬走它，但力气又不足；虽时时咒骂它，嫌弃它，也无可奈何，只好任它留在那里了。

终有一日，村子里来了一个天文学家。他在我家门前路过，突然发现了这块石头，眼光立即就拉直了。他再没有离开，就住了下来；以后又来了好些人，都说这是一块陨石，从天上落下来已经有二三百年了，是一件了不起的东西。不久便来了车，小心翼翼地将它运走了。

这使我们都很惊奇，这又怪又丑的石头，原来是天上的啊！它补过天，在天上发过热、闪过光，我们的先祖或许仰望过它，它给了他们光明、向往、憧憬；而它落下来了，在污土里，荒草里，一躺就//是几百年了！

我感到自己的无知，也感到了丑石的伟大，我甚至怨恨它这么多年竟会默默地忍受着这一切！而我又立即深深地感到它那种不屈于误解、寂寞的生存的伟大。

节选自贾平凹《丑石》

Zuòpǐn 3 Hào

Wǒ chángcháng yíhàn wǒ jiā mén qián nà kuài chǒu shí：Tā hēiyǒuyǒu* de wò zài nà•lǐ，niú shìde múyàng；shéi yě bù zhī•dào shì shénme shíhou liú zài zhè•lǐ de，shéi yě bù qù lǐhuì tā. Zhǐshì màishōu shíjié，mén qián tānle màizi，nǎinai zǒngshì shuō：Zhè kuài chǒu shí，duō zhàn dìmiàn ya，chōukòng bǎ tā bānzǒu ba.

Tā bù xiàng hànbáiyù nàyàng de xìnì，kěyǐ kèzì diāohuā，yě bù xiàng dà qīngshí nàyàng de guānghuá，kěyǐ gōng lái huànshā chuíbù. Tā jìngjìng de wò zài nà•lǐ，yuàn biān de huáiyīn méi•yǒu bìfù tā，huā'•ér yě bùzài zài tā shēnbiān shēngzhǎng. Huāngcǎo biàn fányǎn chū•lái，zhīmàn shàngxià，mànmàn de，tā jìng xiùshàngle lǜtái、hēibān. Wǒmen zhèxiē zuò háizi de，yě tǎoyàn •qǐ tā •lái，céng héhuǒ yào bānzǒu tā，dàn lìqi yòu bùzú；suī shíshí zhòumà tā，xiánqì tā，yě wúkě-nàihé，zhǐhǎo rèn tā liú zài nà•lǐ le.

Zhōng yǒu yī rì，cūnzi •lǐ láile yī gè tianwénxuéjiā. Tā zài wǒ jiā mén qián lùguò，tūrán fāxiànle zhè kuài shítou，yǎnguāng lìjí jiù lāzhí le. Tā zài méi•yǒu líkāi，jiù zhùle xià•lái；yǐhòu yòu láile hǎoxiē rén，dōu shuō zhè shì yī kuài yǔnshí，cóng tiān•shàng luò xià•lái yǐ•jīng yǒu èr-sānbǎi nián le，shì yī jiàn liǎo•bùqǐ de dōngxi . Bùjiǔ biàn láile chē，xiǎoxīn-yìyì de jiāng tā yùnzǒu le.

Zhè shǐ wǒmen dōu hěn jīngqí，zhè yòu guài yòu chǒu de shítou，yuánlái shì tiān-•shàng de a！Tā bǔguo tiān，zài tiān•shàng fāguo rè、shǎnguo guāng，wǒmen de xiānzǔ huòxǔ yǎngwàngguo tā，tā gěile tāmen guāngmíng、xiàngwǎng、chōngjǐng；ér tā luò xià•lái le，zài wūtǔ •lǐ，huāngcǎo •lǐ，yī tǎng jiù//shì jǐbǎi nián le！

Wǒ gǎndào zìjǐ de wúzhī，yě gǎndàole chǒu shí de wěidà，wǒ shènzhì yuànhèn tā zhème duō nián jìng huì mòmò de rěnshòuzhe zhè yīqiè！Ér wǒ yòu lìjí shēnshēn de gǎndào tā nà zhǒng bùqū yú wùjiě、jìmò de shēngcún de wěidà.

Jiéxuǎn zì Jiǎ Píngwā《Chǒu Shí》

---

* 口语一般读 hēiyōuyōu。

作品 4 号

在达瑞八岁的时候，有一天他想去看电影。因为没有钱，他想是向爸妈要钱，还是自己挣钱。最后他选择了后者。他自己调制了一种汽水，向过路的行人出售。可那时正是寒冷的冬天，没有人买，只有两个人例外——他的爸爸和妈妈。

他偶然有一个和非常成功的商人谈话的机会。当他对商人讲述了自己的“破产史”后，商人给了他两个重要的建议：一是尝试为别人解决一个难题；二是把精力集中在你知道的、你会的和你拥有的东西上。

这两个建议很关键。因为对于一个八岁的孩子而言，他不会做的事情很多。于是他穿过大街小巷，不停地思考：人们会有什么难题，他又如何利用这个机会？

一天，吃早饭时父亲让达瑞去取报纸。美国的送报员总是把报纸从花园篱笆的一个特制的管子里塞进来。假如你想穿着睡衣舒舒服服地吃早饭和看报纸，就必须离开温暖的房间，冒着寒风，到花园去取。虽然路短，但十分麻烦。

当达瑞为父亲取报纸的时候，一个主意诞生了。当天他就按响邻居的门铃，对他们说，每个月只需付给他一美元，他就每天早上把报纸塞到他们的房门底下。大多数人都同意了，很快他有//了七十多个顾客。一个月后，当他拿到自己赚的钱时，觉得自己简直是飞上了天。

很快他又有了新的机会，他让他的顾客每天把垃圾袋放在门前，然后由他早上运到垃圾桶里，每个月加一美元。之后他还想出了许多孩子赚钱的办法，并把它集结成书，书名为《儿童挣钱的二百五十个主意》。为此，达瑞十二岁时就成了畅销书作家，十五岁有了自己的谈话节目，十七岁就拥有了几百万美元。

节选自[德]博多·舍费尔《达瑞的故事》，刘志明译

Zuòpǐn 4 Hào

Zài Dáruì bā suì de shíhou，yǒu yī tiān tā xiǎng qù kàn diànyǐng. Yīn•wèi méi•yǒu qián，tā xiǎng shì xiàng bà mā yào qián，háishì zìjǐ zhèngqián. Zuìhòu tā xuǎnzéle hòuzhě. Tā zìjǐ tiáozhìle yī zhǒng qìshuǐr，xiàng guòlù de xíngrén chūshòu. Kě nàshí zhèngshì hánlěng de dōngtiān，méi•yǒu rén mǎi，zhǐyǒu liǎng gè rén lìwài——tā de bàba hé māma.

Tā ǒurán yǒu yī gè hé fēicháng chénggōng de shāngrén tánhuà de jī•huì. Dāng tā duì shāngrén jiǎngshùle zìjǐ de“pòchǎnshǐ”hòu，shāngrén gěile tā liǎng gè zhòngyào de jiànyì：yī shì chángshì wèi bié•rén jiějué yī gè nántí；èr shì bǎ jīnglì jízhōng zài nǐ zhī•dào de、nǐ huì de hé nǐ yōngyǒu de dōngxi •shàng.

Zhè liǎng gè jiànyì hěn guānjiàn. Yīn•wèi duìyú yī gè bā suì de háizi ér yán，tā bù huì zuò de shìqing hěn duō. Yúshì tā chuānguo dàjiē xiǎoxiàng，bùtíng de sīkǎo：rénmen huì yǒu shénme nántí，tā yòu rúhé lìyòng zhège jī•huì?

Yī tiān，chī zǎofàn shí fù•qīn ràng Dáruì qù qǔ bàozhǐ. Měiguó de sòngbàoyuán zǒngshì bǎ bàozhǐ cóng huāyuán líba de yī gè tèzhì de guǎnzi •lǐ sāi jìn•lái. Jiǎrú nǐ xiǎng chuānzhe shuìyī shūshū-fúfú[1] de chī zǎofàn hé kàn bàozhǐ，jiù bìxū líkāi wēnnuǎn de fángjiān，màozhe hánfēng，dào huāyuán qù qǔ. Suīrán lù duǎn，dàn shífēn máfan.

Dāng Dáruì wèi fù•qīn qǔ bàozhǐ de shíhou，yī gè zhǔyi dànshēng le. Dàngtiān tā jiù ànxiǎng lín•jū de ménlíng，duì tāmen shuō，měi gè yuè zhǐ xū fùgěi tā yī měiyuán，tā jiù měitiān zǎoshang bǎ bàozhǐ sāidào tāmen de fángmén dǐ•xià. Dàduōshù rén dōu tóngyì le，hěn kuài tā yǒu// le qīshí duō gè gùkè. Yī gè yuè hòu，dāng tā nádào zìjǐ zhuàn de qián shí，jué•dé zìjǐ jiǎnzhí shì fēi•shàngle tiān.

Hěn kuài tā yòu yǒule xīn de jī•huì，tā ràng tā de gùkè měitiān bǎ lājīdài fàng zài mén qián，ránhòu yóu tā zǎoshang yùndào lājītǒng•lǐ，měi gè yuè jiā yī měiyuán. Zhīhòu tā hái xiǎngchūle xǔduō háizi zhuànqián de bànfǎ，bìng bǎ tā jíjié chéng shū，shūmíng wéi《Értóng Zhèngqián de Èrbǎi Wǔshí gè Zhǔyi[2]》. Wèicǐ，Dáruì shí'èr suì shí jiù chéngle chàngxiāoshū zuòjiā，shíwǔ suì yǒule zìjǐ de tánhuà jiémù，shíqī suì jiù yōngyǒule jǐ bǎiwàn měiyuán.

Jiéxuǎn zì［Dé］Bóduō Shěfèi'ěr《Dáruì de Gùshi》，Liú Zhìmíng yì

---

(1) 口语一般读 shūshu-fūfū。

(2) 口语一般读 zhúyi。

作品 5 号

这是入冬以来，胶东半岛上第一场雪。

雪纷纷扬扬，下得很大。开始还伴着一阵儿小雨，不久就只见大片大片的雪花，从彤云密布的天空中飘落下来。地面上一会儿就白了。冬天的山村，到了夜里就万籁俱寂，只听得雪花簌簌地不断往下落，树木的枯枝被雪压断了，偶尔咯吱一声响。

大雪整整下了一夜。今天早晨，天放晴了，太阳出来了。推开门一看，嗬！好大的雪啊！山川、河流、树木、房屋，全都罩上了一层厚厚的雪，万里江山，变成了粉妆玉砌的世界。落光了叶子的柳树上挂满了毛茸茸亮晶晶的银条儿；而那些冬夏常青的松树和柏树上，则挂满了蓬松松沉甸甸的雪球儿。一阵风吹来，树枝轻轻地摇晃，美丽的银条儿和雪球儿簌簌地落下来，玉屑似的雪末儿随风飘扬，映着清晨的阳光，显出一道道五光十色的彩虹。

大街上的积雪足有一尺多深，人踩上去，脚底下发出咯吱咯吱的响声。一群群孩子在雪地里堆雪人，掷雪球儿。那欢乐的叫喊声，把树枝上的雪都震落下来了。

俗话说，“瑞雪兆丰年”。这个话有充分的科学根据，并不是一句迷信的成语。寒冬大雪，可以冻死一部分越冬的害虫；融化了的水渗进土层深处，又能供应//庄稼生长的需要。我相信这一场十分及时的大雪，一定会促进明年春季作物，尤其是小麦的丰收。有经验的老农把雪比做是“麦子的棉被”。冬天“棉被”盖得越厚，明春麦子就长得越好，所以又有这样一句谚语：“冬天麦盖三层被，来年枕着馒头睡”。

我想，这就是人们为什么把及时的大雪称为“瑞雪”的道理吧。

节选自峻青《第一场雪》

Zuòpǐn 5 Hào

Zhè shì rùdōng yǐlái，Jiāodōng Bàndǎo •shàng dì-yī cháng xuě.

Xuě fēnfēn-yángyáng，xià de hěn dà. Kāishǐ hái bànzhe yīzhènr xiǎoyǔ，bùjiǔ jiù zhǐ jiàn dàpiàn dàpiàn de xuěhuā，cóng tóngyún-mìbù de tiānkōng zhōng piāoluò xià•lái. Dìmiàn •shàng yīhuìr jiù bái le. Dōngtiān de shāncūn，dàole yè•lǐ jiù wànlài-jùjì，zhǐ tīng de xuěhuā sùsù de bùduàn wǎngxià luò，shùmù de kūzhī bèi xuě yāduàn le，ǒu'ěr gēzhī yī shēng xiǎng.

Dàxuě zhěngzhěng xiàle yī yè. Jīntiān zǎo•chén，tiān fàngqíng le，tài•yáng chū•lái le. Tuīkāi mén yī kàn，hē! Hǎo dà de xuě a! Shānchuān、héliú、shùmù、fángwū，quán dōu zhào•shàngle yī céng hòuhòu de xuě，wànlǐ jiāngshān，biànchéngle fěnzhuāng-yùqì de shìjiè. Luòguāngle yèzi de liǔshù •shàng guàmǎnle máoróngróng liàngjīngjīng de yíntiáor；ér nàxiē dōng-xià chángqīng de sōngshù hé bǎishù •shàng，zé guàmǎnle péngsōngsōng chéndiàndiàn de xuěqiúr. Yī zhèn fēng chuīlái，shùzhī qīngqīng de yáo•huàng，měilì de yíntiáor hé xuěqiúr sùsù de luò xià-•lái，yùxiè shìde xuěmòr suí fēng piāoyáng，yìngzhe qīngchén de yángguāng，xiǎnchū yī dàodào wǔguāng-shísè de cǎihóng.

Dàjiē •shàng de jīxuě zú yǒu yī chǐ duo shēn，rén cǎi shàng•qù，jiǎo dǐ•xià fāchū gēzhī gēzhī de xiǎngshēng. Yī qúnqún háizi zài xuědì •lǐ duī xuěrén，zhì xuěqiúr. Nà huānlè de jiàohǎnshēng，bǎ shùzhī•shàng de xuě dōu zhènluò xià•lái le.

Súhuà shuō，"Ruìxuě zhào fēngnián". Zhège huà yǒu chōngfèn de kēxué gēnjù，bìng bù shì yī jù míxìn de chéngyǔ. Hándōng dàxuě，kěyǐ dòngsǐ yī bùfen yuèdōng de hàichóng；rónghuàle de shuǐ shènjìn tǔcéng shēnchù，yòu néng gōngyìng // zhuāngjia shēngzhǎng de xūyào. Wǒ xiāngxìn zhè yī cháng shífēn jíshí de dàxuě，yīdìng huì cùjìn míngnián chūnjì zuòwù，yóuqí shì xiǎomài de fēngshōu. Yǒu jīngyàn de lǎonóng bǎ xuě bǐzuò shì "màizi de miánbèi". Dōngtiān "miánbèi" gài de yuè hòu，míngchūn màizi jiù zhǎng de yuè hǎo，suǒyǐ yòu yǒu zhèyàng yī jù yànyǔ："Dōngtiān mài gài sān céng bèi，láinián zhěnzhe mántou shuì".

Wǒ xiǎng，zhè jiùshì rénmen wèishénme bǎ jíshí de dàxuě chēngwéi"ruìxuě" de dào•lǐ ba.

Jiéxuǎn zì Jùn Qīng《Dì-yī Cháng Xuě》

作品 6 号

我常想读书人是世间幸福人，因为他除了拥有现实的世界之外，还拥有另一个更为浩瀚也更为丰富的世界。现实的世界是人人都有的，而后一个世界却为读书人所独有。由此我想，那些失去或不能阅读的人是多么的不幸，他们的丧失是不可补偿的。世间有诸多的不平等，财富的不平等，权力的不平等，而阅读能力的拥有或丧失却体现为精神的不平等。

一个人的一生，只能经历自己拥有的那一份欣悦，那一份苦难，也许再加上他亲自闻知的那一些关于自身以外的经历和经验。然而，人们通过阅读，却能进入不同时空的诸多他人的世界。这样，具有阅读能力的人，无形间获得了超越有限生命的无限可能性。阅读不仅使他多识了草木虫鱼之名，而且可以上溯远古下及未来，饱览存在的与非存在的奇风异俗。

更为重要的是，读书加惠于人们的不仅是知识的增广，而且还在于精神的感化与陶冶。人们从读书学做人，从那些往哲先贤以及当代才俊的著述中学得他们的人格。人们从《论语》中学得智慧的思考，从《史记》中学得严肃的历史精神，从《正气歌》中学得人格的刚烈，从马克思学得人世//的激情，从鲁迅学得批判精神，从托尔斯泰学得道德的执著。歌德的诗句刻写着睿智的人生，拜伦的诗句呼唤着奋斗的热情。一个读书人，一个有机会拥有超乎个人生命体验的幸运人。

节选自谢冕《读书人是幸福人》

Zuòpǐn 6 Hào

Wǒ cháng xiǎng dúshūrén shì shìjiān xìngfú rén，yīn•wèi tā chúle yōngyǒu xiànshí de shìjiè zhīwài，hái yōngyǒu lìng yī gè gèng wéi hàohàn yě gèng wéi fēngfù de shìjiè. Xiànshí de shìjiè shì rénrén dōu yǒu de，ér hòu yī gè shìjiè què wéi dúshūrén suǒ dúyǒu. Yóu cǐ wǒ xiǎng，nàxiē shīqù huò bùnéng yuèdú de rén shì duōme de bùxìng，tāmen de sàngshī shì bùkě bǔcháng de. Shìjiān yǒu zhūduō de bù píngděng，cáifù de bù píngděng，quánlì de bù píngděng，ér yuèdú nénglì de yōngyǒu huò sàngshī què tǐxiàn wéi jīngshén de bù píngděng.

Yī gè rén de yīshēng，zhǐnéng jīnglì zìjǐ yōngyǒu de nà yī fèn xīnyuè，nà yī fèn kǔnàn，yěxǔ zài jiā•shàng tā qīnzì wén zhī de nà yīxiē guānyú zìshēn yǐwài de jīnglì hé jīngyàn. Rán'ér，rénmen tōngguò yuèdú，què néng jìnrù bùtóng shíkōng de zhūduō tārén de shìjiè. Zhèyàng，jùyǒu yuèdú nénglì de rén，wúxíng jiān huòdéle chāoyuè yǒuxiàn shēngmìng de wúxiàn kěnéngxìng. Yuèdú bùjǐn shǐ tā duō shíle cǎo-mù-chóng-yú zhī míng，érqiě kěyǐ shàngsù yuǎngǔ xià jí wèilái，bǎolǎn cúnzài de yǔ fēicúnzài de qífēng-yìsú.

Gèng wéi zhòngyào de shì，dúshū jiāhuì yú rénmen de bùjǐn shì zhīshi de zēngguǎng，érqiě hái zàiyú jīngshén de gǎnhuà yǔ táoyě. Rénmen cóng dúshū xué zuò rén，cóng nàxiē wǎngzhé xiānxián yǐjí dāngdài cáijùn de zhùshù zhōng xuédé tāmen de réngé. Rénmen cóng《Lúnyǔ》zhōng xuédé zhìhuì de sīkǎo，cóng《Shǐjì》zhōng xuédé yánsù de lìshǐ jīngshén，cóng《Zhèngqìgē》zhōng xuédé réngé de gāngliè，cóng Mǎkèsī xuédé rénshì// de jīqíng，cóng Lǔ Xùn xuédé pīpàn jīngshén，cóng Tuō'ěrsītài xuédé dàodé de zhízhuó. Gēdé de shījù kèxiězhe ruìzhì de rénshēng，Bàilún de shījù hūhuànzhe fèndòu de rèqíng. Yī gè dúshūrén，yī gè yǒu jī•huì yōngyǒu chāohū gèrén shēngmìng tǐyàn de xìngyùn rén.

Jiéxuǎn zì Xiè Miǎn《Dúshūrén Shì Xìngfú Rén》

作品7号

一天，爸爸下班回到家已经很晚了，他很累也有点儿烦，他发现五岁的儿子靠在门旁正等着他。

"爸，我可以问您一个问题吗？"

"什么问题？""爸，您一小时可以赚多少钱？""这与你无关，你为什么问这个问题？"父亲生气地说。

"我只是想知道，请告诉我，您一小时赚多少钱？"小孩儿哀求道。"假如你一定要知道的话，我一小时赚二十美金。"

"哦，"小孩儿低下了头，接着又说，"爸，可以借我十美金吗？"父亲发怒了："如果你只是要借钱去买毫无意义的玩具的话，给我回到你的房间睡觉去。好好想想为什么你会那么自私。我每天辛苦工作，没时间和你玩儿小孩子的游戏。"

小孩儿默默地回到自己的房间关上门。

父亲坐下来还在生气。后来，他平静下来了。心想他可能对孩子太凶了——或许孩子真的很想买什么东西，再说他平时很少要过钱。

父亲走进孩子的房间："你睡了吗？""爸，还没有，我还醒着。"孩子回答。

"我刚才可能对你太凶了，"父亲说，"我不应该发那么大的火儿——这是你要的十美金。""爸，谢谢您。"孩子高兴地从枕头下拿出一些被弄皱的钞票，慢慢地数着。

"为什么你已经有钱了还要？"父亲不解地问。

"因为原来不够，但现在凑够了。"孩子回答："爸，我现在有//二十美金了，我可以向您买一个小时的时间吗？明天请早一点儿回家——我想和您一起吃晚餐。"

节选自唐继柳编译《二十美金的价值》

Zuòpǐn 7 Hào

Yī tiān, bàba xiàbān huídào jiā yǐ•jīng hěn wǎn le, tā hěn lèi yě yǒu diǎnr fán, tā fāxiàn wǔ suì de érzi kào zài mén páng zhèng děngzhe tā.

"Bà, wǒ kěyǐ wèn nín yī gè wèntí ma?"

"Shénme wèntí?" "Bà, nín yī xiǎoshí kěyǐ zhuàn duō•shǎo qián?" "Zhè yǔ nǐ wúguān, nǐ wèishénme wèn zhège wèntí?" Fù•qīn shēngqì de shuō.

"Wǒ zhǐshì xiǎng zhī•dào, qǐng gàosu wǒ, nín yī xiǎoshí zhuàn duō•shǎo qián?" Xiǎoháir āiqiú dào. " Jiǎrú nǐ yīdìng yào zhī•dào de huà, wǒ yī xiǎoshí zhuàn èrshí měijīn. "

" Ò," Xiǎoháir dīxiàle tóu, jiēzhe yòu shuō, " Bà, kěyǐ jiè wǒ shí měijīn ma?" Fù•qīn fānù le:" Rúguǒ nǐ zhǐshì yào jiè qián qù mǎi háowú yìyì de wánjù de huà, gěi wǒ huídào nǐ de fángjiān shuìjiào •qù. Hǎohǎo xiǎngxiang wèishénme nǐ huì nàme zìsī. Wǒ měitiān xīnkǔ gōngzuò, méi shíjiān hé nǐ wánr xiǎoháizi de yóuxì."

Xiǎoháir mòmò de huídào zìjǐ de fángjiān guān•shàng mén.

Fù•qīn zuò xià•lái hái zài shēngqì. Hòulái, tā píngjìng xià•lái le. Xīnxiǎng tā kěnéng duì háizi tài xiōng le—— huòxǔ háizi zhēnde hěn xiǎng mǎi shénme dōngxi, zài shuō tā píngshí hěn shǎo yàoguo qián.

Fù•qīn zǒujìn háizi de fángjiān:"Nǐ shuìle ma?" " Bà, hái méi•yǒu, wǒ hái xǐngzhe. " Háizi huídá.

"Wǒ gāngcái kěnéng duì nǐ tài xiōng le," Fù•qīn shuō, "Wǒ bù yīnggāi fā nàme dà de huǒr——zhè shì nǐ yào de shí měijīn. " "Bà, xièxie nín. " Háizi gāoxìng de cóng zhěntou •xià náchū yīxiē bèi nòngzhòu de chāopiào, mànmàn de shǔzhe.

"Wèishénme nǐ yǐ•jīng yǒu qián le hái yào?" Fù•qīn bùjiě de wèn.

"Yīn•wèi yuánlái bùgòu, dàn xiànzài còugòu le. " Háizi huídá:"Bà, wǒ xiànzài yǒu// èrshí měijīn le, wǒ kěyǐ xiàng nín mǎi yī gè xiǎoshí de shíjiān ma? Míngtiān qǐng zǎo yīdiǎnr huíjiā——wǒ xiǎng hé nín yīqǐ chī wǎncān. "

Jiéxuǎn zì Táng Jìliǔ biānyì《Èrshí Měijīn de Jiàzhí》

作品 8 号

我爱月夜,但我也爱星天。从前在家乡七八月的夜晚在庭院里纳凉的时候,我最爱看天上密密麻麻的繁星。望着星天,我就会忘记一切,仿佛回到了母亲的怀里似的。

三年前在南京我住的地方有一道后门,每晚我打开后门,便看见一个静寂的夜。下面是一片菜园,上面是星群密布的蓝天。星光在我们的肉眼里虽然微小,然而它使我们觉得光明无处不在。那时候我正在读一些天文学的书,也认得一些星星,好像它们就是我的朋友,它们常常在和我谈话一样。

如今在海上,每晚和繁星相对,我把它们认得很熟了。我躺在舱面上,仰望天空。深蓝色的天空里悬着无数半明半昧的星。船在动,星也在动,它们是这样低,真是摇摇欲坠呢!渐渐地我的眼睛模糊了,我好像看见无数萤火虫在我的周围飞舞。海上的夜是柔和的,是静寂的,是梦幻的。我望着许多认识的星,我仿佛看见它们在对我眨眼,我仿佛听见它们在小声说话。这时我忘记了一切。在星的怀抱中我微笑着,我沉睡着。我觉得自己是一个小孩子,现在睡在母亲的怀里了。

有一夜,那个在哥伦波上船的英国人指给我看天上的巨人。他用手指着://那四颗明亮的星是头,下面的几颗是身子,这几颗是手,那几颗是腿和脚,还有三颗星算是腰带。经他这一番指点,我果然看清楚了那个天上的巨人。看,那个巨人还在跑呢!

节选自巴金《繁星》

Zuòpǐn 8 Hào

Wǒ ài yuèyè, dàn wǒ yě ài xīngtiān. Cóngqián zài jiāxiāng qī-bāyuè de yèwǎn zài tíngyuàn •lǐ nàliáng de shíhou, wǒ zuì ài kàn tiān•shàng mìmì-mámá de fánxīng. Wàngzhe xīngtiān, wǒ jiù huì wàngjì yīqiè, fǎngfú huídàole mǔ•qīn de huái •lǐ shìde.

Sān nián qián zài Nánjīng wǒ zhù de dìfang yǒu yī dào hòumén, měi wǎn wǒ dǎkāi hòumén, biàn kàn•jiàn yī gè jìngjì de yè. Xià•miàn shì yī piàn càiyuán, shàng•miàn shì xīngqún mìbù de lántiān. Xīngguāng zài wǒmen de ròuyǎn • lǐ suīrán wēixiǎo, rán'ér tā shǐ wǒmen jué • dé guāngmíng wúchù-bùzài. Nà shíhou wǒ zhèngzài dú yīxiē tiānwénxué de shū, yě rènde yīxiē xīngxing, hǎoxiàng tāmen jiùshì wǒ de péngyou, tāmen chángcháng zài hé wǒ tánhuà yīyàng.

Rújīn zài hǎi•shàng, měi wǎn hé fánxīng xiāngduì, wǒ bǎ tāmen rènde hěn shú le. Wǒ tǎng zài cāngmiàn •shàng, yǎngwàng tiānkōng. Shēnlánsè de tiānkōng •lǐ xuánzhe wúshù bànmíng-bànmèi de xīng. Chuán zài dòng, xīng yě zài dòng, tāmen shì zhèyàng dī, zhēn shì yáoyáo-yùzhuì ne! Jiànjiàn de wǒ de yǎnjing móhu le, wǒ hǎoxiàng kàn•jiàn wúshù yínghuǒchóng zài wǒ de zhōuwéi fēiwǔ. Hǎi•shàng de yè shì róuhé de, shì jìngjì de, shì mènghuàn de. Wǒ wàngzhe xǔduō rènshi de xīng, wǒ fǎngfú kàn•jiàn tāmen zài duì wǒ zhǎyǎn, wǒ fǎngfú tīng•jiàn tāmen zài xiǎoshēng shuōhuà. Zhèshí wǒ wàngjìle yīqiè. Zài xīng de huáibào zhōng wǒ wēixiàozhe, wǒ chénshuìzhe. Wǒ jué•dé zìjǐ shì yī gè xiǎoháizi, xiànzài shuì zài mǔ•qīn de huái•lǐ le.

Yǒu yī yè, nàge zài Gēlúnbō shàng chuán de Yīngguórén zhǐ gěi wǒ kàn tiān•shàng de jùrén. Tā yòng shǒu zhǐzhe: // Nà sì kē míngliàng de xīng shì tóu, xià•miàn de jǐ kē shì shēnzi, zhè jǐ kē shì shǒu, nà jǐ kē shì tuǐ hé jiǎo, háiyǒu sān kē xīng suànshì yāodài. Jīng tā zhè yīfān zhǐdiǎn, wǒ guǒrán kàn qīngchule nàge tiān•shàng de jùrén. Kàn, nàge jùrén hái zài pǎo ne!

Jiéxuǎn zì Bā Jīn《Fánxīng》

作品 9 号

假日到河滩上转转，看见许多孩子在放风筝。一根根长长的引线，一头系在天上，一头系在地上，孩子同风筝都在天与地之间悠荡，连心也被悠荡得恍恍惚惚了，好像又回到了童年。

儿时放的风筝，大多是自己的长辈或家人编扎的，几根削得很薄的篾，用细纱线扎成各种鸟兽的造型，糊上雪白的纸片，再用彩笔勾勒出面孔与翅膀的图案。通常扎得最多的是“老雕”“美人儿”“花蝴蝶”等。

我们家前院就有位叔叔，擅扎风筝，远近闻名。他扎得风筝不只体型好看，色彩艳丽，放飞得高远，还在风筝上绷一叶用蒲苇削成的膜片，经风一吹，发出“嗡嗡”的声响，仿佛是风筝的歌唱，在蓝天下播扬，给开阔的天地增添了无尽的韵味，给驰荡的童心带来几分疯狂。

我们那条胡同的左邻右舍的孩子们放的风筝几乎都是叔叔编扎的。他的风筝不卖钱，谁上门去要，就给谁，他乐意自己贴钱买材料。

后来，这位叔叔去了海外，放风筝也渐与孩子们远离了。不过年年叔叔给家乡写信，总不忘提起儿时的放风筝。香港回归之后，他在家信中说到，他这只被故乡放飞到海外的风筝，尽管飘荡游弋，经沐风雨，可那线头儿一直在故乡和∥亲人手中牵着，如今飘得太累了，也该要回归到家乡和亲人身边来了。

是的。我想，不光是叔叔，我们每个人都是风筝，在妈妈手中牵着，从小放到大，再从家乡放到祖国最需要的地方去啊！

节选自李恒瑞《风筝畅想曲》

Zuòpǐn 9 Hào

Jiàrì dào hétān •shàng zhuànzhuan, kàn•jiàn xǔduō háizi zài fàng fēngzheng. Yīgēngēn chángcháng de yǐnxiàn, yītóur jì zài tiān•shàng, yī tóur jì zài dì•shàng, háizi tóng fēngzheng dōu zài tiān yǔ dì zhījiān yōudàng, lián xīn yě bèi yōudàng de huǎnghuǎng-hūhū le, hǎoxiàng yòu huídàole tóngnián.

Érshí fàng de fēngzheng, dàduō shì zìjǐ de zhǎngbèi huò jiārén biānzā de, jǐ gēn xiāo de hěn báo de miè, yòng xì shāxiàn zāchéng gè zhǒng niǎo shòu de zàoxíng, hú•shàng xuěbái de zhǐpiàn, zài yòng cǎibǐ gōulè chū miànkǒng yǔ chìbǎng de tú'àn. Tōngcháng zā de zuì duō de shì "lǎodiāo" "měirénr" "huā húdié" děng.

Wǒmen jiā qiányuàn jiù yǒu wèi shūshu, shàn zā fēngzheng, yuǎn-jìn wénmíng. Tā zā de fēngzheng bùzhǐ tǐxíng hǎokàn, sècǎi yànlì, fàngfēi de gāo yuǎn, hái zài fēngzheng •shàng bēng yī yè yòng púwěi xiāochéng de mópiàn, jīng fēng yī chuī, fāchū "wēngwēng" de shēngxiǎng, fǎngfú shì fēngzheng de gēchàng, zài lán-tiān•xià bō yáng, gěi kāikuò de tiāndì zēngtiānle wújìn de yùnwèi, gěi chídàng de tóngxīn dàilái jǐ fēn fēngkuáng.

Wǒmen nà tiáo hútòngr de zuǒlín-yòushè de háizimen fàng de fēngzheng jīhū dōu shì shūshu biānzā de. Tā de fēngzheng bù mài qián, shéi shàngmén qù yào, jiù gěi shéi, tā lèyì zìjǐ tiē qián mǎi cáiliào.

Hòulái, zhèwèi shūshu qùle hǎiwài, fàng fēngzheng yě jiàn yǔ háizimen yuǎnlí le. Bùguò niánnián shūshu gěi jiāxiāng xiěxìn, zǒng bù wàng tíqǐ érshí de fàng fēngzheng. Xiānggǎng huíguī zhīhòu, tā zài jiāxìn zhōng shuōdào, tā zhè zhī bèi gùxiāng fàngfēi dào hǎiwài de fēngzheng, jǐnguǎn piāodàng yóuyì, jīng mù fēngyǔ, kě nà xiàntóur yīzhí zài gùxiāng hé // qīnrén shǒu zhōng qiānzhe, rújīn piāo de tài lèi le, yě gāi yào huíguī dào jiāxiāng hé qīnrén shēnbiān lái le.

Shìde. Wǒ xiǎng, bùguāng shì shūshu, wǒmen měi gè rén dōu shì fēngzheng, zài māma shǒu zhōng qiānzhe, cóngxiǎo fàngdào dà, zài cóng jiāxiāng fàngdào zǔguó zuì xūyào de dìfang qù a!

Jiéxuǎn zì Lǐ Héngruì《Fēngzheng Chàngxiǎngqǔ》

作品 10 号

爸不懂得怎样表达爱，使我们一家人融洽相处的是我妈。他只是每天上班下班，而妈则把我们做过的错事开列清单，然后由他来责骂我们。

有一次我偷了一块糖果，他要我把它送回去，告诉卖糖的说是我偷来的，说我愿意替他拆箱卸货作为赔偿。但妈妈却明白我只是个孩子。

我在运动场打秋千跌断了腿，在前往医院途中一直抱着我的，是我妈。爸把汽车停在急诊室门口，他们叫他驶开，说那空位是留给紧急车辆停放的。爸听了便叫嚷道："你以为这是什么车？旅游车？"

在我生日会上，爸总是显得有些不大相称。他只是忙于吹气球，布置餐桌，做杂务。把插着蜡烛的蛋糕推过来让我吹的，是我妈。

我翻阅照相册时，人们总是问："你爸爸是什么样子的？"天晓得！他老是忙着替别人拍照。妈和我笑容可掬地一起拍的照片，多得不可胜数。

我记得妈有一次叫他教我骑自行车。我叫他别放手，但他却说是应该放手的时候了。我摔倒之后，妈跑过来扶我，爸却挥手要她走开。我当时生气极了，决心要给他点儿颜色看。于是我马上爬上自行车，而且自己骑给他看。他只是微笑。

我念大学时，所有的家信都是妈写的。他//除了寄支票外，还寄过一封短柬给我，说因为我不在草坪上踢足球了，所以他的草坪长得很美。

每次我打电话回家，他似乎都想跟我说话，但结果总是说："我叫你妈来接。"

我结婚时，掉眼泪的是我妈。他只是大声擤了一下鼻子，便走出房间。

我从小到大都听他说："你到哪里去？什么时候回家？汽车有没有汽油？不，不准去。"爸完全不知道怎样表达爱。除非……

会不会是他已经表达了，而我却未能察觉？

节选自[美]艾尔玛·邦贝克《父亲的爱》

Zuòpǐn 10 Hào

Bà bù dǒng•dé zěnyàng biǎodá ài，shǐ wǒmen yī jiā rén róngqià xiāngchǔ de shì wǒ mā. Tā zhǐshì měi tiān shàngbān xiàbān，ér mā zé bǎ wǒmen zuòguo de cuòshì kāiliè qīngdān，ránhòu yóu tā lái zémà wǒmen.

Yǒu yī cì wǒ tōule yī kuài tángguǒ，tā yào wǒ bǎ tā sòng huí•qù，gàosu mài táng de shuō shì wǒ tōu•lái de，shuō wǒ yuàn•yì tì tā chāi xiāng xiè huò zuòwéi péicháng. Dàn māma què míngbai wǒ zhǐshì gè háizi.

Wǒ zài yùndòngchǎng dǎ qiūqiān diēduànle tuǐ，zài qiánwǎng yīyuàn túzhōng yīzhí bàozhe wǒ de，shì wǒ mā. Bà bǎ qìchē tíng zài jízhěnshì ménkǒu，tāmen jiào tā shǐkāi，shuō nà kòngwèi shì liúgěi jǐnjí chēliàng tíngfàng de. Bà tīngle biàn jiàorǎng dào：“Nǐ yǐwéi zhè shì shénme chē? Lǚyóuchē?”

Zài wǒ shēngrì huì•shàng，bà zǒngshì xiǎn•dé yǒuxiē bùdà xiāngchèn. Tā zhǐshì máng yú chuī qìqiú，bùzhì cānzhuō，zuò záwù. Bǎ chāzhe làzhú de dàngāo tuī guò•lái ràng wǒ chuī de，shì wǒ mā.

Wǒ fānyuè zhàoxiàngcè shí，rénmen zǒngshì wèn：“Nǐ bàba shì shénme yàngzi de?” Tiān xiǎo•dé! Tā lǎoshì mángzhe tì bié•rén pāizhào. Mā hé wǒ xiàoróng-kějū de yīqǐ pāi de zhàopiàn，duō de bùkě-shèngshǔ.

Wǒ jì•dé mā yǒu yī cì jiào tā jiāo wǒ qí zìxíngchē. Wǒ jiào tā bié fàngshǒu，dàn tā què shuō shì yīnggāi fàngshǒu de shíhou le. Wǒ shuāidǎo zhīhòu，mā pǎo guò•lái fú wǒ，bà què huīshǒu yào tā zǒukāi. Wǒ dāngshí shēngqì jí le，juéxīn yào gěi tā diǎnr yánsè kàn. Yúshì wǒ mǎshàng pá•shàng zìxíngchē，érqiě zìjǐ qí gěi tā kàn. Tā zhǐshì wēixiào.

Wǒ niàn dàxué shí，suǒyǒu de jiāxìn dōu shì mā xiě de. Tā // chúle jì zhīpiào wài，hái jìguo yī fēng duǎn jiǎn gěi wǒ，shuō yīn•wèi wǒ bù zài cǎopíng •shàng tī zúqiú le，suǒyǐ tā de cǎopíng zhǎng de hěn měi.

Měi cì wǒ dǎ diànhuà huíjiā，tā sìhū dōu xiǎng gēn wǒ shuōhuà，dàn jiéguǒ zǒngshì shuō：“Wǒ jiào nǐ mā lái jiē.”

Wǒ jiéhūn shí，diào yǎnlèi de shì wǒ mā. Tā zhǐshì dàshēng xǐngle yīxià bízi，biàn zǒuchū fángjiān.

Wǒ cóng xiǎo dào dà dōu tīng tā shuō：“Nǐ dào nǎ•lǐ qù? Shénme shíhou huíjiā? Qìchē yǒu méi•yǒu qìyóu? Bù，bù zhǔn qù.”Bà wánquán bù zhī•dào zěnyàng biǎodá ài. Chúfēi……

Huì bù huì shì tā yǐ•jīng biǎodá le，ér wǒ què wèi néng chájué?

Jiéxuǎn zì [Měi] Ài'ěrmǎ Bāngbèikè《Fù•qīn de Ài》

作品 11 号

一个大问题一直盘踞在我脑袋里：

世界杯怎么会有如此巨大的吸引力？除去足球本身的魅力之外，还有什么超乎其上而更伟大的东西？

近来观看世界杯，忽然从中得到了答案：是由于一种无上崇高的精神情感——国家荣誉感！

地球上的人都会有国家的概念，但未必时时都有国家的感情。往往人到异国，思念家乡，心怀故国，这国家概念就变得有血有肉，爱国之情来得非常具体。而现代社会，科技昌达，信息快捷，事事上网，世界真是太小太小，国家的界限似乎也不那么清晰了。再说足球正在快速世界化，平日里各国球员频繁转会，往来随意，致使越来越多的国家联赛都具有国际的因素。球员们不论国籍，只效力于自己的俱乐部，他们比赛时的激情中完全没有爱国主义的因子。

然而，到了世界杯大赛，天下大变。各国球员都回国效力，穿上与光荣的国旗同样色彩的服装。在每一场比赛前，还高唱国歌以宣誓对自己祖国的挚爱与忠诚。一种血缘情感开始在全身的血管里燃烧起来，而且立刻热血沸腾。

在历史时代，国家间经常发生对抗，好男儿戎装卫国。国家的荣誉往往需要以自己的生命去换//取。但在和平时代，惟有这种国家之间大规模对抗性的大赛，才可以唤起那种遥远而神圣的情感，那就是：为祖国而战！

节选自冯骥才《国家荣誉感》

Zuòpǐn 11 Hào

Yī gè dà wèntí yīzhí pánjù zài wǒ nǎodai •lǐ：

Shìjièbēi zěnme huì yǒu rúcǐ jùdà de xīyǐnlì？Chúqù zúqiú běnshēn de mèilì zhīwài，hái yǒu shénme chāohūqíshàng ér gèng wěidà de dōngxi？

Jìnlái guānkàn shìjièbēi，hūrán cóngzhōng dédàole dá'àn：Shì yóuyú yī zhǒng wúshàng chónggāo de jīngshén qínggǎn——guójiā róngyùgǎn！

Dìqiú •shàng de rén dōu huì yǒu guójiā de gàiniàn，dàn wèibì shíshí dōu yǒu guójiā de gǎnqíng. Wǎngwǎng rén dào yìguó，sīniàn jiāxiāng，xīn huái gùguó，zhè guójiā gàiniàn jiù biànde yǒu xiě yǒu ròu，àiguó zhī qíng lái de fēicháng jùtǐ. Ér xiàndài shèhuì，kējì chāngdá，xìnxī kuàijié，shìshì shàngwǎng，shìjiè zhēn shì tài xiǎo tài xiǎo，guójiā de jièxiàn sìhū yě bù nàme qīngxī le. Zàishuō zúqiú zhèngzài kuàisù shìjièhuà，píngrì •lǐ gè guó qiúyuán pínfán zhuǎn huì，wǎnglái suíyì，zhìshǐ yuèláiyuè duō de guójiā liánsài dōu jùyǒu guójì de yīnsù. Qiúyuánmen bùlùn guójí，zhǐ xiàolì yú zìjǐ de jùlèbù，tāmen bǐsài shí de jīqíng zhōng wánquán méi•yǒu àiguózhǔyì de yīnzǐ.

Rán'ér，dàole shìjièbēi dàsài，tiānxià dàbiàn. Gè guó qiúyuán dōu huíguó xiàolì，chuan•shàng yǔ guāngróng de guóqí tóngyàng sècǎi de fúzhuāng. Zài měi yī chǎng bǐsài qián，hái gāochàng guógē yǐ xuānshì duì zìjǐ zǔguó de zhì'ài yǔ zhōngchéng. Yī zhǒng xuèyuán qínggǎn kāishǐ zài quánshēn de xuèguǎn •lǐ ránshāo qǐ•lái，érqiě lìkè rèxuè fèiténg.

Zài lìshǐ shídài，guójiā jiān jīngcháng fāshēng duìkàng，hǎo nán'ér róngzhuāng wèiguó. Guójiā de róngyù wǎngwǎng xūyào yǐ zìjǐ de shēngmìng qù huàn // qǔ. Dàn zài hépíng shídài，wéiyǒu zhè zhǒng guójiā zhījiān dàguīmó duìkàngxìng de dàsài，cái kěyǐ huànqǐ nà zhǒng yáoyuǎn ér shénshèng de qínggǎn，nà jiùshì：Wèi zǔguó ér zhàn！

Jiéxuǎn zì Féng Jìcái《Guójiā Róngyùgǎn》

作品 12 号

夕阳落山不久，西方的天空，还燃烧着一片橘红色的晚霞。大海，也被这霞光染成了红色，而且比天空的景色更要壮观。因为它是活动的，每当一排排波浪涌起的时候，那映照在浪峰上的霞光，又红又亮，简直就像一片片霍霍燃烧着的火焰，闪烁着，消失了。而后面的一排，又闪烁着，滚动着，涌了过来。

天空的霞光渐渐地淡下去了，深红的颜色变成了绯红，绯红又变为浅红。最后，当这一切红光都消失了的时候，那突然显得高而远了的天空，则呈现出一片肃穆的神色。最早出现的启明星，在这蓝色的天幕上闪烁起来了。它是那么大，那么亮，整个广漠的天幕上只有它在那里放射着令人注目的光辉，活像一盏悬挂在高空的明灯。

夜色加浓，苍空中的“明灯”越来越多了。而城市各处的真的灯火也次第亮了起来，尤其是围绕在海港周围山坡上的那一片灯光，从半空倒映在乌蓝的海面上，随着波浪，晃动着，闪烁着，像一串流动着的珍珠，和那一片片密布在苍穹里的星斗互相辉映，煞是好看。

在这幽美的夜色中，我踏着软绵绵的沙滩，沿着海边，慢慢地向前走去。海水，轻轻地抚摸着细软的沙滩，发出温柔的//刷刷声。晚来的海风，清新而又凉爽。我的心里，有着说不出的兴奋和愉快。

夜风轻飘飘地吹拂着，空气中飘荡着一种大海和田禾相混合的香味儿，柔软的沙滩上还残留着白天太阳炙晒的余温。那些在各个工作岗位上劳动了一天的人们，三三两两地来到这软绵绵的沙滩上，他们浴着凉爽的海风，望着那缀满了星星的夜空，尽情地说笑，尽情地休憩。

节选自峻青《海滨仲夏夜》

Zuòpǐn 12 Hào

Xīyáng luòshān bùjiǔ, xīfāng de tiānkōng, hái ránshāozhe yī piàn júhóngsè de wǎnxiá. Dàhǎi, yě bèi zhè xiáguāng rǎnchéngle hóngsè, érqiě bǐ tiānkōng de jǐngsè gèng yào zhuàngguān. Yīn•wèi tā shì huó•dòng de, měidāng yīpáipái bōlàng yǒngqǐ de shíhou, nà yìngzhào zài làngfēng •shàng de xiáguāng, yòu hóng yòu liàng, jiǎnzhí jiù xiàng yīpiànpiàn huòhuò ránshāozhe de huǒyàn, shǎnshuò zhe, xiāoshī le. Ér hòu•miàn de yī pái, yòu shǎnshuòzhe, gǔndòngzhe, yǒngle guò•lái.

Tiānkōng de xiáguāng jiànjiàn de dàn xià•qù le, shēnhóng de yánsè biànchéngle fēihóng, fēihóng yòu biànwéi qiǎnhóng. Zuìhòu, dāng zhè yīqiè hóngguāng dōu xiāoshīle de shíhou, nà tūrán xiǎn•dé gāo ér yuǎn le de tiānkōng, zé chéngxiàn chū yī piàn sùmù de shénsè. Zuì zǎo chūxiàn de qǐmíngxīng, zài zhè lánsè de tiānmù •shàng shǎnshuò qǐ•lái le. Tā shì nàme dà, nàme liàng, zhěnggè guǎngmò de tiānmù •shàng zhǐyǒu tā zài nà•lǐ fàngshèzhe lìng rén zhùmù de guānghuī, huóxiàng yī zhǎn xuánguà zài gāokōng de míngdēng.

Yèsè jiā nóng, cāngkōng zhōng de "míngdēng" yuèláiyuè duo le. Ér chéngshì gè chù de zhēn de dēnghuǒ yě cìdì liàngle qǐ•lái, yóuqí shì wéirào zài hǎigǎng zhōuwéi shānpō •shàng de nà yī piàn dēngguāng, cóng bànkōng dàoyìng zài wūlán de hǎimiàn •shàng, suízhe bōlàng, huàngdòngzhe, shǎnshuòzhe, xiàng yī chuàn liúdòngzhe de zhēnzhū, hé nà yīpiànpiàn mìbù zài cāngqióng •lǐ de xīngdǒu hùxiāng huīyìng, shà shì hǎokàn.

Zài zhè yōuměi de yèsè zhōng, wǒ tàzhe ruǎnmiánmián de shātān, yánzhe hǎibiān, mànmàn de xiàngqián zǒu•qù. Hǎishuǐ, qīngqīng de fǔmōzhe xìruǎn de shātān, fāchū wēnróu de // shuāshuā shēng. Wǎnlái de hǎifēng, qīngxīn ér yòu liángshuǎng. Wǒ de xīn•lǐ, yǒuzhe shuō•bùchū de xīngfèn hé yúkuài.

Yèfēng qīngpiāopiāo de chuīfúzhe, kōngqì zhōng piāodàngzhe yī zhǒng dàhǎi hé tiánhé xiāng hùnhé de xiāngwèir, róuruǎn de shātān •shàng hái cánliúzhe bái•tiān tài•yáng zhìshài de yúwēn. Nàxiē zài gè gè gōngzuò gǎngwèi •shàng láodòngle yī tiān de rénmen, sānsān-liǎngliǎng de láidào zhè ruǎnmiánmián de shātān •shàng, tāmen yùzhe liángshuǎng de hǎifēng, wàngzhe nà zhuìmǎnle xīngxing de yèkōng, jìnqíng de shuōxiào, jìnqíng de xiūqì.

Jiéxuǎn zì Jùn Qīng《Hǎibīn Zhòngxià Yè》

作品 13 号

生命在海洋里诞生绝不是偶然的，海洋的物理和化学性质，使它成为孕育原始生命的摇篮。

我们知道，水是生物的重要组成部分，许多动物组织的含水量在百分之八十以上，而一些海洋生物的含水量高达百分之九十五。水是新陈代谢的重要媒介，没有它，体内的一系列生理和生物化学反应就无法进行，生命也就停止。因此，在短时期内动物缺水要比缺少食物更加危险。水对今天的生命是如此重要，它对脆弱的原始生命，更是举足轻重了。生命在海洋里诞生，就不会有缺水之忧。

水是一种良好的溶剂。海洋中含有许多生命所必需的无机盐，如氯化钠、氯化钾、碳酸盐、磷酸盐，还有溶解氧，原始生命可以毫不费力地从中吸取它所需要的元素。

水具有很高的热容量，加之海洋浩大，任凭夏季烈日曝晒，冬季寒风扫荡，它的温度变化却比较小。因此，巨大的海洋就像是天然的“温箱”，是孕育原始生命的温床。

阳光虽然为生命所必需，但是阳光中的紫外线却有扼杀原始生命的危险。水能有效地吸收紫外线，因而又为原始生命提供了天然的“屏障”。

这一切都是原始生命得以产生和发展的必要条件。//

节选自童裳亮《海洋与生命》

Zuòpǐn 13 Hào

Shēngmìng zài hǎiyáng •lǐ dànshēng jué bù shì ǒurán de, hǎiyáng de wùlǐ hé huàxué xìngzhì, shǐ tā chéngwéi yùnyù yuánshǐ shēngmìng de yáolán.

Wǒmen zhī•dào, shuǐ shì shēngwù de zhòngyào zǔchéng bùfen, xǔduō dòngwù zǔzhī de hánshuǐliàng zài bǎi fēn zhī bāshí yǐshàng, ér yīxiē hǎiyáng shēngwù de hánshuǐliàng gāodá bǎi fēn zhī jiǔshíwǔ. Shuǐ shì xīnchén-dàixiè de zhòngyào méijiè, méi•yǒu tā, tǐnèi de yīxìliè shēnglǐ hé shēngwù huàxué fǎnyìng jiù wúfǎ jìnxíng, shēngmìng yě jiù tíngzhǐ. Yīncǐ, zài duǎn shíqī nèi dòngwù quē shuǐ yào bǐ quēshǎo shíwù gèngjiā wēixiǎn. Shuǐ duì jīntiān de shēngmìng shì rúcǐ zhòngyào, tā duì cuìruò de yuánshǐ shēngmìng, gèng shì jǔzú-qīngzhòng le. Shēngmìng zài hǎiyáng •lǐ dànshēng, jiù bù huì yǒu quē shuǐ zhī yōu.

Shuǐ shì yī zhǒng liánghǎo de róngjì. Hǎiyáng zhōng hányǒu xǔduō shēngmìng suǒ bìxū de wújīyán, rú lǜhuànà、lǜhuàjiǎ、tànsuānyán、línsuānyán, háiyǒu róngjiěyǎng, yuánshǐ shēngmìng kěyǐ háobù fèilì de cóngzhōng xīqǔ tā suǒ xūyào de yuánsù.

Shuǐ jùyǒu hěn gāo de rè róngliàng, jiāzhī hǎiyáng hàodà, rènpíng xiàjì lièrì pùshài, dōngjì hánfēng sǎodàng, tā de wēndù biànhuà què bǐjiào xiǎo. Yīncǐ, jùdà de hǎiyáng jiù xiàng shì tiānrán de "wēnxiāng", shì yùnyù yuánshǐ shēngmìng de wēnchuáng.

Yángguāng suīrán wéi shēngmìng suǒ bìxū, dànshì yángguāng zhōng de zǐwàixiàn què yǒu èshā yuánshǐ shēngmìng de wēixiǎn. Shuǐ néng yǒuxiào de xīshōu zǐwàixiàn, yīn'ér yòu wèi yuánshǐ shēngmìng tígōngle tiānrán de "píngzhàng".

Zhè yīqiè dōu shì yuánshǐ shēngmìng déyǐ chǎnshēng hé fāzhǎn de bìyào tiáojiàn. //

Jiéxuǎn zì Tóng Chángliàng《Hǎiyáng yǔ Shēngmìng》

作品 14 号

读小学的时候，我的外祖母去世了。外祖母生前最疼爱我，我无法排除自己的忧伤，每天在学校的操场上一圈儿又一圈儿地跑着，跑得累倒在地上，扑在草坪上痛哭。

那哀痛的日子，断断续续地持续了很久，爸爸妈妈也不知道如何安慰我。他们知道与其骗我说外祖母睡着了，还不如对我说实话：外祖母永远不会回来了。

“什么是永远不会回来呢？”我问着。

“所有时间里的事物，都永远不会回来。你的昨天过去，它就永远变成昨天，你不能再回到昨天。爸爸以前也和你一样小，现在也不能回到你这么小的童年了；有一天你会长大，你会像外祖母一样老；有一天你度过了你的时间，就永远不会回来了。”爸爸说。

爸爸等于给我一个谜语，这谜语比课本上的“日历挂在墙壁，一天撕去一页，使我心里着急”和“一寸光阴一寸金，寸金难买寸光阴”还让我感到可怕；也比作文本上的“光阴似箭，日月如梭”更让我觉得有一种说不出的滋味。

时间过得那么飞快，使我的小心眼儿里不只是着急，还有悲伤。有一天我放学回家，看到太阳快落山了，就下决心说：“我要比太阳更快地回家。”我狂奔回去，站在庭院前喘气的时候，看到太阳//还露着半边脸，我高兴地跳跃起来，那一天我跑赢了太阳。以后我就时常做那样的游戏，有时和太阳赛跑，有时和西北风比快，有时一个暑假才能做完的作业，我十天就做完了；那时我三年级，常常把哥哥五年级的作业拿来做。每一次比赛胜过时间，我就快乐得不知道怎么形容。

如果将来我有什么要教给我的孩子，我会告诉他：假若你一直和时间比赛，你就可以成功！

节选自（台湾）林清玄《和时间赛跑》

Zuòpǐn 14 Hào

Dú xiǎoxué de shíhou, wǒ de wàizǔmǔ qùshì le. Wàizǔmǔ shēngqián zuì téng'ài wǒ, wǒ wúfǎ páichú zìjǐ de yōushāng, měi tiān zài xuéxiào de cāochǎng ·shàng yī quānr yòu yī quānr de pǎozhe, pǎo de lèidǎo zài dì·shàng, pū zài cǎopíng ·shàng tòngkū.

Nà āitòng de rìzi, duànduàn-xùxù de chíxùle hěn jiǔ, bàba māma yě bù zhī·dào rúhé ānwèi wǒ. Tāmen zhī·dào yǔqí piàn wǒ shuō wàizǔmǔ shuìzháole, hái bùrú duì wǒ shuō shíhuà: Wàizǔmǔ yǒngyuǎn bù huì huí·lái le.

"Shénme shì yǒngyuǎn bù huì huí·lái ne?" Wǒ wènzhe.

"Suǒyǒu shíjiān ·lǐ de shìwù, dōu yǒngyuǎn bù huì huí·lái. Nǐ de zuótiān guò·qù, tā jiù yǒngyuǎn biànchéng zuótiān, nǐ bùnéng zài huídào zuótiān. Bàba yǐqián yě hé nǐ yīyàng xiǎo, xiànzài yě bùnéng huídào nǐ zhème xiǎo de tóngnián le; yǒu yī tiān nǐ huì zhǎngdà, nǐ huì xiàng wàizǔmǔ yīyàng lǎo; yǒu yī tiān nǐ dùguòle nǐ de shíjiān, jiù yǒngyuǎn bù huì huí·lái le." Bàba shuō.

Bàba děngyú gěi wǒ yī gè míyǔ, zhè míyǔ bǐ kèběn ·shàng de "Rìlì guà zài qiángbì, yī tiān sī·qù yī yè, shǐ wǒ xīn·lǐ zháojí" hé "Yī cùn guāngyīn yī cùn jīn, cùn jīn nán mǎi cùn guāngyīn" hái ràng wǒ gǎndào kěpà; yě bǐ zuòwénběn ·shàng de "Guāngyīn sì jiàn, rìyuè rú suō" gèng ràng wǒ jué·dé yǒu yī zhǒng shuō·bùchū de zīwèi.

Shíjiān guò de nàme fēikuài, shǐ wǒ de xiǎo xīnyǎnr ·lǐ bù zhǐshì zháojí, háiyǒu bēishāng. Yǒu yī tiān wǒ fàngxué huíjiā, kàndào tài·yáng kuài luòshān le, jiù xià juéxīn shuō: "Wǒ yào bǐ tài·yáng gèng kuài de huíjiā." Wǒ kuángbēn huí·qù, zhàn zài tíngyuàn qián chuǎnqì de shíhou, kàndào tài·yáng// hái lòuzhe bànbiān liǎn, wǒ gāoxìng de tiàoyuè qǐ·lái, nà yī tiān wǒ pǎoyíngle tài·yáng. Yǐhòu wǒ jiù shícháng zuò nàyàng de yóuxì, yǒushí hé tài·yáng sàipǎo, yǒushí hé xīběifēng bǐ kuài, yǒushí yī gè shǔjià cái néng zuòwán de zuòyè, wǒ shí tiān jiù zuòwán le; nà shí wǒ sān niánjí, chángcháng bǎ gēge wǔ niánjí de zuòyè ná·lái zuò. Měi yī cì bǐsài shèngguo shíjiān, wǒ jiù kuàilè de bù zhī·dào zěnme xíngróng.

Rúguǒ jiānglái wǒ yǒu shénme yào jiāogěi wǒ de háizi, wǒ huì gàosu tā: Jiǎruò nǐ yīzhí hé shíjiān bǐsài, nǐ jiù kěyǐ chénggōng!

Jiéxuǎn zì (Táiwān) Lín Qīngxuán《Hé Shíjiān Sàipǎo》

作品 15 号

三十年代初，胡适在北京大学任教授。讲课时他常常对白话文大加称赞，引起一些只喜欢文言文而不喜欢白话文的学生的不满。

一次，胡适正讲得得意的时候，一位姓魏的学生突然站了起来，生气地问："胡先生，难道说白话文就毫无缺点吗？"胡适微笑着回答说："没有。"那位学生更加激动了："肯定有！白话文废话太多，打电报用字多，花钱多。"胡适的目光顿时变亮了。轻声地解释说："不一定吧！前几天有位朋友给我打来电报，请我去政府部门工作，我决定不去，就回电拒绝了。复电是用白话写的，看来也很省字。请同学们根据我这个意思，用文言文写一个回电，看看究竟是白话文省字，还是文言文省字？"胡教授刚说完，同学们立刻认真地写了起来。

十五分钟过去，胡适让同学举手，报告用字的数目，然后挑了一份用字最少的文言电报稿，电文是这样写的：

"才疏学浅，恐难胜任，不堪从命。"白话文的意思是：学问不深，恐怕很难担任这个工作，不能服从安排。

胡适说，这份写得确实不错，仅用了十二个字。但我的白话电报却只用了五个字：

"干不了，谢谢！"

胡适又解释说："干不了"就有才疏学浅、恐难胜任的意思；"谢谢"既//对朋友的介绍表示感谢，又有拒绝的意思。所以，废话多不多，并不看它是文言文还是白话文，只要注意选用字词，白话文是可以比文言文更省字的。

节选自陈灼主编《实用汉语中级教程》(上)中《胡适的白话电报》

Zuòpǐn 15 Hào

Sānshí niándài chū, Hú Shì zài Běijīng Dàxué rèn jiàoshòu. Jiǎngkè shí tā chángcháng duì báihuàwén dàjiā chēngzàn, yǐnqǐ yīxiē zhǐ xǐhuan wényánwén ér bù xǐhuan báihuàwén de xuésheng de bùmǎn.

Yī cì, Hú Shì zhèng jiǎng de déyì de shíhou, yī wèi xìng Wèi de xuésheng tūrán zhànle qǐ•lái, shēngqì de wèn:"Hú xiānsheng, nándào shuō báihuàwén jiù háowú quēdiǎn ma?" Hú Shì wēixiàozhe huídá shuō:"Méi•yǒu." Nà wèi xuésheng gèngjiā jīdòng le:"Kěndìng yǒu! Báihuàwén fèihuà tài duō, dǎ diànbào yòng zì duō, huāqián duō." Hú Shì de mùguāng dùnshí biànliàng le. Qīngshēng de jiěshì shuō: "Bù yīdìng ba! Qián jǐ tiān yǒu wèi péngyou gěi wǒ dǎ•lái diànbào, qǐng wǒ qù zhèngfǔ bùmén gōngzuò, wǒ juédìng bù qù, jiù huídiàn jùjué le. Fùdiàn shì yòng báihuà xiě de, kànlái yě hěn shěng zì. Qǐng tóngxuémen gēnjù wǒ zhège yìsi, yòng wényánwén xiě yī gè huídiàn, kànkan jiūjìng shì báihuàwén shěng zì, háishì wényánwén shěng zì?" Hú jiàoshòu gāng shuōwán, tóngxuémen lìkè rènzhēn de xiěle qǐ•lái.

Shíwǔ fēnzhōng guò•qù, Hú Shì ràng tóngxué jǔshǒu, bàogào yòng zì de shùmù, ránhòu tiāole yī fèn yòng zì zuì shǎo de wényán diànbàogǎo, diànwén shì zhèyàng xiě de:

"Cáishū-xuéqiǎn, kǒng nán shèngrèn, bùkān cóngmìng." Báihuàwén de yìsi shì: Xuéwen bù shēn, kǒngpà hěn nán dānrèn zhège gōngzuò, bùnéng fúcóng ānpái.

Hú Shì shuō, zhè fèn xiě de quèshí bùcuò, jǐn yòngle shí'èr gè zì. Dàn wǒ de báihuà diànbào què zhǐ yòngle wǔ gè zì:

"Gàn•bùliǎo, xièxie!"

Hú Shì yòu jiěshì shuō:"Gàn•bùliǎo" jiù yǒu cáishū-xuéqiǎn、kǒng nán shèngrèn de yìsi;"xièxie" jì// duì péngyou de jièshào biǎoshì gǎnxiè, yòu yǒu jùjué de yìsi. Suǒyǐ, fèihuà duō •bù duō, bìng bù kàn tā shì wényánwén háishì báihuàwén, zhǐyào zhùyì xuǎnyòng zìcí, báihuàwén shì kěyǐ bǐ wényánwén gèng shěng zì de.

Jiéxuǎn zì Chén Zhuó Zhǔbiān《Shíyòng Hànyǔ Zhōngjí Jiàochéng》(shàng) zhōng《Hú Shì de Báihuà Diànbào》

作品 16 号

很久以前，在一个漆黑的秋天的夜晚，我泛舟在西伯利亚一条阴森森的河上。船到一个转弯处，只见前面黑黢黢的山峰下面一星火光蓦地一闪。

火光又明又亮，好像就在眼前……

"好啦，谢天谢地！"我高兴地说，"马上就到过夜的地方啦！"

船夫扭头朝身后的火光望了一眼，又不以为然地划起桨来。

"远着呢！"

我不相信他的话，因为火光冲破朦胧的夜色，明明在那儿闪烁。不过船夫是对的，事实上，火光的确还远着呢。

这些黑夜的火光的特点是：驱散黑暗，闪闪发亮，近在眼前，令人神往。乍一看，再划几下就到了……其实却还远着呢！……

我们在漆黑如墨的河上又划了很久。一个个峡谷和悬崖，迎面驶来，又向后移去，仿佛消失在茫茫的远方，而火光却依然停在前头，闪闪发亮，令人神往——依然是这么近，又依然是那么远……

现在，无论是这条被悬崖峭壁的阴影笼罩的漆黑的河流，还是那一星明亮的火光，都经常浮现在我的脑际，在这以前和在这以后，曾有许多火光，似乎近在咫尺，不止使我一人心驰神往。可是生活之河却仍然在那阴森森的两岸之间流着，而火光也依旧非常遥远。因此，必须加劲划桨……

然而，火光啊……毕竟……毕竟就//在前头！……

节选自［俄］柯罗连科《火光》，张铁夫译

Zuòpǐn 16 Hào

Hěn jiǔ yǐqián，zài yī gè qīhēi de qiūtiān de yèwǎn，wǒ fàn zhōu zài Xībólìyà yī tiáo yīnsēnsēn de hé •shàng. Chuán dào yī gè zhuǎnwān chù，zhǐ jiàn qián•miàn hēiqūqū de shānfēng xià•miàn yī xīng huǒguāng mò•dì yī shǎn.

Huǒguāng yòu míng yòu liàng，hǎoxiàng jiù zài yǎnqián……

“Hǎo la ，xiètiān-xièdì!” Wǒ gāoxìng de shuō，“ Mǎshàng jiù dào guòyè de dìfang la!”

Chuánfū niǔtóu cháo shēnhòu de huǒguāng wàng le yī yǎn，yòu bùyǐwéirán de huá•qǐ jiǎng•lái.

“Yuǎnzhe ne!”

Wǒ bù xiāngxìn tā de huà，yīn • wèi huǒguāng chōngpò ménglóng de yèsè，míngmíng zài nàr shǎnshuò. Bùguò chuánfū shì duì de，shìshí •shàng，huǒguāng díquè hái yuǎnzhe ne.

Zhèxiē hēiyè de huǒguāng de tèdiǎn shì：Qūsàn hēi'àn，shǎnshǎn fāliàng，jìn zài yǎnqián，lìng rén shénwǎng. Zhà yī kàn，zài huá jǐ xià jiù dào le…… Qíshí què hái yuǎnzhe ne! ……

Wǒmen zài qīhēi rú mò de hé •shàng yòu huále hěn jiǔ. Yīgègè xiágǔ hé xuányá，yíngmiàn shǐ•lái，yòu xiàng hòu yí•qù，fǎngfú xiāoshī zài mángmáng de yuǎnfāng，ér huǒguāng què yīrán tíng zài qiántou，shǎnshǎn fāliàng，lìng rén shénwǎng——yīrán shì zhème jìn，yòu yīrán shì nàme yuǎn ……

Xiànzài，wúlùn shì zhè tiáo bèi xuányá-qiàobì de yīnyǐng lǒngzhào de qīhēi de héliú，háishì nà yī xīng míngliàng de huǒguāng，dōu jīngcháng fúxiàn zài wǒ de nǎojì，zài zhè yǐqián hé zài zhè yǐhòu，céng yǒu xǔduō huǒguāng，sìhū jìn zài zhǐchǐ，bùzhǐ shì wǒ yī rén xīnchí-shénwǎng. Kěshì shēnghuó zhī hé què réngrán zài nà yīnsēnsēn de liǎng'àn zhījiān liúzhe，ér huǒguāng yě yījiù fēicháng yáoyuǎn. Yīncǐ，bìxū jiājìn huá jiǎng ……

Rán'ér,huǒguāng a…… bìjìng …… bìjìng jiù// zài qiántou! ……

Jiéxuǎn zì [É] Kēluóliánkē《Huǒguāng》，Zhāng Tiěfū yì

作品 17 号

对于一个在北平住惯的人，像我，冬天要是不刮风，便觉得是奇迹；济南的冬天是没有风声的。对于一个刚由伦敦回来的人，像我，冬天要能看得见日光，便觉得是怪事；济南的冬天是响晴的。自然，在热带的地方，日光永远是那么毒，响亮的天气，反有点儿叫人害怕。可是，在北方的冬天，而能有温晴的天气，济南真得算个宝地。

设若单单是有阳光，那也算不了出奇。请闭上眼睛想：一个老城，有山有水，全在天底下晒着阳光，暖和安适地睡着，只等春风来把它们唤醒，这是不是理想的境界？小山整把济南围了个圈儿，只有北边缺着点口儿。这一圈小山在冬天特别可爱，好像是把济南放在一个小摇篮里，它们安静不动地低声地说："你们放心吧，这儿准保暖和。"真的，济南的人们在冬天是面上含笑的。他们一看那些小山，心中便觉得有了着落，有了依靠。他们由天上看到山上，便不知不觉地想起：明天也许就是春天了吧？这样的温暖，今天夜里山草也许就绿起来了吧？就是这点儿幻想不能一时实现，他们也并不着急，因为这样慈善的冬天，干什么还希望别的呢！

最妙的是下点儿小雪呀。看吧，山上的矮松越发的青黑，树尖儿上//顶着一髻儿白花，好像日本看护妇。山尖儿全白了，给蓝天镶上一道银边。山坡上，有的地方雪厚点儿，有的地方草色还露着；这样，一道儿白，一道儿暗黄，给山们穿上一件带水纹儿的花衣；看着看着，这件花衣好像被风儿吹动，叫你希望看见一点儿更美的山的肌肤。等到快日落的时候，微黄的阳光斜射在山腰上，那点儿薄雪好像忽然害羞，微微露出点儿粉色。就是下小雪吧，济南是受不住大雪的，那些小山太秀气。

节选自老舍《济南的冬天》

Zuòpǐn 17 Hào

Duìyú yī gè zài Běipíng zhùguàn de rén, xiàng wǒ, dōngtiān yàoshì bù guāfēng, biàn jué•dé shì qíjì; Jǐnán de dōngtiān shì méi•yǒu fēngshēng de. Duìyú yī gè gāng yóu Lúndūn huí•lái de rén, xiàng wǒ, dōngtiān yào néng kàn de jiàn rìguāng, biàn jué•dé shì guàishì; Jǐnán de dōngtiān shì xiǎngqíng de. Zìrán, zài rèdài de dìfang, rìguāng yǒngyuǎn shì nàme dú, xiǎngliàng de tiānqì, fǎn yǒudiǎnr jiào rén hàipà. Kěshì, zài běifāng de dōngtiān, ér néng yǒu wēnqíng de tiānqì, Jǐnán zhēn děi suàn gè bǎodì.

Shèruò dāndān shì yǒu yángguāng, nà yě suàn•bùliǎo chūqí. Qǐng bì•shàng yǎnjing xiǎng: Yī gè lǎochéng, yǒu shān yǒu shuǐ, quán zài tiān dǐ•xià shàizhe yángguāng, nuǎnhuo ānshì de shuìzhe, zhǐ děng chūnfēng lái bǎ tāmen huànxǐng, zhè shì•bùshì lǐxiǎng de jìngjiè? Xiǎoshān zhěng bǎ Jǐnán wéile gè quānr, zhǐyǒu běi•biān quēzhe diǎnr kǒur. Zhè yī quān xiǎoshān zài dōngtiān tèbié kě'ài, hǎoxiàng shì bǎ Jǐnán fàng zài yī gè xiǎo yáolán •lǐ, tāmen ānjìng bù dòng de dīshēng de shuō: "Nǐmen fàngxīn ba, zhèr zhǔnbǎo nuǎnhuo." Zhēn de, Jǐnán de rénmen zài dōngtiān shì miàn•shàng hánxiào de. Tāmen yī kàn nàxiē xiǎoshān, xīnzhōng biàn jué•dé yǒule zhuóluò, yǒule yīkào. Tāmen yóu tiān•shàng kàndào shān•shàng, biàn bùzhī-bùjué de xiǎngqǐ: Míngtiān yěxǔ jiùshì chūntiān le ba? Zhèyàng de wēnnuǎn, jīntiān yè•lǐ shāncǎo yěxǔ jiù lǜqǐ•lái le ba? Jiùshì zhè diǎnr huànxiǎng bùnéng yīshí shíxiàn, tāmen yě bìng bù zháojí, yīn•wèi zhèyàng císhàn de dōngtiān, gànshénme hái xīwàng biéde ne!

Zuì miào de shì xià diǎnr xiǎoxuě ya. Kàn ba, shān•shàng de ǎisōng yuèfā de qīnghēi, shùjiānr •shàng // dǐngzhe yī jìr báihuā, hǎoxiàng Rìběn kānhùfù. Shānjiānr quán bái le, gěi lántiān xiāng•shàng yī dào yínbiānr. Shānpō •shàng, yǒude dìfang xuě hòu diǎnr, yǒude dìfang cǎosè hái lòuzhe; zhèyàng, yī dàor bái, yī dàor ànhuáng, gěi shānmen chuān•shàng yī jiàn dài shuǐwénr de huāyī; kànzhe kànzhe, zhè jiàn huāyī hǎoxiàng bèi fēng'•ér chuīdòng, jiào nǐ xīwàng kàn•jiàn yīdiǎnr gèng měi de shān de jīfū. Děngdào kuài rìluò de shíhou, wēihuáng de yángguāng xié shè zài shānyāo •shàng, nà diǎnr báo xuě hǎoxiàng hūrán hàixiū, wēiwēi lòuchū diǎnr fěnsè. Jiùshì xià xiǎoxuě ba, Jǐnán shì shòu•bùzhù dàxuě de, nàxiē xiǎoshān tài xiùqi.

Jiéxuǎn zì Lǎo Shě《Jǐnán de Dōngtiān》

作品 18 号

纯朴的家乡村边有一条河，曲曲弯弯，河中架一弯石桥，弓样的小桥横跨两岸。

每天，不管是鸡鸣晓月，日丽中天，还是月华泻地，小桥都印下串串足迹，洒落串串汗珠。那是乡亲为了追求多棱的希望，兑现美好的遐想。弯弯小桥，不时荡过轻吟低唱，不时露出舒心的笑容。

因而，我稚小的心灵，曾将心声献给小桥：你是一弯银色的新月，给人间普照光辉；你是一把闪亮的镰刀，割刈着欢笑的花果；你是一根晃悠悠的扁担，挑起了彩色的明天！哦，小桥走进我的梦中。

我在飘泊他乡的岁月，心中总涌动着故乡的河水，梦中总看到弓样的小桥。当我访南疆探北国，眼帘闯进座座雄伟的长桥时，我的梦变得丰满了，增添了赤橙黄绿青蓝紫。

三十多年过去，我带着满头霜花回到故乡，第一紧要的便是去看望小桥。

啊！小桥呢？它躲起来了？河中一道长虹，浴着朝霞熠熠闪光。哦，雄浑的大桥敞开胸怀，汽车的呼啸、摩托的笛音、自行车的叮铃，合奏着进行交响乐；南来的钢筋、花布，北往的柑橙、家禽，绘出交流欢悦图……

啊！蜕变的桥，传递了家乡进步的消息，透露了家乡富裕的声音。时代的春风，美好的追求，我蓦地记起儿时唱//给小桥的歌，哦，明艳艳的太阳照耀了，芳香甜蜜的花果捧来了，五彩斑斓的岁月拉开了！

我心中涌动的河水，激荡起甜美的浪花。我仰望一碧蓝天，心底轻声呼喊：家乡的桥啊，我梦中的桥！

节选自郑莹《家乡的桥》

Zuòpǐn 18 Hào

Chúnpǔ de jiāxiāng cūnbiān yǒu yī tiáo hé，qūqū-wānwān，hé zhōng jià yī wān shíqiáo，gōng yàng de xiǎoqiáo héngkuà liǎng'àn.

Měi tiān，bùguǎn shì jī míng xiǎo yuè，rì lì zhōng tiān，háishì yuèhuá xiè dì，xiǎoqiáo dōu yìnxià chuànchuàn zújì，sǎluò chuànchuàn hànzhū. Nà shì xiāngqīn wèile zhuīqiú duōléng de xīwàng，duìxiàn měihǎo de xiáxiǎng. Wānwān xiǎoqiáo，bùshí dàngguò qīngyín-dīchàng，bùshí lùchū shūxīn de xiàoróng.

Yīn'ér，wǒ zhìxiǎo de xīnlíng，céng jiāng xīnshēng xiàngěi xiǎoqiáo：Nǐ shì yī wān yínsè de xīnyuè，gěi rénjiān pǔzhào guānghuī；nǐ shì yī bǎ shǎnliàng de liándāo，gēyìzhe huānxiào de huāguǒ；nǐ shì yī gēn huàngyōuyōu de biǎndan，tiāoqǐle cǎisè de míngtiān! Ò，xiǎoqiáo zǒujìn wǒ de mèng zhōng.

Wǒ zài piāobó tāxiāng de suìyuè，xīnzhōng zǒng yǒngdòngzhe gùxiāng de héshuǐ，mèng zhōng zǒng kàndào gōng yàng de xiǎoqiáo. Dāng wǒ fǎng nánjiāng tàn běiguó，yǎnlián chuǎngjìn zuòzuò xióngwěi de chángqiáo shí，wǒ de mèng biàn de fēngmǎn le，zēngtiānle chì-chéng-huáng-lǜ-qīng-lán-zǐ.

Sānshí duō nián guò•qù，wǒ dàizhe mǎntóu shuānghuā huídào gùxiāng，dì-yī jǐnyào de biànshì qù kànwàng xiǎoqiáo.

À! Xiǎoqiáo ne? Tā duǒ qǐ•lái le? Hé zhōng yī dào chánghóng，yùzhe zhāoxiá yìyì shǎnguāng. Ò，xiónghún de dàqiáo chǎngkāi xiōnghuái，qìchē de hūxiào、mótuō de díyīn、zìxíngchē de dīnglíng，hézòuzhe jìnxíng jiāoxiǎngyuè；nán lái de gāngjīn、huābù，běi wǎng de gān chéng、jiāqín，huìchū jiāoliú huānyuètú……

À! Tuìbiàn de qiáo，chuándìle jiāxiāng jìnbù de xiāoxi，tòulùle jiāxiāng fùyù de shēngyīn. Shídài de chūnfēng，měihǎo de zhuīqiú，wǒ mòdì jìqǐ érshí chàng // gěi xiǎoqiáo de gē，ò，míngyànyàn de tài•yáng zhàoyào le，fāngxiāng tiánmì de huāguǒ pěnglái le，wǔcǎi bānlán de suì yuè lākāi le!

Wǒ xīnzhōng yǒngdòng de héshuǐ，jīdàng qǐ tiánměi de lànghuā. Wǒ yǎngwàng yī bì lántiān，xīndǐ qīngshēng hūhǎn：Jiāxiāng de qiáo a，wǒ mèng zhōng de qiáo!

Jiéxuǎn zì Zhèng Yíng《Jiāxiāng de Qiáo》

作品 19 号

三百多年前，建筑设计师莱伊恩受命设计了英国温泽市政府大厅。他运用工程力学的知识，依据自己多年的实践，巧妙地设计了只用一根柱子支撑的大厅天花板。一年以后，市政府权威人士进行工程验收时，却说只用一根柱子支撑天花板太危险，要求莱伊恩再多加几根柱子。

莱伊恩自信只要一根坚固的柱子足以保证大厅安全，他的“固执”惹恼了市政官员，险些被送上法庭。他非常苦恼，坚持自己原先的主张吧，市政官员肯定会另找人修改设计；不坚持吧，又有悖自己为人的准则。矛盾了很长一段时间，莱伊恩终于想出了一条妙计，他在大厅里增加了四根柱子，不过这些柱子并未与天花板接触，只不过是装装样子。

三百多年过去了，这个秘密始终没有被人发现。直到前两年，市政府准备修缮大厅的天花板，才发现莱伊恩当年的“弄虚作假”。消息传出后，世界各国的建筑专家和游客云集，当地政府对此也不加掩饰，在新世纪到来之际，特意将大厅作为一个旅游景点对外开放，旨在引导人们崇尚和相信科学。

作为一名建筑师，莱伊恩并不是最出色的。但作为一个人，他无疑非常伟大，这种//伟大表现在他始终恪守着自己的原则，给高贵的心灵一个美丽的住所，哪怕是遭遇到最大的阻力，也要想办法抵达胜利。

节选自游宇明《坚守你的高贵》

Zuòpǐn 19 Hào

Sānbǎi duō nián qián, jiànzhù shèjìshī Láiyī'ēn shòumìng shèjìle Yīngguó Wēnzé shìzhèngfǔ dàtīng. Tā yùnyòng gōngchéng lìxué de zhīshi, yījù zìjǐ duōnián de shíjiàn, qiǎomiào de shèjìle zhǐ yòng yī gēn zhùzi zhīchēng de dàtīng tiānhuābǎn. Yī nián yǐhòu, shìzhèngfǔ quánwēi rénshì jìnxíng gōngchéng yànshōu shí, què shuō zhǐ yòng yī gēn zhùzi zhīchēng tiānhuābǎn tài wēixiǎn, yāoqiú Láiyī'ēn zài duō jiā jǐ gēn zhùzi.

Láiyī'ēn zìxìn zhǐyào yī gēn jiāngù de zhùzi zúyǐ bǎozhèng dàtīng ānquán, tā de "gù•zhí" rěnǎole shìzhèng guānyuán, xiǎnxiē bèi sòng•shàng fǎtíng. Tā fēicháng kǔnǎo, jiānchí zìjǐ yuánxiān de zhǔzhāng ba, shìzhèng guānyuán kěndìng huì lìng zhǎo rén xiūgǎi shèjì; bù jiānchí ba, yòu yǒu bèi zìjǐ wéirén de zhǔnzé. Máodùnle hěn cháng yīduàn shíjiān, Láiyī'ēn zhōngyú xiǎngchūle yī tiáo miàojì, tā zài dàtīng•lǐ zēngjiāle sì gēn zhùzi, bùguò zhèxiē zhùzi bìng wèi yǔ tiānhuābǎn jiēchù, zhǐ•bùguò shì zhuāngzhuang yàngzi.

Sānbǎi duō nián guò•qù le, zhège mìmì shǐzhōng méi•yǒu bèi rén fāxiàn. Zhídào qián liǎng nián, shìzhèngfǔ zhǔnbèi xiūshàn dàtīng de tiānhuābǎn, cái fāxiàn Láiyī'ēn dāngnián de "nòngxū-zuòjiǎ". Xiāoxi chuánchū hòu, shìjiè gè guó de jiànzhù zhuānjiā hé yóukè yúnjí, dāngdì zhèngfǔ duìcǐ yě bù jiā yǎnshì, zài xīn shìjì dàolái zhī jì, tèyì jiāng dàtīng zuòwéi yī gè lǚyóu jǐngdiǎn duìwài kāifàng, zhǐ zài yǐndǎo rénmen chóngshàng hé xiāngxìn kēxué.

Zuòwéi yī míng jiànzhùshī, Láiyī'ēn bìng bù shì zuì chūsè de. Dàn zuòwéi yī gè rén, tā wúyí fēicháng wěidà, zhè zhǒng // wěidà biǎoxiàn zài tā shǐzhōng kèshǒuzhe zìjǐ de yuánzé, gěi gāoguì de xīnlíng yī gè měilì de zhùsuǒ, nǎpà shì zāoyù dào zuì dà de zǔlì, yě yào xiǎng bànfǎ dǐdá shènglì.

Jiéxuǎn zì Yóu Yǔmíng《Jiānshǒu Nǐ de Gāoguì》

作品 20 号

自从传言有人在萨文河畔散步时无意发现了金子后，这里便常有来自四面八方的淘金者。他们都想成为富翁，于是寻遍了整个河床，还在河床上挖出很多大坑，希望借助它们找到更多的金子。的确，有一些人找到了，但另外一些人因为一无所得而只好扫兴归去。

也有不甘心落空的，便驻扎在这里，继续寻找。彼得·弗雷特就是其中一员。他在河床附近买了一块没人要的土地，一个人默默地工作。他为了找金子，已把所有的钱都押在这块土地上。他埋头苦干了几个月，直到土地全变成了坑坑洼洼，他失望了——他翻遍了整块土地，但连一丁点儿金子都没看见。

六个月后，他连买面包的钱都没有了。于是他准备离开这儿到别处去谋生。

就在他即将离去的前一个晚上，天下起了倾盆大雨，并且一下就是三天三夜。雨终于停了，彼得走出小木屋，发现眼前的土地看上去好像和以前不一样：坑坑洼洼已被大水冲刷平整，松软的土地上长出一层绿茸茸的小草。

“这里没找到金子，”彼得忽有所悟地说，“但这土地很肥沃，我可以用来种花，并且拿到镇上去卖给那些富人，他们一定会买些花装扮他们华丽的客厅。//如果真是这样的话，那么我一定会赚许多钱，有朝一日我也会成为富人……”

于是他留了下来。彼得花了不少精力培育花苗，不久田地里长满了美丽娇艳的各色鲜花。

五年以后，彼得终于实现了他的梦想——成了一个富翁。“我是唯一的一个找到真金的人！”他时常不无骄傲地告诉别人，“别人在这儿找不到金子后便远远地离开，而我的‘金子’是在这块土地里，只有诚实的人用勤劳才能采集到。”

节选自陶猛译《金子》

Zuòpǐn 20 Hào

Zìcóng chuányán yǒu rén zài Sàwén hépàn sànbù shí wúyì fāxiànle jīnzi hòu, zhè•lǐ biàn cháng yǒu láizì sìmiàn-bāfāng de táojīnzhě. Tāmen dōu xiǎng chéngwéi fùwēng, yúshì xúnbiànle zhěnggè héchuáng, hái zài héchuáng •shàng wāchū hěn duō dàkēng, xīwàng jièzhù tāmen zhǎodào gèng duō de jīnzi. Díquè, yǒu yīxiē rén zhǎodào le, dàn lìngwài yīxiē rén yīn•wèi yīwú-suǒdé ér zhǐhǎo sǎoxìng guīqù.

Yě yǒu bù gānxīn luòkōng de, biàn zhùzhā zài zhè•lǐ, jìxù xúnzhǎo. Bǐdé Fúléitè jiùshì qízhōng yī yuán. Tā zài héchuáng fùjìn mǎile yī kuài méi rén yào de tǔdì, yī gè rén mòmò de gōngzuò. Tā wèile zhǎo jīnzi, yǐ bǎ suǒyǒu de qián dōu yā zài zhè kuài tǔdì •shàng. Tā máitóu-kǔgànle jǐ gè yuè, zhídào tǔdì quán biànchéngle kēngkeng-wāwā, tā shīwàng le——tā fānbiànle zhěng kuài tǔdì, dàn lián yīdīngdiǎnr jīnzi dōu méi kàn•jiàn.

Liù gè yuè hòu, tā lián mǎi miànbāo de qián dōu méi•yǒu le. Yúshì tā zhǔnbèi líkāi zhèr dào biéchù qù móushēng.

Jiù zài tā jíjiāng líqù de qián yī gè wǎnshang, tiān xiàqǐle qīngpén-dàyǔ, bìngqiě yīxià jiùshì sān tiān sān yè. Yǔ zhōngyú tíng le, Bǐdé zǒuchū xiǎo mùwū, fāxiàn yǎnqián de tǔdì kàn shàng•qù hǎoxiàng hé yǐqián bù yīyàng: Kēngkeng-wāwā yǐ bèi dàshuǐ chōngshuā píngzhěng, sōngruǎn de tǔdì •shàng zhǎngchū yī céng lǜróngróng de xiǎocǎo.

“Zhè•lǐ méi zhǎodào jīnzi,” Bǐdé hū yǒu suǒ wù de shuō, “ Dàn zhè tǔdì hěn féiwò, wǒ kěyǐ yònglái zhòng huā, bìngqiě nádào zhèn •shàng qù màigěi nàxiē fùrén, tāmen yīdìng huì mǎi xiē huā zhuāngbàn tāmen huálì de kètīng. // Rúguǒ zhēn shì zhèyàng de huà, nàme wǒ yīdìng huì zhuàn xǔduō qián, yǒuzhāo-yīrì wǒ yě huì chéngwéi fùrén……”

Yúshì tā liúle xià•lái. Bǐdé huāle bù shǎo jīnglì péiyù huāmiáo, bùjiǔ tiándì •lǐ zhǎngmǎnle měilì jiāoyàn de gè sè xiānhuā.

Wǔ nián yǐhòu,Bǐdé zhōngyú shíxiànle tā de mèngxiǎng——chéngle yī gè fùwēng. “Wǒ shì wéiyī de yī gè zhǎodào zhēnjīn de rén!” Tā shícháng bùwú jiāo'ào de gàosu bié•rén, “Bié•rén zài zhèr zhǎo•bùdào jīnzi hòu biàn yuǎnyuǎn de líkāi, ér wǒ de ‘jīnzi’ shì zài zhè kuài tǔdì •lǐ, zhǐyǒu chéng•shí de rén yòng qínláo cáinéng cǎijí dào.”

Jiéxuǎn zì Táo Měng yì《Jīnzi》

作品 21 号

我在加拿大学习期间遇到过两次募捐，那情景至今使我难以忘怀。

一天，我在渥太华的街上被两个男孩子拦住去路。他们十来岁，穿得整整齐齐，每人头上戴着个做工精巧、色彩鲜艳的纸帽，上面写着“为帮助患小儿麻痹的伙伴募捐。”其中的一个，不由分说就坐在小凳上给我擦起皮鞋来，另一个则彬彬有礼地发问：“小姐，您是哪国人？喜欢渥太华吗？”“小姐，在你们国家有没有小孩儿患小儿麻痹？谁给他们医疗费？”一连串的问题，使我这个有生以来头一次在众目睽睽之下让别人擦鞋的异乡人，从近乎狼狈的窘态中解脱出来。我们像朋友一样聊起天儿来……

几个月之后，也是在街上。一些十字路口处或车站坐着几位老人。他们满头银发，身穿各种老式军装，上面布满了大大小小形形色色的徽章、奖章，每人手捧一大束鲜花，有水仙、石竹、玫瑰及叫不出名字的，一色雪白。匆匆过往的行人纷纷止步，把钱投进这些老人身旁的白色木箱内，然后向他们微微鞠躬，从他们手中接过一朵花。我看了一会儿，有人投一两元，有人投几百元，还有人掏出支票填好后投进木箱。那些老军人毫不注意人们捐多少钱，一直不//停地向人们低声道谢。同行的朋友告诉我，这是为纪念二次大战中参战的勇士，募捐救济残废军人和烈士遗孀，每年一次；认捐的人可谓踊跃，而且秩序井然，气氛庄严。有些地方，人们还耐心地排着队。我想，这是因为他们都知道：正是这些老人们的流血牺牲换来了包括他们信仰自由在内的许许多多。

我两次把那微不足道的一点儿钱捧给他们，只想对他们说声“谢谢”。

节选自青白《捐诚》

Zuòpǐn 21 Hào

Wǒ zài Jiānádà xuéxí qījiān yùdàoguo liǎng cì mùjuān, nà qíngjǐng zhìjīn shǐ wǒ nányǐ-wànghuái.

Yī tiān, wǒ zài Wòtàihuá de jiē•shàng bèi liǎng gè nánháizi lánzhù qùlù. Tāmen shí lái suì, chuān de zhěngzhěng-qíqí, měi rén tóu •shàng dàizhe gè zuògōng jīngqiǎo、sècǎi xiānyàn de zhǐ mào, shàng•miàn xiězhe " Wèi bāngzhù huàn xiǎo'ér mábì de huǒbàn mùjuān. " Qízhōng de yī gè, bùyóu-fēnshuō jiù zuò zài xiǎodèng •shàng gěi wǒ cā•qǐ píxié •lái, lìng yī gè zé bīnbīn-yǒulǐ de fāwèn:"Xiǎo•jiě, nín shì nǎ guó rén? Xǐhuan Wòtàihuá ma?""Xiǎo•jiě, zài nǐmen guójiā yǒu méi•yǒu xiǎoháir huàn xiǎo'ér mábì? Shéi gěi tāmen yīliáofèi?" Yīliánchuàn de wèntí, shǐ wǒ zhège yǒushēng-yǐlái tóu yī cì zài zhòngmù-kuíkuí zhīxià ràng bié•rén cā xié de yìxiāng rén, cóng jìnhū lángbèi de jiǒngtài zhōng jiětuō chū•lái. Wǒmen xiàng péngyou yīyàng liáo•qǐ tiānr •lái……

Jǐ gè yuè zhīhòu, yě shì zài jiē•shàng. Yīxiē shízì lùkǒuchù huò chēzhàn zuòzhe jǐ wèi lǎorén. Tāmen mǎntóu yínfà, shēn chuān gè zhǒng lǎoshì jūnzhuāng, shàng•miàn bùmǎnle dàdà-xiǎoxiǎo xíngxíng-sèsè de huīzhāng、jiǎngzhāng, měi rén shǒu pěng yī dà shù xiānhuā, yǒu shuǐxiān、shízhú、méi•guī jí jiào•bùchū míngzi de, yīsè xuěbái. Cōngcōng guòwǎng de xíngrén fēnfēn zhǐbù, bǎ qián tóujìn zhèxiē lǎorén shēnpáng de báisè mùxiāng nèi, ránhòu xiàng tāmen wēiwēi jūgōng, cóng tāmen shǒu zhōng jiēguo yī duǒ huā. Wǒ kànle yīhuìr, yǒu rén tóu yī-liǎng yuán, yǒu rén tóu jǐbǎi yuán, hái yǒu rén tāochū zhīpiào tiánhǎo hòu tóujìn mùxiāng. Nàxiē lǎojūnrén háobù zhùyì rénmen juān duō•shǎo qián, yīzhí bù//tíng de xiàng rénmen dīshēng dàoxiè. Tóngxíng de péngyou gàosu wǒ, zhè shì wèi jìniàn Èr Cì Dàzhàn zhōng cānzhàn de yǒngshì, mùjuān jiùjì cánfèi jūnrén hé lièshì yíshuāng, měinián yī cì; rèn juān de rén kěwèi yǒngyuè, érqiě zhìxù jǐngrán, qì•fēn zhuāngyán. Yǒuxiē dìfang, rénmen hái nàixīn de páizhe duì. Wǒ xiǎng, zhè shì yīn•wèi tāmen dōu zhī•dào: Zhèng shì zhèxiē lǎorénmen de liúxuè xīshēng huànláile bāokuò tāmen xìnyǎng zìyóu zài nèi de xǔxǔ-duōduō.

Wǒ liǎng cì bǎ nà wēibùzúdào de yīdiǎnr qián pěnggěi tāmen, zhǐ xiǎng duì tāmen shuō shēng "xièxie".

Jiéxuǎn zì Qīng Bái《Juān Chéng》

作品 22 号

没有一片绿叶，没有一缕炊烟，没有一粒泥土，没有一丝花香，只有水的世界，云的海洋。

一阵台风袭过，一只孤单的小鸟无家可归，落到被卷到洋里的木板上，乘流而下，姗姗而来，近了，近了！……

忽然，小鸟张开翅膀，在人们头顶盘旋了几圈儿，“噗啦”一声落到了船上。许是累了？还是发现了“新大陆”？水手撵它它不走，抓它，它乖乖地落在掌心。可爱的小鸟和善良的水手结成了朋友。

瞧，它多美丽，娇巧的小嘴，啄理着绿色的羽毛，鸭子样的扁脚，呈现出春草的鹅黄。水手们把它带到舱里，给它“搭铺”，让它在船上安家落户，每天，把分到的一塑料筒淡水匀给它喝，把从祖国带来的鲜美的鱼肉分给它吃，天长日久，小鸟和水手的感情日趋笃厚。清晨，当第一束阳光射进舷窗时，它便敞开美丽的歌喉，唱啊唱，嘤嘤有韵，宛如春水淙淙。人类给它以生命，它毫不悭吝地把自己的艺术青春奉献给了哺育它的人。可能都是这样？艺术家们的青春只会献给尊敬他们的人。

小鸟给远航生活蒙上了一层浪漫色调。返航时，人们爱不释手，恋恋不舍地想把它带到异乡。可小鸟憔悴了，给水，不喝！喂肉，不吃！油亮的羽毛失去了光泽。是啊，我//们有自己的祖国，小鸟也有它的归宿，人和动物都是一样啊，哪儿也不如故乡好！

慈爱的水手们决定放开它，让它回到大海的摇篮去，回到蓝色的故乡去。离别前，这个大自然的朋友与水手们留影纪念。它站在许多人的头上，肩上，掌上，胳膊上，与喂养过它的人们，一起融进那蓝色的画面……

节选自王文杰《可爱的小鸟》

Zuòpǐn 22 Hào

Méi•yǒu yī piàn lǜyè, méi•yǒu yī lǚ chuīyān, méi•yǒu yī lì nítǔ, méi•yǒu yī sī huāxiāng, zhǐyǒu shuǐ de shìjiè, yún de hǎiyáng.

Yī zhèn táifēng xíguò,yī zhī gūdān de xiǎoniǎo wújiā-kěguī, luòdào bèi juǎndào yáng•lǐ de mùbǎn •shàng, chéng liú ér xià, shānshān ér lái, jìn le, jìn le! ……

Hūrán, xiǎoniǎo zhāngkāi chìbǎng, zài rénmen tóudǐng pánxuánle jǐ quānr, “pūlā” yī shēng luòdàole chuán•shàng. Xǔ shì lèi le? Háishì fāxiànle “xīn dàlù”? Shuǐshǒu niǎn tā tā bù zǒu, zhuā tā, tā guāiguāi de luò zài zhǎngxīn. Kě'ài de xiǎoniǎo hé shànliáng de shuǐshǒu jiéchéngle péngyou.

Qiáo, tā duō měilì, jiāoqiào de xiǎozuǐ, zhuólǐzhe lǜsè de yǔmáo, yāzi yàng de biǎnjiǎo, chéngxiàn chū chūncǎo de éhuáng. Shuǐshǒumen bǎ tā dàidào cāng •lǐ, gěi tā “dā pù”, ràng tā zài chuán•shàng ānjiā-luòhù, měi tiān, bǎ fēndào de yī sùliàotǒng dànshuǐ yúngěi tā hē, bǎ cóng zǔguó dài•lái de xiānměi de yúròu fēngěi tā chī, tiāncháng-rìjiǔ, xiǎoniǎo hé shuǐshǒu de gǎnqíng rìqū dǔhòu. Qīngchén, dāng dì-yī shù yángguāng shèjìn xiánchuāng shí, tā biàn chǎngkāi měilì de gēhóu, chàng a chàng, yīngyīng-yǒuyùn, wǎnrú chūnshuǐ cóngcóng. Rénlèi gěi tā yī shēngmìng, tā háobù qiānlìn de bǎ zìjǐ de yìshù qīngchūn fèngxiàn gěile bǔyù tā de rén. Kěnéng dōu shì zhèyàng? Yìshùjiāmen de qīngchūn zhǐ huì xiàngěi zūnjìng tāmen de rén.

Xiǎoniǎo gěi yuǎnháng shēnghuó méng•shàngle yī céng làngmàn sèdiào. Fǎnháng shí, rénmen àibùshìshǒu, liànliàn-bùshě de xiǎng bǎ tā dàidào yìxiāng. Kě xiǎoniǎo qiáocuì le, gěi shuǐ, bù hē! Wèi ròu, bù chī! Yóuliàng de yǔmáo shīqùle guāngzé. Shì a, wǒ// men yǒu zìjǐ de zǔguó, xiǎoniǎo yě yǒu tā de guīsù, rén hé dòngwù dōu shì yīyàng a, nǎr yě bùrú gùxiāng hǎo!

Cí'ài de shuǐshǒumen juédìng fàngkāi tā, ràng tā huídào dàhǎi de yáolán •qù, huídào lánsè de gùxiāng •qù. Líbié qián, zhège dàzìrán de péngyou yǔ shuǐshǒumen liúyǐng jìniàn. Tā zhàn zài xǔduō rén de tóu •shàng, jiān •shàng, zhǎng •shàng, gēbo •shàng, yǔ wèiyǎngguo tā de rénmen, yīqǐ róngjìn nà lánsè de huàmiàn……

Jiéxuǎn zì Wáng Wénjié《Kě'ài de Xiǎoniǎo》

作品 23 号

纽约的冬天常有大风雪，扑面的雪花不但令人难以睁开眼睛，甚至呼吸都会吸入冰冷的雪花。有时前一天晚上还是一片晴朗，第二天拉开窗帘，却已经积雪盈尺，连门都推不开了。

遇到这样的情况，公司、商店常会停止上班，学校也通过广播，宣布停课。但令人不解的是，惟有公立小学，仍然开放。只见黄色的校车，艰难地在路边接孩子，老师则一大早就口中喷着热气，铲去车子前后的积雪，小心翼翼地开车去学校。

据统计，十年来纽约的公立小学只因为超级暴风雪停过七次课。这是多么令人惊讶的事。犯得着在大人都无须上班的时候让孩子去学校吗？小学的老师也太倒霉了吧？

于是，每逢大雪而小学不停课时，都有家长打电话去骂。妙的是，每个打电话的人，反应全一样——先是怒气冲冲地责问，然后满口道歉，最后笑容满面地挂上电话。原因是，学校告诉家长：

在纽约有许多百万富翁，但也有不少贫困的家庭。后者白天开不起暖气，供不起午餐，孩子的营养全靠学校里免费的中饭，甚至可以多拿些回家当晚餐。学校停课一天，穷孩子就受一天冻，挨一天饿，所以老师们宁愿自己苦一点儿，也不能停//课。

或许有家长会说：何不让富裕的孩子在家里，让贫穷的孩子去学校享受暖气和营养午餐呢？

学校的答复是：我们不愿让那些穷苦的孩子感到他们是在接受救济，因为施舍的最高原则是保持受施者的尊严。

节选自（台湾）刘墉《课不能停》

Zuòpǐn 23 Hào

Niǔyuē de dōngtiān cháng yǒu dà fēngxuě, pūmiàn de xuěhuā bùdàn lìng rén nányǐ zhēngkāi yǎnjing, shènzhì hūxī dōu huì xīrù bīnglěng de xuěhuā. Yǒushí qián yī tiān wǎnshang háishì yī piàn qínglǎng, dì-èr tian lākāi chuānglián, què yǐ•jīng jīxuě yíng chǐ, lián mén dōu tuī•bùkāi le.

Yùdào zhèyàng de qíngkuàng, gōngsī、shāngdiàn cháng huì tíngzhǐ shàngbān, xuéxiào yě tōngguò guǎngbō, xuānbù tíngkè. Dàn lìng rén bùjiě de shì, wéiyǒu gōnglì xiǎoxué, réngrán kāifàng. Zhǐ jiàn huángsè de xiàochē, jiānnán de zài lùbiān jiē háizi, lǎoshī zé yīdàzǎo jiù kǒuzhōng pēnzhe rèqì, chǎnqù chēzi qiánhòu de jīxuě, xiǎoxīn-yìyì de kāichē qù xuéxiào.

Jù tǒngjì, shí nián lái Niǔyuē de gōnglì xiǎoxué zhǐ yīn•wèi chāojí bàofēngxuě tíngguo qī cì kè. Zhè shì duōme lìng rén jīngyà de shì. Fàndezháo zài dà•rén dōu wúxū shàngbān de shíhou ràng háizi qù xuéxiào ma? Xiǎoxué de lǎoshī yě tài dǎoméile ba?

Yúshì, měiféng dàxuě ér xiǎoxué bù tíngkè shí, dōu yǒu jiāzhǎng dǎ diànhuà qù mà. Miào de shì, měi gè dǎ diànhuà de rén, fǎnyìng quán yīyàng——xiān shì nùqì-chōngchōng de zéwèn, ránhòu mǎnkǒu dàoqiàn, zuìhòu xiàoróng mǎnmiàn de guà•shàng diànhuà. Yuányīn shì, xuéxiào gàosu jiāzhǎng:

Zài Niǔyuē yǒu xǔduō bǎiwàn fùwēng, dàn yě yǒu bùshǎo pínkùn de jiātíng. Hòuzhě bái•tiān kāi•bùqǐ nuǎnqì, gōng•bùqǐ wǔcān, háizi de yíngyǎng quán kào xuéxiào •lǐ miǎnfèi de zhōngfàn, shènzhì kěyǐ duō ná xiē huíjiā dàng wǎncān. Xuéxiào tíngkè yī tiān, qióng háizi jiù shòu yī tiān dòng, ái yī tiān è, suǒyǐ lǎoshīmen nìngyuàn zìjǐ kǔ yīdiǎnr, yě bù néng tíng//kè.

Huòxǔ yǒu jiāzhǎng huì shuō: Hé bù ràng fùyù de háizi zài jiā •lǐ, ràng pínqióng de háizi qù xuéxiào xiǎngshòu nuǎnqì hé yíngyǎng wǔcān ne?

Xuéxiào de dá•fù shì: Wǒmen bùyuàn ràng nàxiē qióngkǔ de háizi gǎndào tāmen shì zài jiēshòu jiùjì, yīn•wèi shīshě de zuìgāo yuánzé shì bǎochí shòushīzhě de zūnyán.

Jiéxuǎn zì (Táiwān) Liú Yōng《Kè Bùnéng Tíng》

作品 24 号

十年，在历史上不过是一瞬间。只要稍加注意，人们就会发现：在这一瞬间里，各种事物都悄悄经历了自己的千变万化。

这次重新访日，我处处感到亲切和熟悉，也在许多方面发觉了日本的变化。就拿奈良的一个角落来说吧，我重游了为之感受很深的唐招提寺，在寺内各处匆匆走了一遍，庭院依旧，但意想不到还看到了一些新的东西。其中之一，就是近几年从中国移植来的“友谊之莲”。

在存放鉴真遗像的那个院子里，几株中国莲昂然挺立，翠绿的宽大荷叶正迎风而舞，显得十分愉快。开花的季节已过，荷花朵朵已变为莲蓬累累。莲子的颜色正在由青转紫，看来已经成熟了。

我禁不住想：“因”已转化为“果”。

中国的莲花开在日本，日本的樱花开在中国，这不是偶然。我希望这样一种盛况延续不衰。可能有人不欣赏花，但决不会有人欣赏落在自己面前的炮弹。

在这些日子里，我看到了不少多年不见的老朋友，又结识了一些新朋友。大家喜欢涉及的话题之一，就是古长安和古奈良。那还用得着问吗，朋友们缅怀过去，正是瞩望未来。瞩目于未来的人们必将获得未来。

我不例外，也希望一个美好的未来。

为//了中日人民之间的友谊，我将不浪费今后生命的每一瞬间。

节选自严文井《莲花和樱花》

Zuòpǐn 24 Hào

Shí nián，zài lìshǐ ·shàng bùguò shì yī shùnjiān. Zhǐyào shāo jiā zhùyì，rénmen jiù huì fāxiàn：Zài zhè yī shùnjiān ·lǐ，gè zhǒng shìwù dōu qiāoqiāo jīnglìle zìjǐ de qiānbiàn-wànhuà.

Zhè cì chóngxīn fǎng Rì，wǒ chùchù gǎndào qīnqiè hé shú·xī，yě zài xǔduō fāngmiàn fājuéle Rìběn de biànhuà. Jiù ná Nàiliáng de yī gè jiǎoluò lái shuō ba，wǒ chóngyóule wèi zhī gǎnshòu hěn shēn de Táng Zhāotísì，zài sìnèi gè chù cōngcōng zǒule yī biàn，tíngyuàn yījiù，dàn yìxiǎngbùdào hái kàndàole yīxiē xīn de dōngxi. Qízhōng zhīyī，jiùshì jìn jǐ nián cóng Zhōngguó yízhí lái de “yǒuyì zhī lián”.

Zài cúnfàng Jiànzhēn yíxiàng de nàge yuànzi ·lǐ，jǐ zhū Zhōngguó lián ángrán tǐnglì，cuìlǜ de kuāndà héyè zhèng yíngfēng ér wǔ，xiǎn·dé shífēn yúkuài. Kāihuā de jìjié yǐ guò，héhuā duǒduǒ yǐ biànwéi liánpeng léiléi. Liánzǐ de yánsè zhèngzài yóu qīng zhuǎn zǐ，kàn·lái yǐ·jīng chéngshú le.

Wǒ jīn·bùzhù xiǎng：“Yīn” yǐ zhuǎnhuà wéi “guǒ”.

Zhōngguó de liánhuā kāi zài Rìběn，Rìběn de yīnghuā kāi zài Zhongguó，zhè bù shì ǒurán. Wǒ xīwàng zhèyàng yī zhǒng shèngkuàng yánxù bù shuāi. Kěnéng yǒu rén bù xīnshǎng huā，dàn jué bùhuì yǒu rén xīnshǎng luò zài zìjǐ miànqián de pàodàn.

Zài zhèxiē rìzi ·lǐ，wǒ kàndàole bùshǎo duō nián bù jiàn de lǎopéngyou，yòu jiéshíle yīxiē xīn péngyou. Dàjiā xǐhuan shèjí de huàtí zhīyī，jiùshì gǔ Cháng'ān hé gǔ Nàiliáng. Nà hái yòngdezháo wèn ma，péngyoumen miǎnhuái guòqù，zhèngshì zhǔwàng wèilái. Zhǔmù yú wèilái de rénmen bìjiāng huòdé wèilái.

Wǒ bù lìwài，yě xīwàng yī gè měihǎo de wèilái.

Wèi // le Zhōng-Rì rénmín zhījiān de yǒuyì，wǒ jiāng bù làngfèi jīnhòu shēngmìng de měi yī shùnjiān.

Jiéxuǎn zì Yán Wénjǐng《Liánhuā hé Yīnghuā》

作品 25 号

梅雨潭闪闪的绿色招引着我们，我们开始追捉她那离合的神光了。揪着草，攀着乱石，小心探身下去，又鞠躬过了一个石穹门，便到了汪汪一碧的潭边了。

瀑布在襟袖之间，但是我的心中已没有瀑布了。我的心随潭水的绿而摇荡。那醉人的绿呀！仿佛一张极大极大的荷叶铺着，满是奇异的绿呀。我想张开两臂抱住她，但这是怎样一个妄想啊。

站在水边，望到那面，居然觉着有些远呢！这平铺着、厚积着的绿，着实可爱。她松松地皱缬着，像少妇拖着的裙幅；她滑滑的明亮着，像涂了“明油”一般，有鸡蛋清那样软，那样嫩；她又不杂些尘滓，宛然一块温润的碧玉，只清清的一色——但你却看不透她！

我曾见过北京什刹海拂地的绿杨，脱不了鹅黄的底子，似乎太淡了。我又曾见过杭州虎跑寺近旁高峻而深密的“绿壁”，丛叠着无穷的碧草与绿叶的，那又似乎太浓了。其余呢，西湖的波太明了，秦淮河的也太暗了。可爱的，我将什么来比拟你呢？我怎么比拟得出呢？大约潭是很深的，故能蕴蓄着这样奇异的绿；仿佛蔚蓝的天融了一块在里面似的，这才这般的鲜润啊。

那醉人的绿呀！我若能裁你以为带，我将赠给那轻盈的//舞女，她必能临风飘举了。我若能挹你以为眼，我将赠给那善歌的盲妹，她必明眸善睐了。我舍不得你，我怎舍得你呢？我用手拍着你，抚摩着你，如同一个十二三岁的小姑娘。我又掬你入口，便是吻着她了。我送你一个名字，我从此叫你“女儿绿”，好吗？

第二次到仙岩的时候，我不禁惊诧于梅雨潭的绿了。

节选自朱自清《绿》

Zuòpǐn 25 Hào

Méiyǔtán shǎnshǎn de lǜsè zhāoyǐnzhe wǒmen, wǒmen kāishǐ zhuīzhuō tā nà líhé de shénguāng le. Jiūzhe cǎo, pānzhe luànshí, xiǎo•xīn tànshēn xià•qù, yòu jūgōng guòle yī gè shíqióngmén, biàn dàole wāngwāng yī bì de tán biān le.

Pùbù zài jīnxiù zhījiān, dànshì wǒ de xīnzhōng yǐ méi•yǒu pùbù le. Wǒ de xīn suí tánshuǐ de lǜ ér yáodàng. Nà zuìrén de lǜ ya! Fǎngfú yī zhāng jí dà jí dà de héyè pūzhe, mǎnshì qíyì de lǜ ya. Wǒ xiǎng zhāngkāi liǎngbì bàozhù tā, dàn zhè shì zěnyàng yī gè wàngxiǎng a.

Zhàn zài shuǐbiān, wàngdào nà•miàn, jūrán juézhe yǒu xiē yuǎn ne! Zhè píngpūzhe、hòujīzhe de lǜ, zhuóshí kě'ài. Tā sōngsōng de zhòuxiézhe, xiàng shàofù tuōzhe de qúnfú; tā huáhuá de míngliàngzhe, xiàng túle "míngyóu" yībān, yǒu jīdànqīng nàyàng ruǎn, nàyàng nèn; tā yòu bù zá xiē chénzǐ, wǎnrán yī kuài wēnrùn de bìyù, zhǐ qīngqīng de yī sè——dàn nǐ què kàn•bùtòu tā!

Wǒ céng jiànguo Běijīng Shíchàhǎi fúdì de lǜyáng, tuō•bùliǎo éhuáng de dǐzi, sìhū tài dàn le. Wǒ yòu céng jiànguo Hángzhōu Hǔpáosì jìnpáng gāojùn ér shēnmì de "lǜbì", cóngdiézhe wúqióng de bìcǎo yǔ lǜyè de, nà yòu sìhū tài nóng le. Qíyú ne, Xīhú de bō tài míng le, Qínhuái Hé de yě tài àn le. Kě'ài de, wǒ jiāng shénme lái bǐnǐ nǐ ne? Wǒ zěnme bǐnǐ de chū ne? Dàyuē tán shì hěn shēn de, gù néng yùnxùzhe zhèyàng qíyì de lǜ; fǎngfú wèilán de tiān róngle yī kuài zài lǐ•miàn shìde, zhè cái zhèbān de xiānrùn a.

Nà zuìrén de lǜ ya! Wǒ ruò néng cái nǐ yǐ wéi dài, wǒ jiāng zènggěi nà qīngyíng de// wǔnǚ, tā bìnéng línfēng piāojǔ le. Wǒ ruò néng yì nǐ yǐ wéi yǎn, wǒ jiāng zènggěi nà shàn gē de mángmèi, tā bì míngmóu-shànlài le. Wǒ shě•bù•dé nǐ, wǒ zěn shě•dé nǐ ne? Wǒ yòng shǒu pāizhe nǐ, fǔmózhe nǐ, rútóng yī gè shí'èr-sān suì de xiǎogūniang. Wǒ yòu jū nǐ rùkǒu, biànshì wěnzhe tā le. Wǒ sòng nǐ yī gè míngzi, wǒ cóngcǐ jiào nǐ "nǚ'érlǜ", hǎo ma?

Dì-èr cì dào Xiānyán de shíhou, wǒ bùjīn jīngchà yú Méiyǔtán de lǜ le.

Jiéxuǎn zì Zhū Zìqīng《Lǜ》

作品 26 号

我们家的后园有半亩空地，母亲说："让它荒着怪可惜的，你们那么爱吃花生，就开辟出来种花生吧。"我们姐弟几个都很高兴，买种，翻地，播种，浇水，没过几个月，居然收获了。

母亲说："今晚我们过一个收获节，请你们父亲也来尝尝我们的新花生，好不好？"我们都说好。母亲把花生做成了好几样食品，还吩咐就在后园的茅亭里过这个节。

晚上天色不太好，可是父亲也来了，实在很难得。

父亲说："你们爱吃花生吗？"

我们争着答应："爱！"

"谁能把花生的好处说出来？"

姐姐说："花生的味美。"

哥哥说："花生可以榨油。"

我说："花生的价钱便宜，谁都可以买来吃，都喜欢吃。这就是它的好处。"

父亲说："花生的好处很多，有一样最可贵：它的果实埋在地里，不像桃子、石榴、苹果那样，把鲜红嫩绿的果实高高地挂在枝头上，使人一见就生爱慕之心。你们看它矮矮地长在地上，等到成熟了，也不能立刻分辨出来它有没有果实，必须挖出来才知道。"

我们都说是，母亲也点点头。

父亲接下去说："所以你们要像花生，它虽然不好看，可是很有用，不是外表好看而没有实用的东西。"

我说："那么，人要做有用的人，不要做只讲体面，而对别人没有好处的人了。"//

父亲说："对。这是我对你们的希望。"

我们谈到夜深才散。花生做的食品都吃完了，父亲的话却深深地印在我的心上。

节选自许地山《落花生》

Zuòpǐn 26 Hào

Wǒmen jiā de hòuyuán yǒu bàn mǔ kòngdì, mǔ•qīn shuō: "Ràng tā huāngzhe guài kěxī de, nǐmen nàme ài chī huāshēng, jiù kāipì chū•lái zhòng huāshēng ba." Wǒmen jiě-dì jǐ gè dōu hěn gāoxìng, mǎizhǒng, tāndì, bōzhǒng, jiāoshuǐ, méi guò jǐ gè yuè, jūrán shōuhuò le.

Mǔ•qīn shuō: "Jīnwǎn wǒmen guò yī gè shōuhuòjié, qǐng nǐmen fù•qīn yě lái chángchang wǒmen de xīn huāshēng, hǎo•bù hǎo?" Wǒmen dōu shuō hǎo. Mǔ•qīn bǎ huāshēng zuòchéngle hǎo jǐ yàng shípǐn, hái fēn•fù jiù zài hòuyuán de máotíng •lǐ guò zhège jié.

Wǎnshang tiānsè bù tài hǎo, kěshì fù•qīn yě lái le, shízài hěn nándé.

Fù•qīn shuō: "Nǐmen ài chī huāshēng ma?"

Wǒmen zhēngzhe dāying: "Ài!"

"Shéi néng bǎ huāshēng de hǎo•chù shuō chū•lái?"

Jiějie shuō: "Huāshēng de wèir měi."

Gēge shuō: "Huāshēng kěyǐ zhàyóu."

Wǒ shuō: "Huāshēng de jià•qián piányi, shéi dōu kěyǐ mǎi•lái chī, dōu xǐhuan chī. Zhè jiùshì tā de hǎo•chù."

Fù•qīn shuō: "Huāshēng de hǎo•chù hěn duō, yǒu yī yàng zuì kěguì: Tā de guǒshí mái zài dì•lǐ, bù xiàng táozi、shíliu、píngguǒ nàyàng, bǎ xiānhóng nènlǜ de guǒshí gāogāo de guà zài zhītóu •shàng, shǐ rén yī jiàn jiù shēng àimù zhī xīn. Nǐmen kàn tā ǎi'ǎi de zhǎng zài dì•shàng, děngdào chéngshú le, yě bùnéng lìkè tēnbiàn chū•lái tā yǒu méi•yǒu guǒshí, bìxū wā chū•lái cái zhī•dào."

Wǒmen dōu shuō shì, mǔ•qīn yě diǎndiǎn tóu.

Fù•qīn jiē xià•qù shuō: "Suǒyǐ nǐmen yào xiàng huāshēng, tā suīrán bù hǎokàn, kěshì hěn yǒuyòng, bù shì wàibiǎo hǎokàn ér méi•yǒu shíyòng de dōngxi."

Wǒ shuō: "Nàme, rén yào zuò yǒuyòng de rén, bùyào zuò zhǐ jiǎng tǐ•miàn, ér duì bié•rén méi•yǒu hǎo•chù de rén le." //

Fù•qīn shuō: "Duì. Zhè shì wǒ duì nǐmen de xīwàng."

Wǒmen tándào yè shēn cái sàn. Huāshēng zuò de shípǐn dōu chīwán le, fù•qīn de huà què shēnshēn de yìn zài wǒ de xīn•shàng.

Jiéxuǎn zì Xǔ Dìshān《Luòhuāshēng》

作品 27 号

我打猎归来，沿着花园的林阴路走着。狗跑在我前边。

突然，狗放慢脚步，蹑足潜行，好像嗅到了前边有什么野物。

我顺着林阴路望去，看见了一只嘴边还带黄色、头上生着柔毛的小麻雀。风猛烈地吹打着林阴路上的白桦树，麻雀从巢里跌落下来，呆呆地伏在地上，孤立无援地张开两只羽毛还未丰满的小翅膀。

我的狗慢慢向它靠近。忽然，从附近一棵树上飞下一只黑胸脯的老麻雀，像一颗石子似的落到狗的跟前。老麻雀全身倒竖着羽毛，惊恐万状，发出绝望、凄惨的叫声，接着向露出牙齿、大张着的狗嘴扑去。

老麻雀是猛扑下来救护幼雀的。它用身体掩护着自己的幼儿……但它整个小小的身体因恐怖而战栗着，它小小的声音也变得粗暴嘶哑，它在牺牲自己！

在它看来，狗该是多么庞大的怪物啊！然而，它还是不能站在自己高高的、安全的树枝上……一种比它的理智更强烈的力量，使它从那儿扑下身来。

我的狗站住了，向后退了退……看来，它也感到了这种力量。

我赶紧唤住惊慌失措的狗，然后我怀着崇敬的心情，走开了。

是啊，请不要见笑。我崇敬那只小小的、英勇的鸟儿，我崇敬它那种爱的冲动和力量。

爱，我//想，比死和死的恐惧更强大。只有依靠它，依靠这种爱，生命才能维持下去，发展下去。

节选自［俄］屠格涅夫《麻雀》，巴金译

Zuòpǐn 27 Hào

Wǒ dǎliè guīlái, yánzhe huāyuán de línyīnlù zǒuzhe. Gǒu pǎo zài wǒ qián•biān.

Tūrán, gǒu fàngmàn jiǎobù, nièzú-qiánxíng, hǎoxiàng xiùdàole qián•biān yǒu shénme yěwù.

Wǒ shùnzhe línyīnlù wàng•qù, kàn•jiànle yī zhī zuǐ biān hái dài huángsè、tóu•shàng shēngzhe róumáo de xiǎo máquè. Fēng měngliè de chuīdǎzhe línyīnlù •shàng de báihuàshù, máquè cóng cháo •lǐ diēluò xià•lái, dāidāi de fú zài dì •shàng, gūlì wúyuán de zhāngkāi liǎng zhī yǔmáo hái wèi fēngmǎn de xiǎo chìbǎng.

Wǒ de gǒu mànmàn xiàng tā kàojìn. Hūrán, cóng fùjìn yī kē shù •shàng fēi•xià yī zhī hēi xiōngpú de lǎo máquè, xiàng yī kē shízǐ shìde luòdào gǒu de gēn•qián. Lǎo máquè quánshēn dàoshùzhe yǔmáo, jīngkǒng-wànzhuàng, fāchū juéwàng、qīcǎn de jiàoshēng, jiēzhe xiàng lòuchū yáchǐ、dà zhāngzhe de gǒuzuǐ pū•qù.

Lǎo máquè shì měng pū xià•lái jiùhù yòuquè de. Tā yòng shēntǐ yǎnhùzhe zìjǐ de yòu'ér …… Dàn tā zhěnggè xiǎoxiǎo de shēntǐ yīn kǒngbù ér zhànlìzhe, tā xiǎoxiǎo de shēngyīn yě biànde cūbào sīyǎ, tā zài xīshēng zìjǐ!

Zài tā kànlái, gǒu gāi shì duōme pángdà de guàiwu a! Rán'ér, tā háishì bùnéng zhàn zài zìjǐ gāogāo de、ānquán de shùzhī •shàng …… Yī zhǒng bǐ tā de lǐzhì gèng qiángliè de lì•liàng, shǐ tā cóng nàr pū•xià shēn •lái.

Wǒ de gǒu zhànzhù le, xiàng hòu tuìle tuì …… Kànlái, tā yě gǎndàole zhè zhǒng lì•liàng.

Wǒ gǎnjǐn huànzhù jīnghuāng-shīcuò de gǒu, ránhòu wǒ huáizhe chóngjìng de xīnqíng, zǒukāi le.

Shì a, qǐng bùyào jiànxiào. Wǒ chóngjìng nà zhī xiǎoxiǎo de、yīngyǒng de niǎo'•ér, wǒ chóngjìng tā nà zhǒng ài de chōngdòng hé lì•liàng.

Ài, wǒ // xiǎng, bǐ sǐ hé sǐ de kǒngjù gèng qiángdà. Zhǐyǒu yīkào tā, yīkào zhè zhǒng ài, shēngmìng cái néng wéichí xià•qù, fāzhǎn xià•qù.

Jiéxuǎn zì [É] Túgénièfū《Máquè》, Bā Jīn yì

作品 28 号

那年我六岁。离我家仅一箭之遥的小山坡旁，有一个早已被废弃的采石场，双亲从来不准我去那儿，其实那儿风景十分迷人。

一个夏季的下午，我随着一群小伙伴偷偷上那儿去了。就在我们穿越了一条孤寂的小路后，他们却把我一个人留在原地，然后奔向“更危险的地带”了。

等他们走后，我惊慌失措地发现，再也找不到要回家的那条孤寂的小道了。像只无头的苍蝇，我到处乱钻，衣裤上挂满了芒刺。太阳已经落山，而此时此刻，家里一定开始吃晚餐了，双亲正盼着我回家……想着想着，我不由得背靠着一棵树，伤心地呜呜大哭起来……

突然，不远处传来了声声柳笛。我像找到了救星，急忙循声走去。一条小道边的树桩上坐着一位吹笛人，手里还正削着什么。走近细看，他不就是被大家称为“乡巴佬儿”的卡廷吗？

“你好，小家伙儿，”卡廷说，“看天气多美，你是出来散步的吧？”

我怯生生地点点头，答道：“我要回家了。”

“请耐心等上几分钟，”卡廷说，“瞧，我正在削一支柳笛，差不多就要做好了，完工后就送给你吧！”

卡廷边削边不时把尚未成形的柳笛放在嘴里试吹一下。没过多久，一支柳笛便递到我手中。我俩在一阵阵清脆悦耳的笛音//中，踏上了归途……

当时，我心中只充满感激，而今天，当我自己也成了祖父时，却突然领悟到他用心之良苦！那天当他听到我的哭声时，便判定我一定迷了路，但他并不想在孩子面前扮演“救星”的角色，于是吹响柳笛以便让我能发现他，并跟着他走出困境！就这样，卡廷先生以乡下人的纯朴，保护了一个小男孩儿强烈的自尊。

节选自唐若水译《迷途笛音》

Zuòpǐn 28 Hào

Nà nián wǒ liù suì. Lí wǒ jiā jǐn yī jiàn zhī yáo de xiǎo shānpō páng, yǒu yī gè zǎo yǐ bèi fèiqì de cǎishíchǎng, shuāngqīn cónglái bùzhǔn wǒ qù nàr, qíshí nàr fēngjǐng shífēn mírén.

Yī gè xiàjì de xiàwǔ, wǒ suízhe yī qún xiǎohuǒbànr tōutōu shàng nàr qù le. Jiù zài wǒmen chuānyuèle yī tiáo gūjì de xiǎolù hòu, tāmen què bǎ wǒ yī gè rén liú zài yuán dì, ránhòu bēnxiàng "gèng wēixiǎn de dìdài" le.

Děng tāmen zǒuhòu, wǒ jīnghuāng-shīcuò de fāxiàn, zài yě zhǎo•bùdào yào huíjiā de nà tiáo gūjì de xiǎodào le. Xiàng zhī wú tóu de cāngying, wǒ dàochù luàn zuān, yīkù •shàng guàmǎnle mángcì. Tài•yáng yǐ•jīng luòshān, ér cǐshí cǐkè, jiā•lǐ yīdìng kāishǐ chī wǎncān le, shuāngqīn zhèng pànzhe wǒ huíjiā …… Xiǎngzhe xiǎngzhe, wǒ bùyóude bèi kàozhe yī kē shù, shāngxīn de wūwū dàkū qǐ•lái……

Tūrán, bù yuǎn chù chuán•láile shēngshēng liǔdí. Wǒ xiàng zhǎodàole jiùxīng, jímáng xúnshēng zǒuqù. Yī tiáo xiǎodào biān de shùzhuāng •shàng zuòzhe yī wèi chuīdí rén, shǒu•lǐ hái zhèng xiāozhe shénme. Zǒujìn xì kàn, tā bù jiùshì bèi dàjiā chēngwéi "xiāngbalǎor" de Kǎtíng ma?

"Nǐ hǎo, xiǎojiāhuor," Kǎtíng shuō, "Kàn tiānqì duō měi, nǐ shì chū•lái sànbù de ba?"

Wǒ qièshēngshēng de diǎndiǎn tóu, dádào:" Wǒ yào huíjiā le."

"Qǐng nàixīn děng•shàng jǐ fēnzhōng," Kǎtíng shuō, "Qiáo, wǒ zhèngzài xiāo yī zhī liǔdí, chà•bùduō jiù yào zuòhǎo le, wángōng hòu jiù sònggěi nǐ ba!"

Kǎtíng biān xiāo biān bùshí bǎ shàng wèi chéngxíng de liǔdí fàng zài zuǐ •lǐ shìchuī yīxià. Méi guò duōjiǔ, yī zhī liǔdí biàn dìdào wǒ shǒu zhōng. Wǒ liǎ zài yī zhènzhèn qīngcuì yuè'ěr de díyīn// zhōng, tà•shàngle guītú……

Dāngshí, wǒ xīnzhōng zhǐ chōngmǎn gǎn•jī, ér jīntiān, dāng wǒ zìjǐ yě chéngle zǔfù shí, què tūrán lǐngwù dào tā yòngxīn zhī liángkǔ! Nà tiān dāng tā tīngdào wǒ de kūshēng shí, biàn pàndìng wǒ yīdìng míle lù, dàn tā bìng bù xiǎng zài háizi miànqián bànyǎn "jiùxīng" de juésè, yúshì chuīxiǎng liǔdí yǐbiàn ràng wǒ néng fāxiàn tā, bìng gēnzhe tā zǒuchū kùnjìng! Jiù zhèyàng, Kǎtíng xiānsheng yǐ xiāngxiarén de chúnpǔ, bǎohùle yī gè xiǎonánháir qiánglìe de zìzūn.

Jiéxuǎn zì Táng Ruòshuǐ yì《Mítú Díyīn》

作品29号

在浩瀚无垠的沙漠里，有一片美丽的绿洲，绿洲里藏着一颗闪光的珍珠。这颗珍珠就是敦煌莫高窟。它坐落在我国甘肃省敦煌市三危山和鸣沙山的怀抱中。

鸣沙山东麓是平均高度为十七米的崖壁。在一千六百多米长的崖壁上，凿有大小洞窟七百余个，形成了规模宏伟的石窟群。其中四百九十二个洞窟中，共有彩色塑像两千一百余尊，各种壁画共四万五千多平方米。莫高窟是我国古代无数艺术匠师留给人类的珍贵文化遗产。

莫高窟的彩塑，每一尊都是一件精美的艺术品。最大的有九层楼那么高，最小的还不如一个手掌大。这些彩塑个性鲜明，神态各异。有慈眉善目的菩萨，有威风凛凛的天王，还有强壮勇猛的力士……

莫高窟壁画的内容丰富多彩，有的是描绘古代劳动人民打猎、捕鱼、耕田、收割的情景，有的是描绘人们奏乐、舞蹈、演杂技的场面，还有的是描绘大自然的美丽风光。其中最引人注目的是飞天。壁画上的飞天，有的臂挎花篮，采摘鲜花；有的反弹琵琶，轻拨银弦；有的倒悬身子，自天而降；有的彩带飘拂，漫天遨游；有的舒展着双臂，翩翩起舞。看着这些精美动人的壁画，就像走进了//灿烂辉煌的艺术殿堂。

莫高窟里还有一个面积不大的洞窟——藏经洞。洞里曾藏有我国古代的各种经卷、文书、帛画、刺绣、铜像等共六万多件。由于清朝政府腐败无能，大量珍贵的文物被外国强盗掠走。仅存的部分经卷，现在陈列于北京故宫等处。

莫高窟是举世闻名的艺术宝库。这里的每一尊彩塑、每一幅壁画、每一件文物，都是中国古代人民智慧的结晶。

节选自小学《语文》第六册中《莫高窟》

Zuòpǐn 29 Hào

Zài hàohàn wúyín de shāmò •lǐ, yǒu yī piàn měilì de lǜzhōu, lǜzhōu •lǐ cángzhe yī kē shǎnguāng de zhēnzhū. Zhè kē zhēnzhū jiùshì Dūnhuáng Mògāokū. Tā zuòluò zài wǒguó Gānsù Shěng Dūnhuáng Shì Sānwēi Shān hé Míngshā Shān de huáibào zhōng.

Míngshā Shān dōnglù shì píngjūn gāodù wéi shíqī mǐ de yábì. Zài yīqiān liùbǎi duō mǐ cháng de yábì •shàng, záo yǒu dàxiǎo dòngkū qībǎi yú gè, xíngchéngle guīmó hóngwěi de shíkūqún. Qízhōng sìbǎi jiǔshí'èr gè dòngkū zhōng, gòng yǒu cǎisè sùxiàng liǎngqiān yībǎi yú zūn, gè zhǒng bìhuà gòng sìwàn wǔqiān duō píngfāngmǐ. Mògāokū shì wǒguó gǔdài wúshù yìshù jiàngshī liúgěi rénlèi de zhēnguì wénhuà yíchǎn.

Mògāokū de cǎisù, měi yī zūn dōu shì yī jiàn jīngměi de yìshùpǐn. Zuì dà de yǒu jiǔ céng lóu nàme gāo, zuì xiǎo de hái bùrú yī gè shǒuzhǎng dà. Zhèxiē cǎisù gèxìng xiānmíng, shéntài-gèyì. Yǒu címéi-shànmù de pú•sà, yǒu wēifēng-lǐnlǐn de tiānwáng, háiyǒu qiángzhuàng yǒngměng de lìshì……

Mògāokū bìhuà de nèiróng fēngfù-duōcǎi, yǒude shì miáohuì gǔdài láodòng rénmín dǎliè、bǔyú、gēngtián、shōugē de qíngjǐng, yǒude shì miáohuì rénmen zòuyuè、wǔdǎo、yǎn zájì de chǎngmiàn, háiyǒude shì miáohuì dàzìrán de měilì fēngguāng. Qízhōng zuì yǐnrén-zhùmù de shì fēitiān. Bìhuà •shàng de fēitiān, yǒu de bì kuà huālán, cǎizhāi xiānhuā; yǒude fǎn tán pí•pá, qīng bō yínxián; yǒude dào xuán shēnzi, zì tiān ér jiàng; yǒude cǎidài piāofú, màntiān áoyóu; yǒude shūzhǎnzhe shuāngbì, piānpiān-qǐwǔ. Kànzhe zhèxiē jīngměi dòngrén de bìhuà, jiù xiàng zǒujìnle// cànlàn huīhuáng de yìshù diàntáng.

Mògāokū •lǐ háiyǒu yī gè miànjī bù dà de dòngkū——cángjīngdòng. Dòng •lǐ céng cángyǒu wǒguó gǔdài de gè zhǒng jīngjuàn、wénshū、bóhuà、cìxiù、tóngxiàng děng gòng liùwàn duō jiàn. Yóuyú Qīngcháo zhèngfǔ fǔbài wúnéng, dàliàng zhēnguì de wénwù bèi wàiguó qiángdào lüèzǒu. Jǐncún de bùfen jīngjuàn, xiànzài chénliè yú Běijīng Gùgōng děng chù.

Mògāokū shì jǔshì-wénmíng de yìshù bǎokù. Zhè•lǐ de měi yī zūn cǎisù、měi yī fú bìhuà、měi yī jiàn wénwù, dōu shì Zhōngguó gǔdài rénmín zhìhuì de jiéjīng.

Jiéxuǎn zì Xiǎoxué《Yǔwén》dì-liù cè zhōng《Mògāokū》

作品 30 号

其实你在很久以前并不喜欢牡丹，因为它总被人作为富贵膜拜。后来你目睹了一次牡丹的落花，你相信所有的人都会为之感动：一阵清风徐来，娇艳鲜嫩的盛期牡丹忽然整朵整朵地坠落，铺撒一地绚丽的花瓣。那花瓣落地时依然鲜艳夺目，如同一只奉上祭坛的大鸟脱落的羽毛，低吟着壮烈的悲歌离去。

牡丹没有花谢花败之时，要么烁于枝头，要么归于泥土，它跨越萎顿和衰老，由青春而死亡，由美丽而消遁。它虽美却不吝惜生命，即使告别也要展示给人最后一次的惊心动魄。

所以在这阴冷的四月里，奇迹不会发生。任凭游人扫兴和诅咒，牡丹依然安之若素。它不苟且、不俯就、不妥协、不媚俗，甘愿自己冷落自己。它遵循自己的花期自己的规律，它有权利为自己选择每年一度的盛大节日。它为什么不拒绝寒冷？

天南海北的看花人，依然络绎不绝地涌入洛阳城。人们不会因牡丹的拒绝而拒绝它的美。如果它再被贬谪十次，也许它就会繁衍出十个洛阳牡丹城。

于是你在无言的遗憾中感悟到，富贵与高贵只是一字之差。同人一样，花儿也是有灵性的，更有品位之高低。品位这东西为气为魂为//筋骨为神韵，只可意会。你叹服牡丹卓尔不群之姿，方知品位是多么容易被世人忽略或是漠视的美。

节选自张抗抗《牡丹的拒绝》

Zuòpǐn 30 Hào

Qíshí nǐ zài hěn jiǔ yǐqián bìng bù xǐhuan mǔ•dān, yīn•wèi tā zǒng bèi rén zuòwéi fùguì móbài. Hòulái nǐ mùdǔle yī cì mǔ•dān de luòhuā, nǐ xiāngxìn suǒyǒu de rén dōu huì wéi zhī gǎndòng: Yī zhèn qīngfēng xúlái, jiāoyàn xiānnèn de shèngqī mǔ•dān hūrán zhěng duǒ zhěng duǒ de zhuìluò, pūsǎ yīdì xuànlì de huābàn. Nà huābàn luòdì shí yīrán xiānyàn duómù, rútóng yī zhī fèng•shàng jìtán de dàniǎo tuōluò de yǔmáo, dīyínzhe zhuàngliè de bēigē líqù.

Mǔ•dān méi•yǒu huāxiè-huābài zhī shí, yàome shuòyú zhītóu, yàome guīyú nítǔ, tā kuàyuè wěidùn hé shuāilǎo, yóu qīngchūn ér sǐwáng, yóu měilì ér xiāodùn. Tā suī měi què bù lìnxī shēngmìng, jíshǐ gàobié yě yào zhǎnshì gěi rén zuìhòu yī cì de jīngxīn-dòngpò.

Suǒyǐ zài zhè yīnlěng de sìyuè •lǐ, qíjì bù huì fāshēng. Rènpíng yóurén sǎoxìng hé zǔzhòu, mǔ•dān yīrán ānzhī-ruòsù. Tā bù gǒuqiě、bù fǔjiù、bù tuǒxié、bù mèisú, gānyuàn zìjǐ lěngluò zìjǐ. Tā zūnxún zìjǐ de huāqī zìjǐ de guīlǜ, tā yǒu quánlì wèi zìjǐ xuǎnzé měinián yī dù de shèngdà jiérì. Tā wèishénme bù jùjué hánlěng?

Tiānnán-hǎiběi de kàn huā rén, yīrán luòyì-bùjué de yǒngrù Luòyáng Chéng. Rénmen bù huì yīn mǔ•dān de jùjué ér jùjué tā de měi. Rúguǒ tā zài bèi biǎnzhé shí cì, yěxǔ tā jiùhuì fányǎn chū shí gè Luòyáng mǔ•dān chéng.

Yúshì nǐ zài wúyán de yíhàn zhōng gǎnwù dào, fùguì yǔ gāoguì zhǐshì yī zì zhī chā. Tóng rén yīyàng, huā'ér yě shì yǒu língxìng de, gèng yǒu pǐnwèi zhī gāodī. Pǐnwèi zhè dōngxi wéi qì wéi hún wéi// jīngǔ wéi shényùn, zhǐ kě yìhuì. Nǐ tànfú mǔ-•dān zhuó'ěr-bùqún zhī zī, fāng zhī pǐnwèi shì duōme róng•yì bèi shìrén hūlüè huò shì mòshì de měi.

Jiéxuǎn zì Zhāng Kàngkàng《Mǔ•dān de Jùjué》

作品31号

森林涵养水源，保持水土，防止水旱灾害的作用非常大。据专家测算，一片十万亩面积的森林，相当于一个两百万立方米的水库，这正如农谚所说的："山上多栽树，等于修水库。雨多它能吞，雨少它能吐。"

说起森林的功劳，那还多得很。它除了为人类提供木材及许多种生产、生活的原料之外，在维护生态环境方面也是功劳卓著，它用另一种"能吞能吐"的特殊功能孕育了人类。因为地球在形成之初，大气中的二氧化碳含量很高，氧气很少，气温也高，生物是难以生存的。大约在四亿年之前，陆地才产生了森林。森林慢慢将大气中的二氧化碳吸收，同时吐出新鲜氧气，调节气温：这才具备了人类生存的条件，地球上才最终有了人类。

森林，是地球生态系统的主体，是大自然的总调度室，是地球的绿色之肺。森林维护地球生态环境的这种"能吞能吐"的特殊功能是其他任何物体都不能取代的。然而，由于地球上的燃烧物增多，二氧化碳的排放量急剧增加，使得地球生态环境急剧恶化，主要表现为全球气候变暖，水分蒸发加快，改变了气流的循环，使气候变化加剧，从而引发热浪、飓风、暴雨、洪涝及干旱。

为了//使地球的这个"能吞能吐"的绿色之肺恢复健壮，以改善生态环境，抑制全球变暖，减少水旱等自然灾害，我们应该大力造林、护林，使每一座荒山都绿起来。

节选自《中考语文课外阅读试题精选》中《"能吞能吐"的森林》

Zuòpǐn 31 Hào

Sēnlín hányǎng shuǐyuán，bǎochí shuǐtǔ，fángzhǐ shuǐhàn zāihài de zuòyòng fēicháng dà. Jù zhuānjiā cèsuàn，yī piàn shíwàn mǔ miànjī de sēnlín，xiāngdāngyú yī gè liǎngbǎi wàn lìfāngmǐ de shuǐkù，zhè zhèng rú nóngyàn suǒ shuō de："Shān •shàng duō zāi shù，děngyú xiū shuǐkù. Yǔ duō tā néng tūn，yǔ shǎo tā néng tǔ."

Shuōqǐ sēnlín de gōng•láo，nà hái duō de hěn. Tā chúle wèi rénlèi tígōng mùcái jí xǔduō zhǒng shēngchǎn、shēnghuó de yuánliào zhīwài，zài wéihù shēngtài huánjìng fāngmiàn yě shì gōng•láo zhuózhù，tā yòng lìng yī zhǒng "néngtūn-néngtǔ" de tèshū gōngnéng yùnyùle rénlèi. Yīn•wèi dìqiú zài xíngchéng zhīchū，dàqì zhōng de èryǎnghuàtàn hánliàng hěn gāo，yǎngqì hěn shǎo，qìwēn yě gāo，shēngwù shì nányǐ shēngcún de. Dàyuē zài sìyì nián zhīqián，lùdì cái chǎnshēngle sēnlín. Sēnlín mànmàn jiāng dàqì zhōng de èryǎnghuàtàn xīshōu，tóngshí tǔ•chū xīn•xiān yǎngqì，tiáojié qìwēn：Zhè cái jùbèile rénlèi shēngcún de tiáojiàn，dìqiú •shàng cái zuìzhōng yǒule rénlèi.

Sēnlín，shì dìqiú shēngtài xìtǒng de zhǔtǐ，shì dàzìrán de zǒng diàodùshì，shì dìqiú de lǜsè zhī fèi. Sēnlín wéihù dìqiú shēngtài huánjìng de zhè zhǒng "néngtun-néngtǔ" de tèshū gōngnéng shì qítā rènhé wùtǐ dōu bùnéng qǔdài de. Rán'ér，yóuyú dìqiú •shàng de ránshāowù zēngduō，èryǎnghuàtàn de páifàngliàng jíjù zēngjiā，shǐ•dé dìqiú shēngtài huánjìng jíjù èhuà，zhǔyào biǎoxiàn wéi quánqiú qìhòu biàn nuǎn，shuǐfèn zhēngfā jiākuài，gǎibiànle qìliú de xúnhuán，shǐ qìhòu biànhuà jiājù，cóng'ér yǐnfā rèlàng、jùfēng、bàoyǔ、hónglào jí gānhàn.

Wèile// shǐ dìqiú de zhège "néngtūn-néngtǔ" de lǜsè zhī fèi huīfù jiànzhuàng，yǐ gǎishàn shēngtài huánjìng，yìzhì quánqiú biàn nuǎn，jiǎnshǎo shuǐhàn děng zìrán zāihài，wǒmen yīnggāi dàlì zàolín、hùlín，shǐ měi yī zuò huāngshān dōu lǜ qǐ•lái.

Jiéxuǎn zì《Zhōngkǎo Yǔwén Kèwài Yuèdú Shìtí Jīngxuǎn》
zhōng《"Néngtūn-néngtǔ" de Sēnlín》

作品 32 号

朋友即将远行。

暮春时节，又邀了几位朋友在家小聚。虽然都是极熟的朋友，却是终年难得一见，偶尔电话里相遇，也无非是几句寻常话。一锅小米稀饭，一碟大头菜，一盘自家酿制的泡菜，一只巷口买回的烤鸭，简简单单，不像请客，倒像家人团聚。

其实，友情也好，爱情也好，久而久之都会转化为亲情。

说也奇怪，和新朋友会谈文学、谈哲学、谈人生道理等等，和老朋友却只话家常，柴米油盐，细细碎碎，种种琐事。很多时候，心灵的契合已经不需要太多的言语来表达。

朋友新烫了个头，不敢回家见母亲，恐怕惊骇了老人家，却欢天喜地来见我们，老朋友颇能以一种趣味性的眼光欣赏这个改变。

年少的时候，我们差不多都在为别人而活，为苦口婆心的父母活，为循循善诱的师长活，为许多观念、许多传统的约束力而活。年岁逐增，渐渐挣脱外在的限制与束缚，开始懂得为自己活，照自己的方式做一些自己喜欢的事，不在乎别人的批评意见，不在乎别人的诋毁流言，只在乎那一份随心所欲的舒坦自然。偶尔，也能够纵容自己放浪一下，并且有一种恶作剧的窃喜。

就让生命顺其自然，水到渠成吧，犹如窗前的//乌桕，自生自落之间，自有一份圆融丰满的喜悦。春雨轻轻落着，没有诗，没有酒，有的只是一份相知相属的自在自得。

夜色在笑语中渐渐沉落，朋友起身告辞，没有挽留，没有送别，甚至也没有问归期。

已经过了大喜大悲的岁月，已经过了伤感流泪的年华，知道了聚散原来是这样的自然和顺理成章，懂得这点，便懂得珍惜每一次相聚的温馨，离别便也欢喜。

节选自（台湾）杏林子《朋友和其他》

Zuòpǐn 32 Hào

Péngyou jíjiāng yuǎnxíng.

Mùchūn shíjié，yòu yāole jǐ wèi péngyou zài jiā xiǎojù. Suīrán dōu shì jí shú de péngyou，què shì zhōngnián nándé yī jiàn，ǒu'ěr diànhuà •lǐ xiāngyù，yě wúfēi shì jǐ jù xúnchánghuà. Yī guō xiǎomǐ xīfàn，yī dié dàtóucài，yī pán zìjiā niàngzhì de pàocài，yī zhī xiàngkǒu mǎihuí de kǎoyā，jiǎnjiǎn-dāndān，bù xiàng qǐngkè，dào xiàng jiārén tuánjù.

Qíshí，yǒuqíng yě hǎo，àiqíng yě hǎo，jiǔ'érjiǔzhī dōu huì zhuǎnhuà wéi qīnqíng.

Shuō yě qíguài，hé xīn péngyou huì tán wénxué、tán zhéxué、tán rénshēng dào•lǐ děngděng，hé lǎo péngyou què zhǐ huà jiācháng，chái-mǐ-yóu-yán，xìxì-suìsuì，zhǒngzhǒng suǒshì. Hěn duō shíhou，xīnlíng de qìhé yǐ•jīng bù xūyào tài duō de yányǔ lái biǎodá.

Péngyou xīn tàngle gè tóu，bùgǎn huíjiā jiàn mǔ•qīn，kǒngpà jīnghàile lǎo•rén•jiā，què huāntiān-xǐdì lái jiàn wǒmen，lǎo péngyou pō néng yǐ yī zhǒng qùwèixìng de yǎnguāng xīnshǎng zhège gǎibiàn.

Niánshào de shíhou，wǒmen chà•bùduō dōu zài wèi bié•rén ér huó，wèi kǔkǒu-póxīn de fùmǔ huó，wèi xúnxún-shànyòu de shīzhǎng huó，wèi xǔduō guānniàn、xǔduō chuántǒng de yuēshùlì ér huó. Niánsuì zhú zēng，jiànjiàn zhèngtuō wàizài de xiànzhì yǔ shùfù，kāishǐ dǒng•dé wèi zìjǐ huó，zhào zìjǐ de fāngshì zuò yīxiē zìjǐ xǐhuan de shì，bù zàihu bié•rén de pīpíng yì•jiàn，bù zàihu bié•rén de dǐhuǐ liúyán，zhǐ zàihu nà yī fèn suíxīn-suǒyù de shūtan zìrán. Ǒu'ěr，yě nénggòu zòngróng zìjǐ fànglàng yīxià，bìngqiě yǒu yī zhǒng èzuòjù de qièxǐ.

Jiù ràng shēngmìng shùn qí zìrán，shuǐdào-qúchéng ba，yóurú chuāng qián de// wūjiù，zìshēng-zìluò zhījiān，zì yǒu yī fèn yuánróng fēngmǎn de xǐyuè. Chūnyǔ qīngqīng luòzhe，méi•yǒu shī，méi•yǒu jiǔ，yǒude zhǐshì yī fèn xiāng zhī xiāng zhǔ de zìzài zìdé.

Yèsè zài xiàoyǔ zhōng jiànjiàn chénluò，péngyou qǐshēn gàocí，méi•yǒu wǎnliú，méi•yǒu sòngbié，shènzhì yě méi•yǒu wèn guīqī.

Yǐ•jīng guòle dàxǐ-dàbēi de suìyuè，yǐ•jīng guòle shānggǎn liúlèi de niánhuá，zhī•dàole jù-sàn yuánlái shì zhèyàng de zìrán hé shùnlǐ-chéngzhāng，dǒng•dé zhè diǎn，biàn dǒng•dé zhēnxī měi yī cì xiāngjù de wēnxīn，líbié biàn yě huānxǐ.

Jiéxuǎn zì（Táiwān）Xìng Línzǐ《Péngyou hé Qítā》

作品 33 号

我们在田野散步：我，我的母亲，我的妻子和儿子。

母亲本不愿出来的。她老了，身体不好，走远一点儿就觉得很累。我说，正因为如此，才应该多走走。母亲信服地点点头，便去拿外套。她现在很听我的话，就像我小时候很听她的话一样。

这南方初春的田野，大块小块的新绿随意地铺着，有的浓，有的淡，树上的嫩芽也密了，田里的冬水也咕咕地起着水泡。这一切都使人想着一样东西——生命。

我和母亲走在前面，我的妻子和儿子走在后面。小家伙突然叫起来："前面是妈妈和儿子，后面也是妈妈和儿子。"我们都笑了。

后来发生了分歧：母亲要走大路，大路平顺；我的儿子要走小路，小路有意思。不过，一切都取决于我。我的母亲老了，她早已习惯听从她强壮的儿子；我的儿子还小，他还习惯听从他高大的父亲；妻子呢，在外面，她总是听我的。一霎时我感到了责任的重大。我想找一个两全的办法，找不出；我想拆散一家人，分成两路，各得其所，终不愿意。我决定委屈儿子，因为我伴同他的时日还长。我说："走大路。"

但是母亲摸摸孙儿的小脑瓜儿，变了主意："还是走小路吧。"她的眼随小路望去：那里有金色的菜花，两行整齐的桑树，//尽头一口水波粼粼的鱼塘。"我走不过去的地方，你就背着我。"母亲对我说。

这样，我们在阳光下，向着那菜花、桑树和鱼塘走去。到了一处，我蹲下来，背起了母亲；妻子也蹲下来，背起了儿子。我和妻子都是慢慢地，稳稳地，走得很仔细，好像我背上的同她背上的加起来，就是整个世界。

节选自莫怀戚《散步》

Zuòpǐn 33 Hào

Wǒmen zài tiányě sànbù：Wǒ，wǒ de mǔ•qīn，wǒ de qī•zǐ hé érzi.

Mǔ•qīn běn bùyuàn chū•lái de. Tā lǎo le，shēntǐ bù hǎo，zǒu yuǎn yīdiǎnr jiù jué•dé hěn lèi. Wǒ shuō，zhèng yīn•wèi rúcǐ，cái yīnggāi duō zǒuzou. Mǔ•qīn xìnfú de diǎndiǎn tóu，biàn qù ná wàitào. Tā xiànzài hěn tīng wǒ de huà，jiù xiàng wǒ xiǎoshíhou hěn tīng tā de huà yīyàng.

Zhè nánfāng chūchūn de tiányě，dàkuài xiǎokuài de xīnlǜ suíyì de pūzhe，yǒude nóng，yǒude dàn，shù •shàng de nènyá yě mì le，tián •lǐ de dōngshuǐ yě gūgū de qǐzhe shuǐpào. Zhè yīqiè dōu shǐ rén xiǎngzhe yī yàng dōngxi —— shēngmìng.

Wǒ hé mǔ•qīn zǒu zài qián•miàn，wǒ de qī•zǐ hé érzi zǒu zài hòu•miàn. Xiǎojiāhuo tūrán jiào qǐ•lái：“Qián•miàn shì māma hé érzi，hòu•miàn yě shì māma hé érzi.” Wǒmen dōu xiào le.

Hòulái fāshēngle fēnqí：Mǔ•qīn yào zǒu dàlù，dàlù píngshùn；wǒ de érzi yào zǒu xiǎolù，xiǎolù yǒu yìsi. Bùguò，yīqiè dōu qǔjuéyú wǒ. Wǒ de mǔ•qīn lǎo le，tā zǎoyǐ xíguàn tīngcóng tā qiángzhuàng de érzi；wǒ de érzi hái xiǎo，ta hái xíguàn tīngcóng tā gāodà de fù•qīn；qī•zǐ ne，zài wài•miàn，tā zǒngshì tīng wǒ de. Yīshàshí wǒ gǎndàole zérèn de zhòngdà. Wǒ xiǎng zhǎo yī gè liǎngquán de bànfǎ，zhǎo bù chū；wǒ xiǎng chāisàn yī jiā rén，fēnchéng liǎng lù，gèdé-qísuǒ，zhōng bù yuàn•yì. Wǒ juédìng wěiqu érzi，yīn•wèi wǒ bàntóng tā de shírì hái cháng. Wǒ shuō：“Zǒu dàlù.”

Dànshì mǔ•qīn mōmo sūn’ér de xiǎo nǎoguār，biànle zhǔyi：“Háishì zǒu xiǎolù ba.” Tā de yǎn suí xiǎolù wàng•qù：Nà•lǐ yǒu jīnsè de càihuā，liǎng háng zhěngqí de sāngshù，// jìntóu yī kǒu shuǐbō línlín de yútáng. “Wǒ zǒu bù guò•qù de dìfang，nǐ jiù bēizhe wǒ.” Mǔ•qīn duì wǒ shuō.

Zhèyàng，wǒmen zài yángguāng •xià，xiàngzhe nà càihuā、sāngshù hé yútáng zǒu•qù. Dàole yī chù，wǒ dūn xià•lái，bēiqǐle mǔ•qīn；qī•zǐ yě dūn xià•lái，bēiqǐle érzi. Wǒ hé qī•zǐ dōu shì mànmàn de，wěnwěn de，zǒu de hěn zǐxì，hǎoxiàng wǒ bèi •shàng de tóng tā bèi •shàng de jiā qǐ•lái，jiùshì zhěnggè shìjiè.

Jiéxuǎn zì Mò Huáiqī《Sànbù》

作品 34 号

地球上是否真的存在“无底洞”？按说地球是圆的，由地壳、地幔和地核三层组成，真正的“无底洞”是不应存在的，我们所看到的各种山洞、裂口、裂缝，甚至火山口也都只是地壳浅部的一种现象。然而中国一些古籍却多次提到海外有个深奥莫测的无底洞。事实上地球上确实有这样一个“无底洞”。

它位于希腊亚各斯古城的海滨。由于濒临大海，大涨潮时，汹涌的海水便会排山倒海般地涌入洞中，形成一股湍湍的急流。据测，每天流入洞内的海水量达三万多吨。奇怪的是，如此大量的海水灌入洞中，却从来没有把洞灌满。曾有人怀疑，这个“无底洞”，会不会就像石灰岩地区的漏斗、竖井、落水洞一类的地形。然而从二十世纪三十年代以来，人们就做了多种努力企图寻找它的出口，却都是枉费心机。

为了揭开这个秘密，一九五八年美国地理学会派出一支考察队，他们把一种经久不变的带色染料溶解在海水中，观察染料是如何随着海水一起沉下去。接着又察看了附近海面以及岛上的各条河、湖，满怀希望地寻找这种带颜色的水，结果令人失望。难道是海水量太大把有色水稀释得太淡，以致无法发现？//

至今谁也不知道为什么这里的海水会没完没了地“漏”下去，这个“无底洞”的出口又在哪里，每天大量的海水究竟都流到哪里去了？

节选自罗伯特·罗威尔《神秘的“无底洞”》

Zuòpǐn 34 Hào

Dìqiú •shàng shìfǒu zhēn de cúnzài "wúdǐdòng"? Ànshuō dìqiú shì yuán de, yóu dìqiào、dìmàn hé dìhé sān céng zǔchéng, zhēnzhèng de "wúdǐdòng" shì bù yīng cúnzài de, wǒmen suǒ kàndào de gè zhǒng shāndòng、lièkǒu、lièfèng, shènzhì huǒshānkǒu yě dōu zhǐshì dìqiào qiǎnbù de yī zhǒng xiànxiàng. Rán'ér zhōngguó yīxiē gǔjí què duō cì tídào hǎiwài yǒu gè shēn'ào-mòcè de wúdǐdòng. Shìshí •shàng dìqiú •shàng quèshí yǒu zhèyàng yī gè "wúdǐdòng".

Tā wèiyú Xīlà Yàgèsī gǔchéng de hǎibīn. Yóuyú bīnlín dàhǎi, dà zhǎngcháo shí, xiōngyǒng de hǎishuǐ biàn huì páishān-dǎohǎi bān de yǒngrù dòng zhōng, xíngchéng yī gǔ tuāntuān de jíliú. Jù cè, měi tiān liúrù dòng nèi de hǎishuǐliàng dá sānwàn duō dūn. Qíguài de shì, rúcǐ dàliàng de hǎishuǐ guànrù dòng zhōng, què cónglái méi•yǒu bǎ dòng guànmǎn. Céng yǒu rén huáiyí, zhège "wúdǐdòng", huì •bù huì jiù xiàng shíhuīyán dìqū de lòudǒu、shùjǐng、luòshuǐdòng yīlèi de dìxíng. Rán'ér cóng èrshí shìjì sānshí niándài yǐlái, rénmen jiù zuòle duō zhǒng nǔlì qǐtú xúnzhǎo tā de chūkǒu, què dōu shì wǎngfèi-xīnjī.

Wèile jiēkāi zhège mìmì, yī jiǔ wǔ bā nián Měiguó Dìlǐ Xuéhuì pàichū yī zhī kǎochāduì, tāmen bǎ yī zhǒng jīngjiǔ-bùbiàn de dài sè rǎnliào róngjiě zài hǎishuǐ zhōng, guānchá rǎnliào shì rúhé suízhe hǎishuǐ yīqǐ chén xià•qù. Jiēzhe yòu chákànle fùjìn hǎimiàn yǐjí dǎo •shàng de gè tiáo hé、hú, mǎnhuái xīwàng de xúnzhǎo zhè zhǒng dài yánsè de shuǐ, jiéguǒ lìng rén shīwàng. Nándào shì hǎishuǐliàng tài dà bǎ yǒusèshuǐ xīshì de tài dàn, yǐzhì wúfǎ fāxiàn? //

Zhìjīn shéi yě bù zhī•dào wèishénme zhè•lǐ de hǎishuǐ huì méiwán-méiliǎo de "lòu" xià•qù, zhège "wúdǐdòng" de chūkǒu yòu zài nǎ•lǐ, měi tiān dàliàng de hǎishuǐ jiūjìng dōu liúdào nǎ•lǐ qù le?

Jiéxuǎn zì Luóbótè Luówēi'ěr《Shénmì de "Wúdǐdòng"》

作品 35 号

我在俄国见到的景物再没有比托尔斯泰墓更宏伟、更感人的。

完全按照托尔斯泰的愿望，他的坟墓成了世间最美的，给人印象最深刻的坟墓。它只是树林中的一个小小的长方形土丘，上面开满鲜花——没有十字架，没有墓碑，没有墓志铭，连托尔斯泰这个名字也没有。

这位比谁都感到受自己的声名所累的伟人，却像偶尔被发现的流浪汉，不为人知的士兵，不留名姓地被人埋葬了。谁都可以踏进他最后的安息地，围在四周稀疏的木栅栏是不关闭的——保护列夫·托尔斯泰得以安息的没有任何别的东西，惟有人们的敬意；而通常，人们却总是怀着好奇，去破坏伟人墓地的宁静。

这里，逼人的朴素禁锢住任何一种观赏的闲情，并且不容许你大声说话。风儿俯临，在这座无名者之墓的树木之间飒飒响着，和暖的阳光在坟头嬉戏；冬天，白雪温柔地覆盖这片幽暗的土地。无论你在夏天或冬天经过这儿，你都想像不到，这个小小的、隆起的长方体里安放着一位当代最伟大的人物。

然而，恰恰是这座不留姓名的坟墓，比所有挖空心思用大理石和奢华装饰建造的坟墓更扣人心弦。在今天这个特殊的日子里，//到他的安息地来的成百上千人中间，没有一个有勇气，哪怕仅仅从这幽暗的土丘上摘下一朵花留作纪念。人们重新感到，世界上再没有比托尔斯泰最后留下的、这座纪念碑式的朴素坟墓，更打动人心的了。

节选自[奥]茨威格《世间最美的坟墓》，张厚仁译

Zuòpǐn 35 Hào

Wǒ zài Éguó jiàndào de jǐngwù zài méi•yǒu bǐ Tuō'ěrsītài mù gèng hóngwěi、gèng gǎnrén de.

Wánquán ànzhào Tuō'ěrsītài de yuànwàng, tā de fénmù chéngle shìjiān zuì měi de, gěi rén yìnxiàng zuì shēnkè de fénmù. Tā zhǐshì shùlín zhōng de yī gè xiǎoxiǎo de chángfāngxíng tǔqiū, shàng•miàn kāimǎn xiānhuā —— méi•yǒu shízìjià, méi•yǒu mùbēi, méi•yǒu mùzhìmíng, lián Tuō'ěrsītài zhège míngzi yě méi•yǒu.

Zhè wèi bǐ shéi dōu gǎndào shòu zìjǐ de shēngmíng suǒ lěi de wěirén, què xiàng ǒu'ěr bèi fāxiàn de liúlànghàn, bù wéi rén zhī de shìbīng, bù liú míngxìng de bèi rén máizàng le. Shéi dōu kěyǐ tàjìn tā zuìhòu de ānxīdì, wéi zài sìzhōu xīshū de mù zhàlan shì bù guānbì de——bǎohù Lièfū Tuō'ěrsītài déyǐ ānxī de méi•yǒu rènhé biéde dōngxi, wéiyǒu rénmen de jìngyì; ér tōngcháng, rénmen què zǒngshì huáizhe hàoqí, qù pòhuài wěirén mùdì de níngjìng.

Zhè•lǐ, bīrén de pǔsù jìngù zhù rènhé yī zhǒng guānshǎng de xiánqíng, bìngqiě bù róngxǔ nǐ dàsheng shuohuà. Fēng'•ér tǔ lín, zài zhè zuò wúmíngzhě zhī mù de shùmù zhījiān sàsà xiǎngzhe, hénuǎn de yángguāng zài féntóur xīxì; dōngtiān, báixuě wēnróu de fùgài zhè piàn yōu'àn de tǔdì. Wúlùn nǐ zài xiàtiān huò dōngtiān jīngguò zhèr, nǐ dōu xiǎngxiàng bù dào, zhège xiǎoxiǎo de、lóngqǐ de chángfāngtǐ•lǐ ānfàngzhe yī wèi dāngdài zuì wěidà de rénwù.

Rán'ér, qiàqià shì zhè zuò bù liú xìngmíng de fénmù, bǐ suǒyǒu wākōng xīnsi yòng dàlǐshí hé shēhuá zhuāngshì jiànzào de fénmù gèng kòurénxīnxián. Zài jīntiān zhège tèshū de rìzi•lǐ, // dào tā de ānxīdì lái de chéng bǎi shàng qiān rén zhōngjiān, méi•yǒu yī gè yǒu yǒngqì, nǎpà jǐnjǐn cóng zhè yōu'àn de tǔqiū •shàng zhāixià yī duǒ huā liúzuò jìniàn. Rénmen chóngxīn gǎndào, shìjiè •shàng zài méi • yǒu bǐ Tuō'ěrsītài zuìhòu liúxià de、zhè zuò jìniànbēi shì de pǔsù fénmù, gèng dǎdòng rénxīn de le.

Jiéxuǎn zì [Ào] Cíwēigé《Shìjiān Zuì Měi de Fénmù》, Zhāng Hòurén yì

作品 36 号

我国的建筑，从古代的宫殿到近代的一般住房，绝大部分是对称的，左边怎么样，右边怎么样。苏州园林可绝不讲究对称，好像故意避免似的。东边有了一个亭子或者一道回廊，西边决不会来一个同样的亭子或者一道同样的回廊。这是为什么？我想，用图画来比方，对称的建筑是图案画，不是美术画，而园林是美术画，美术画要求自然之趣，是不讲究对称的。

苏州园林里都有假山和池沼。

假山的堆叠，可以说是一项艺术而不仅是技术。或者是重峦叠嶂，或者是几座小山配合着竹子花木，全在乎设计者和匠师们生平多阅历，胸中有丘壑，才能使游览者攀登的时候忘却苏州城市，只觉得身在山间。

至于池沼，大多引用活水。有些园林池沼宽敞，就把池沼作为全园的中心，其他景物配合着布置。水面假如成河道模样，往往安排桥梁。假如安排两座以上的桥梁，那就一座一个样，决不雷同。

池沼或河道的边沿很少砌齐整的石岸，总是高低屈曲任其自然。还在那儿布置几块玲珑的石头，或者种些花草。这也是为了取得从各个角度看都成一幅画的效果。池沼里养着金鱼或各色鲤鱼，夏秋季节荷花或睡莲开//放，游览者看“鱼戏莲叶间”，又是入画的一景。

节选自叶圣陶《苏州园林》

Zuòpǐn 36 Hào

Wǒguó de jiànzhù, cóng gǔdài de gōngdiàn dào jìndài de yībān zhùfáng, jué dà bùfen shì duìchèn de, zuǒ•biān zěnmeyàng, yòu•biān zěnmeyàng. Sūzhōu yuánlín kě juébù jiǎng•jiū duìchèn, hǎoxiàng gùyì bìmiǎn shìde. Dōng•biān yǒule yī gè tíngzi huòzhě yī dào huíláng, xī•biān jué bù huì lái yī gè tóngyàng de tíngzi huòzhě yī dào tóngyàng de huíláng. Zhè shì wèishénme? Wǒ xiǎng, yòng túhuà lái bǐfang, duìchèn de jiànzhù shì tú'ànhuà, bù shì měishùhuà, ér yuánlín shì měishùhuà, měishùhuà yāoqiú zìrán zhī qù, shì bù jiǎng•jiū duìchèn de.

Sūzhōu yuánlín •lǐ dōu yǒu jiǎshān hé chízhǎo.

Jiǎshān de duīdié, kěyǐ shuō shì yī xiàng yìshù ér bùjǐn shì jìshù. Huòzhě shì chóngluán-diézhàng, huòzhě shì jǐ zuò xiǎoshān pèihézhe zhúzi huāmù, quán zàihu shèjìzhě hé jiàngshīmen shēngpíng duō yuèlì, xiōng zhōng yǒu qiūhè, cái néng shǐ yóulǎnzhě pāndēng de shíhou wàngquè Sūzhōu chéngshì, zhǐ jué•dé shēn zài shān jiān.

Zhìyú chízhǎo, dàduō yǐnyòng huóshuǐ. Yǒuxiē yuánlín chízhǎo kuān•chǎng, jiù bǎ chízhǎo zuòwéi quán yuán de zhōngxīn, qítā jǐngwù pèihézhe bùzhì. Shuǐmiàn jiǎrú chéng hédào múyàng, wǎngwǎng ānpái qiáoliáng. Jiǎrú ānpái liǎng zuò yǐshàng de qiáoliáng, nà jiù yī zuò yī gè yàng, jué bù léitóng.

Chízhǎo huò hédào de biānyán hěn shǎo qì qízhěng de shí'àn, zǒngshì gāodī qūqū rèn qí zìrán. Hái zài nàr bùzhì jǐ kuài línglóng de shítou, huòzhě zhòng xiē huācǎo. Zhè yě shì wèile qǔdé cóng gègè jiǎodù kàn dōu chéng yī fú huà de xiàoguǒ. Chízhǎo •lǐ yǎngzhe jīnyú huò gè sè lǐyú, xià-qiū jìjié héhuā huò shuìlián kāi//fàng, yóulǎnzhě kàn “yú xì liányè jiān”, yòu shì rù huà de yī jǐng.

Jiéxuǎn zì Yè Shèngtáo《Sūzhōu Yuánlín》

作品 37 号

一位访美中国女作家，在纽约遇到一位卖花的老太太。老太太穿着破旧，身体虚弱，但脸上的神情却是那样祥和兴奋。女作家挑了一朵花说：“看起来，你很高兴。”老太太面带微笑地说：“是的，一切都这么美好，我为什么不高兴呢？”“对烦恼，你倒真能看得开。”女作家又说了一句。没料到，老太太的回答更令女作家大吃一惊：“耶稣在星期五被钉上十字架时，是全世界最糟糕的一天，可三天后就是复活节。所以，当我遇到不幸时，就会等待三天，这样一切就恢复正常了。”

“等待三天”，多么富于哲理的话语，多么乐观的生活方式。它把烦恼和痛苦抛下，全力去收获快乐。

沈从文在“文革”期间，陷入了非人的境地。可他毫不在意，他在咸宁时给他的表侄、画家黄永玉写信说：“这里的荷花真好，你若来……”身陷苦难却仍为荷花的盛开欣喜赞叹不已，这是一种趋于澄明的境界，一种旷达洒脱的胸襟，一种面临磨难坦荡从容的气度，一种对生活童子般的热爱和对美好事物无限向往的生命情感。

由此可见，影响一个人快乐的，有时并不是困境及磨难，而是一个人的心态。如果把自己浸泡在积极、乐观、向上的心态中，快乐必然会//占据你的每一天。

节选自《态度创造快乐》

Zuòpǐn 37 Hào

Yī wèi fǎng Měi Zhōngguó nǚzuòjiā, zài Niǔyuē yùdào yī wèi mài huā de lǎotàitai. Lǎotàitai chuānzhuó pòjiù, shēntǐ xūruò, dàn liǎn•shàng de shénqíng què shì nàyàng xiánghé xīngfèn. Nǚzuòjiā tiāole yī duǒ huā shuō: "Kàn qǐ•lái, nǐ hěn gāoxìng." Lǎotàitai miàn dài wēixiào de shuō: "Shìde, yīqiè dōu zhème měihǎo, wǒ wèishénme bù gāoxìng ne?" "Duì fánnǎo, nǐ dào zhēn néng kàndekāi." Nǚzuòjiā yòu shuōle yī jù. Méi liàodào, lǎotàitai de huídá gèng lìng nǚzuòjiā dàchī-yījīng: "Yēsū zài xīngqīwǔ bèi dìng•shàng shízìjià shí, shì quán shìjiè zuì zāogāo de yī tiān, kě sān tiān hòu jiùshì Fùhuójié. Suǒyǐ, dāng wǒ yùdào bùxìng shí, jiù huì děngdài sān tiān, zhèyàng yīqiè jiù huīfù zhèngcháng le."

"Děngdài sān tiān", duōme fùyú zhélǐ de huàyǔ, duōme lèguān de shēnghuó fāngshì. Tā bǎ fánnǎo hé tòngkǔ pāo•xià, quánlì qù shōuhuò kuàilè.

Shěn Cóngwén zài "wén-gé" qījiān, xiànrùle fēirén de jìngdì. Kě tā háobù zàiyì, tā zài Xiánníng shí gěi tā de biǎozhí、huàjiā Huáng Yǒngyù xiě xìn shuō: "Zhè•lǐ de héhuā zhēn hǎo, nǐ ruò lái……" Shěn xiān kǔnàn què réng wèi héhuā de shèngkāi xīnxǐ zàntàn bùyǐ, zhè shì yī zhǒng qūyú chéngmíng de jìngjiè, yī zhǒng kuàngdá sǎ•tuō de xiōngjīn, yī zhǒng miànlín mónàn tǎndàng cóngróng de qìdù, yī zhǒng duì shēnghuó tóngzǐ bān de rè'ài hé duì měihǎo shìwù wúxiàn xiàngwǎng de shēngmìng qínggǎn.

Yóucǐ-kějiàn, yǐngxiǎng yī gè rén kuàilè de, yǒushí bìng bù shì kùnjìng jí mónàn, ér shì yī gè rén de xīntài. Rúguǒ bǎ zìjǐ jìnpào zài jījí、lèguān、xiàngshàng de xīntài zhōng, kuàilè bìrán huì// zhànjù nǐ de měi yī tiān.

Jiéxuǎn zì《Tài•dù Chuàngzào Kuàilè》

作品 38 号

泰山极顶看日出,历来被描绘成十分壮观的奇景。有人说:登泰山而看不到日出,就像一出大戏没有戏眼,味儿终究有点寡淡。

我去爬山那天,正赶上个难得的好天,万里长空,云彩丝儿都不见。素常,烟雾腾腾的山头,显得眉目分明。同伴们都欣喜地说:"明天早晨准可以看见日出了。"我也是抱着这种想头,爬上山去。

一路从山脚往上爬,细看山景,我觉得挂在眼前的不是五岳独尊的泰山,却像一幅规模惊人的青绿山水画,从下面倒展开来。在画卷中最先露出的是山根底那座明朝建筑岱宗坊,慢慢地便现出王母池、斗母宫、经石峪。山是一层比一层深,一叠比一叠奇,层层叠叠,不知还会有多深多奇。万山丛中,时而点染着极其工细的人物。王母池旁的吕祖殿里有不少尊明塑,塑着吕洞宾等一些人,姿态神情是那样有生气,你看了,不禁会脱口赞叹说:"活啦。"

画卷继续展开,绿阴森森的柏洞露面不太久,便来到对松山。两面奇峰对峙着,满山峰都是奇形怪状的老松,年纪怕都有上千岁了,颜色竟那么浓,浓得好像要流下来似的。来到这儿,你不妨权当一次画里的写意人物,坐在路旁的对松亭里,看看山色,听听流//水和松涛。

一时间,我又觉得自己不仅是在看画卷,却又像是在零零乱乱翻着一卷历史稿本。

节选自杨朔《泰山极顶》

Zuòpǐn 38 Hào

Tài Shān jí dǐng kàn rìchū, lìlái bèi miáohuì chéng shífēn zhuàngguān de qíjǐng. Yǒu rén shuō: Dēng Tài Shān ér kàn•bùdào rìchū, jiù xiàng yī chū dàxì méi•yǒu xìyǎn, wèir zhōngjiū yǒu diǎnr guǎdàn.

Wǒ qù páshān nà tiān, zhèng gǎn•shàng gè nándé de hǎotiān, wànlǐ chángkōng, yúncaisīr dōu bù jiàn. Sùcháng, yānwù téngténg de shāntóu, xiǎn•dé méi•mù fēnmíng. Tóngbànmen dōu xīnxǐ de shuō: "Míngtiān zǎo•chén zhǔn kěyǐ kàn•jiàn rìchū le." Wǒ yě shì bàozhe zhè zhǒng xiǎngtou, pá•shàng shān •qù.

Yīlù cóng shānjiǎo wǎngshàng pá, xì kàn shānjǐng, wǒ jué•dé guà zài yǎnqián de bù shì Wǔ Yuè dú zūn de Tài Shān, què xiàng yī fú guīmó jīngrén de qīnglǜ shānshuǐhuà, cóng xià•miàn dào zhǎn kāi•lái. Zài huàjuàn zhōng zuì xiān lòuchū de shì shāngēnr dǐ nà zuò Míngcháo jiànzhù Dàizōngfāng, mànmàn de biàn xiànchū Wángmǔchí、Dǒumǔgōng、Jīngshíyù. Shān shì yī céng bǐ yī céng shēn, yī dié bǐ yī dié qí, céngcéng-diédié, bù zhī hái huì yǒu duō shēn duō qí. Wàn shān cóng zhōng, shí'ér diǎnrǎnzhe jíqí gōngxì de rénwù. Wángmǔchí páng de Lǚzǔdiàn •lǐ yǒu bùshǎo zūn míngsù, sùzhe Lǚ Dòngbīn děng yīxiē rén, zītài shénqíng shì nàyàng yǒu shēngqì, nǐ kàn le, bùjīn huì tuōkǒu zàntàn shuō: "Huó la."

Huàjuàn jìxù zhǎnkāi, lǜyīn sēnsēn de Bǎidòng lòumiàn bù tài jiǔ, biàn láidào Duìsōngshān. Liǎngmiàn qífēng duìzhìzhe, mǎn shānfēng dōu shì qíxíng-guàizhuàng de lǎosōng, niánjì pà dōu yǒu shàng qiān suì le, yánsè jìng nàme nóng, nóng de hǎoxiàng yào liú xià•lái shìde. Láidào zhèr, nǐ bùfáng quándàng yī cì huà•lǐ de xiěyì rénwù, zuò zài lùpáng de Duìsōngtíng •lǐ, kànkan shānsè, tīngting liú // shuǐ hé sōngtāo.

Yīshíjiān, wǒ yòu jué•dé zìjǐ bùjǐn shì zài kàn huàjuàn, què yòu xiàng shì zài línglíng-luànluàn fānzhe yī juàn lìshǐ gǎoběn.

Jiéxuǎn zì Yáng Shuò《Tài Shān Jí Dǐng》

作品 39 号

育才小学校长陶行知在校园看到学生王友用泥块砸自己班上的同学，陶行知当即喝止了他，并令他放学后到校长室去。无疑，陶行知是要好好教育这个“顽皮”的学生。那么他是如何教育的呢？

放学后，陶行知来到校长室，王友已经等在门口准备挨训了。可一见面，陶行知却掏出一块糖果送给王友，并说：“这是奖给你的，因为你按时来到这里，而我却迟到了。”王友惊疑地接过糖果。

随后，陶行知又掏出一块糖果放到他手里，说：“这第二块糖果也是奖给你的，因为当我不让你再打人时，你立即就住手了，这说明你很尊重我，我应该奖你。”王友更惊疑了，他眼睛睁得大大的。

陶行知又掏出第三块糖果塞到王友手里，说：“我调查过了，你用泥块砸那些男生，是因为他们不守游戏规则，欺负女生；你砸他们，说明你很正直善良，且有批评不良行为的勇气，应该奖励你啊！”王友感动极了，他流着眼泪后悔地喊道：“陶……陶校长你打我两下吧！我砸的不是坏人，而是自己的同学啊……”

陶行知满意地笑了，他随即掏出第四块糖果递给王友，说：“为你正确地认识错误，我再奖给你一块糖果，只可惜我只有这一块糖果了。我的糖果//没有了，我看我们的谈话也该结束了吧！”说完，就走出了校长室。

节选自《教师博览·百期精华》中《陶行知的“四块糖果”》

Zuòpǐn 39 Hào

Yùcái Xiǎoxué xiàozhǎng Táo Xíngzhī zài xiàoyuán kàndào xuésheng Wáng Yǒu yòng níkuài zá zìjǐ bān •shàng de tóngxué，Táo Xíngzhī dāngjí hèzhǐle tā，bìng lìng tā fàngxué hòu dào xiàozhǎngshì qù. Wúyí，Táo Xíngzhī shì yào hǎohǎo jiàoyù zhège "wánpí" de xuésheng. Nàme tā shì rúhé jiàoyù de ne?

Fàngxué hòu，Táo Xíngzhī láidào xiàozhǎngshì，Wáng Yǒu yǐ•jīng děng zài ménkǒu zhǔnbèi ái xùn le. Kě yī jiànmiàn，Táo Xíngzhī què tāochū yī kuài tángguǒ sònggěi Wáng Yǒu，bìng shuō："Zhè shì jiǎnggěi nǐ de，yīn•wèi nǐ ànshí láidào zhè•lǐ，ér wǒ què chídào le." Wáng Yǒu jīngyí de jiēguo tángguǒ.

Suíhòu，Táo Xíngzhī yòu tāochū yī kuài tángguǒ fàngdào tā shǒu•lǐ，shuō："Zhè dì-èr kuài tángguǒ yě shì jiǎnggěi nǐ de，yīn•wèi dāng wǒ bùràng nǐ zài dǎrén shí，nǐ lìjí jiù zhùshǒu le，zhè shuōmíng nǐ hěn zūnzhòng wǒ，wǒ yīnggāi jiǎng nǐ." Wáng Yǒu gèng jīngyí le，tā yǎnjing zhēng de dàdà de.

Táo Xíngzhī yòu tāochū dì-sān kuài tángguǒ sāidào Wáng Yǒu shǒu•lǐ，shuō："Wǒ diàocháguo le，nǐ yòng níkuài zá nàxiē nánshēng，shì yīn•wèi tāmen bù shǒu yóuxì guīzé，qīfu nǚshēng；nǐ zá tāmen，shuōmíng nǐ hěn zhèngzhí shànliáng，qiě yǒu pīpíng bùliáng xíngwéi de yǒngqì，yīnggāi jiǎnglì nǐ a!" Wáng Yǒu gǎndòng jí le，tā liúzhe yǎnlèi hòuhuǐ de hǎndào："Táo …… Táo xiàozhǎng nǐ dǎ wǒ liǎng xià ba! Wǒ zá de bù shì huàirén，ér shì zìjǐ de tóngxué a ……"

Táo Xíngzhī mǎnyì de xiào le，tā suíjí tāochū dì-sì kuài tángguǒ dìgěi Wáng Yǒu，shuō："Wèi nǐ zhèngquè de rènshi cuò•wù，wǒ zài jiǎnggěi nǐ yī kuài tángguǒ，zhǐ kěxī wǒ zhǐyǒu zhè yī kuài tángguǒ le. Wǒ de tángguǒ// méi•yǒu le，wǒ kàn wǒmen de tánhuà yě gāi jiéshù le ba!" Shuōwán，jiù zǒuchūle xiàozhǎngshì.

Jiéxuǎn zì《Jiàoshī Bólǎn•Bǎiqī Jīnghuá》
zhōng《Táo Xíngzhī de "Sì Kuài Tángguǒ"》

作品 40 号

享受幸福是需要学习的，当它即将来临的时刻需要提醒。人可以自然而然地学会感官的享乐，却无法天生地掌握幸福的韵律。灵魂的快意同器官的舒适像一对孪生兄弟，时而相傍相依，时而南辕北辙。

幸福是一种心灵的震颤。它像会倾听音乐的耳朵一样，需要不断地训练。

简而言之，幸福就是没有痛苦的时刻。它出现的频率并不像我们想像的那样少。人们常常只是在幸福的金马车已经驶过去很远时，才拣起地上的金鬃毛说，原来我见过它。

人们喜爱回味幸福的标本，却忽略它披着露水散发清香的时刻。那时候我们往往步履匆匆，瞻前顾后不知在忙着什么。

世上有预报台风的，有预报蝗灾的，有预报瘟疫的，有预报地震的。没有人预报幸福。

其实幸福和世界万物一样，有它的征兆。

幸福常常是朦胧的，很有节制地向我们喷洒甘霖。你不要总希望轰轰烈烈的幸福，它多半只是悄悄地扑面而来。你也不要企图把水龙头拧得更大，那样它会很快地流失。你需要静静地以平和之心，体验它的真谛。

幸福绝大多数是朴素的。它不会像信号弹似的，在很高的天际闪烁红色的光芒。它披着本色的外//衣，亲切温暖地包裹起我们。

幸福不喜欢喧嚣浮华，它常常在暗淡中降临。贫困中相濡以沫的一块糕饼，患难中心心相印的一个眼神，父亲一次粗糙的抚摸，女友一张温馨的字条……这都是千金难买的幸福啊。像一粒粒缀在旧绸子上的红宝石，在凄凉中愈发熠熠夺目。

节选自毕淑敏《提醒幸福》

Zuòpǐn 40 Hào

Xiǎngshòu xìngfú shì xūyào xuéxí de, dāng tā jíjiāng láilín de shíkè xūyào tíxǐng. Rén kěyǐ zìrán'érrán de xuéhuì gǎnguān de xiǎnglè, què wúfǎ tiānshēng de zhǎngwò xìngfú de yùnlǜ. Línghún de kuàiyì tóng qìguān de shūshì xiàng yī duì luánshēng xiōngdì, shí'ér xiāngbàng-xiāngyī, shí'ér nányuán-běizhé.

Xìngfú shì yī zhǒng xīnlíng de zhènchàn. Tā xiàng huì qīngtīng yīnyuè de ěrduo yīyàng, xūyào bùduàn de xùnliàn.

Jiǎn'éryánzhī, xìngfú jiùshì méi•yǒu tòngkǔ de shíkè. Tā chūxiàn de pínlǜ bìng bù xiàng wǒmen xiǎngxiàng de nàyàng shǎo. Rénmen chángcháng zhǐshì zài xìngfú de jīn mǎchē yǐ•jīng shǐ guò•qù hěn yuǎn shí, cái jiǎnqǐ dì•shàng de jīn zōngmáo shuō, yuánlái wǒ jiànguo tā.

Rénmen xǐ'ài huíwèi xìngfú de biāoběn, què hūlüè tā pīzhe lù•shuǐ sànfā qīngxiāng de shíkè. Nà shíhou wǒmen wǎngwǎng bùlǚ cōngcōng, zhānqián-gùhòu bù zhī zài mángzhe shénme.

Shì•shàng yǒu yùbào táifēng de, yǒu yùbào huángzāi de, yǒu yùbào wēnyì de, yǒu yùbào dìzhèn de. Méi•yǒu rén yùbào xìngfú.

Qíshí xìngfú hé shìjiè wànwù yīyàng, yǒu tā de zhēngzhào.

Xìngfú chángcháng shì ménglóng de, hěn yǒu jiézhì de xiàng wǒmen pēnsǎ gānlín. Nǐ bùyào zǒng xīwàng hōnghōng-lièliè de xìngfú, tā duōbàn zhǐshì qiāoqiāo de pūmiàn ér lái. Nǐ yě bùyào qǐtú bǎ shuǐlóngtóu nǐng de gèng dà, nàyàng tā huì hěn kuài de liúshī. Nǐ xūyào jìngjìng de yǐ pínghé zhī xīn, tǐyàn tā de zhēndì.

Xìngfú jué dà duōshù shì pǔsù de. Tā bù huì xiàng xìnhàodàn shìde, zài hěn gāo de tiānjì shǎnshuò hóngsè de guāngmáng. Tā pīzhe běnsè de wài // yī, qīnqiè wēnnuǎn de bāoguǒqǐ wǒmen.

Xìngfú bù xǐhuan xuānxiāo fúhuá, tā chángcháng zài àndàn zhōng jiànglín. Pínkùn zhōng xiāngrúyǐmò de yī kuài gāobǐng, huànnàn zhōng xīnxīn-xiāngyìn de yī gè yǎnshén, fù•qīn yī cì cūcāo de fǔmō, nǚyǒu yī zhāng wēnxīn de zìtiáo …… Zhè dōu shì qiānjīn nán mǎi de xìngfú a. Xiàng yī lìlì zhuì zài jiù chóuzi •shàng de hóngbǎoshí, zài qīliáng zhōng yùfā yìyì duómù.

Jiéxuǎn zì Bì Shūmǐn《Tíxǐng Xìngfú》

作品 41 号

在里约热内卢的一个贫民窟里，有一个男孩子，他非常喜欢足球，可是又买不起，于是就踢塑料盒，踢汽水瓶，踢从垃圾箱里拣来的椰子壳。他在胡同里踢，在能找到的任何一片空地上踢。

有一天，当他在一处干涸的水塘里猛踢一个猪膀胱时，被一位足球教练看见了。他发现这个男孩儿踢得很像是那么回事，就主动提出要送给他一个足球。小男孩儿得到足球后踢得更卖劲了。不久，他就能准确地把球踢进远处随意摆放的一个水桶里。

圣诞节到了，孩子的妈妈说："我们没有钱买圣诞礼物送给我们的恩人，就让我们为他祈祷吧。"

小男孩儿跟随妈妈祈祷完毕，向妈妈要了一把铲子便跑了出去。他来到一座别墅前的花园里，开始挖坑。

就在他快要挖好坑的时候，从别墅里走出一个人来，问小孩儿在干什么，孩子抬起满是汗珠的脸蛋儿，说："教练，圣诞节到了，我没有礼物送给您，我愿给您的圣诞树挖一个树坑。"

教练把小男孩儿从树坑里拉上来，说，我今天得到了世界上最好的礼物。明天你就到我的训练场去吧。

三年后，这位十七岁的男孩儿在第六届足球锦标赛上独进二十一球，为巴西第一次捧回了金杯。一个原//来不为世人所知的名字——贝利，随之传遍世界。

节选自刘燕敏《天才的造就》

Zuòpǐn 41 Hào

Zài Lǐyuērènèilú de yī gè pínmínkū•lǐ, yǒu yī gè nánháizi, tā fēicháng xǐhuan zúqiú, kěshì yòu mǎi•bùqǐ, yúshì jiù tī sùliàohér, tī qìshuǐpíng, tī cóng lājīxiāng •lǐ jiǎnlái de yēzikér. Tā zài hútòngr •lǐ tī, zài néng zhǎodào de rènhé yī piàn kòngdì •shàng tī.

Yǒu yī tiān, dāng tā zài yī chù gānhé de shuǐtáng •lǐ měng tī yī gè zhū pángguāng shí, bèi yī wèi zúqiú jiàoliàn kàn•jiàn le. Tā fāxiàn zhège nánháir tī de hěn xiàng shì nàme huí shì, jiù zhǔdòng tíchū yào sònggěi tā yī gè zúqiú. Xiǎonánháir dédào zúqiú hòu tī de gèng màijìnr le. Bùjiǔ, tā jiù néng zhǔnquè de bǎ qiú tījìn yuǎnchù suíyì bǎifàng de yī gè shuǐtǒng •lǐ.

Shèngdànjié dào le, háizi de māma shuō: “Wǒmen méi•yǒu qián mǎi shèngdàn lǐwù sònggěi wǒmen de ēnrén, jiù ràng wǒmen wèi tā qídǎo ba.”

Xiǎonánháir gēnsuí māma qídǎo wánbì, xiàng māma yàole yī bǎ chǎnzi biàn pǎole chū•qù. Tā láidào yī zuò biéshù qián de huāyuán •lǐ, kāishǐ wā kēng.

Jiù zài tā kuài yào wāhǎo kēng de shíhou, cóng biéshù •lǐ zǒuchū yī gè rén •lái, wèn xiǎoháir zài gàn shénme, háizi táiqǐ mǎn shì hànzhū de liǎndànr, shuō: “Jiàoliàn, Shèngdànjié dào le, wǒ méi•yǒu lǐwù sònggěi nín, wǒ yuàn gěi nín de shèngdànshù wā yī gè shùkēng.”

Jiàoliàn bǎ xiǎonánháir cóng shùkēng •lǐ lā shàng•lái, shuō, wǒ jīntiān dédàole shìjiè •shàng zuì hǎo de lǐwù. Míngtiān nǐ jiù dào wǒ de xùnliànchǎng qù ba.

Sān nián hòu, zhè wèi shíqī suì de nánháir zài dì-liù jiè zúqiú jǐnbiāosài •shàng dú jìn èrshíyī qiú, wèi Bāxī dì-yī cì pěnghuíle jīnbēi. Yī gè yuán// lái bù wéi shìrén suǒ zhī de míngzi——Bèilì, suí zhī chuánbiàn shìjiè.

Jiéxuǎn zì Liú Yànmǐn《Tiāncái de Zàojiù》

作品 42 号

记得我十三岁时，和母亲住在法国东南部的耐斯城。母亲没有丈夫，也没有亲戚，够清苦的，但她经常能拿出令人吃惊的东西，摆在我面前。她从来不吃肉，一再说自己是素食者。然而有一天，我发现母亲正仔细地用一小块碎面包擦那给我煎牛排用的油锅。我明白了她称自己为素食者的真正原因。

我十六岁时，母亲成了耐斯市美蒙旅馆的女经理。这时，她更忙碌了。一天，她瘫在椅子上，脸色苍白，嘴唇发灰。马上找来医生，做出诊断：她摄取了过多的胰岛素。直到这时我才知道母亲多年一直对我隐瞒的疾痛——糖尿病。

她的头歪向枕头一边，痛苦地用手抓挠胸口。床架上方，则挂着一枚我一九三二年赢得耐斯市少年乒乓球冠军的银质奖章。

啊，是对我的美好前途的憧憬支撑着她活下去，为了给她那荒唐的梦至少加一点真实的色彩，我只能继续努力，与时间竞争，直至一九三八年我被征入空军。巴黎很快失陷，我辗转调到英国皇家空军。刚到英国就接到了母亲的来信。这些信是由在瑞士的一个朋友秘密地转到伦敦，送到我手中的。

现在我要回家了，胸前佩带着醒目的绿黑两色的解放十字绶//带，上面挂着五六枚我终身难忘的勋章，肩上还佩带着军官肩章。到达旅馆时，没有一个人跟我打招呼。原来，我母亲在三年半以前就已经离开人间了。

在她死前的几天中，她写了近二百五十封信，把这些信交给她在瑞士的朋友，请这个朋友定时寄给我。就这样，在母亲死后的三年半的时间里，我一直从她身上吸取着力量和勇气——这使我能够继续战斗到胜利那一天。

节选自[法]罗曼·加里《我的母亲独一无二》

Zuòpǐn 42 Hào

Jì•dé wǒ shísān suì shí, hé mǔ•qīn zhù zài Fǎguó dōngnánbù de Nàisī Chéng. Mǔ•qīn méi•yǒu zhàngfu, yě méi•yǒu qīnqi, gòu qīngkǔ de, dàn tā jīngcháng néng ná•chū lìng rén chījīng de dōngxi, bǎi zài wǒ miànqián. Tā cónglái bù chī ròu, yīzài shuō zìjǐ shì sùshízhě. Rán'ér yǒu yī tiān, wǒ fāxiàn mǔ•qīn zhèng zǐxì de yòng yī xiǎo kuàir suì miànbāo cā nà gěi wǒ jiān niúpái yòng de yóuguō. Wǒ míngbaile tā chēng zìjǐ wéi sùshízhě de zhēnzhèng yuányīn.

Wǒ shíliù suì shí, mǔ•qīn chéngle Nàisī Shì Měiméng lǚguǎn de nǚ jīnglǐ. Zhèshí, tā gèng mánglù le. Yī tiān, tā tān zài yǐzi •shàng, liǎnsè cāngbái, zuǐchún fā huī. Mǎshàng zhǎolái yīshēng, zuò•chū zhěnduàn: Tā shèqǔle guòduō de yídǎosù. Zhídào zhèshí wǒ cái zhī•dào mǔ•qīn duōnián yīzhí duì wǒ yǐnmán de jítòng——tángniàobìng.

Tā de tóu wāixiàng zhěntou yībiān, tòngkǔ de yòng shǒu zhuānao xiōngkǒu. Chuángjià shàngfāng, zé guàzhe yī méi wǒ yī jiǔ sān èr nián yíngdé Nàisī Shì shàonián pīngpāngqiú guànjūn de yínzhì jiǎngzhāng.

À, shì duì wǒ de měihǎo qiántú de chōngjǐng zhīchēngzhe tā huó xià•qù, wèile gěi tā nà huāng•táng de mèng zhìshǎo jiā yīdiǎnr zhēnshí de sècǎi, wǒ zhǐnéng jìxù nǔlì, yǔ shíjiān jìngzhēng, zhízhì yī jiǔ sān bā nián wǒ bèi zhēng rù kōngjūn. Bālí hěn kuài shīxiàn, wǒ zhǎnzhuǎn diàodào Yīngguó Huángjiā Kōngjūn. Gāng dào Yīngguó jiù jiēdàole mǔ•qīn de láixìn. Zhèxiē xìn shì yóu zài Ruìshì de yī gè péngyou mìmì de zhuǎndào Lúndūn, sòngdào wǒ shǒuzhōng de.

Xiànzài wǒ yào huíjiā le, xiōngqián pèidàizhe xǐngmù de lǜ-hēi liǎng sè de jiěfàng shízì shòu// dài, shàng•miàn guàzhe wǔ-liù méi wǒ zhōngshēn nánwàng de xūnzhāng, jiān •shàng hái pèidàizhe jūnguān jiānzhāng. Dàodá lǚguǎn shí, méi•yǒu yī gè rén gēn wǒ dǎ zhāohu. Yuánlái, wǒ mǔ•qīn zài sān nián bàn yǐqián jiù yǐ•jīng líkāi rénjiān le.

Zài tā sǐ qián de jǐ tiān zhōng, tā xiěle jìn èrbǎi wǔshí fēng xìn, bǎ zhèxiē xìn jiāogěi tā zài Ruìshì de péngyou, qǐng zhège péngyou dìngshí jì gěi wǒ. Jiù zhèyàng, zài mǔ•qīn sǐ hòu de sān nián bàn de shíjiān •lǐ, wǒ yīzhí cóng tā shēn •shàng xīqǔzhe lì•liàng hé yǒngqì——zhè shì wǒ nénggòu jìxù zhàndòu dào shènglì nà yī tiān.

Jiéxuǎn zì [Fǎ] Luómàn Jiālǐ《Wǒ de Mǔ•qīn Dúyīwú'èr》

作品43号

生活对于任何人都非易事,我们必须有坚韧不拔的精神。最要紧的,还是我们自己要有信心。我们必须相信,我们对每一件事情都具有天赋的才能,并且,无论付出任何代价,都要把这件事完成。当事情结束的时候,你要能问心无愧地说:“我已经尽我所能了。”

有一年的春天,我因病被迫在家里休息数周。我注视着我的女儿们所养的蚕正在结茧,这使我很感兴趣。望着这些蚕执著地、勤奋地工作,我感到我和它们非常相似。像它们一样,我总是耐心地把自己的努力集中在一个目标上。我之所以如此,或许是因为有某种力量在鞭策着我——正如蚕被鞭策着去结茧一般。

近五十年来,我致力于科学研究,而研究,就是对真理的探讨。我有许多美好快乐的记忆。少女时期我在巴黎大学,孤独地过着求学的岁月;在后来献身科学的整个时期,我丈夫和我专心致志,像在梦幻中一般,坐在简陋的书房里艰辛地研究,后来我们就在那里发现了镭。

我永远追求安静的工作和简单的家庭生活。为了实现这个理想,我竭力保持宁静的环境,以免受人事的干扰和盛名的拖累。

我深信,在科学方面我们有对事业而不//是对财富的兴趣。我的惟一奢望是在一个自由国家中,以一个自由学者的身份从事研究工作。

我一直沉醉于世界的优美之中,我所热爱的科学也不断增加它崭新的远景。我认定科学本身就具有伟大的美。

节选自[波兰]玛丽·居里《我的信念》,剑捷译

Zuòpǐn 43 Hào

Shēnghuó duìyú rènhé rén dōu fēi yì shì, wǒmen bìxū yǒu jiānrèn-bùbá de jīngshén. Zuì yàojǐn de, háishì wǒmen zìjǐ yào yǒu xìnxīn. Wǒmen bìxū xiāngxìn, wǒmen duì měi yī jiàn shìqing dōu jùyǒu tiānfù de cáinéng, bìngqiě, wúlùn fùchū rènhé dàijià, dōu yào bǎ zhè jiàn shì wánchéng. Dāng shìqing jiéshù de shíhou, nǐ yào néng wènxīn-wúkuì de shuō: "Wǒ yǐ•jīng jìn wǒ suǒ néng le."

Yǒu yī nián de chūntiān, wǒ yīn bìng bèipò zài jiā•lǐ xiūxi shù zhōu. Wǒ zhùshìzhe wǒ de nǚ'érmen suǒ yǎng de cán zhèngzài jié jiǎn, zhè shǐ wǒ hěn gǎn xìngqù. Wàngzhe zhèxiē cán zhízhuó de、qínfèn de gōngzuò, wǒ gǎndào wǒ hé tāmen fēicháng xiāngsì. Xiàng tāmen yīyàng, wǒ zǒngshì nàixīn de bǎ zìjǐ de nǔlì jízhōng zài yī gè mùbiāo •shàng. Wǒ zhīsuǒyǐ rúcǐ, huòxǔ shì yīn•wèi yǒu mǒu zhǒng lì•liàng zài biāncèzhe wǒ——zhèng rú cán bèi biāncèzhe qù jié jiǎn yībān.

Jìn wǔshí nián lái, wǒ zhìlìyú kēxué yánjiū, ér yánjiū, jiùshì duì zhēnlǐ de tàntǎo. Wǒ yǒu xǔduō měihǎo kuàilè de jìyì. Shàonǚ shíqī wǒ zài Bālí Dàxué, gūdú de guòzhe qiúxué de suìyuè; zài hòulái xiànshēn kēxué de zhěnggè shíqī, wǒ zhàngfu hé wǒ zhuānxīn-zhìzhì, xiàng zài mènghuàn zhōng yībān, zuò zài jiǎnlòu de shūfáng •lǐ jiānxīn de yánjiū, hòulái wǒmen jiù zài nà•lǐ fāxiànle léi.

Wǒ yǒngyuǎn zhuīqiú ānjìng de gōngzuò hé jiǎndān de jiātíng shēnghuó. Wèile shíxiàn zhège lǐxiǎng, wǒ jiélì bǎochí níngjìng de huánjìng, yǐmiǎn shòu rénshì de gānrǎo hé shèngmíng de tuōlěi.

Wǒ shēnxìn, zài kēxué fāngmiàn wǒmen yǒu duì shìyè ér bù // shì duì cáifù de xìngqù. Wǒ de wéiyī shēwàng shì zài yī gè zìyóu guójiā zhōng, yǐ yī gè zìyóu xuézhě de shēn•fèn cóngshì yánjiū gōngzuò.

Wǒ yīzhí chénzuì yú shìjiè de yōuměi zhīzhōng, wǒ suǒ rè'ài de kēxué yě bùduàn zēngjiā tā zhǎnxīn de yuǎnjǐng. Wǒ rèndìng kēxué běnshēn jiù jùyǒu wěidà de měi.

Jiéxuǎn zì [Bōlán] Mǎlì Jūlǐ《Wǒ de Xìnniàn》, Jiàn Jié yì

作品 44 号

我为什么非要教书不可？是因为我喜欢当教师的时间安排表和生活节奏。七、八、九三个月给我提供了进行回顾、研究、写作的良机，并将三者有机融合，而善于回顾、研究和总结正是优秀教师素质中不可缺少的成分。

干这行给了我多种多样的“甘泉”去品尝，找优秀的书籍去研读，到“象牙塔”和实际世界里去发现。教学工作给我提供了继续学习的时间保证，以及多种途径、机遇和挑战。

然而，我爱这一行的真正原因，是爱我的学生。学生们在我的眼前成长、变化。当教师意味着亲历“创造”过程的发生——恰似亲手赋予一团泥土以生命，没有什么比目睹它开始呼吸更激动人心的了。

权利我也有了：我有权利去启发诱导，去激发智慧的火花，去问费心思考的问题，去赞扬回答的尝试，去推荐书籍，去指点迷津。还有什么别的权利能与之相比呢？

而且，教书还给我金钱和权利之外的东西，那就是爱心。不仅有对学生的爱，对书籍的爱，对知识的爱，还有教师才能感受到的对“特别”学生的爱。这些学生，有如冥顽不灵的泥块，由于接受了老师的炽爱才勃发了生机。

所以，我爱教书，还因为，在那些勃发生机的“特别”学//生身上，我有时发现自己和他们呼吸相通，忧乐与共。

节选自[美]彼得·基·贝得勒《我为什么当教师》

Zuòpǐn 44 Hào

Wǒ wèishénme fēi yào jiāoshū bùkě? Shì yīn•wèi wǒ xǐhuan dāng jiàoshī de shíjiān ānpáibiǎo hé shēnghuó jiézòu. Qī、bā、jiǔ sān gè yuè gěi wǒ tígōngle jìnxíng huígù、yánjiū、xiězuò de liángjī, bìng jiāng sānzhě yǒujī rónghé, ér shànyú huígù、yánjiū hé zǒngjié zhèngshì yōuxiù jiàoshī sùzhì zhōng bùkě quēshǎo de chéng•fèn.

Gàn zhè háng gěile wǒ duōzhǒng-duōyàng de "gānquán" qù pǐncháng, zhǎo yōuxiù de shūjí qù yándú, dào "xiàngyátǎ" hé shíjì shìjiè•lǐ qù fāxiàn. Jiàoxué gōngzuò gěi wǒ tígōngle jìxù xuéxí de shíjiān bǎozhèng, yǐjí duōzhǒng tújìng、jīyù hé tiǎozhàn.

Rán'ér, wǒ ài zhè yī háng de zhēnzhèng yuányīn, shì ài wǒ de xuésheng. Xuéshengmen zài wǒ de yǎnqián chéngzhǎng、biànhuà. Dāng jiàoshī yìwèizhe qīnlì "chuàngzào" guòchéng de fāshēng——qiàsì qīnshǒu fùyǔ yī tuán nítǔ yǐ shēngmìng, méi•yǒu shénme bǐ mùdǔ tā kāishǐ hūxī gèng jīdòng rénxīn de le.

Quánlì wǒ yě yǒu le: Wǒ yǒu quánlì qù qǐfā yòudǎo, qù jīfā zhìhuì de huǒhuā, qù wèn fèixīn sīkǎo de wèntí, qù zànyáng huídá de chángshì, qù tuījiàn shūjí, qù zhǐdiǎn míjīn. Háiyǒu shénme biéde quánlì néng yǔ zhī xiāng bǐ ne?

Érqiě, jiāoshū hái gěi wǒ jīnqián hé quánlì zhīwài de dōngxi, nà jiùshì àixīn. Bùjǐn yǒu duì xuésheng de ài, duì shūjí de ài, duì zhīshi de ài, háiyǒu jiàoshī cái néng gǎnshòudào de duì "tèbié" xuésheng de ài. Zhèxiē xuésheng, yǒurú míngwán-bùlíng de níkuài, yóuyú jiēshòule lǎoshī de chì'ài cái bófāle shēngjī.

Suǒyǐ, wǒ ài jiāoshū, hái yīn•wèi, zài nàxiē bófā shēngjī de "tèbié" xué// sheng shēn•shàng, wǒ yǒushí fāxiàn zìjǐ hé tāmen hūxī xiāngtōng, yōulè yǔ gòng.

Jiéxuǎn zì [Měi] Bǐdé Jī Bèidélè《Wǒ Wèishénme Dāng Jiàoshī》

作品 45 号

中国西部我们通常是指黄河与秦岭相连一线以西，包括西北和西南的十二个省、市、自治区。这块广袤的土地面积为五百四十六万平方公里，占国土总面积的百分之五十七；人口二点八亿，占全国总人口的百分之二十三。

西部是华夏文明的源头。华夏祖先的脚步是顺着水边走的：长江上游出土过元谋人牙齿化石，距今约一百七十万年；黄河中游出土过蓝田人头盖骨，距今约七十万年。这两处古人类都比距今约五十万年的北京猿人资格更老。

西部地区是华夏文明的重要发源地。秦皇汉武以后，东西方文化在这里交汇融合，从而有了丝绸之路的驼铃声声，佛院深寺的暮鼓晨钟。敦煌莫高窟是世界文化史上的一个奇迹，它在继承汉晋艺术传统的基础上，形成了自己兼收并蓄的恢宏气度，展现出精美绝伦的艺术形式和博大精深的文化内涵。秦始皇兵马俑、西夏王陵、楼兰古国、布达拉宫、三星堆、大足石刻等历史文化遗产，同样为世界所瞩目，成为中华文化重要的象征。

西部地区又是少数民族及其文化的集萃地，几乎包括了我国所有的少数民族。在一些偏远的少数民族地区，仍保留//了一些久远时代的艺术品种，成为珍贵的"活化石"，如纳西古乐、戏曲、剪纸、刺绣、岩画等民间艺术和宗教艺术。特色鲜明、丰富多彩，犹如一个巨大的民族民间文化艺术宝库。

我们要充分重视和利用这些得天独厚的资源优势，建立良好的民族民间文化生态环境，为西部大开发做出贡献。

节选自《中考语文课外阅读试题精选》中《西部文化和西部开发》

Zuòpǐn 45 Hào

Zhōngguó xībù wǒmen tōngcháng shì zhǐ Huáng Hé yǔ Qín Lǐng xiānglián yī xiàn yǐ xī, bāokuò xīběi hé xīnán de shí'èr gè shěng、shì、zìzhìqū. Zhè kuài guǎngmào de tǔdì miànjī wéi wǔbǎi sìshíliù wàn píngfāng gōnglǐ, zhàn guótǔ zǒng miànjī de bǎi fēn zhī wǔshíqī; rénkǒu èr diǎn bā yì, zhàn quánguó zǒng rénkǒu de bǎi fēn zhī èrshísān.

Xībù shì Huáxià wénmíng de yuántóu. Huáxià zǔxiān de jiǎobù shì shùnzhe shuǐbiān zǒu de: Cháng Jiāng shàngyóu chūtǔguo Yuánmóurén yáchǐ huàshí, jù jīn yuē yībǎi qīshí wàn nián; Huáng Hé zhōngyóu chūtǔguo Lántiánrén tóugàigǔ, jù jīn yuē qīshí wàn nián. Zhè liǎng chù gǔ rénlèi dōu bǐ jù jīn yuē wǔshí wàn nián de Běijīng yuánrén zī•gé gèng lǎo.

Xībù dìqū shì Huáxià wénmíng de zhòngyào fāyuándì. Qínhuáng Hànwǔ yǐhòu, dōng-xīfāng wénhuà zài zhè•lǐ jiāohuì rónghé, cóng'ér yǒule sīchóu zhī lù de tuólíng shēngshēng, fó yuàn shēn sì de mùgǔ-chénzhōng. Dūnhuáng Mògāokū shì shìjiè wénhuàshǐ •shàng de yī gè qíjì, tā zài jìchéng Hàn Jìn yìshù chuántǒng de jīchǔ •shàng, xíngchéngle zìjǐ jiānshōu-bìngxù de huīhóng qìdù, zhǎnxiànchū jīngměi-juélún de yìshù xíngshì hé bódà-jīngshēn de wénhuà nèihán. Qínshǐhuáng Bīngmǎyǒng、Xīxià wánglíng、Lóulán gǔguó、Bùdálāgōng、Sānxīngduī、Dàzú shíkè děng lìshǐ wénhuà yíchǎn, tóngyàng wéi shìjiè suǒ zhǔmù, chéngwéi Zhōnghuá wénhuà zhòngyào de xiàngzhēng.

Xībù dìqū yòu shì shǎoshù mínzú jíqí wénhuà de jícuìdì, jīhū bāokuòle wǒguó suǒyǒu de shǎoshù mínzú. Zài yīxiē piānyuǎn de shǎoshù mínzú dìqū, réng bǎoliú// le yīxiē jiǔyuǎn shídài de yìshù pǐnzhǒng, chéngwéi zhēnguì de "huó huàshí", rú Nàxī gǔyuè、xìqǔ、jiǎnzhǐ、cìxiù、yánhuà děng mínjiān yìshù hé zōngjiào yìshù. Tèsè xiānmíng、fēngfù-duōcǎi, yóurú yī gè jùdà de mínzú mínjiān wénhuà yìshù bǎokù.

Wǒmen yào chōngfèn zhòngshì hé lìyòng zhèxiē détiān-dúhòu de zīyuán yōushì, jiànlì liánghǎo de mínzú mínjiān wénhuà shēngtài huánjìng, wèi xībù dà kāifā zuòchū gòngxiàn.

Jiéxuǎn zì《Zhōngkǎo Yǔwén Kèwài Yuèdú Shìtí Jīngxuǎn》
zhōng《Xībù Wénhuà hé Xībù Kāifā》

作品 46 号

高兴，这是一种具体的被看得到摸得着的事物所唤起的情绪。它是心理的，更是生理的。它容易来也容易去，谁也不应该对它视而不见失之交臂，谁也不应该总是做那些使自己不高兴也使旁人不高兴的事。让我们说一件最容易做也最令人高兴的事吧，尊重你自己，也尊重别人，这是每一个人的权利，我还要说这是每一个人的义务。

快乐，它是一种富有概括性的生存状态、工作状态。它几乎是先验的，它来自生命本身的活力，来自宇宙、地球和人间的吸引，它是世界的丰富、绚丽、阔大、悠久的体现。快乐还是一种力量，是埋在地下的根脉。消灭一个人的快乐比挖掘掉一棵大树的根要难得多。

欢欣，这是一种青春的、诗意的情感。它来自面向着未来伸开双臂奔跑的冲力，它来自一种轻松而又神秘、朦胧而又隐秘的激动，它是激情即将到来的预兆，它又是大雨过后的比下雨还要美妙得多也久远得多的回味……

喜悦，它是一种带有形而上色彩的修养和境界。与其说它是一种情绪，不如说它是一种智慧、一种超拔、一种悲天悯人的宽容和理解，一种饱经沧桑的充实和自信，一种光明的理性，一种坚定//的成熟，一种战胜了烦恼和庸俗的清明澄澈。它是一潭清水，它是一抹朝霞，它是无边的平原，它是沉默的地平线。多一点儿、再多一点儿喜悦吧，它是翅膀，也是归巢。它是一杯美酒，也是一朵永远开不败的莲花。

节选自王蒙《喜悦》

Zuòpǐn 46 Hào

Gāoxìng, zhè shì yī zhǒng jùtǐ de bèi kàndedào mōdezháo de shìwù suǒ huànqǐ de qíng•xù. Tā shì xīnlǐ de, gèng shì shēnglǐ de. Tā róng•yì lái yě róng•yì qù, shéi yě bù yīnggāi duì tā shì'érbùjiàn shīzhījiāobì, shéi yě bù yīnggāi zǒngshì zuò nàxiē shǐ zìjǐ bù gāoxìng yě shǐ pángrén bù gāoxìng de shì. Ràng wǒmen shuō yī jiàn zuì róng•yì zuò yě zuì lìng rén gāoxìng de shì ba, zūnzhòng nǐ zìjǐ, yě zūnzhòng bié•rén, zhè shì měi yī gè rén de quánlì, wǒ háiyào shuō zhè shì měi yī gè rén de yìwù.

Kuàilè, tā shì yī zhǒng fùyǒu gàikuòxìng de shēngcún zhuàngtài、gōngzuò zhuàngtài. Tā jīhū shì xiānyàn de, tā láizì shēngmìng běnshēn de huólì, láizì yǔzhòu、dìqiú hé rénjiān de xīyǐn, tā shì shìjiè de fēngfù、xuànlì、kuòdà、yōujiǔ de tǐxiàn. Kuàilè háishì yī zhǒng lì•liàng, shì mái zài dìxià de gēnmài. Xiāomiè yī gè rén de kuàilè bǐ wājué diào yī kē dàshù de gēn yào nán de duō.

Huānxīn, zhè shì yī zhǒng qīngchūn de、shīyì de qínggǎn. Tā láizì miànxiàngzhe wèilái shēnkāi shuāngbì bēnpǎo de chōnglì, tā láizì yī zhǒng qīngsōng ér yòu shénmì、ménglóng ér yòu yǐnmì de jīdòng, tā shì jīqíng jíjiāng dàolái de yùzhào, tā yòu shì dàyǔ guòhòu de bǐ xiàyǔ háiyào měimiào de duō yě jiǔyuǎn de duō de huíwèi ……

Xǐyuè, tā shì yī zhǒng dàiyǒu xíng ér shàng sècǎi de xiūyǎng hé jìngjiè. Yǔqí shuō tā shì yī zhǒng qíng•xù, bùrú shuō tā shì yī zhǒng zhìhuì、yī zhǒng chāobá、yī zhǒng bēitiān-mǐnrén de kuānróng hé lǐjiě, yī zhǒng bǎojīng-cāngsāng de chōngshí hé zìxìn, yī zhǒng guangmíng de lǐxìng, yī zhǒng jiāndìng // de chéngshú, yī zhǒng zhànshèngle fánnǎo hé yōngsú de qīngmíng chéngchè. Tā shì yī tán qīngshuǐ, tā shì yī mǒ zhāoxiá, tā shì wúbiān de píngyuán, tā shì chénmò de dìpíngxiàn. Duō yīdiǎnr、zài duō yīdiǎnr xǐyuè ba, tā shì chìbǎng, yě shì guīcháo. Tā shì yī bēi měijiǔ, yě shì yī duǒ yǒngyuǎn kāi bù bài de liánhuā.

Jiéxuǎn zì Wáng Méng《Xǐyuè》

作品 47 号

在湾仔，香港最热闹的地方，有一棵榕树，它是最贵的一棵树，不光在香港，在全世界，都是最贵的。

树，活的树，又不卖何言其贵？只因它老，它粗，是香港百年沧桑的活见证，香港人不忍看着它被砍伐，或者被移走，便跟要占用这片山坡的建筑者谈条件：可以在这儿建大楼盖商厦，但一不准砍树，二不准挪树，必须把它原地精心养起来，成为香港闹市中的一景。太古大厦的建设者最后签了合同，占用这个大山坡建豪华商厦的先决条件是同意保护这棵老树。

树长在半山坡上，计划将树下面的成千上万吨山石全部掏空取走，腾出地方来盖楼，把树架在大楼上面，仿佛它原本是长在楼顶上似的。建设者就地造了一个直径十八米、深十米的大花盆，先固定好这棵老树，再在大花盆底下盖楼。光这一项就花了两千三百八十九万港币，堪称是最昂贵的保护措施了。

太古大厦落成之后，人们可以乘滚动扶梯一次到位，来到太古大厦的顶层，出后门，那儿是一片自然景色。一棵大树出现在人们面前，树干有一米半粗，树冠直径足有二十多米，独木成林，非常壮观，形成一座以它为中心的小公园，取名叫“榕圃”。树前面//插着铜牌，说明原由。此情此景，如不看铜牌的说明，绝对想不到巨树根底下还有一座宏伟的现代大楼。

节选自舒乙《香港：最贵的一棵树》

Zuòpǐn 47 Hào

Zài Wānzǎi, Xiānggǎng zuì rènao de dìfang, yǒu yī kē róngshù, tā shì zuì guì de yī kē shù, bùguāng zài Xiānggǎng, zài quánshìjiè, dōu shì zuì guì de.

Shù, huó de shù, yòu bù mài hé yán qí guì? Zhǐ yīn tā lǎo, tā cū, shì Xiānggǎng bǎinián cāngsāng de huó jiànzhèng, Xiānggǎngrén bùrěn kànzhe tā bèi kǎnfá, huòzhě bèi yízǒu, biàn gēn yào zhànyòng zhè piàn shānpō de jiànzhùzhě tán tiáojiàn: Kěyǐ zài zhèr jiàn dàlóu gài shāngshà, dàn yī bùzhǔn kǎn shù, èr bùzhǔn nuó shù, bìxū bǎ tā yuándì jīngxīn yǎng qǐ•lái, chéngwéi Xiānggǎng nàoshì zhōng de yī jǐng. Tàigǔ Dàshà de jiànshèzhě zuìhòu qiānle hétong, zhànyòng zhège dà shānpō jiàn háohuá shāngshà de xiānjué tiáojiàn shì tóngyì bǎohù zhè kē lǎoshù.

Shù zhǎng zài bànshānpō •shàng, jìhuà jiāng shù xià•miàn de chéngqiān-shàngwàn dūn shānshí quánbù tāokōng qǔzǒu, téngchū dìfang •lái gài lóu, bǎ shù jià zài dàlóu shàng•miàn, fǎngfú tā yuánběn shì zhǎng zài lóudǐng •shàng shìde. Jiànshèzhě jiùdì zàole yī gè zhíjìng shíbā mǐ、shēn shí mǐ de dà huāpén, xiān gùdìng hǎo zhè kē lǎoshù, zài zài dà huāpén dǐ•xià gài lóu. Guāng zhè yī xiàng jiù huāle liǎngqiān sānbǎi bāshíjiǔ wàn gǎngbì, kānchēng shì zuì ángguì de bǎohù cuòshī le.

Tàigǔ Dàshà luòchéng zhīhòu, rénmen kěyǐ chéng gǔndòng fútī yī cì dàowèi, láidào Tàigǔ Dàshà de dǐngcéng, chū hòumén, nàr shì yī piàn zìrán jǐngsè. Yī kē dàshù chūxiàn zài rénmen miànqián, shùgàn yǒu yī mǐ bàn cū, shùguān zhíjìng zú yǒu èrshí duō mǐ, dúmù-chénglín, fēicháng zhuàngguān, xíngchéng yī zuò yǐ tā wéi zhōngxīn de xiǎo gōngyuán, qǔ míng jiào “Róngpǔ”. Shù qián•miàn// chāzhe tóngpái, shuōmíng yuányóu. Cǐqíng cǐjǐng, rú bù kàn tóngpái de shuōmíng, juéduì xiǎng•bùdào jùshùgēn dǐ•xià háiyǒu yī zuò hóngwěi de xiàndài dàlóu.

Jiéxuǎn zì Shū Yǐ《Xiānggǎng: Zuì Guì de Yī Kē Shù》

作品 48 号

我们的船渐渐地逼近榕树了。我有机会看清它的真面目:是一棵大树,有数不清的丫枝,枝上又生根,有许多根一直垂到地上,伸进泥土里。一部分树枝垂到水面,从远处看,就像一棵大树斜躺在水面上一样。

现在正是枝繁叶茂的时节。这棵榕树好像在把它的全部生命力展示给我们看。那么多的绿叶,一簇堆在另一簇的上面,不留一点儿缝隙。翠绿的颜色明亮地在我们的眼前闪耀,似乎每一片树叶上都有一个新的生命在颤动,这美丽的南国的树!

船在树下泊了片刻,岸上很湿,我们没有上去。朋友说这里是"鸟的天堂",有许多鸟在这棵树上做窝,农民不许人去捉它们。我仿佛听见几只鸟扑翅的声音,但是等到我的眼睛注意地看那里时,我却看不见一只鸟的影子。只有无数的树根立在地上,像许多根木桩。地是湿的,大概涨潮时河水常常冲上岸去。"鸟的天堂"里没有一只鸟,我这样想到。船开了,一个朋友拨着船,缓缓地流到河中间去。

第二天,我们划着船到一个朋友的家乡去,就是那个有山有塔的地方。从学校出发,我们又经过那"鸟的天堂"。

这一次是在早晨,阳光照在水面上,也照在树梢上。一切都//显得非常光明。我们的船也在树下泊了片刻。

起初四周围非常清静。后来忽然起了一声鸟叫。我们把手一拍,便看见一只大鸟飞了起来,接着又看见第二只,第三只。我们继续拍掌,很快地这个树林就变得很热闹了。到处都是鸟声,到处都是鸟影。大的,小的,花的,黑的,有的站在枝上叫,有的飞起来,在扑翅膀。

节选自巴金《小鸟的天堂》

Zuòpǐn 48 Hào

Wǒmen de chuán jiànjiàn de bījìn róngshù le. Wǒ yǒu jī•huì kànqīng tā de zhēn miànmù：Shì yī kē dàshù，yǒu shǔ•bùqīng de yāzhī，zhī •shàng yòu shēng gēn，yǒu xǔduō gēn yīzhí chuídào dì•shàng，shēnjìn nítǔ •lǐ. Yī bùfen shùzhī chuídào shuǐmiàn，cóng yuǎnchù kàn，jiù xiàng yī kē dàshù xié tǎng zài shuǐmiàn •shàng yīyàng.

Xiànzài zhèngshì zhīfán-yèmào de shíjié. Zhè kē róngshù hǎoxiàng zài bǎ tā de quánbù shēngmìnglì zhǎnshì gěi wǒmen kàn. Nàme duō de lǜyè，yī cù duī zài lìng yī cù de shàng•miàn，bù liú yīdiǎnr fèngxì. Cuìlǜ de yánsè míngliàng de zài wǒmen de yǎnqián shǎnyào，sìhū měi yī piàn shùyè •shàng dōu yǒu yī gè xīn de shēngmìng zài chàndòng，zhè měilì de nánguó de shù!

Chuán zài shù •xià bóle piànkè，àn •shàng hěn shī，wǒmen méi•yǒu shàng•qù. Péngyou shuō zhè•lǐ shì "niǎo de tiāntáng"，yǒu xǔduō niǎo zài zhè kē shù •shàng zuò wō，nóngmín bùxǔ rén qù zhuō tāmen. Wǒ fǎngfú tīng•jiàn jǐ zhī niǎo pū chì de shēngyīn，dànshì děngdào wǒ de yǎnjing zhùyì de kàn nà•lǐ shí，wǒ què kàn•bùjiàn yī zhī niǎo de yǐngzi. Zhǐyǒu wúshù de shùgēn lì zài dì•shàng，xiàng xǔduō gēn mùzhuāng. Dì shì shī de，dàgài zhǎngcháo shí héshuǐ chángcháng chōng•shàng àn •qù. "Niǎo de tiāntáng" •lǐ méi•yǒu yī zhī niǎo，wǒ zhèyàng xiǎngdào. Chuán kāi le，yī gè péngyou bōzhe chuán，huǎnhuǎn de liúdào hé zhōngjiān qù.

Dì-èr tiān，wǒmen huázhe chuán dào yī gè péngyou de jiāxiāng qù，jiùshì nàge yǒu shān yǒu tǎ de dìfang. Cóng xuéxiào chūfā，wǒmen yòu jīngguò nà "niǎo de tiāntáng".

Zhè yī cì shì zài zǎo•chén，yángguāng zhào zài shuǐmiàn •shàng，yě zhào zài shùshāo •shàng. Yīqiè dōu// xiǎn•dé fēicháng guāngmíng. Wǒmen de chuán yě zài shù •xià bóle piànkè.

Qǐchū sìzhōuwéi fēicháng qīngjìng. Hòulái hūrán qǐle yī shēng niǎojiào. Wǒmen bǎ shǒu yī pāi，biàn kàn•jiàn yī zhī dàniǎo fēile qǐ•lái，jiēzhe yòu kàn•jiàn dì-èr zhī，dì-sān zhī. Wǒmen jìxù pāizhǎng，hěn kuài de zhège shùlín jiù biàn de hěn rènao le. Dàochù dōu shì niǎo shēng，dàochù dōu shì niǎo yǐng. Dà de，xiǎo de，huā de，hēi de，yǒude zhàn zài zhī •shàng jiào，yǒude fēi qǐ•lái，zài pū chìbǎng.

Jiéxuǎn zì Bā Jīn《Xiǎoniǎo de Tiāntáng》

作品 49 号

有这样一个故事。

有人问：世界上什么东西的气力最大？回答纷纭得很，有的说“象”，有的说“狮”，有人开玩笑似的说：是“金刚”，金刚有多少气力，当然大家全不知道。

结果，这一切答案完全不对，世界上气力最大的，是植物的种子。一粒种子所可以显现出来的力，简直是超越一切。

人的头盖骨，结合得非常致密与坚固，生理学家和解剖学者用尽了一切的方法，要把它完整地分出来，都没有这种力气。后来忽然有人发明了一个方法，就是把一些植物的种子放在要剖析的头盖骨里，给它以温度与湿度，使它发芽。一发芽，这些种子便以可怕的力量，将一切机械力所不能分开的骨骼，完整地分开了。植物种子的力量之大，如此如此。

这，也许特殊了一点儿，常人不容易理解。那么，你看见过笋的成长吗？你看见过被压在瓦砾和石块下面的一棵小草的生长吗？它为着向往阳光，为着达成它的生之意志，不管上面的石块如何重，石与石之间如何狭，它必定要曲曲折折地，但是顽强不屈地透到地面上来。它的根往土壤钻，它的芽往地面挺，这是一种不可抗拒的力，阻止它的石块，结果也被它掀翻，一粒种子的力量之大，如//此如此。

没有一个人将小草叫做“大力士”，但是它的力量之大，的确是世界无比。这种力是一般人看不见的生命力。只要生命存在，这种力就要显现。上面的石块，丝毫不足以阻挡。因为它是一种“长期抗战”的力；有弹性，能屈能伸的力；有韧性，不达目的不止的力。

节选自夏衍《野草》

Zuòpǐn 49 Hào

Yǒu zhèyàng yī gè gùshi.

Yǒu rén wèn：Shìjiè •shàng shénme dōngxi de qìlì zuì dà? Huídá fēnyún de hěn，yǒude shuō “xiàng”，yǒude shuō “shī”，yǒu rén kāi wánxiào shìde shuō：Shì “Jīngāng”，Jīngāng yǒu duō•shǎo qìlì，dāngrán dàjiā quán bù zhī•dào.

Jiéguǒ，zhè yīqiè dá'àn wánquán bù duì，shìjiè •shàng qìlì zuì dà de，shì zhíwù de zhǒngzi. Yī lì zhǒngzi suǒ kěyǐ xiǎnxian chū•lái de lì，jiǎnzhí shì chāoyuè yīqiè.

Rén de tóugàigǔ，jiéhé de fēicháng zhìmì yǔ jiāngù，shēnglǐxuéjiā hé jiěpōuxuézhě yòngjìnle yīqiè de fāngfǎ，yào bǎ tā wánzhěng de fēn chū•lái，dōu méi•yǒu zhè zhǒng lìqi. Hòulái hūrán yǒu rén fāmíngle yī gè fāngfǎ，jiùshì bǎ yīxiē zhíwù de zhǒngzi fàng zài yào pōuxī de tóugàigǔ •lǐ，gěi tā yǐ wēndù yǔ shīdù，shǐ tā fāyá. Yī fāyá，zhèxiē zhǒngzi biàn yǐ kěpà de lì•liàng，jiāng yīqiè jīxièlì suǒ bùnéng fēnkāi de gǔgé，wánzhěng de fēnkāi le. Zhíwù zhǒngzi de lì•liàng zhī dà，rúcǐ rúcǐ.

Zhè，yěxǔ tèshūle yīdiǎnr，chángrén bù róng•yì lǐjiě. Nàme，nǐ kàn•jiànguo sǔn de chéngzhǎng ma? Nǐ kàn•jiànguo bèi yā zài wǎlì hé shíkuài xià•miàn de yī kē xiǎocǎo de shēngzhǎng ma? Tā wèizhe xiàngwǎng yángguāng，wèizhe dáchéng tā de shēng zhī yìzhì，bùguǎn shàng•miàn de shíkuài rúhé zhòng，shí yǔ shí zhījiān rúhé xiá，tā bìdìng yào qūqū-zhézhé de，dànshì wánqiáng-bùqū de tòudào dìmiàn shàng •lái. Tā de gēn wǎng tǔrǎng zuān，tā de yá wǎng dìmiàn tǐng，zhè shì yī zhǒng bùkě kàngjù de lì，zǔzhǐ tā de shíkuài，jiéguǒ yě bèi tā xiānfān，yī lì zhǒngzi de lì•liàng zhī dà，rú//cǐ rúcǐ.

Méi•yǒu yī gè rén jiāng xiǎo cǎo jiàozuò “dàlìshì”，dànshì tā de lì•liàng zhī dà，díquè shì shìjiè wúbǐ. Zhè zhǒng lì shì yībān rén kàn•bùjiàn de shēngmìnglì. Zhǐyào shēngmìng cúnzài，zhè zhǒng lì jiù yào xiǎnxiàn. Shàng•miàn de shíkuài，sīháo bù zúyǐ zǔdǎng. Yīn•wèi tā shì yī zhǒng “chángqī kàngzhàn” de lì；yǒu tánxìng，néngqū-néngshēn de lì；yǒu rènxìng，bù dá mùdì bù zhǐ de lì.

Jiéxuǎn zì Xià Yǎn《Yěcǎo》

作品 50 号

著名教育家班杰明曾经接到一个青年人的求救电话，并与那个向往成功、渴望指点的青年人约好了见面的时间和地点。

待那个青年如约而至时，班杰明的房门敞开着，眼前的景象却令青年人颇感意外——班杰明的房间里乱七八糟、狼藉一片。

没等青年人开口，班杰明就招呼道："你看我这房间，太不整洁了，请你在门外等候一分钟，我收拾一下，你再进来吧。"一边说着，班杰明就轻轻地关上了房门。

不到一分钟的时间，班杰明就又打开了房门并热情地把青年人让进客厅。这时，青年人的眼前展现出另一番景象——房间内的一切已变得井然有序，而且有两杯刚刚倒好的红酒，在淡淡的香水气息里还漾着微波。

可是，没等青年人把满腹的有关人生和事业的疑难问题向班杰明讲出来，班杰明就非常客气地说道："干杯。你可以走了。"

青年人手持酒杯一下子愣住了，既尴尬又非常遗憾地说："可是，我……我还没向您请教呢……"

"这些……难道还不够吗？"班杰明一边微笑着，一边扫视着自己的房间，轻言细语地说，"你进来又有一分钟了。"

"一分钟……一分钟……"青年人若有所思地说："我懂了，您让我明白了一分钟的时间可以做许//多事情，可以改变许多事情的深刻道理。"

班杰明舒心地笑了。青年人把杯里的红酒一饮而尽，向班杰明连连道谢后，开心地走了。

其实，只要把握好生命的每一分钟，也就把握了理想的人生。

节选自纪广洋《一分钟》

Zuòpǐn 50 Hào

Zhùmíng jiàoyùjiā Bānjiémíng céngjīng jiēdào yī gè qīngniánrén de qiújiù diànhuà, bìng yǔ nàge xiàngwǎng chénggōng、kěwàng zhǐdiǎn de qīngniánrén yuehǎole jiànmiàn de shíjiān hé dìdiǎn.

Dài nàge qīngnián rúyuē'érzhì shí, Bānjiémíng de fángmén chǎngkāizhe, yǎnqián de jǐngxiàng què lìng qīngniánrén pō gǎn yìwài——Bānjiémíng de fángjiān •lǐ luànqībāzāo、lángjí yī piàn.

Méi děng qīngniánrén kāikǒu, Bānjiémíng jiù zhāohu dào: "Nǐ kàn wǒ zhè fángjiān, tài bù zhěngjié le, qǐng nǐ zài mén wài děnghòu yī fēnzhōng, wǒ shōushi yīxià, nǐ zài jìn•lái ba." Yībiān shuōzhe, Bānjiémíng jiù qīngqīng de guān•shàngle fángmén.

Bù dào yī fēnzhōng de shíjiān, Bānjiémíng jiù yòu dǎkāile fángmén bìng rèqíng de bǎ qīngniánrén ràngjìn kètīng. Zhèshí, qīngniánrén de yǎnqián zhǎnxiàn chū lìng yī fān jǐngxiàng——fángjiān nèi de yīqiè yǐ biàn•dé jǐngrán-yǒuxù, érqiě yǒu liǎng bēi gānggāng dàohǎo de hóngjiǔ, zài dàndàn de xiāngshuǐ qìxī •lǐ hái yàngzhe wēibō.

Kěshì, méi děng qīngniánrén bǎ mǎnfù de yǒuguān rénshēng hé shìyè de yínán wèntí xiàng Bānjiémíng jiǎng chū•lái, Bānjiémíng jiù fēicháng kèqi de shuōdào: "Gānbēi. Nǐ kěyǐ zǒu le."

Qīngniánrén shǒu chí jiǔbēi yīxiàzi lèngzhù le, jì gāngà yòu fēicháng yíhàn de shuō: "Kěshì, wǒ…… wǒ hái méi xiàng nín qǐngjiào ne……"

"Zhèxiē…… nándào hái bùgòu ma?" Bānjiémíng yībiān wēixiàozhe, yībiān sǎoshìzhe zìjǐ de fángjiān, qīngyán-xìyǔ de shuō, "Nǐ jìn•lái yòu yǒu yī fēnzhōng le."

"Yī fēnzhōng…… yī fēnzhōng……" Qīngniánrén ruòyǒusuǒsī de shuō: "Wǒ dǒng le, nín ràng wǒ míngbaile yī fēnzhōng de shíjiān kěyǐ zuò xǔ // duō shìqing, kěyǐ gǎibiàn xǔduō shìqing de shēnkè dào•lǐ."

Bānjiémíng shūxīn de xiào le. Qīngniánrén bǎ bēi•lǐ de hóngjiǔ yīyǐn'érjìn, xiàng Bānjiémíng liánlián dàoxiè hòu, kāixīn de zǒu le.

Qíshí, zhǐyào bǎwò hǎo shēngmìng de měi yī fēnzhōng, yě jiù bǎwòle lǐxiǎng de rénshēng.

Jiéxuǎn zì Jǐ Guǎngyáng《Yī Fēnzhōng》

作品 51 号

有个塌鼻子的小男孩儿，因为两岁时得过脑炎，智力受损，学习起来很吃力。打个比方，别人写作文能写二三百字，他却只能写三五行。但即便这样的作文，他同样能写得很动人。

那是一次作文课，题目是《愿望》。他极其认真地想了半天，然后极认真地写，那作文极短。只有三句话：我有两个愿望，第一个是，妈妈天天笑眯眯地看着我说："你真聪明，"第二个是，老师天天笑眯眯地看着我说："你一点儿也不笨。"

于是，就是这篇作文，深深地打动了他的老师，那位妈妈式的老师不仅给了他最高分，在班上带感情地朗读了这篇作文，还一笔一画地批道：你很聪明，你的作文写得非常感人，请放心，妈妈肯定会格外喜欢你的，老师肯定会格外喜欢你的，大家肯定会格外喜欢你的。

捧着作文本，他笑了，蹦蹦跳跳地回家了，像只喜鹊。但他并没有把作文本拿给妈妈看，他是在等待，等待着一个美好的时刻。

那个时刻终于到了，是妈妈的生日——一个阳光灿烂的星期天：那天，他起得特别早，把作文本装在一个亲手做的美丽的大信封里，等着妈妈醒来。妈妈刚刚睁眼醒来，他就笑眯眯地走到妈妈跟前说："妈妈，今天是您的生日，我要//送给您一件礼物。"

果然，看着这篇作文，妈妈甜甜地涌出了两行热泪，一把搂住小男孩儿，搂得很紧很紧。

是的，智力可以受损，但爱永远不会。

节选自张玉庭《一个美丽的故事》

Zuòpǐn 51 Hào

Yǒu gè tā bízi de xiǎonánháir, yīn·wèi liǎng suì shí déguo nǎoyán, zhìlì shòu sǔn, xuéxí qǐ·lái hěn chīlì. Dǎ gè bǐfang, bié·rén xiě zuòwén néng xiě èr-sānbǎi zì, tā què zhǐnéng xiě sān-wǔ háng. Dàn jíbiàn zhèyàng de zuòwén, tā tóngyàng néng xiě de hěn dòngrén.

Nà shì yī cì zuòwénkè, tímù shì《Yuànwàng》. Tā jíqí rènzhēn de xiǎngle bàntiān, ránhòu jí rènzhēn de xiě, nà zuòwén jí duǎn. Zhǐyǒu sān jù huà: Wǒ yǒu liǎng gè yuànwàng, dì-yī gè shì, māma tiāntiān xiàomīmī de kànzhe wǒ shuō:"Nǐ zhēn cōng·míng," dì-èr gè shì, lǎoshī tiāntiān xiàomīmī de kànzhe wǒ shuō:"Nǐ yīdiǎnr yě bù bèn."

Yúshì, jiùshì zhè piān zuòwén, shēnshēn de dǎdòngle tā de lǎoshī, nà wèi māma shì de lǎoshī bùjǐn gěile tā zuì gāo fēn, zài bān·shàng dài gǎnqíng de lǎngdúle zhè piān zuòwén, hái yībǐ-yīhuà de pīdào: Nǐ hěn cōng·míng, nǐ de zuòwén xiě de fēicháng gǎnrén, qǐng fàngxīn, māma kěndìng huì géwài xǐhuan nǐ de, lǎoshī kěndìng huì géwài xǐhuan nǐ de, dàjiā kěndìng huì géwài xǐhuan nǐ de.

Pěngzhe zuòwénběn, tā xiào le, bèngbèng-tiàotiào de huíjiā le, xiàng zhī xǐ·què. Dàn tā bìng méi·yǒu bǎ zuòwénběn nágěi māma kàn, tā shì zài děngdài, děngdàizhe yī gè měihǎo de shíkè.

Nàge shíkè zhōngyú dào le, shì māma de shēng·rì —— yī gè yángguāng cànlàn de xīngqītiān: Nà tiān, tā qǐ de tèbié zǎo, bǎ zuòwénběn zhuāng zài yī gè qīnshǒu zuò de měilì de dà xìnfēng ·lǐ, děngzhe māma xǐng·lái. Māma gānggāng zhēng yǎn xǐng·lái, tā jiù xiàomīmī de zǒudào māma gēn·qián shuō:"Māma, jīntiān shì nín de shēng·rì, wǒ yào// sònggěi nín yī jiàn lǐwù."

Guǒrán, kànzhe zhè piān zuòwén, māma tiántián de yǒngchūle liǎng háng rèlèi, yī bǎ lǒuzhù xiǎonánháir, lǒu de hěn jǐn hěn jǐn.

Shìde, zhìlì kěyǐ shòu sǔn, dàn ài yǒngyuǎn bù huì.

Jiéxuǎn zì Zhāng Yùtíng《Yī Gè Měilì de Gùshi》

作品 52 号

小学的时候,有一次我们去海边远足,妈妈没有做便饭,给了我十块钱买午餐。好像走了很久,很久,终于到海边了,大家坐下来便吃饭,荒凉的海边没有商店,我一个人跑到防风林外面去,级任老师要大家把吃剩的饭菜分给我一点儿。有两三个男生留下一点儿给我,还有一个女生,她的米饭拌了酱油,很香。我吃完的时候,她笑眯眯地看着我,短头发,脸圆圆的。

她的名字叫翁香玉。

每天放学的时候,她走的是经过我们家的一条小路,带着一位比她小的男孩儿,可能是弟弟。小路边是一条清澈见底的小溪,两旁竹阴覆盖,我总是远远地跟在她后面,夏日的午后特别炎热,走到半路她会停下来,拿手帕在溪水里浸湿,为小男孩儿擦脸。我也在后面停下来,把肮脏的手帕弄湿了擦脸,再一路远远跟着她回家。

后来我们家搬到镇上去了,过几年我也上了中学。有一天放学回家,在火车上,看见斜对面一位短头发、圆圆脸的女孩儿,一身素净的白衣黑裙。我想她一定不认识我了。火车很快到站了,我随着人群挤向门口,她也走近了,叫我的名字。这是她第一次和我说话。

她笑眯眯的,和我一起走过月台。以后就没有再见过//她了。

这篇文章收在我出版的《少年心事》这本书里。

书出版后半年,有一天我忽然收到出版社转来的一封信,信封上是陌生的字迹,但清楚地写着我的本名。

信里面说她看到了这篇文章心里非常激动,没想到在离开家乡,漂泊异地这么久之后,会看见自己仍然在一个人的记忆里,她自己也深深记得这其中的每一幕,只是没想到越过遥远的时空,竟然另一个人也深深记得。

节选自苦伶《永远的记忆》

Zuòpǐn 52 Hào

Xiǎoxué de shíhou, yǒu yī cì wǒmen qù hǎibiān yuǎnzú, māma méi•yǒu zuò biànfàn, gěile wǒ shí kuài qián mǎi wǔcān. Hǎoxiàng zǒule hěn jiǔ, hěn jiǔ, zhōngyú dào hǎibiān le, dàjiā zuò xià•lái biàn chīfàn, huāngliáng de hǎibiān méi•yǒu shāngdiàn, wǒ yī gè rén pǎodào fángfēnglín wài•miàn qù, jírèn lǎoshī yào dàjiā bǎ chīshèng de fàncài fēngěi wǒ yīdiǎnr. Yǒu liǎng-sān gè nánshēng liú•xià yīdiǎnr gěi wǒ, háiyǒu yī gè nǚshēng, tā de mǐfàn bànle jiàngyóu, hěn xiāng. Wǒ chīwán de shíhou, tā xiàomīmī de kànzhe wǒ, duǎn tóufa, liǎn yuányuán de.

Tā de míngzi jiào Wēng Xiāngyù.

Měi tiān fàngxué de shíhou, tā zǒu de shì jīngguò wǒmen jiā de yī tiáo xiǎolù, dàizhe yī wèi bǐ tā xiǎo de nánháir, kěnéng shì dìdi. Xiǎolù biān shì yī tiáo qīngchè jiàn dǐ de xiǎoxī, liǎngpáng zhúyīn fùgài, wǒ zǒngshì yuǎnyuǎn de gēn zài tā hòu•miàn, xiàrì de wǔhòu tèbié yánrè, zǒudào bànlù tā huì tíng xià•lái, ná shǒupà zài xīshuǐ•lǐ jìnshī, wèi xiǎonánháir cā liǎn. Wǒ yě zài hòu•miàn tíng xià•lái, bǎ āngzāng de shǒupà nòngshīle cā liǎn, zài yīlù yuǎnyuǎn gēnzhe tā huíjiā.

Hòulái wǒmen jiā bāndào zhèn•shàng qù le, guò jǐ nián wǒ yě shàngle zhōngxué. Yǒu yī tiān fàngxué huíjiā, zài huǒchē•shàng, kàn•jiàn xiéduìmiàn yī wèi duǎn tóufa、yuányuán liǎn de nǚháir, yī shēn sùjing de bái yī hēi qún. Wǒ xiǎng tā yīdìng bù rènshi wǒ le. Huǒchē hěn kuài dào zhàn le, wǒ suízhe rénqún jǐ xiàng ménkǒu, tā yě zǒujìn le, jiào wǒ de míngzi. Zhè shì tā dì-yī cì hé wǒ shuōhuà.

Tā xiàomīmī de, hé wǒ yīqǐ zǒuguò yuètái. Yǐhòu jiù méi•yǒu zài jiànguo// tā le.

Zhè piān wénzhāng shōu zài wǒ chūbǎn de《Shàonián Xīnshì》zhè běn shū•lǐ.

Shū chūbǎn hòu bàn nián, yǒu yī tiān wǒ hūrán shōudào chūbǎnshè zhuǎnlái de yī fēng xìn, xìnfēng•shàng shì mòshēng de zìjì, dàn qīngchu de xiězhe wǒ de běnmíng.

Xìn lǐ•miàn shuō tā kàndàole zhè piān wénzhāng xīn•lǐ fēicháng jīdòng, méi xiǎngdào zài líkāi jiāxiāng, piāobó yìdì zhème jiǔ zhīhòu, huì kàn•jiàn zìjǐ réngrán zài yī gè rén de jìyì•lǐ, tā zìjǐ yě shēnshēn jì•dé zhè qízhōng de měi yī mù, zhǐshì méi xiǎngdào yuèguo yáoyuǎn de shíkōng, jìngrán lìng yī gè rén yě shēnshēn jì•dé.

Jiéxuǎn zì Kǔ Líng《Yǒngyuǎn de Jìyì》

作品53号

在繁华的巴黎大街的路旁，站着一个衣衫褴褛、头发斑白、双目失明的老人。他不像其他乞丐那样伸手向过路行人乞讨，而是在身旁立一块木牌，上面写着："我什么也看不见！"街上过往的行人很多，看了木牌上的字都无动于衷，有的还淡淡一笑，便姗姗而去了。

这天中午，法国著名诗人让·彼浩勒也经过这里。他看看木牌上的字，问盲老人："老人家，今天上午有人给你钱吗？"

盲老人叹息着回答："我，我什么也没有得到。"说着，脸上的神情非常悲伤。

让·彼浩勒听了，拿起笔悄悄地在那行字的前面添上了"春天到了，可是"几个字，就匆匆地离开了。

晚上，让·彼浩勒又经过这里，问那个盲老人下午的情况。盲老人笑着回答说："先生，不知为什么，下午给我钱的人多极了！"让·彼浩勒听了，摸着胡子满意地笑了。

"春天到了，可是我什么也看不见！"这富有诗意的语言，产生这么大的作用，就在于它有非常浓厚的感情色彩。是的，春天是美好的，那蓝天白云，那绿树红花，那莺歌燕舞，那流水人家，怎么不叫人陶醉呢？但这良辰美景，对于一个双目失明的人来说，只是一片漆黑。当人们想到这个盲老人，一生中竟连万紫千红的春天//都不曾看到，怎能不对他产生同情之心呢？

节选自小学《语文》第六册中《语言的魅力》

Zuòpǐn 53 Hào

Zài fánhuá de Bālí dàjiē de lùpáng, zhànzhe yī gè yīshān lánlǚ、tóufa bānbái、shuāngmù shīmíng de lǎorén. Tā bù xiàng qítā qǐgài nàyàng shēnshǒu xiàng guòlù xíngrén qǐtǎo, ér shì zài shēnpáng lì yī kuài mùpái, shàng•miàn xiězhe:“Wǒ shénme yě kàn•bùjiàn!” Jiē•shàng guòwǎng de xíngrén hěn duō, kànle mùpái •shàng de zì dōu wúdòngyúzhōng, yǒude hái dàndàn yī xiào, biàn shānshān ér qù le.

Zhè tiān zhōngwǔ, Fǎguó zhùmíng shīrén Ràng Bǐhàolè yě jīngguò zhè•lǐ. Tā kànkan mùpái •shàng de zì, wèn máng lǎorén:“Lǎo•rén•jiā, jīntiān shàngwǔ yǒu rén gěi nǐ qián ma?”

Máng lǎorén tànxīzhe huídá:“Wǒ, wǒ shénme yě méi•yǒu dédào.” Shuōzhe, liǎn •shàng de shénqíng fēicháng bēishāng.

Ràng Bǐhàolè tīng le, náqǐ bǐ qiāoqiāo de zài nà háng zì de qián•miàn tiān•shàngle“chūntiān dào le, kěshì” jǐ gè zì, jiù cōngcōng de líkāi le.

Wǎnshang, Ràng Bǐhàolè yòu jīngguò zhè•lǐ, wèn nàge máng lǎorén xiàwǔ de qíngkuàng. Máng lǎorén xiàozhe huídá shuō:“Xiānsheng, bù zhī wèishénme, xiàwǔ gěi wǒ qián de rén duō jí le!” Ràng Bǐhàolè tīng le, mōzhe húzi mǎnyì de xiào le.

“Chūntiān dào le, kěshì wǒ shénme yě kàn•bùjiàn!”Zhè fùyǒu shīyì de yǔyán, chǎnshēng zhème dà de zuòyòng, jiù zàiyú tā yǒu fēicháng nónghòu de gǎnqíng sècǎi. Shìde, chūntiān shì měihǎo de, nà lántiān báiyún, nà lǜshù hónghuā, nà yīnggē-yànwǔ, nà liúshuǐ rénjiā, zěnme bù jiào rén táozuì ne? Dàn zhè liángchén měijǐng, duìyú yī gè shuāngmù shīmíng de rén lái shuō, zhǐshì yī piàn qīhēi. Dāng rénmen xiǎngdào zhège máng lǎorén, yīshēng zhōng jìng lián wànzǐ-qiānhóng de chūntiān// dōu bùcéng kàndào, zěn néng bù duì tā chǎnshēng tóngqíng zhī xīn ne?

Jiéxuǎn zì Xiǎoxué《Yǔwén》dì-liù cè zhōng《Yǔyán de Mèilì》

作品54号

有一次，苏东坡的朋友张鹗拿着一张宣纸来求他写一幅字，而且希望他写一点儿关于养生方面的内容。苏东坡思索了一会儿，点点头说："我得到了一个养生长寿古方，药只有四味，今天就赠给你吧。"于是，东坡的狼毫在纸上挥洒起来，上面写着："一曰无事以当贵，二曰早寝以当富，三曰安步以当车，四曰晚食以当肉。"

这哪里有药？张鹗一脸茫然地问。苏东坡笑着解释说，养生长寿的要诀，全在这四句里面。

所谓"无事以当贵"，是指人不要把功名利禄、荣辱过失考虑得太多，如能在情志上潇洒大度，随遇而安，无事以求，这比富贵更能使人终其天年。

"早寝以当富"，指吃好穿好、财货充足，并非就能使你长寿。对老年人来说，养成良好的起居习惯，尤其是早睡早起，比获得任何财富更加宝贵。

"安步以当车"，指人不要过于讲求安逸、肢体不劳，而应多以步行来替代骑马乘车，多运动才可以强健体魄，通畅气血。

"晚食以当肉"，意思是人应该用已饥方食、未饱先止代替对美味佳肴的贪吃无厌。他进一步解释，饿了以后才进食，虽然是粗茶淡饭，但其香甜可口会胜过山珍；如果饱了还要勉强吃，即使美味佳肴摆在眼前也难以//下咽。

苏东坡的四味"长寿药"，实际上是强调了情志、睡眠、运动、饮食四个方面对养生长寿的重要性，这种养生观点即使在今天仍然值得借鉴。

节选自蒲昭和《赠你四味长寿药》

Zuòpǐn 54 Hào

Yǒu yī cì, Sū Dōngpō de péngyou Zhāng È názhe yī zhāng xuānzhǐ lái qiú tā xiě yī fú zì, érqiě xīwàng tā xiě yīdiǎnr guānyú yǎngshēng fāngmiàn de nèiróng. Sū Dōngpō sīsuǒle yīhuìr, diǎndiǎn tóu shuō: "Wǒ dédàole yī gè yǎngshēng chángshòu gǔfāng, yào zhǐyǒu sì wèi, jīntiān jiù zènggěi nǐ ba." Yúshì, Dōngpō de lángháo zài zhǐ •shàng huīsǎ qǐ•lái, shàng•miàn xiězhe: "Yī yuē wú shì yǐ dàng guì, èr yuē zǎo qǐn yǐ dàng fù, sān yuē ān bù yǐ dàng chē, sì yuē wǎn shí yǐ dàng ròu."

Zhè nǎ•lǐ yǒu yào? Zhāng È yīliǎn mángrán de wèn. Sū Dōngpō xiàozhe jiěshì shuō, yǎngshēng chángshòu de yàojué, quán zài zhè sì jù lǐ•miàn.

Suǒwèi "wú shì yǐ dàng guì", shì zhǐ rén bùyào bǎ gōngmíng lìlù、róngrǔ guòshī kǎolǜ de tài duō, rú néng zài qíngzhì •shàng xiāosǎ dàdù, suíyù'ér'ān, wú shì yǐ qiú, zhè bǐ fùguì gèng néng shǐ rén zhōng qí tiānnián.

"Zǎo qǐn yǐ dàng fù", zhǐ chīhǎo chuānhǎo、cáihuò chōngzú, bìngfēi jiù néng shǐ nǐ chángshòu. Duì lǎoniánrén lái shuō, yǎngchéng liánghǎo de qǐjū xíguàn, yóuqí shì zǎo shuì zǎo qǐ, bǐ huòdé rènhé cáifù gèngjiā bǎoguì.

"Ān bù yǐ dàng chē", zhǐ rén bùyào guòyú jiǎngqiú ānyì、zhītǐ bù láo, ér yīng duō yǐ bùxíng lái tìdài qímǎ chéngchē, duō yùndòng cái kěyǐ qiángjiàn tǐpò, tōngchàng qìxuè.

"Wǎn shí yǐ dàng ròu", yìsi shì rén yīnggāi yòng yǐ jī fāng shí、wèi bǎo xiān zhǐ dàitì duì měiwèi jiāyáo de tānchī wú yàn. Tā jìnyībù jiěshì, èle yǐhòu cái jìnshí, suīrán shì cūchá-dànfàn, dàn qí xiāngtián kěkǒu huì shèngguò shānzhēn; rúguǒ bǎole háiyào miǎnqiǎng chī, jíshǐ měiwèi jiāyáo bǎi zài yǎnqián yě nányǐ// xiàyàn.

Sū Dōngpō de sì wèi "chángshòuyào", shíjì •shàng shì qiángdiàole qíngzhì、shuìmián、yùndòng、yǐnshí sì gè fāngmiàn duì yǎngshēng chángshòu de zhòngyàoxìng, zhè zhǒng yǎngshēng guāndiǎn jíshǐ zài jīntiān réngrán zhí•dé jièjiàn.

Jiéxuǎn zì Pú Zhāohé《Zèng Nǐ Sì Wèi Chángshòuyào》

作品 55 号

人活着，最要紧的是寻觅到那片代表着生命绿色和人类希望的丛林，然后选一高高的枝头站在那里观览人生，消化痛苦，孕育歌声，愉悦世界！

这可真是一种潇洒的人生态度，这可真是一种心境爽朗的情感风貌。

站在历史的枝头微笑，可以减免许多烦恼。在那里，你可以从众生相所包含的甜酸苦辣、百味人生中寻找你自己；你境遇中的那点儿苦痛，也许相比之下，再也难以占据一席之地；你会较容易地获得从不悦中解脱灵魂的力量，使之不致变得灰色。

人站得高些，不但能有幸早些领略到希望的曙光，还能有幸发现生命的立体的诗篇。每一个人的人生，都是这诗篇中的一个词、一个句子或者一个标点。你可能没有成为一个美丽的词，一个引人注目的句子，一个惊叹号，但你依然是这生命的立体诗篇中的一个音节、一个停顿、一个必不可少的组成部分。这足以使你放弃前嫌，萌生为人类孕育新的歌声的兴致，为世界带来更多的诗意。

最可怕的人生见解，是把多维的生存图景看成平面。因为那平面上刻下的大多是凝固了的历史——过去的遗迹；但活着的人们，活得却是充满着新生智慧的，由∥不断逝去的“现在”组成的未来。人生不能像某些鱼类躺着游，人生也不能像某些兽类爬着走，而应该站着向前行，这才是人类应有的生存姿态。

节选自［美］本杰明·拉什《站在历史的枝头微笑》

Zuòpǐn 55 Hào

Rén huózhe, zuì yàojǐn de shì xúnmì dào nà piàn dàibiǎozhe shēngmìng lǜsè hé rénlèi xīwàng de cónglín, ránhòu xuǎn yī gāogāo de zhītóu zhàn zài nà•lǐ guānlǎn rénshēng, xiāohuà tòngkǔ, yùnyù gēshēng, yúyuè shìjiè!

Zhè kě zhēn shì yī zhǒng xiāosǎ de rénshēng tài•dù, zhè kě zhēn shì yī zhǒng xīnjìng shuǎnglǎng de qínggǎn fēngmào.

Zhàn zài lìshǐ de zhītóu wēixiào, kěyǐ jiǎnmiǎn xǔduō fánnǎo. Zài nà•lǐ, nǐ kěyǐ cóng zhòngshēngxiàng suǒ bāohán de tián-suān-kǔ-là、bǎiwèi rénshēng zhōng xúnzhǎo nǐ zìjǐ; nǐ jìngyù zhōng de nà diǎnr kǔtòng, yěxǔ xiāngbǐ zhīxià, zài yě nányǐ zhànjù yī xí zhī dì; nǐ huì jiào róng•yì de huòdé cóng bùyuè zhōng jiětuō línghún de lì•liàng, shǐ zhī bùzhì biàn de huīsè.

Rén zhàn de gāo xiē, bùdàn néng yǒuxìng zǎo xiē lǐnglüè dào xīwàng de shǔguāng, hái néng yǒuxìng fāxiàn shēngmìng de lìtǐ de shīpiān. Měi yī gè rén de rénshēng, dōu shì zhè shīpiān zhōng de yī gè cí、yī gè jùzi huòzhě yī gè biāodiǎn. Nǐ kěnéng méi•yǒu chéngwéi yī gè měilì de cí, yī gè yǐnrén-zhùmù de jùzi, yī gè jīngtànhào, dàn nǐ yīrán shì zhè shēngmìng de lìtǐ shīpiān zhōng de yī gè yīnjié、yī gè tíngdùn、yī gè bìbùkěshǎo de zǔchéng bùfen. Zhè zúyǐ shǐ nǐ fàngqì qiánxián, méngshēng wèi rénlèi yùnyù xīn de gēshēng de xìngzhì, wèi shìjiè dài•lái gèng duō de shīyì.

Zuì kěpà de rénshēng jiànjiě, shì bǎ duōwéi de shēngcún tújǐng kànchéng píngmiàn. Yīn•wèi nà píngmiàn •shàng kèxià de dàduō shì nínggùle de lìshǐ —— guòqù de yíjì; dàn huózhe de rénmen, huó de què shì chōngmǎnzhe xīnshēng zhìhuì de, yóu// bùduàn shìqù de "xiànzài" zǔchéng de wèilái. Rénshēng bùnéng xiàng mǒu xiē yúlèi tǎngzhe yóu, rénshēng yě bùnéng xiàng mǒu xiē shòulèi pázhe zǒu, ér yīnggāi zhànzhe xiàngqián xíng, zhè cái shì rénlèi yīngyǒu de shēngcún zītài.

Jiéxuǎn zì [Měi] Běnjiémíng Lāshí
《Zhàn Zài Lìshǐ de Zhītóu Wēixiào》

作品 56 号

中国的第一大岛、台湾省的主岛台湾，位于中国大陆架的东南方，地处东海和南海之间，隔着台湾海峡和大陆相望。天气晴朗的时候，站在福建沿海较高的地方，就可以隐隐约约地望见岛上的高山和云朵。

台湾岛形状狭长，从东到西，最宽处只有一百四十多公里；由南至北，最长的地方约有三百九十多公里。地形像一个纺织用的梭子。

台湾岛上的山脉纵贯南北，中间的中央山脉犹如全岛的脊梁。西部为海拔近四千米的玉山山脉，是中国东部的最高峰。全岛约有三分之一的地方是平地，其余为山地。岛内有缎带般的瀑布，蓝宝石似的湖泊，四季常青的森林和果园，自然景色十分优美。西南部的阿里山和日月潭，台北市郊的大屯山风景区，都是闻名世界的游览胜地。

台湾岛地处热带和温带之间，四面环海，雨水充足，气温受到海洋的调剂，冬暖夏凉，四季如春，这给水稻和果木生长提供了优越的条件。水稻、甘蔗、樟脑是台湾的“三宝”。岛上还盛产鲜果和鱼虾。

台湾岛还是一个闻名世界的“蝴蝶王国”。岛上的蝴蝶共有四百多个品种，其中有不少是世界稀有的珍贵品种。岛上还有不少鸟语花香的蝴//蝶谷，岛上居民利用蝴蝶制作的标本和艺术品，远销许多国家。

节选自《中国的宝岛——台湾》

Zuòpǐn 56 Hào

Zhōngguó de dì-yī dàdǎo、Táiwān Shěng de zhǔdǎo Táiwān，wèiyú Zhōngguó dàlùjià de dōngnánfāng，dìchǔ Dōng Hǎi hé Nán Hǎi zhījiān，gézhe Táiwān Hǎixiá hé Dàlù xiāngwàng. Tiānqì qínglǎng de shíhou，zhàn zài Fújiàn yánhǎi jiào gāo de dìfang，jiù kěyǐ yǐnyǐn-yuēyuē de wàng•jiàn dǎo •shàng de gāoshān hé yúnduǒ.

Táiwān Dǎo xíngzhuàng xiácháng，cóng dōng dào xī，zuì kuān chù zhǐyǒu yībǎi sìshí duō gōnglǐ；yóu nán zhì běi，zuì cháng de dìfang yuē yǒu sānbǎi jiǔshí duō gōnglǐ. Dìxíng xiàng yī gè fǎngzhī yòng de suōzi.

Táiwān Dǎo •shàng de shānmài zòngguàn nánběi，zhōngjiān de Zhōngyāng Shānmài yóurú quándǎo de jǐliang. Xībù wéi hǎibá jìn sìqiān mǐ de Yù Shān shānmài，shì Zhōngguó dōngbù de zuì gāo fēng. Quándǎo yuē yǒu sān fēn zhī yī de dìfang shì píngdì，qíyú wéi shāndì. Dǎonèi yǒu duàndài bān de pùbù，lánbǎoshí shìde húpō，sìjì chángqīng de sēnlín hé guǒyuán，zìrán jǐngsè shífēn yōuměi. Xīnánbù de Ālǐ Shān hé Rìyuè Tán，Táiběi shìjiāo de Dàtúnshān fēngjǐngqū，dōu shì wénmíng shìjiè de yóulǎn shèngdì.

Táiwān Dǎo dìchǔ rèdài hé wēndài zhījiān，sìmiàn huán hǎi，yǔshuǐ chōngzú，qìwēn shòudào hǎiyáng de tiáojì，dōng nuǎn xià liáng，sìjì rú chūn，zhè gěi shuǐdào hé guǒmù shēngzhǎng tígōngle yōuyuè de tiáojiàn. Shuǐdào、gānzhe、zhāngnǎo shì Táiwān de“sān bǎo”. Dǎo •shàng hái shèngchǎn xiānguǒ hé yúxiā.

Táiwān Dǎo háishì yī gè wénmíng shìjiè de“húdié wángguó”. Dǎo•shàng de húdié gòng yǒu sìbǎi duō gè pǐnzhǒng，qízhōng yǒu bùshǎo shì shìjiè xīyǒu de zhēnguì pǐnzhǒng. Dǎo•shàng háiyǒu bùshǎo niǎoyǔ-huāxiāng de hú // diégǔ，dǎo •shàng jūmín lìyòng húdié zhìzuò de biāoběn hé yìshùpǐn，yuǎnxiāo xǔduō guójiā.

Jiéxuǎn zì《Zhōngguó de Bǎodǎo——Táiwān》

作品 57 号

对于中国的牛，我有着一种特别尊敬的感情。

留给我印象最深的，要算在田垄上的一次“相遇”。

一群朋友郊游，我领头在狭窄的阡陌上走，怎料迎面来了几头耕牛，狭道容不下人和牛，终有一方要让路。它们还没有走近，我们已经预计斗不过畜牲，恐怕难免踩到田地泥水里，弄得鞋袜又泥又湿了。正踟蹰的时候，带头的一头牛，在离我们不远的地方停下来，抬起头看看，稍迟疑一下，就自动走下田去。一队耕牛，全跟着它离开阡陌，从我们身边经过。

我们都呆了，回过头来，看着深褐色的牛队，在路的尽头消失，忽然觉得自己受了很大的恩惠。

中国的牛，永远沉默地为人做着沉重的工作。在大地上，在晨光或烈日下，它拖着沉重的犁，低头一步又一步，拖出了身后一列又一列松土，好让人们下种。等到满地金黄或农闲时候，它可能还得担当搬运负重的工作；或终日绕着石磨，朝同一方向，走不计程的路。

在它沉默的劳动中，人便得到应得的收成。

那时候，也许，它可以松一肩重担，站在树下，吃几口嫩草。偶尔摇摇尾巴，摆摆耳朵，赶走飞附身上的苍蝇，已经算是它最闲适的生活了。

中国的牛，没有成群奔跑的习//惯，永远沉沉实实的，默默地工作，平心静气。这就是中国的牛！

节选自小思《中国的牛》

Zuòpǐn 57 Hào

Duìyú Zhōngguó de niú, wǒ yǒuzhe yī zhǒng tèbié zūnjìng de gǎnqíng.

Liúgěi wǒ yìnxiàng zuì shēn de, yào suàn zài tiánlǒng •shàng de yī cì "xiāngyù".

Yī qún péngyou jiāoyóu, wǒ lǐngtóu zài xiázhǎi de qiānmò •shàng zǒu, zěnliào yíngmiàn láile jǐ tóu gēngniú, xiádào róng•bùxià rén hé niú, zhōng yǒu yīfāng yào rànglù. Tāmen hái méi•yǒu zǒujìn, wǒmen yǐ•jīng yùjì dòu•bù•guò chùsheng, kǒngpà nánmiǎn cǎidào tiándì níshuǐ •lǐ, nòng de xiéwà yòu ní yòu shī le. Zhèng chíchú de shíhou, dàitóu de yī tóu niú, zài lí wǒmen bùyuǎn de dìfang tíng xià•lái, táiqǐ tóu kànkan, shāo chíyí yīxià, jiù zìdòng zǒu•xià tián qù. Yī duì gēngniú, quán gēnzhe tā líkāi qiānmò, cóng wǒmen shēnbiān jīngguò.

Wǒmen dōu dāi le, huíguo tóu•lái, kànzhe shēnhèsè de niúduì, zài lù de jìntóu xiāoshī, hūrán jué•dé zìjǐ shòule hěn dà de ēnhuì.

Zhōngguó de niú, yǒngyuǎn chénmò de wèi rén zuòzhe chénzhòng de gōngzuò. Zài dàdì •shàng, zài chénguāng huò lièrì •xià, tā tuōzhe chénzhòng de lí, dītóu yī bù yòu yī bù, tuōchūle shēnhòu yī liè yòu yī liè sōngtǔ, hǎo ràng rénmen xià zhǒng. Děngdào mǎndì jīnhuáng huò nóngxián shíhou, tā kěnéng háiděi dāndāng bānyùn fùzhòng de gōngzuò; huò zhōngrì ràozhe shímò, cháo tóng yī fāngxiàng, zǒu bù jìchéng de lù.

Zài tā chénmò de láodòng zhōng, rén biàn dédào yīng dé de shōucheng.

Nà shíhou, yěxǔ, tā kěyǐ sōng yī jiān zhòngdàn, zhàn zài shù •xià, chī jǐ kǒu nèn cǎo. Ǒu'ěr yáoyao wěiba, bǎibai ěrduo, gǎnzǒu fēifù shēn •shàng de cāngying, yǐ•jīng suàn shì tā zuì xiánshì de shēnghuó le.

Zhōngguó de niú, méi•yǒu chéngqún bēnpǎo de xí//guàn, yǒngyuǎn chénchén-shíshí de, mòmò de gōngzuò, píngxīn-jìngqì. Zhè jiùshì Zhōngguó de niú!

Jiéxuǎn zì Xiǎo Sī《Zhōngguó de Niú》

作品 58 号

不管我的梦想能否成为事实，说出来总是好玩儿的：

春天，我将要住在杭州。二十年前，旧历的二月初，在西湖我看见了嫩柳与菜花，碧浪与翠竹。由我看到的那点儿春光，已经可以断定，杭州的春天必定会教人整天生活在诗与图画之中。所以，春天我的家应当是在杭州。

夏天，我想青城山应当算作最理想的地方。在那里，我虽然只住过十天，可是它的幽静已拴住了我的心灵。在我所看见过的山水中，只有这里没有使我失望。到处都是绿，目之所及，那片淡而光润的绿色都在轻轻地颤动，仿佛要流入空中与心中似的。这个绿色会像音乐，涤清了心中的万虑。

秋天一定要住北平。天堂是什么样子，我不知道，但是从我的生活经验去判断，北平之秋便是天堂。论天气，不冷不热。论吃的，苹果、梨、柿子、枣儿、葡萄，每样都有若干种。论花草，菊花种类之多，花式之奇，可以甲天下。西山有红叶可见，北海可以划船——虽然荷花已残，荷叶可还有一片清香。衣食住行，在北平的秋天，是没有一项不使人满意的。

冬天，我还没有打好主意，成都或者相当得合适，虽然并不怎样和暖，可是为了水仙，素心腊梅，各色的茶花，仿佛就受一点儿寒//冷，也颇值得去了。昆明的花也多，而且天气比成都好，可是旧书铺与精美而便宜的小吃远不及成都那么多。好吧，就暂这么规定：冬天不住成都便住昆明吧。

在抗战中，我没能发国难财。我想，抗战胜利以后，我必能阔起来。那时候，假若飞机减价，一二百元就能买一架的话，我就自备一架，择黄道吉日慢慢地飞行。

节选自老舍《住的梦》

Zuòpǐn 58 Hào

Bùguǎn wǒ de mèngxiǎng néngfǒu chéngwéi shìshí, shuō chū•lái zǒngshì hǎowánr de:

Chūntiān, wǒ jiāng yào zhù zài Hángzhōu. Èrshí nián qián, jiùlì de èryuè chū, zài Xīhú wǒ kàn•jiànle nènliǔ yǔ càihuā, bìlàng yǔ cuìzhú. Yóu wǒ kàndào de nà diǎnr chūnguāng, yǐ•jīng kěyǐ duàndìng, Hángzhōu de chūntiān bìdìng huì jiào rén zhěngtiān shēnghuó zài shī yǔ túhuà zhīzhōng. Suǒyǐ, chūntiān wǒ de jiā yīngdāng shì zài Hángzhōu.

Xiàtiān, wǒ xiǎng Qīngchéng Shān yīngdāng suànzuò zuì lǐxiǎng de dìfang. Zài nà•lǐ, wǒ suīrán zhǐ zhùguo shí tiān, kěshì tā de yōujìng yǐ shuānzhùle wǒ de xīnlíng. Zài wǒ suǒ kàn•jiànguo de shānshuǐ zhōng, zhǐyǒu zhè•lǐ méi•yǒu shǐ wǒ shīwàng. Dàochù dōu shì lǜ, mù zhī suǒ jí, nà piàn dàn ér guāngrùn de lǜsè dōu zài qīngqīng de chàndòng, fǎngfú yào liúrù kōngzhōng yǔ xīnzhōng shìde. Zhège lǜsè huì xiàng yīnyuè, díqīngle xīnzhōng de wàn lǜ.

Qiūtiān yīdìng yào zhù Běipíng. Tiāntáng shì shénme yàngzi, wǒ bù zhī•dào, dànshì cóng wǒ de shēnghuó jīngyàn qù pànduàn, Běipíng zhī qiū biàn shì tiāntáng. Lùn tiānqì, bù lěng bù rè. Lùn chīde, píngguǒ、lí、shìzi、zǎor、pú•táo, měi yàng dōu yǒu ruògān zhǒng. Lùn huācǎo, júhuā zhǒnglèi zhī duō, huā shì zhī qí, kěyǐ jiǎ tiānxià. Xīshān yǒu hóngyè kě jiàn, Běihǎi kěyǐ huáchuán —— suīrán héhuā yǐ cán, héyè kě háiyǒu yī piàn qīngxiāng. Yī-shí-zhù-xíng, zài Běipíng de qiūtiān, shì méi•yǒu yī xiàng bù shǐ rén mǎnyì de.

Dōngtiān, wǒ hái méi•yǒu dǎhǎo zhǔyi, Chéngdū huòzhě xiāngdāng de héshì, suīrán bìng bù zěnyàng hénuǎn, kěshì wèile shuǐxiān, sù xīn làméi, gè sè de cháhuā, fǎngfú jiù shòu yīdiǎnr hán // lěng, yě pō zhí•dé qù le. Kūnmíng de huā yě duō, érqiě tiānqì bǐ Chéngdū hǎo, kěshì jiù shūpù yǔ jīngměi ér piányi de xiǎochī yuǎn•bùjí Chéngdū nàme duō. Hǎo ba, jiù zàn zhème guīdìng: Dōngtiān bù zhù Chéngdū biàn zhù Kūnmíng ba.

Zài kàngzhàn zhōng, wǒ méi néng fā guónàn cái. Wǒ xiǎng, kàngzhàn shènglì yǐhòu, wǒ bì néng kuò qǐ•lái. Nà shíhou, jiǎruò fēijī jiǎnjià, yī-èrbǎi yuán jiù néng mǎi yī jià de huà, wǒ jiù zìbèi yī jià, zé huángdào-jírì mànmàn de fēixíng.

Jiéxuǎn zì Lǎo Shě《Zhù de Mèng》

作品 59 号

我不由得停住了脚步。

从未见过开得这样盛的藤萝，只见一片辉煌的淡紫色，像一条瀑布，从空中垂下，不见其发端，也不见其终极，只是深深浅浅的紫，仿佛在流动，在欢笑，在不停地生长。紫色的大条幅上，泛着点点银光，就像迸溅的水花。仔细看时，才知那是每一朵紫花中的最浅淡的部分，在和阳光互相挑逗。

这里除了光彩，还有淡淡的芳香。香气似乎也是浅紫色的，梦幻一般轻轻地笼罩着我。忽然记起十多年前，家门外也曾有过一大株紫藤萝，它依傍一株枯槐爬得很高，但花朵从来都稀落，东一穗西一串伶仃地挂在树梢，好像在察颜观色，试探什么。后来索性连那稀零的花串也没有了。园中别的紫藤花架也都拆掉，改种了果树。那时的说法是，花和生活腐化有什么必然关系。我曾遗憾地想：这里再看不见藤萝花了。

过了这么多年，藤萝又开花了，而且开得这样盛，这样密，紫色的瀑布遮住了粗壮的盘虬卧龙般的枝干，不断地流着，流着，流向人的心底。

花和人都会遇到各种各样的不幸，但是生命的长河是无止境的。我抚摸了一下那小小的紫色的花舱，那里满装了生命的酒酿，它张满了帆，在这//闪光的花的河流上航行。它是万花中的一朵，也正是由每一个一朵，组成了万花灿烂的流动的瀑布。

在这浅紫色的光辉和浅紫色的芳香中，我不觉加快了脚步。

节选自宗璞《紫藤萝瀑布》

Zuòpǐn 59 Hào

Wǒ bùyóude tíngzhùle jiǎobù.

Cóngwèi jiànguo kāide zhèyàng shèng de téngluó, zhǐ jiàn yī piàn huīhuáng de dàn zǐsè, xiàng yī tiáo pùbù, cóng kōngzhōng chuíxià, bù jiàn qí fāduān, yě bù jiàn qí zhōngjí, zhǐshì shēnshēn-qiǎnqiǎn de zǐ, fǎngfú zài liúdòng, zài huānxiào, zài bùtíng de shēngzhǎng. Zǐsè de dà tiáofú •shàng, fànzhe diǎndiǎn yíngguāng, jiù xiàng bèngjiàn de shuǐhuā. Zǐxì kàn shí, cái zhī nà shì měi yī duǒ zǐhuā zhōng de zuì qiǎndàn de bùfen, zài hé yángguāng hùxiāng tiǎodòu.

Zhè•lǐ chúle guāngcǎi, háiyǒu dàndàn de fāngxiāng. Xiāngqì sìhū yě shì qiǎn zǐsè de, mènghuàn yībān qīngqīng de lǒngzhàozhe wǒ. Hūrán jìqǐ shí duō nián qián, jiā mén wài yě céng yǒuguo yī dà zhū zǐténgluó, tā yībàng yī zhū kū huái pá de hěn gāo, dàn huāduǒ cónglái dōu xīluò, dōng yī suì xī yī chuàn língdīng de guà zài shùshāo, hǎoxiàng zài cháyán-guānsè, shìtàn shénme. Hòulái suǒxìng lián nà xīlíng de huāchuàn yě méi•yǒu le. Yuán zhōng biéde zǐténg huājià yě dōu chāidiào, gǎizhòngle guǒshù. Nàshí de shuōfǎ shì, huā hé shēnghuó fǔhuà yǒu shénme bìrán guānxi. Wǒ céng yíhàn de xiǎng: Zhè•lǐ zài kàn•bùjiàn téngluóhuā le.

Guòle zhème duō nián, téngluó yòu kāihuā le, érqiě kāi de zhèyàng shèng, zhèyàng mì, zǐsè de pùbù zhēzhùle cūzhuàng de pánqiú wòlóng bān de zhīgàn, bùduàn de liúzhe, liúzhe, liúxiàng rén de xīndǐ.

Huā hé rén dōu huì yùdào gèzhǒng-gèyàng de bùxìng, dànshì shēngmìng de chánghé shì wú zhǐjìng de. Wǒ fǔmōle yīxià nà xiǎoxiǎo de zǐsè de huācāng, nà•lǐ mǎn zhuāngle shēngmìng de jiǔniàng, tā zhāngmǎnle fān, zài zhè // shǎnguāng de huā de héliú •shàng hángxíng. Tā shì wàn huā zhōng de yī duǒ, yě zhèngshì yóu měi yī gè yī duǒ, zǔchéngle wàn huā cànlàn de liúdòng de pùbù.

Zài zhè qiǎn zǐsè de guānghuī hé qiǎn zǐsè de fāngxiāng zhōng, wǒ bùjué jiākuàile jiǎobù.

Jiéxuǎn zì Zōng Pú《Zǐténgluó Pùbù》

作品 60 号

在一次名人访问中，被问及上个世纪最重要的发明是什么时，有人说是电脑，有人说是汽车，等等。但新加坡的一位知名人士却说是冷气机。他解释，如果没有冷气，热带地区如东南亚国家，就不可能有很高的生产力，就不可能达到今天的生活水准。他的回答实事求是，有理有据。

看了上述报道，我突发奇想：为什么没有记者问："二十世纪最糟糕的发明是什么？"其实二〇〇二年十月中旬，英国的一家报纸就评出了"人类最糟糕的发明"。获此"殊荣"的，就是人们每天大量使用的塑料袋。

诞生于上个世纪三十年代的塑料袋，其家族包括用塑料制成的快餐饭盒、包装纸、餐用杯盘、饮料瓶、酸奶杯、雪糕杯等等。这些废弃物形成的垃圾，数量多、体积大、重量轻、不降解，给治理工作带来很多技术难题和社会问题。

比如，散落在田间、路边及草丛中的塑料餐盒，一旦被牲畜吞食，就会危及健康甚至导致死亡。填埋废弃塑料袋、塑料餐盒的土地，不能生长庄稼和树木，造成土地板结，而焚烧处理这些塑料垃圾，则会释放出多种化学有毒气体，其中一种称为二噁英的化合物，毒性极大。

此外，在生产塑料袋、塑料餐盒的//过程中使用的氟利昂，对人体免疫系统和生态环境造成的破坏也极为严重。

节选自林光如《最糟糕的发明》

Zuòpǐn 60 Hào

Zài yī cì míngrén fǎngwèn zhōng, bèi wèn jí shàng gè shìjì zuì zhòngyào de fāmíng shì shénme shí, yǒu rén shuō shì diànnǎo, yǒu rén shuō shì qìchē, děngděng. Dàn Xīnjiāpō de yī wèi zhīmíng rénshì què shuō shì lěngqìjī. Tā jiěshì, rúguǒ méi•yǒu lěngqì, rèdài dìqū rú Dōngnányà guójiā, jiù bù kěnéng yǒu hěn gāo de shēngchǎnlì, jiù bù kěnéng dádào jīntiān de shēnghuó shuǐzhǔn. Tā de huídá shíshì-qiúshì, yǒulǐ-yǒujù.

Kànle shàngshù bàodào, wǒ tūfā qí xiǎng: Wèishénme méi•yǒu jìzhě wèn: "Èrshí shìjì zuì zāogāo de fāmíng shì shénme?" Qíshí èr líng líng èr nián shíyuè zhōngxún, Yīngguó de yī jiā bàozhǐ jiù píngchūle "rénlèi zuì zāogāo de fāmíng". Huò cǐ "shūróng" de, jiùshì rénmen měi tiān dàliàng shǐyòng de sùliàodài.

Dànshēng yú shàng gè shìjì sānshí niándài de sùliàodài, qí jiāzú bāokuò yòng sùliào zhìchéng de kuàicān fànhé、bāozhuāngzhǐ、cān yòng bēi pán、yǐnliàopíng、suānnǎibēi、xuěgāobēi děngděng. Zhèxiē fèiqìwù xíngchéng de lājī, shùliàng duō、tǐjī dà、zhòngliàng qīng、bù jiàngjiě, gěi zhìlǐ gōngzuò dàilái hěn duō jìshù nántí hé shèhuì wèntí.

Bǐrú, sànluò zài tiánjiān、lùbiān jí cǎocóng zhōng de sùliào cānhé, yīdàn bèi shēngchù tūnshí, jiù huì wēi jí jiànkāng shènzhì dǎozhì sǐwáng. Tiánmái fèiqì sùliàodài、sùliào cānhé de tǔdì, bùnéng shēngzhǎng zhuāngjia hé shùmù, zàochéng tǔdì bǎnjié, ér fénshāo chǔlǐ zhèxiē sùliào lājī, zé huì shìfàng chū duō zhǒng huàxué yǒudú qìtǐ, qízhōng yī zhǒng chēngwéi èr'èyīng de huàhéwù, dúxìng jí dà.

Cǐwài, zài shēngchǎn sùliàodài、sùliào cānhé de// guòchéng zhōng shǐyòng de fúlì'áng, duì réntǐ miǎnyì xìtǒng hé shēngtài huánjìng zàochéng de pòhuài yě jíwéi yánzhòng.

Jiéxuǎn zì Lín Guāngrú《Zuì Zāogāo de Fāmíng》

第六部分

普通话水平测试用话题

说　　明

1. 30则话题供普通话水平测试第五项——命题说话测试使用。
2. 30则话题仅是对话题范围的规定，并不规定话题的具体内容。

1. 我的愿望（或理想）
2. 我的学习生活
3. 我尊敬的人
4. 我喜爱的动物（或植物）
5. 童年的记忆
6. 我喜爱的职业
7. 难忘的旅行
8. 我的朋友
9. 我喜爱的文学（或其他）艺术形式
10. 谈谈卫生与健康
11. 我的业余生活
12. 我喜欢的季节（或天气）
13. 学习普通话的体会

14. 谈谈服饰
15. 我的假日生活
16. 我的成长之路
17. 谈谈科技发展与社会生活
18. 我知道的风俗
19. 我和体育
20. 我的家乡(或熟悉的地方)
21. 谈谈美食
22. 我喜欢的节日
23. 我所在的集体(学校、机关、公司等)
24. 谈谈社会公德(或职业道德)
25. 谈谈个人修养
26. 我喜欢的明星(或其他知名人士)
27. 我喜爱的书刊
28. 谈谈对环境保护的认识
29. 我向往的地方
30. 购物(消费)的感受

附 录 一

普通话水平测试等级标准(试行)

(国家语言文字工作委员会1997年12月5日颁布,国语〔1997〕64号)

一 级

甲等 朗读和自由交谈时,语音标准,词汇、语法正确无误,语调自然,表达流畅。测试总失分率在3%以内。

乙等 朗读和自由交谈时,语音标准,词汇、语法正确无误,语调自然,表达流畅。偶然有字音、字调失误。测试总失分率在8%以内。

二 级

甲等 朗读和自由交谈时,声韵调发音基本标准,语调自然,表达流畅。少数难点音(平翘舌音、前后鼻尾音、边鼻音等)有时出现失误。词汇、语法极少有误。测试总失分率在13%以内。

乙等 朗读和自由交谈时,个别调值不准,声韵母发音有不到位现象。难点音(平翘舌音、前后鼻尾音、边鼻音、fu—hu、z—zh—j、送气不送气、i—ü不分、保留浊塞音和浊塞擦音、丢介音、复韵母单音化等)失误较多。方言语调不明显。有使用方言词、方言语法的情况。测试总失分率在20%以内。

三 级

甲等 朗读和自由交谈时,声韵调发音失误较多,难点音超出常见范围,声调调值多不准。方言语调较明显。词汇、语法有失误。测试总失分率在30%以内。

乙等 朗读和自由交谈时,声韵调发音失误多,方音特征突出。方言语调明显。词汇、语法失误较多。外地人听其谈话有听不懂情况。测试总失分率在40%以内。

附 录 二

普通话水平测试管理规定

第一条 为加强普通话水平测试管理，促其规范、健康发展，根椐《中华人民共和国国家通用语言文字法》，制定本规定。

第二条 普通话水平测试（以下简称测试）是对应试人运用普通话的规范程度的口语考试。开展测试是促进普通话普及和应用水平提高的基本措施之一。

第三条 国家语言文字工作部门颁布测试等级标准、测试大纲、测试规程和测试工作评估办法。

第四条 国家语言文字工作部门对测试工作进行宏观管理，制定测试的政策、规划，对测试工作进行组织协调、指导监督和检查评估。

第五条 国家测试机构在国家语言文字工作部门的领导下组织实施测试，对测试业务工作进行指导，对测试质量进行监督和检查，开展测试科学研究和业务培训。

第六条 省、自治区、直辖市语言文字工作部门（以下简称省级语言文字工作部门）对本辖区测试工作进行宏观管理，制定测试工作规划、计划，对测试工作进行组织协调、指导监督和检查评估。

第七条 省级语言文字工作部门可根据需要设立地方测试机构。

省、自治区、直辖市测试机构（以下简称省级测试机构）接受省级语言文字工作部门及其办事机构的行政管理和国家测试机构的业务指导，对本地区测试业务工作进行指导，组织实施测试，对测试质量进行监督和检查，开展测试科学研究和业务培训。

省级以下测试机构的职责由省级语言文字工作部门确定。

各级测试机构的设立须经同级编制部门批准。

第八条 测试工作原则上实行属地管理。国家部委直属单位的测试工作，原则上由所在地区省级语言文字工作部门组织实施。

第九条 在测试机构的组织下，测试由测试员依照测试规程执行。测试员应遵守测试工作各项规定和纪律，保证测试质量，并接受国家和省级测试机构的业务培训。

第十条 测试员分省级测试员和国家级测试员。测试员须取得相应的测试员证书。

申请省级测试员证书者，应具有大专以上学历，熟悉推广普通话工作方针政策和普通语言学理论，熟悉方言与普通话的一般对应规律，熟练掌握《汉语拼音方案》和常用国际音标，有较强的听辨音能力，普通话水平达到一级。

申请国家级测试员证书者，一般应具有中级以上专业技术职务和两年以上省级测试员资历，具有一定的测试科研能力和较强的普通话教学能力。

第十一条 申请省级测试员证书者，通过省级测试机构的培训考核后，由省级语言文字工作部门颁发省级测试员证书；经省级语言文字工作部门推荐的申请国家级测试员证书者，通过国家测试机构的培训考核后，由国家语言文字工作部门颁发国家级测试员证书。

第十二条 测试机构根据工作需要聘任测试员并颁发有一定期限的聘书。

第十三条 在同级语言文字工作办事机构指导下，各级测试机构定期考查测试员的业务能力和工作表现，并给予奖惩。

第十四条 省级语言文字工作部门根据工作需要聘任测试视导员并颁发有一定期限的聘书。

测试视导员一般应具有语言学或相关专业的高级专业技术职务，熟悉普通语言学理论，有相关的学术研究成果，有较丰富的普通话教学经验和测试经验。

测试视导员在省级语言文字工作部门领导下，检查、监督测试质量，参与和指导测试管理和测试业务工作。

第十五条 应接受测试的人员为：

1. 教师和申请教师资格的人员；

2. 广播电台、电视台的播音员、节目主持人；

3. 影视话剧演员；

4. 国家机关工作人员；

5. 师范类专业、播音与主持艺术专业、影视话剧表演专业以及其他与口语表达密切相关专业的学生；

6. 行业主管部门规定的其他应该接受测试的人员。

第十六条 应接受测试的人员的普通话达标等级，由国家行业主管部门规定。

第十七条 社会其他人员可自愿申请接受测试。

第十八条 在高等学校注册的港澳台学生和外国留学生可随所在校学生接受测试。

测试机构对其他港澳台人士和外籍人士开展测试工作，须经国家语言文字工作部门授权。

第十九条 测试成绩由执行测试的测试机构认定。

第二十条 测试等级证书由国家语言文字工作部门统一印制，由省级语言文字工作办事机构编号并加盖印章后颁发。

第二十一条 普通话水平测试等级证书全国通用。等级证书遗失，可向原发证单位申请补发。伪造或变造的普通话水平测试等级证书无效。

第二十二条 应试人再次申请接受测试同前次接受测试的间隔应不少于3个月。

第二十三条 应试人对测试程序和测试结果有异议，可向执行测试的测试机构或上级测试机构提出申诉。

第二十四条 测试工作人员违反测试规定的，视情节予以批评教育、暂停测试工作、解除聘任或宣布测试员证书作废等处理，情节严重的提请其所在单位给予行政处分。

第二十五条 应试人违反测试规定的，取消其测试成绩，情节严重的提请其所在单位给予行政处分。

第二十六条 测试收费标准须经当地价格部门核准。

第二十七条 各级测试机构须严格执行收费标准，遵守国家财务制度，并接受当地有关部门的监督和审计。

第二十八条 本《规定》自2003年6月15日起施行。

附 录 三

普通话水平测试规程

［报名］

1.申请接受普通话水平测试(以下简称测试)的人员,持有效身份证件在指定测试机构报名(亦可由所在单位集体报名)。

2.接受报名的测试机构负责安排测试的时间和地点。

［考场］

3.测试机构负责安排考场。每个考场应有专人负责。考场应具备测试室、备测室、候测室以及必要的工作条件,整洁肃静,标志明显,在醒目处应张贴应试须知事项。

4.每间测试室只能安排1个测试组进行测试,每个测试组配备测试员2—3人,每组日测试量以不超过30人次为宜。

［试卷］

5.试卷由国家语言文字工作部门指定的测试题库提供。

6.试卷由专人负责,各环节经手人均应签字。

7.试卷为一次性使用,按照考场预定人数封装。严格保管多余试卷。

8.当日测试结束后,测试员应回收和清点试卷,统一封存或销毁。

［测试］

9.测试员和考场工作人员佩带印有姓名、编号和本人照片的胸卡,认真履行职责。

10.应试人持准考证和有效身份证件按时到达指定考场,经查验无误后,按顺序抽取考题备测。应试人备测时间应不少于10分钟。

11.执行测试时,测试室内只允许1名应试人在场。

12.测试员对应试人身份核对无误后,引导应试人进入测试程序。

13.测试全程录音。完整的测试录音包括:姓名、考号、单位以及全部测试内容。录音应声音清晰,音量适中,以利复查。

14.测试录音标签应写明考场、测试组别、应试人姓名、测试日期、录音人签名等项内容;录音内容应与标签相符。

15.测试员评分记录使用钢笔或签字笔,符号清晰、明了,填写应试人成绩及等级应准确(测试最后成绩均保留一位小数)。

16.测试结束时,测试员应及时收回应试人使用的试卷。

17.同组测试员对同一应试人的评定成绩出现等差时由该测试组复议,出现级差时由考场负责人主持再议。

18.测试评分记录表和应试人成绩单均签署测试员全名和测试日期。

19.测试结束,考场负责人填写测试情况记录。

[质量检查]

20.省级测试机构应对下级测试机构测试过程进行巡视。

21.检查测试质量主要采取抽查复听测试录音的方式。抽查比例由省级测试机构确定。

22.测试的一级甲等成绩由国家测试机构复审,一级乙等成绩由省级测试机构复审。

23.复审应填写复审意见。复审意见应表述清楚、具体、规范,有复审者签名。

24.复审应在收到送审材料后的30个工作日内完成,并将书面复审意见反馈送审机构。

[等级证书]

25.省级语言文字工作部门向测试成绩达到测试等级要求的应试人发放测试等级证书,加盖省级语言文字工作部门印章。

26.经复审合格的一级甲等、一级乙等成绩应在等级证书上加盖复审机构印章。

[应试人档案]

27.应试人档案包括:测试申请表、试题、测试录音、测试员评分记录、复审记录、成绩单等。

28.应试人档案保存期不少于两年。

附录四

汉语拼音方案

(1957年11月1日国务院全体会议第60次会议通过)

(1958年2月11日第一届全国人民代表大会第五次会议批准)

一、字母表

字母	Aa	Bb	Cc	Dd	Ee	Ff	Gg
名称	ㄚ	ㄅㄝ	ㄘㄝ	ㄉㄝ	ㄜ	ㄝㄈ	ㄍㄝ
	Hh	Ii	Jj	Kk	Ll	Mm	Nn
	ㄏㄚ	ㄧ	ㄐㄧㄝ	ㄎㄝ	ㄝㄌ	ㄝㄇ	ㄋㄝ
	Oo	Pp	Qq	Rr	Ss	Tt	
	ㄛ	ㄆㄝ	ㄑㄧㄡ	ㄚㄦ	ㄝㄙ	ㄊㄝ	
	Uu	Vv	Ww	Xx	Yy	Zz	
	ㄨ	ㄪㄝ	ㄨㄚ	ㄒㄧ	ㄧㄚ	ㄗㄝ	

v只用来拼写外来语、少数民族语言和方言。

字母的手写体依照拉丁字母的一般书写习惯。

二、声母表

b	p	m	f	d	t	n	l
ㄅ玻	ㄆ坡	ㄇ摸	ㄈ佛	ㄉ得	ㄊ特	ㄋ讷	ㄌ勒
g	k	h		j	q	x	
ㄍ哥	ㄎ科	ㄏ喝		ㄐ基	ㄑ欺	ㄒ希	
zh	ch	sh	r	z	c	s	
ㄓ知	ㄔ蚩	ㄕ诗	ㄖ日	ㄗ资	ㄘ雌	ㄙ思	

在给汉字注音的时候,为了使拼式简短,zh ch sh可以省作 ẑ ĉ ŝ。

三、韵母表

	i ㄧ 衣	u ㄨ 乌	ü ㄩ 迂
a ㄚ 啊	ia ㄧㄚ 呀	ua ㄨㄚ 蛙	
o ㄛ 喔		uo ㄨㄛ 窝	
e ㄜ 鹅	ie ㄧㄝ 耶		üe ㄩㄝ 约
ai ㄞ 哀		uai ㄨㄞ 歪	
ei ㄟ 欸		uei ㄨㄟ 威	
ao ㄠ 熬	iao ㄧㄠ 腰		
ou ㄡ 欧	iou ㄧㄡ 忧		
an ㄢ 安	ian ㄧㄢ 烟	uan ㄨㄢ 弯	üan ㄩㄢ 冤
en ㄣ 恩	in ㄧㄣ 因	uen ㄨㄣ 温	ün ㄩㄣ 晕
ang ㄤ 昂	iang ㄧㄤ 央	uang ㄨㄤ 汪	
eng ㄥ 亨的韵母	ing ㄧㄥ 英	ueng ㄨㄥ 翁	
ong (ㄨㄥ)轰的韵母	iong ㄩㄥ 雍		

(1)"知、蚩、诗、日、资、雌、思"等七个音节的韵母用i,即:知、蚩、诗、日、资、雌、思等字拼作zhi, chi, shi, ri, zi, ci, si。

(2)韵母ㄦ写成er,用作韵尾的时候写成r。例如:"儿童"拼作ertong,"花儿"拼作huar。

(3)韵母ㄝ单用的时候写成ê。

(4)i行的韵母,前面没有声母的时候,写成yi(衣),ya(呀),ye(耶),yao(腰),you(忧),yan(烟),yin(因),yang(央),ying(英),yong(雍)。

u行的韵母,前面没有声母的时候,写成wu(乌),wa(蛙),wo(窝),wai(歪),wei(威),wan(弯),wen(温),wang(汪),weng(翁)。

ü行的韵母,前面没有声母的时候,写成yu(迂),yue(约),yuan(冤),yun(晕);ü上两点省略。

ü行的韵母跟声母j,q,x拼的时候,写成ju(居),qu(区),xu(虚),ü上两点也省略;但是跟声母n,l拼的时候,仍然写成nü(女),lü(吕)。

(5)iou,uei,uen前面加声母的时候,写成iu,ui,un,例如niu(牛),gui(归),lun(论)。

(6) 在给汉字注音的时候，为了使拼式简短，ng 可以省作 ŋ。

四、声调符号

阴平	阳平	上声	去声
ˉ	ˊ	ˇ	ˋ

声调符号标在音节的主要母音上。轻声不标。例如：

妈 mā	麻 má	马 mǎ	骂 mà	吗 ma
（阴平）	（阳平）	（上声）	（去声）	（轻声）

五、隔音符号

ɑ，o，e 开头的音节连接在其他音节后面的时候，如果音节的界限发生混淆，用隔音符号（'）隔开，例如：pi'ɑo（皮袄）。

附录五

普通话异读词审音表

中国文字改革委员会普通话审音委员会，于1957年、1959至1962年先后发表了《普通话异读词审音表初稿》正编、续编和三编，1963年公布《普通话异读词三次审音总表初稿》。经过二十多年的实际应用，普通话审音委员会在总结经验的基础上，于1982年至1985年组织专家学者进行审核修订，制定了《普通话异读词审音表》，这个审音表经过国家语言文字工作委员会、国家教育委员会、广播电视部（现为广播电影电视总局）审核通过，于1985年12月联合发布。

说　明

、本表所审，主要是普通话有异读的词和有异读的作为“语素”的字。不列出多音多义字的全部读音和全部义项，与字典、词典形式不同。例如：“和”字有多种义项和读音，而本表仅列出原有异读的八条词语，分列于 hè 和 huo 两种读音之下（有多种读音，较常见的在前。下同）；其余无异读的音、义均不涉及。

二、在字后注明“统读”的，表示此字不论用于任何词语中只读一音（轻声变读不受此限），本表不再举出词例。例如：“阀”字注明“fá（统读）”，原表“军阀”、“学阀”、“财阀”条和原表所无的“阀门”等词均不再举。

三、在字后不注“统读”的，表示此字有几种读音，本表只审订其中有异读的词语的读音。例如“艾”字本有 ài 和 yì 两音，本表只举“自怨自艾”一词，注明此处读 yì 音；至于 ài 音及其义项，并无异读，不再赘列。

四、有些字有文白二读，本表以“文”和“语”作注。前者一般用于书面语言，用于复音词和文言成语中；后者多用于口语中的单音词及少数日常生活事物的复音词中。这种情况在必要时各举词语为例。例如：“杉”字下注“（一）shān（文）：紫～、红～、水～；（二）shā（语）：～篙、～木”。

五、有些字除附举词例之外，酌加简单说明，以便读者分辨。说明或按具体字义，或按“动作义”、“名物义”等区分，例如：“畜”字下注“（一）chù（名物义）：～力、家～、牲～、幼～；（二）xù（动作义）：～产、～牧、～养”。

六、有些字的几种读音中某音用处较窄，另音用处甚宽，则注“除××（较少的词）念乙音外，其他都念甲音”，以避免列举词条繁而未尽、挂一漏万的缺点。例如：“结”字下注“除‘～了个果子’、‘开花～果’、‘～巴’、‘～实’念 jiē 之外，其他都念 jié”。

七、由于轻声问题比较复杂，除《初稿》涉及的部分轻声词之外，本表一般不予审订，并删去部分原审的轻声词，例如“麻刀（dao）”、“容易（yi）”等。

八、本表酌增少量有异读的字或词，作了审订。

九、除因第二、六、七各条说明中所举原因而删略的词条之外，本表又删汰了部分词条。主要原因是：1. 现已无异读（如“队伍”、“理会”）；2. 罕用词语（如“俵分”、“仔密”）；3. 方言土音（如“归里包堆〔zuī〕”、“告送〔song〕”）；4. 不常用的文言词语（如“刍荛”、“氍毹”）；5. 音变现象（如“胡里八涂〔tū〕”、“毛毛腾腾〔tēngtēng〕”）；6. 重复累赘（如原表“色”字的有关词语分列达 23 条之多）。删汰条目不再编入。

十、人名、地名的异读审订，除原表已涉及的少量词条外，留待以后再审。

A

阿（一）ā
～訇　～罗汉
～木林
～姨
（二）ē
～谀　～附　～胶　～弥陀佛

挨（一）āi
～个　～近
（二）ái
～打　～说

癌 ái（统读）

霭 ǎi（统读）

蔼 ǎi（统读）

隘 ài（统读）

谙 ān（统读）

埯 ǎn（统读）

昂 áng（统读）

凹 āo（统读）

拗（一）ào
～口
（二）niù
执～　脾气很～

坳 ào（统读）

B

拔 bá（统读）

把 bà
印～子

白 bái（统读）

膀 bǎng
翅～

蚌（一）bàng
蛤～
（二）bèng
～埠

傍 bàng（统读）

磅 bàng
过～

龅 bāo（统读）

胞 bāo（统读）

薄（一）báo（语）
常单用，如“纸很～”。
（二）bó（文）多用于复音词。
～弱　稀～　淡～　尖嘴～舌

单～ 厚～
堡(一) bǎo
碉～ ～垒
(二) bǔ
～子 吴～ 瓦窑～ 柴沟～
(三) pù
十里～
暴(一) bào
～露
(二) pù
一～(曝)十寒
爆 bào(统读)
焙 bèi(统读)
惫 bèi(统读)
背 bèi
～脊 ～静
鄙 bǐ(统读)
俾 bǐ(统读)
笔 bǐ(统读)
比 bǐ(统读)
臂(一) bì
手～ ～膀
(二) bei
胳～
庇 bì(统读)
髀 bì(统读)
避 bì(统读)
辟 bì
复～
裨 bì
～补 ～益
婢 bì(统读)
痹 bì(统读)
壁 bì(统读)
蝙 biān(统读)
遍 biàn(统读)
骠(一) biāo
黄～马
(二) piào
～骑 ～勇
傧 bīn(统读)
缤 bīn(统读)
濒 bīn(统读)
髌 bìn(统读)
屏(一) bǐng
～除 ～弃
～气 ～息
(二) píng
～藩 ～风
柄 bǐng(统读)
波 bō(统读)
播 bō(统读)
菠 bō(统读)
剥(一) bō(文)
～削
(二) bāo(语)
泊(一) bó
淡～ 飘～
停～
(二) pō
湖～ 血～
帛 bó(统读)
勃 bó(统读)
钹 bó(统读)
伯(一) bó
～～(bo) 老～
(二) bǎi
大～子(丈夫的哥哥)
箔 bó(统读)
簸(一) bǒ
颠～
(二) bò
～箕
膊 bo
胳～
卜 bo
萝～
醭 bú(统读)
哺 bǔ(统读)
捕 bǔ(统读)
鵏 bǔ(统读)
埠 bù(统读)

C

残 cán(统读)
惭 cán(统读)
灿 càn(统读)
藏(一) cáng
矿～
(二) zàng
宝～
糙 cāo(统读)
嘈 cáo(统读)
螬 cáo(统读)
厕 cè(统读)
岑 cén(统读)
差(一) chā(文)
不～累黍 不～什么 偏～ 色～ ～别 视～ 误～ 电势～ 一念之～ ～池 ～错 言～语错 一～二错 阴错阳～ ～等 ～额 ～价 ～强人意 ～数 ～异
(二) chà(语)
～不多 ～不离 ～点儿
(三) cī
参～
猹 chá(统读)
搽 chá(统读)
阐 chǎn(统读)
羼 chàn(统读)
颤(一) chàn
～动 发～
(二) zhàn
～栗(战栗) 打～(打战)
韂 chàn(统读)
伥 chāng(统读)
场(一) chǎng
～合 ～所 冷～

捧～
(二) cháng
外～ 圩～ ～院 一～雨
(三) chang
排～
钞 chāo(统读)
巢 cháo(统读)
嘲 cháo
～讽 ～骂 ～笑
耖 chào(统读)
车(一)chē
安步当～ 杯水～薪 闭门造～ 螳臂当～
(二) jū
(象棋棋子名称)
晨 chén(统读)
称 chèn
～心 ～意 ～职 对～ 相～
撑 chēng(统读)
乘(动作义,念 chéng)
包～制 ～便 ～风破浪 ～客 ～势 ～兴
橙 chéng(统读)
惩 chéng(统读)
澄(一)chéng(文)
～清(如"～清混乱"、"～清问题")
(二) dèng(语)
单用,如"把水～清了"。
痴 chī(统读)
吃 chī(统读)
弛 chí(统读)
褫 chǐ(统读)
尺 chǐ
～寸 ～头
豉 chǐ(统读)
侈 chǐ(统读)
炽 chì(统读)
舂 chōng(统读)
冲 chòng
～床 ～模
臭(一)chòu
遗～万年
(二) xiù
乳～ 铜～
储 chǔ(统读)
处 chǔ(动作义)
～罚 ～分 ～决 ～理 ～女 ～置
畜(一)chù(名物义)
～力 家～ 牲～ 幼～
(二) xù(动作义)
～产 ～牧 ～养
触 chù(统读)
搐 chù(统读)
绌 chù(统读)
黜 chù(统读)
闯 chuǎng(统读)
创(一)chuàng
草～ ～举 首～ ～造 ～作
(二) chuāng
～伤 重～
绰(一)chuò
～～有余
(二) chuo
宽～
疵 cī(统读)
雌 cí(统读)
赐 cì(统读)
伺 cì
～候
枞(一)cōng
～树
(二) zōng
～阳〔地名〕
从 cóng(统读)
丛 cóng(统读)
攒 cuán
万头～动 万箭～心
脆 cuì(统读)
撮(一)cuō
～儿 一～儿盐 一～儿匪帮
(二) zuǒ
一～儿毛
措 cuò(统读)

D

搭 dā(统读)
答(一)dá
报～ ～复
(二) dā
～理 ～应
打 dá
苏～ 一～(十二个)
大(一)dà
～夫(古官名) ～王(如爆破～王、钢铁～王)
(二) dài
～夫(医生) ～黄 ～王(如山～王) ～城〔地名〕
呆 dāi(统读)
傣 dǎi(统读)
逮(一)dài(文)
如"～捕"。
(二) dǎi(语)单用,如"～蚊子"、"～特务"。
当(一)dāng
～地 ～间儿 ～年(指过去) ～日(指过去)

～天（指过去）
～时（指过去）
螳臂～车
（二）dàng
一个～俩　安步～车　适～　～年（同一年）　～日（同一时候）　～天（同一天）
档 dàng（统读）
蹈 dǎo（统读）
导 dǎo（统读）
倒（一）dǎo
颠～　颠～是非　颠～黑白　颠三～四　倾箱～箧　排山～海　～板　～嚼　～仓　～嗓　～戈　潦～
（二）dào
～粪（把粪弄碎）
悼 dào（统读）
纛 dào（统读）
凳 dèng（统读）
羝 dī（统读）
氐 dī〔古民族名〕
堤 dī（统读）
提 dī
～防
的 dí
～当　～确
抵 dǐ（统读）
蒂 dì（统读）
缔 dì（统读）
谛 dì（统读）
点 dian
打～（收拾、贿赂）
跌 diē（统读）
蝶 dié（统读）
订 dìng（统读）
都（一）dōu
～来了
（二）dū
～市　首～　大～（大多）
堆 duī（统读）
吨 dūn（统读）
盾 dùn（统读）
多 duō（统读）
咄 duō（统读）
掇（一）duō（"拾取、采取"义）
（二）duo
撺～　掂～
裰 duō（统读）
踱 duó（统读）
度 duó（统读）
忖～　～德量力

E

婀 ē（统读）

F

伐 fá（统读）
阀 fá（统读）
砝 fǎ（统读）
法 fǎ（统读）
发 fà
理～　脱～　结～
帆 fān（统读）
藩 fān（统读）
梵 fàn（统读）
坊（一）fāng
牌～　～巷
（二）fáng
粉～　磨～　碾～　染～　油～　谷～
妨 fáng（统读）
防 fáng（统读）
肪 fáng（统读）
沸 fèi（统读）
汾 fén（统读）
讽 fěng（统读）
肤 fū（统读）
敷 fū（统读）
俘 fú（统读）
浮 fú（统读）
服 fú
～毒　～药
拂 fú（统读）
辐 fú（统读）
幅 fú（统读）
甫 fǔ（统读）
复 fù（统读）
缚 fù（统读）

G

噶 gá（统读）
冈 gāng（统读）
刚 gāng（统读）
岗 gǎng
～楼　～哨　～子　门～　站～　山～子
港 gǎng（统读）
葛（一）gé
～藤　～布　瓜～
（二）gě〔姓〕（包括单、复姓）
隔 gé（统读）
革 gé
～命　～新　改～
合 gě（一升的十分之一）
给（一）gěi（语）单用。
（二）jǐ（文）
补～　供～　供～制　～予　配～　自～自足
亘 gèn（统读）
更 gēng
五～　～生

颈 gěng
脖～子
供(一)gōng
～给 提～ ～销
(二) gòng
口～ 翻～ 上～
佝 gōu(统读)
枸 gǒu
～杞
勾 gòu
～当
估(除"～衣"读 gù 外,都读 gū)
骨(除"～碌"、"～朵"读 gū 外,都读 gǔ)
谷 gǔ
～雨
锢 gù(统读)
冠(一) guān(名物义)
～心病
(二) guàn(动作义)
沐猴而～ ～军
犷 guǎng(统读)
庋 guǐ(统读)
桧(一)guì(树名)
(二) huì(人名)
"秦～"。
刽 guì(统读)
聒 guō(统读)
蝈 guō(统读)
过(除姓氏读 guō 外,都读 guò)

H

虾 há
～蟆
哈(一)hǎ
～达
(二) hà
～什蚂
汗 hán
可～
巷 hàng
～道
号 háo
寒～虫
和(一)hè
唱～ 附～ 曲高～寡
(二) huo
搀～ 搅～ 暖～ 热～ 软～
貉(一)hé(文)
一丘之～
(二) háo(语)
～绒 ～子
壑 hè(统读)
褐 hè(统读)
喝 hè
～彩 ～道 ～令 ～止 呼幺～六
鹤 hè(统读)
黑 hēi(统读)
亨 hēng(统读)
横(一)héng
～肉 ～行霸道
(二) hèng
蛮～ ～财
訇 hōng(统读)
虹(一)hóng(文)
～彩 ～吸
(二) jiàng(语)单说。
讧 hòng(统读)
囫 hú(统读)
瑚 hú(统读)
蝴 hú(统读)
桦 huà(统读)
徊 huái(统读)
踝 huái(统读)
浣 huàn(统读)
黄 huáng(统读)
荒 huang
饥～(指经济困难)
诲 huì(统读)
贿 huì(统读)
会 huì
一～儿 多～儿 ～厌(生理名词)
混 hùn
～合 ～乱 ～凝土 ～淆 ～血儿 ～杂
蠖 huò(统读)
霍 huò(统读)
豁 huò
～亮
获 huò(统读)

J

羁 jī(统读)
击 jī(统读)
奇 jī
～数
芨 jī(统读)
缉(一)jī
通～ 侦～
(二) qī
～鞋口
几 jī
茶～ 条～
圾 jī(统读)
戢 jí(统读)
疾 jí(统读)
汲 jí(统读)
棘 jí(统读)
藉 jí
狼～(籍)
嫉 jí(统读)
脊 jǐ(统读)

纪(一)jǐ〔姓〕
(二)jì
～念 ～律 纲～
～元
偈 jì
～语
绩 jì(统读)
迹 jì(统读)
寂 jì(统读)
箕 ji
簸～
辑 ji
逻～
茄 jiā
雪～
夹 jiā
～带藏掖 ～道儿
～攻 ～棍 ～生
～杂 ～竹桃
～注
浃 jiā(统读)
甲 jiǎ(统读)
歼 jiān(统读)
鞯 jiān(统读)
间(一)jiān
～不容发 中～
(二)jiàn
中～儿 ～道
～谍 ～断 ～或 ～接 ～距
～隙 ～续 ～阻 ～作 挑拨离～

趼 jiǎn(统读)
俭 jiǎn(统读)
缰 jiāng(统读)
膙 jiǎng(统读)
嚼(一)jiáo(语)
味同～蜡 咬文～字
(二)jué(文)
咀～ 过屠门而大～
(三)jiào
倒～(倒嚼)
侥 jiǎo
～幸
角(一)jiǎo
八～(大茴香)
～落 独～戏
～膜 ～度 ～儿(犄～) ～楼
勾心斗～ 号～
口～(嘴～) 鹿～菜 头～
(二)jué
～斗 ～儿(脚色) 口～(吵嘴)
主～儿 配～儿
～力 捧～儿
脚(一)jiǎo
根～
(二)jué
～儿(也作"角儿",脚色)

剿(一)jiǎo
围～
(二)chāo
～说 ～袭
校 jiào
～勘 ～样 ～正
较 jiào(统读)
酵 jiào(统读)
嗟 jiē(统读)
疖 jiē(统读)
结(除"～了个果子"、"开花～果"、"～巴"、"～实"念 jiē 之外,其他都念 jié)
睫 jié(统读)
芥(一)jiè
～菜(一般的芥菜) ～末
(二)gài
～菜(也作"盖菜") ～蓝菜
矜 jīn
～持 自～ ～怜
仅 jǐn
～～ 绝无～有
馑 jǐn(统读)
觐 jìn(统读)
浸 jìn(统读)
斤 jin
千～(起重的工具)
茎 jīng(统读)

粳 jīng(统读)
鲸 jīng(统读)
境 jìng(统读)
痉 jìng(统读)
劲 jìng
刚～
窘 jiǒng(统读)
究 jiū(统读)
纠 jiū(统读)
鞠 jū(统读)
鞫 jū(统读)
掬 jū(统读)
苴 jū(统读)
咀 jǔ
～嚼
矩(一)jǔ
～形
(二)ju
规～
俱 jù(统读)
龟 jūn
～裂(也作"皲裂")
菌(一)jūn
细～ 病～ 杆～ 霉～
(二)jùn
香～ ～子
俊 jùn(统读)

K

卡(一)kǎ

～宾枪 ～车
～介苗 ～片
～通
(二)qiǎ
～子 关～
揩 kāi(统读)
慨 kǎi(统读)
忾 kài(统读)
勘 kān(统读)
看 kān
～管 ～护 ～守
慷 kāng(统读)
拷 kǎo(统读)
坷 kē
～拉(垃)
疴 kē(统读)
壳(一)ké(语)
～儿 贝～儿
脑～ 驳～枪
(二)qiào(文)
地～ 甲～ 躯～
可(一)kě
～～儿的
(二)kè
～汗
恪 kè(统读)
刻 kè(统读)
克 kè
～扣
空(一)kōng
～心砖 ～城计
(二)kòng
～心吃药
眍 kōu(统读)
矻 kū(统读)
酷 kù(统读)
框 kuàng(统读)
矿 kuàng(统读)
傀 kuǐ(统读)
溃(一)kuì
～烂
(二)huì
～脓
篑 kuì(统读)
括 kuò(统读)

L

垃 lā(统读)
邋 lā(统读)
罱 lǎn(统读)
缆 lǎn(统读)
蓝 lan
苤～
琅 láng(统读)
捞 lāo(统读)
劳 láo(统读)
醪 láo(统读)
烙(一)lào
～印 ～铁 ～饼
(二)luò
炮～ (古酷刑)
勒(一)lè(文)
～逼 ～令 ～派
～索 悬崖～马
(二)lēi(语)多单用。
擂(除"～台"、"打～"读 lèi 外,都读 léi)
礌 léi(统读)
羸 léi(统读)
蕾 lěi(统读)
累(一)lèi
(辛劳义,如"受～"〔受劳～〕)
(二)léi
(如"～赘")
(三)lěi
(牵连义,如"带～"、"～及"、"连～"、"赔～"、"牵～"、"受～"〔受牵～〕)
蠡(一)lí
管窥～测
(二)lǐ
～县 范～
喱 lí(统读)
连 lián(统读)
敛 liǎn(统读)
恋 liàn(统读)
量(一)liàng
～入为出 忖～
(二)liang
打～ 掂～
踉 liàng
～跄
潦 liáo
～草 ～倒
劣 liè(统读)
捩 liè(统读)
趔 liè(统读)
拎 līn(统读)
遴 lín(统读)
淋(一)lín
～浴 ～漓 ～巴
(二)lìn
～硝 ～盐 ～病
蛉 líng(统读)
榴 liú(统读)
馏(一)liú(文)
如"干～"、"蒸～"。
(二)liù(语)
如"～馒头"。
镏 liú
～金
碌 liù
～碡
笼(一)lóng(名物义)
～子 牢～
(二)lǒng(动作义)
～络 ～括 ～统
～罩
偻(一)lóu
佝～

(二)lǚ
伛～
瞜 lou
眍～
虏 lǔ(统读)
掳 lǔ(统读)
露(一)lù(文)
赤身～体 ～天
～骨 ～头角
藏头～尾 抛头
～面 ～头(矿)
(二)lòu(语)
～富 ～苗 ～
光 ～相 ～马
脚 ～头
榈 lú(统读)
捋(一)lǚ
～胡子
(二)luō
～袖子
绿(一)lǜ(语)
(二)lù(文)
～林 鸭～江
孪 luán(统读)
挛 luán(统读)
掠 lüè(统读)
囵 lún(统读)
络 luò
～腮胡子
落(一)luò(文)
～膘 ～花生
～魄 涨～ ～
槽 着～
(二)lào(语)
～架 ～色 ～
炕 ～枕 ～儿
～子 (一种曲艺)
(三)là(语)遗落义。
丢三～四 ～在
后面

M

脉(除"～～"念
mòmò 外,一律念
mài)
漫 màn(统读)
蔓(一)màn(文)
～延 不～不支
(二)wàn(语)
瓜～ 压～
牤 māng(统读)
氓 máng
流～
芒 máng(统读)
铆 mǎo(统读)
瑁 mào(统读)
虻 méng(统读)
盟 méng(统读)
祢 mí(统读)
眯(一)mí
～了眼 (灰尘等
入目,也作"迷")
(二)mī
～了一会儿(小
睡) ～缝着眼
(微微合目)
靡(一)mí
～费
(二)mǐ
风～ 委～ 披～
秘(除"～鲁"读 bì
外,都读 mì)
泌(一)mì(语)
分～
(二)bì(文)
～阳[地名]
娩 miǎn(统读)
缈 miǎo(统读)
皿 mǐn(统读)
闽 mǐn(统读)
茗 míng(统读)
酩 mǐng(统读)
谬 miù(统读)
摸 mō(统读)
模(一)mó
～范 ～式 ～型
～糊 ～特儿 ～
棱两可
(二)mú
～子 ～具 ～
样
膜 mó(统读)
摩 mó
按～ 抚～
嬷 mó(统读)
墨 mò(统读)
耱 mò(统读)
沫 mò(统读)
缪 móu
绸～

N

难(一)nán
困～ (或变轻
声) ～兄～弟
(难得的兄弟,现
多用作贬义)
(二)nàn
排～解纷 发～
刁～ 责～ ～
兄～弟 (共患难
或同受苦难的人)
蝻 nǎn(统读)
蛲 náo(统读)
讷 nè(统读)
馁 něi(统读)
嫩 nèn(统读)
恁 nèn(统读)
妮 nī(统读)
拈 niān(统读)
鲇 nián(统读)
酿 niàng(统读)
尿(一)niào
糖～病
(二)suī(只用于口
语名词)

尿(niào)～
～脬
嗫 niè(统读)
宁(一)níng
安～
(二)nìng
～可 无～〔姓〕
忸 niǔ(统读)
脓 nóng(统读)
弄(一)nòng
玩～
(二)lòng
～堂
暖 nuǎn(统读)
衄 nù(统读)
疟(一)nüè(文)
～疾
(二)yào(语)
发～子
娜(一)nuó
婀～ 袅～
(二) nà
(人名)

O

殴 ōu(统读)
呕 ǒu(统读)

P

杷 pá(统读)
琶 pá(统读)
牌 pái(统读)
排 pǎi
～子车
迫 pǎi
～击炮
湃 pài(统读)
爿 pán(统读)
胖 pán
心广体～ (～为安舒貌)
蹒 pán(统读)
畔 pàn(统读)
乓 pāng(统读)
滂 pāng(统读)
脬 pāo(统读)
胚 pēi(统读)
喷(一)pēn
～嚏
(二)pèn
～香
(三)pen
嚏～
澎 péng(统读)
坯 pī(统读)
披 pī(统读)
匹 pǐ(统读)
僻 pì(统读)
譬 pì(统读)
片(一)piàn
～子 唱～ 画～ 相～ 影～
～儿会
(二)piān (口语一部分词)
～子 ～儿 唱～儿 画～儿 相～儿 影～儿
剽 piāo(统读)
缥 piāo
～缈(飘渺)
撇 piē
～弃
聘 pìn(统读)
乒 pīng(统读)
颇 pō(统读)
剖 pōu(统读)
仆(一)pū
前～后继
(二)pú
～从
扑 pū(统读)
朴(一)pǔ
俭～ ～素 ～质
(二)pō
～刀
(三)pò
～硝 厚～
蹼 pǔ(统读)
瀑 pù
～布
曝(一)pù
一～十寒
(二)bào
～光 (摄影术语)

Q

栖 qī
两～
戚 qī(统读)
漆 qī(统读)
期 qī(统读)
蹊 qī
～跷
蛴 qí(统读)
畦 qí(统读)
萁 qí(统读)
骑 qí(统读)
企 qǐ(统读)
绮 qǐ(统读)
杞 qǐ(统读)
槭 qì(统读)
洽 qià(统读)
签 qiān(统读)
潜 qián(统读)
荨(一)qián (文)
～麻
(二)xún (语)
～麻疹
嵌 qiàn(统读)
欠 qian
打哈～
戕 qiāng(统读)

锵 qiāng
～水
强(一)qiáng
～渡 ～取豪夺
～制 博闻～识
(二)qiǎng
勉～ 牵～ ～词夺理 ～迫
～颜为笑
(三)jiàng
倔～
襁 qiǎng(统读)
跄 qiàng(统读)
悄(一)qiāo
～～儿的
(二)qiǎo
～默声儿的
橇 qiāo(统读)
翘(一)qiào(语)
～尾巴
(二)qiáo (文)
～首 ～楚 连～
怯 qiè(统读)
挈 qiè(统读)
趄 qie
趔～
侵 qīn(统读)
衾 qīn(统读)
噙 qín(统读)
倾 qīng(统读)
亲 qìng
～家
穹 qióng(统读)
黢 qū(统读)
曲 (麴)qū
大～ 红～ 神～
渠 qú(统读)
瞿 qú(统读)
蠼 qú(统读)
苣 qǔ
～荬菜
龋 qǔ(统读)
趣 qù(统读)
雀 què
～斑 ～盲症

R

髯 rán(统读)
攘 rǎng(统读)
桡 ráo(统读)
绕 rào(统读)
任 rén〔姓,地名〕
妊 rèn(统读)
扔 rēng(统读)
容 róng(统读)
糅 róu(统读)
茹 rú(统读)
孺 rú(统读)
蠕 rú(统读)
辱 rǔ(统读)
挼 ruó(统读)

S

靸 sǎ(统读)
噻 sāi(统读)
散 (一) sǎn
懒～ 零零～～
～漫
(二) san
零～
丧 sang
哭～着脸
扫 (一) sǎo
～兴
(二) sào
～帚
埽 sào(统读)
色 (一) sè(文)
(二) shǎi (语)
塞 (一) sè(文)动作义。
(二) sāi(语)名物义，如:“活～”、“瓶～”;动作义,如:“把洞～住”。
森 sēn(统读)
煞 (一) shā
～尾 收～
(二) shà
～白
啥 shá(统读)
厦 (一) shà(语)
(二) xià(文)
～门 噶～
杉 (一) shān(文)
紫～ 红～ 水～
(二) shā(语)
～篙 ～木
衫 shān(统读)
姗 shān(统读)
苫 (一) shàn(动作义,如“～布”)
(二) shān(名物义,如“草～子”)
墒 shāng(统读)
猞 she(统读)
舍 shè
宿～
慑 shè(统读)
摄 shè(统读)
射 shè(统读)
谁 shéi,又音 shuí
娠 shēn(统读)
什 (甚) shén
～么
蜃 shèn(统读)
葚 (一) shèn(文)
桑～
(二) rèn(语)
桑～儿
胜 shèng(统读)
识 shí

常～ ～货 ～字
似 shì
～的
室 shì(统读)
螫 (一) shì(文)
(二) zhē(语)
匙 shi
钥～
殊 shū(统读)
蔬 shū(统读)
疏 shū(统读)
叔 shū(统读)
淑 shū(统读)
菽 shū(统读)
熟 (一)shú(文)
(二)shóu(语)
署 shǔ(统读)
曙 shǔ(统读)
漱 shù(统读)
戍 shù(统读)
蟀 shuài(统读)
孀 shuāng(统读)
说 shuì
游～
数 shuò
～见不鲜
硕 shuò(统读)
蒴 shuò(统读)
艘 sōu(统读)
嗾 sǒu(统读)
速 sù(统读)
塑 sù(统读)
虽 suī(统读)
绥 suí(统读)
髓 suǐ(统读)
遂 (一) suì
不～ 毛～自荐
(二) suí
半身不～
隧 suì(统读)
隼 sǔn(统读)
莎 suō
～草
缩 (一) suō
收～
(二) sù
～砂密(一种植物)
嗍 suō(统读)
索 suǒ(统读)

T

趿 tā(统读)
鳎 tǎ(统读)
獭 tǎ(统读)
沓 (一) tà
重～
(二) ta
疲～
(三) dá
一～纸
苔 (一) tái(文)
(二) tāi(语)
探 tàn(统读)
涛 tāo(统读)
悌 tì(统读)
佻 tiāo(统读)
调 tiáo
～皮
帖 (一) tiē
妥～ 伏伏～～
俯首～耳
(二) tiě
请～ 字～儿
(三) tiè
字～ 碑～
听 tīng(统读)
庭 tíng(统读)
骰 tóu(统读)
凸 tū(统读)
突 tū(统读)
颓 tuí(统读)
蜕 tuì(统读)
臀 tún(统读)
唾 tuò(统读)

W

娲 wā(统读)
挖 wā(统读)
瓦 wà
～刀
㖞 wāi(统读)
蜿 wān(统读)
玩 wán(统读)
惋 wǎn(统读)
脘 wǎn(统读)
往 wǎng(统读)
忘 wàng(统读)
微 wēi(统读)
巍 wēi(统读)
薇 wēi(统读)
危 wēi(统读)
韦 wéi(统读)
违 wéi(统读)
唯 wéi(统读)
圩 (一) wéi
～子
(二) xū
～(墟)场
纬 wěi(统读)
委 wěi
～靡
伪 wěi(统读)
萎 wěi(统读)
尾 (一) wěi
～巴
(二) yǐ
马～儿
尉 wèi
～官
文 wén(统读)
闻 wén(统读)
紊 wěn(统读)
喔 wō(统读)
蜗 wō(统读)
硪 wò(统读)

诬 wū(统读)
梧 wú(统读)
牾 wǔ(统读)
乌 wù
　～拉(也作"靰鞡") ～拉草
杌 wù(统读)
鹜 wù(统读)

X

夕 xī(统读)
汐 xī(统读)
晰 xī(统读)
析 xī(统读)
皙 xī(统读)
昔 xī(统读)
溪 xī(统读)
悉 xī(统读)
熄 xī(统读)
蜥 xī(统读)
螅 xī(统读)
惜 xī(统读)
锡 xī(统读)
樨 xī(统读)
袭 xí(统读)
檄 xí(统读)
峡 xiá(统读)
暇 xiá(统读)
吓 xià
　杀鸡～猴
鲜 xiān
　屡见不～ 数见不～
锨 xiān(统读)
纤 xiān
　～维
涎 xián(统读)
弦 xián(统读)
陷 xiàn(统读)
霰 xiàn(统读)
向 xiàng(统读)
相 xiàng
　～机行事
淆 xiáo(统读)
哮 xiào(统读)
些 xiē(统读)
颉 xié
　～颃
携 xié(统读)
偕 xié(统读)
挟 xié(统读)
械 xiè(统读)
馨 xīn(统读)
囟 xìn(统读)
行 xíng
　操～ 德～ 发～ 品～
省 xǐng
　内～ 反～ ～亲 不～人事
芎 xiōng(统读)
朽 xiǔ(统读)
宿 xiù
　星～ 二十八～
煦 xù(统读)
蓿 xu
　苜～
癣 xuǎn(统读)
削 (一) xuē (文)
　剥～ ～减 瘦～
　(二) xiāo(语)
　切～ ～铅笔 ～球
穴 xué(统读)
学 xué(统读)
雪 xuě(统读)
血 (一) xuè(文)用于复音词及成语,如"贫～"、"心～"、"呕心沥～"、"～泪史"、"狗～喷头"等。
　(二) xiě(语)口语多单用,如"流了点儿～"及几个口语常用词,如:"鸡～"、"～晕"、"～块子"等。
谑 xuè(统读)
寻 xún(统读)
驯 xùn(统读)
逊 xùn(统读)
熏 xùn
　煤气～着了
徇 xùn(统读)
殉 xùn(统读)
蕈 xùn(统读)

Y

押 yā(统读)
崖 yá(统读)
哑 yǎ
　～然失笑
亚 yà(统读)
殷 yān
　～红
芫 yán
　～荽
筵 yán(统读)
沿 yán(统读)
焰 yàn(统读)
夭 yāo(统读)
肴 yáo(统读)
杳 yǎo(统读)
舀 yǎo(统读)
钥 (一) yào(语)
　～匙
　(二) yuè (文)
　锁～
曜 yào(统读)
耀 yào(统读)
椰 yē(统读)
噎 yē(统读)
叶 yè

～公好龙
曳 yè
弃甲～兵　摇～
～光弹
屹 yì(统读)
轶 yì(统读)
谊 yì(统读)
懿 yì(统读)
诣 yì(统读)
艾 yì
自怨自～
荫 yìn(统读)
(“树～”、“林～道”应作“树阴”、“林阴道”)
应 (一) yīng
～届　～名儿
～许　提出的条件他都～了　是我～下来的任务
(二) yìng
～承　～付　～声　～时　～验
～邀　～用　～运　～征　里～外合
萦 yíng(统读)
映 yìng(统读)
佣 yōng
～工
庸 yōng(统读)
臃 yōng(统读)

壅 yōng(统读)
拥 yōng(统读)
踊 yǒng(统读)
咏 yǒng(统读)
泳 yǒng(统读)
莠 yǒu(统读)
愚 yú(统读)
娱 yú(统读)
愉 yú(统读)
伛 yǔ(统读)
屿 yǔ(统读)
吁 yù
呼～
跃 yuè(统读)
晕 (一)yūn
～倒　头～
(二) yùn
月～　血～　～车
酝 yùn(统读)

Z

匝 zā(统读)
杂 zá(统读)
载 (一)zǎi
登～　记～
(二) zài
搭～　怨声～道
重～　装～　～歌～舞
簪 zān(统读)

咱 zán(统读)
暂 zàn(统读)
凿 záo(统读)
择 (一) zé
选～
(二) zhái
～不开　～菜
～席
贼 zéi(统读)
憎 zēng(统读)
甑 zèng(统读)
喳 zhā
唧唧～～
轧(除“～钢”、“～辊”念 zhá 外，其他都念 yà)
(gá 为方言，不审)
摘 zhāi(统读)
粘 zhān
～贴
涨 zhǎng
～落　高～
着 (一) zháo
～慌　～急　～家　～凉　～忙
～迷　～水　～雨
(二) zhuó
～落　～手　～眼　～意　～重
不～边际

(三) zhāo
失～
沼 zhǎo(统读)
召 zhào(统读)
遮 zhē(统读)
蛰 zhé(统读)
辙 zhé(统读)
贞 zhēn(统读)
侦 zhēn(统读)
帧 zhēn(统读)
胗 zhēn(统读)
枕 zhěn(统读)
诊 zhěn(统读)
振 zhèn(统读)
知 zhī(统读)
织 zhī(统读)
脂 zhī(统读)
植 zhí(统读)
殖 (一) zhí
繁～　生～
～民
(二) shi
骨～
指 zhǐ(统读)
掷 zhì(统读)
质 zhì(统读)
蛭 zhì(统读)
秩 zhì(统读)
栉 zhì(统读)
炙 zhì(统读)
中 zhōng
人～(人口上唇当

中处）

种 zhòng

点～（义同“点播”。动宾结构念 diǎnzhǒng，义为点播种子）

诌 zhōu（统读）

骤 zhòu（统读）

轴 zhòu

大～子戏　压～子

碡 zhou

碌～

烛 zhú（统读）

逐 zhú（统读）

属 zhǔ

～望

筑 zhù（统读）

著 zhù

土～

转 zhuǎn

运～

撞 zhuàng（统读）

幢（一）zhuàng

一～楼房

（二）chuáng

经～（佛教所设刻有经咒的石柱）

拙 zhuō（统读）

茁 zhuó（统读）

灼 zhuó（统读）

卓 zhuó（统读）

综 zōng

～合

纵 zòng（统读）

粽 zòng（统读）

镞 zú（统读）

组 zǔ（统读）

钻（一）zuān

～探　～孔

（二）zuàn

～床　～杆

～具

佐 zuǒ（统读）

唑 zuò（统读）

柞（一）zuò

～蚕　～绸

（二）zhà

～水（在陕西）

做 zuò（统读）

作（除“～坊”读 zuō 外，其余都读 zuò）

附录六

音标表

	方法 \ 部位			双唇	齿唇	齿间	舌尖前	舌尖后	舌叶（舌尖及面）	舌面前	舌面中	舌根（舌面后）	小舌	喉壁	喉
辅音	塞	清	不送气	p			t	ʈ		ȶ	c	k	q		ʔ
			送气	pʻ			tʻ	ʈʻ		ȶʻ	cʻ	kʻ	qʻ		ʔʻ
		浊	不送气	b			d	ɖ		ȡ	ɟ	g	ɢ		
			送气	bʻ			dʻ	ɖʻ		ȡʻ	ɟʻ	gʻ	ɢʻ		
	塞擦	清	不送气		pf	tθ	ts	tʂ	tʃ	tɕ					
			送气		pfʻ	tθʻ	tsʻ	tʂʻ	tʃʻ	tɕʻ					
		浊	不送气		bv	dð	dz	dʐ	dʒ	dʑ					
			送气		bvʻ	dðʻ	dzʻ	dʐʻ	dʒʻ	dʑʻ					
	鼻	浊		m	ɱ		n	ɳ		ȵ	ɲ	ŋ	ɴ		
	滚	浊					r						ʀ		
	闪	浊					ɾ	ɽ					ʀ		
	边	浊					l	ɭ			ʎ				
	边擦	清					ɬ								
		浊					ɮ								
	擦	清		ɸ	f	θ	s	ʂ	ʃ	ɕ	ç	x	χ	ħ	h
		浊		β	v	ð	z	ʐ	ʒ	ʑ	j	ɣ	ʁ	ʕ	ɦ
	无擦通音及半元音	浊		w ɥ	ʋ		ɹ	ɻ			j(ɥ)	ɰ(w)			

元音	圆唇元音	舌尖元音 前	舌尖元音 后	舌面元音 前	舌面元音 央	舌面元音 后
高	(ɥ ʮ y ʉ u)	ɿ ʮ	ʅ ʯ	i y	ɨ ʉ	ɯ u
半高	(ø o)			e ø		ɤ o
					ə	
半低	(œ ɔ)			ε œ		ʌ ɔ
				æ	ɐ	
低	(ɒ)				a	ɑ ɒ